KB187664

셜록홈즈

베스트 단편 걸작선

1

아서 코난 도일

1859년 스코틀랜드의 에든버러에서 태어나 에든버러대학에서 의학을 전공했다. 의대 졸업 후 서부 아프리카 해안을 항해하는 등 모험에 가득 찬 시간을 보냈다. 현실로 돌아온 그는 병원을 개업했지만 병원 경영보다는 소설을 쓰는 걸 더 즐겼다. 1886년 《주홍색 연구》를 시작으로 홈즈가 등장하는 시리즈를 발표하여 본격적인 추리소설을 쓰기 시작했다. 1900년, 영국과 트란스발 공화국이 벌인 보어전쟁에 자원의사로 근무했으며, 1902년에는 기사 작위를 받았다. 1900년과 1906년, 두 차례에 걸쳐 지방의회 선거에 후보로 나섰으나 낙선하였다. 이후 신문과 잡지 등에 꾸준히 연재물을 발표하며 소설가로서 인기를 누리다가 1930년에 사망하였다.

박재인

그녀는 프랑스 낭시 2대학에서 불어학 전공. 전문 번역가로 활동하고 있다. 번역서로는 《아무것도 않고 앉아 있기》 《수피교 현인들의 이야기》 《열린 마음》 《셜록홈즈 베스트 단편 걸작선 1·2》 《셜록홈즈 베스트 단편 22선》 《셜록홈즈 베스트 장편 걸작선》 《미스터리 살인사건》 등이 있다.

셜록홈즈 베스트 단편 걸작선 1

초판 1쇄 발행 | 2016년 8월 15일
2쇄 발행 | 2019년 1월 15일
2판 3쇄 발행 | 2022년 4월 30일
4쇄 발행 | 2024년 2월 15일

지은이 | 아서 코난 도일
옮긴이 | 박재인
펴낸이 | 김형호
펴낸곳 | 아름다운날
편집주간 | 조종순
본문삽화 | 김연규
표지디자인 | Design이즈
본문디자인 | 디자인표현

출판등록 | 1999년 11월 22일
주소 | (05220) 서울시 강동구 아리수로 72길 66-19
전화 | 02) 3142-8420
팩스 | 02) 3143-4154
이메일 | arumbooks@gmail.com

ISBN | 979-11-86809-99-0 03840

※ 잘못된 책은 구입하신 서점에서 교환하여 드립니다.

이 도서의 국립중앙도서관 출판예정도서목록(CIP)은 서지정보유통지원시스템 홈페이지(http://seoji.nl.go.kr)와 국가자료공동목록시스템(http://www.nl.go.kolisnet)에서 이용하실 수 있습니다.(CIP 제어번호: 2020055309)

셜록 홈즈

베스트 단편 걸작선 1

아서 코난 도일 지음 | 박재인 옮김

아름다운날

옮긴이의 말

'추리소설'이라고 하면 누구나 셜록 홈즈를 맨 먼저 떠올릴 것이다. 홈즈는 추리소설 역사상 최고의 탐정 자리를 굳건히 지키고 있기 때문이다.

하지만 엄밀히 말하면 그는 19세기 런던 최고의 명탐정일지는 모르지만 21세기로 데리고 온다면 조금 박식하고 이런저런 걸 면밀히 분석하는 꼼꼼한 아저씨에 불과할지도 모른다. 게다가 그는 경찰에 당장 체포당할 위험에 처한 코카인 중독자다.

역자가 이런 셜록 홈즈의 약점을 독자에게 미리 밝히는 것은 『뤼팽』의 작가 모리스 르블랑의 이야기 접근법을 써먹고 싶어서였다. 모리스 르블랑은 작품을 시작하기 전에 범인의 실체를 먼저 알려 준 뒤 범죄를 추리해 나가는 방식을 취하고 있다.

스코틀랜드 출신인 아서 코난 도일은 영국의 에든버러 대학을 졸업한 뒤 의사 자격증을 얻고 잠시 화물선 선의로 일한 후 개인 병원을 개업한다. 당시 그의 아버지는 병석에 누워 있었기 때문에 그가 가족의 생계를 책임져야 했다.

다행인지 불행인지 병원 경영은 원만하지 않았다. 글을 쓰고 싶었던 그는 역사나 괴기물에 관한 글을 틈틈이 써오던 중에 '셜록 홈즈'와 '왓슨'이 등장하는 최초의 작품 〈주홍색 연구〉를 1886년에 완성한다. 하지만 이 영국 작가의 소설에 최초로 관심을 보인 곳은 조국 영국이 아닌 미국이었다. 미국의 「리핀콧 매거진」의 한 편집자는 그의 소설을 흥미롭게 읽고는 그 속편까지 써달라고 청탁했는데, 그 속편 역시 큰 성공을 거두었다. 이후 조국인 런던의 「스트랜드 매거진」에 〈보헤미아 왕국의 스캔들〉을 시작으로 새로운 작품을 발표할 때마나 폭발적인 인기를 거두었다. 이후 1892년, 『셜록 홈즈의 모험』이 출간된 후 추리작가로서 아서 코난 도일의 입지는 확고하게 다져진다.

인기 정상에 오른 코난 도일은 추리소설을 쓰는 데 슬슬 싫증을 느끼고는 작가로서의 활동을 접으려고 했다. 그러자 몸이 달아오른 「스트랜드 매거진」의 편집장은 그에게 계속 글을 써줄 것을 애걸하다시피 했고, 어머니도 쏠쏠한 돈벌이를 마다하는 아들에게 글을 쓰도록 꼬드겼다.

그러던 중 코난 도일은 단편 〈마지막 사건〉에서 셜록 홈즈를 죽인다. 그러자 독자들은 셜록 홈즈를 다시 살려내라고 아우성을 쳤다. 이후 나이가 든 코난 도일은 자신에 대해 조금 너그러워져 〈빈집의 모험〉에서 셜록 홈즈를 다시 부활시키고, 왓슨과 조우하게 한다.

코난 도일는 총 56편의 단편과 4편의 장편을 집필하고는 1930년, 심장 발작이 악화되어 세상을 떠난다.

그의 작품은 사건의 외형은 물론이고 해결해 나가는 과정도 제각각 독특함을 자랑하고 있다. 셜록 홈즈는 단순히 범인이 누구인가를 밝혀내는 데 그치지 않고 범인과 팽팽한 두뇌 대결을 벌여 결국 승복하게 만드는데, 위기의 순간에도 절대 유머를 잃는 법이 없는 모습은 독자로 하여금 책에서 손을 놓지 못하게 만드는 위력을 지닌다. 이 작품들의 또 다른 묘미는 셜록 홈즈와 왓슨의 관계이다. 겉으로 보면 왓슨은 셜록 홈즈의 조수에 불과한 것 같지만 모든 것이 왓슨의 펜에 의해 정리되고 기록된다는 것을 감안하면 과연 누가 주인공인지 의문을 갖게 된다.

셜록 홈즈의 모델은 작가 아서 코난 도일의 에든버러 의과대학 시절 은사 조지프 벨 교수이다. 벨 교수는 환자의 상태를 상세히 관찰하여 직업 등을 추리하는 버릇이 있었는데, 이 추리력이 너무 정확해 주변 사람들의 감탄을 자아내게 했다. 조지프 벨 교수에게서 강렬한 영감을 얻은 코난 도일은 그를 자신의 작품 속으로 들여와 주인공으로 내세운다.

「스트랜드 매거진」의 셜록 홈즈 시리즈 삽화에 그려진 외모의 특징은 180센티미터 정도의 키에 깡마른 몸매, 날카로운 눈과 콧날이 우뚝 솟은 매부리코, 그리고 네모진 턱이 인상적이다.

그런 이유로 런던에서는 한때 키 큰 할머니가 지나가면 “어, 저기 홈즈 씨가 가는데? 오늘은 또 누굴 잡으러 가시나?” 하고 웃으며 농담을 주고받았다고 한다.

마지막으로 코난 도일과 모리스 르블랑의 재미있는 일화가 묻어 두기엔 너무 아까워 밝힌다. 기지 넘치는 르블랑은 여러 가지 방법으로 라이벌 코난 도일의 속을 부글부글 끓게 했다. 그중 하나가 뤼팽이 셜록 홈즈를 자신의 작품에 끌어들여 아주 비열한 방법으로 자신의 연인을 사살한 사건이다. 코난 도일은 그로 인해 자신의 이미지가 실추되자 정식으로 르블랑에게 항의했다. 그러자 르블랑은 '홈즈'의 철자를 살짝 바꾸어 '숌스'로 표기하여 정면 대결을 피했다.

우리의 수많은 선조와 우리가 그러했듯이 우리의 후손들도 홈즈의 추리소설에 코를 박고 짜릿한 스릴을 맛보는 시간을 보낼 것이 틀림없다. 우리 인류에게서 권태로움을 날려준 홈즈는 확실히 위대한 이야기꾼이다.

차례

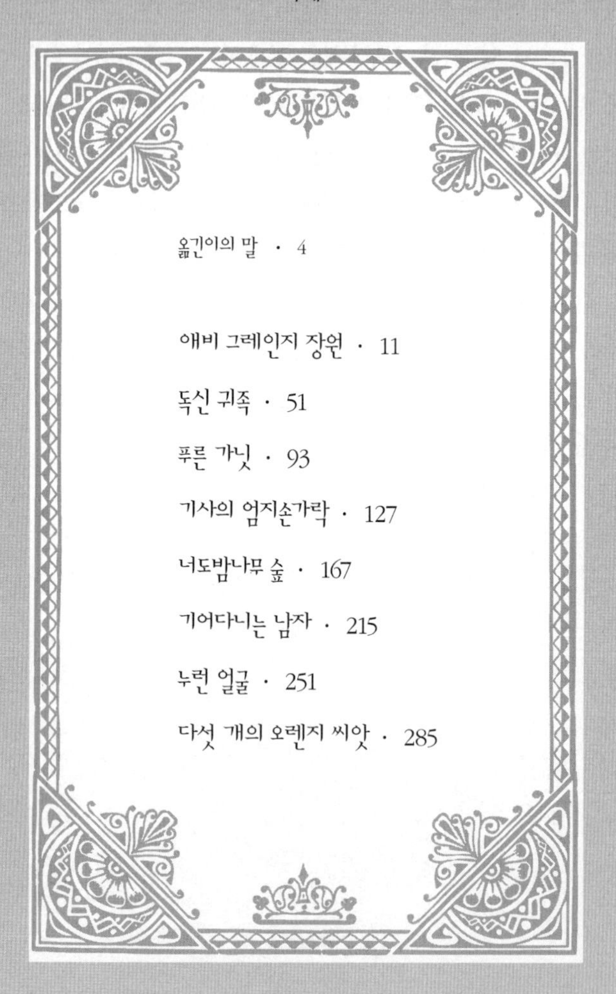

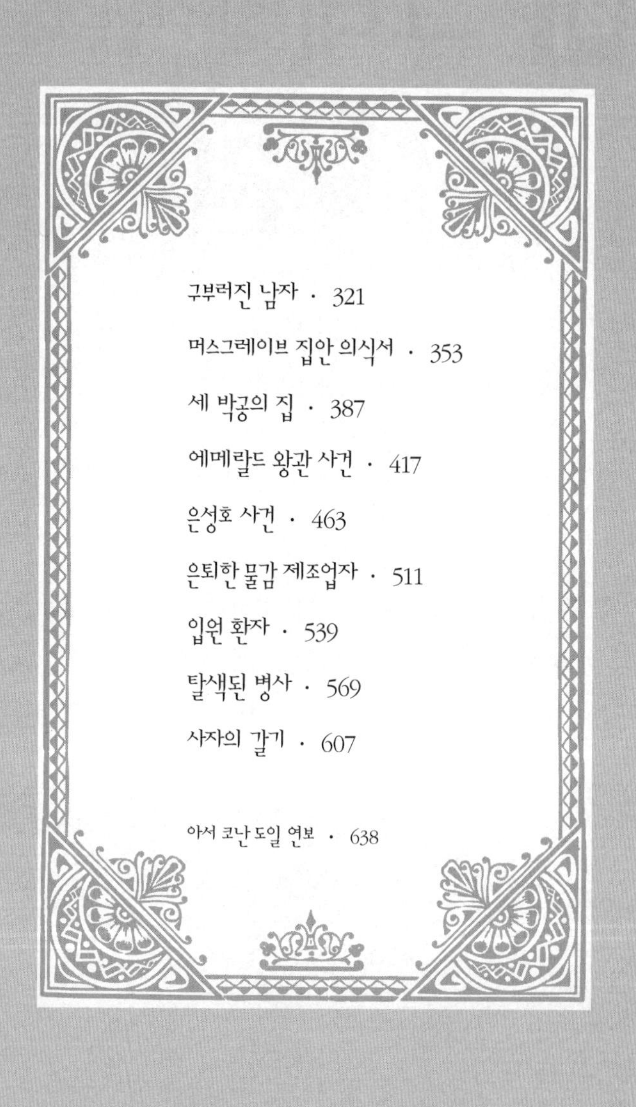

애비 그레인지

장원

누군가가 계속 어깨를 흔들어서 잠이 깼는데, 보니까 셜록 홈즈였다. 때는 1897년 겨울의 어느 날이었고, 서리가 내려 엄청 추운 아침 시간이었다. 홈즈는 촛불을 들고 있었는데, 불빛에 비친 그의 얼굴 표정이 굉장히 긴장되어 있는 걸로 봐서 무슨 사고가 난 게 틀림없었다.

"왓슨, 일어나게, 일어나! 재미있는 일이 생겼어. 얼른 옷 입고 따라오게나. 설명은 가면서 해주겠네."

10분 뒤 우리는 체링 크로스 역을 향해 조용한 길거리를 영업용 마차로 달리고 있었다.

이제 겨우 아침이 밝아 오고 있는 어슴푸레한 시간이라 짙은 안개 속에서 출근하는 새벽 노동자들의 모습이 드문드문 보였다. 홈즈는 두꺼운 코트를 여미며 어깨를 움츠리고 묵묵히 앉아 있었다. 날씨가 살을 에는 듯 춥고 아침도 안 먹은 터라 나도 그렇게 움츠리고 있기는 마찬가지였다. 역에 도착한 우리는 뜨거운 차를 마시고 켄트행 열차에 올랐는데, 그제야 간신히 몸이 좀 풀리는 것 같았다. 홈즈도 이야기할 기분이 들었는지 입을 열었고, 나는 묵묵히 귀를 기울였다. 그는 주머니에서 편지를 한 통 꺼내더니 읽기 시작했다.

“〈켄트 주, 마더햄 애비 그레인지 장원에서 새벽 3시 반.

셜록 홈즈 선생님, 심상치 않은 사건이 발생했으니 꼭 오셔서 도와주시기 바라며, 이 사건은 분명히 마음에 드실 거라고 생각합니다. 부인은 석방시켰지만 현장은 그대로 보존해 두겠습니다. 하지만 유드테스 경까지 이대로 내버려 둘 수는 없으니까 한시라도 빨리 와 주시면 좋겠습니다.

스탠리 홉킨즈〉

홉킨즈가 나한테 도움을 부탁하는 건 이번이 일곱 번째인데, 어떤 경우든 나한테 부탁할 때는 다 그만한 이유가 있었다네. 아마 그 사건들은 전부 다 자네의 기록 노트에 들어가 있을 거네. 나는 자네가 이야기를 서술하는 방식이 대체로 마음에 들지는 않지만, 그나마 그걸 보완하는 점이 있다고 보네. 그건 자네가 선택할 줄 아는 눈이 있기 때문이지. 하지만 자네의 가장 나쁜 습관은, 사물을 보는 데 있어 과학적 사고를 적용하지 않고 이야기책 쓰듯이 그런 습관으로 쓴다는 것이네. 그렇기 때문에 유익하고 고전적인 실제 교훈이 될 만한 곳들을 전부 다 완전히 망쳐 놓고 있는 거라네. 그저 흥미롭고 자극적인 지엽 문제에만 얽매여서 정작 중요한 점은 흐릿하게 만들어 버리지. 그렇게 하면 독자를 유혹만 할 뿐 도저히 교훈은 되지 못하네.”

“그러면 왜 본인이 직접 쓰지 않나?”

나는 짜증이 나서 쏘아붙였다.

“쓸 거야. 반드시 쓰겠네. 지금은 알다시피 너무 바쁘니까, 나중에 은퇴한 다음에 탐정학 전반에 걸쳐 한 권으로 쓰는 데 남은 생애를 바치려고 하네. 그런데 오늘의 사건 말인데, 역시 살인 사건인 것 같아."

"그러니까 이 유드테스 경이라는 사람이 살해되었다는 건가?"

"일테면 그런 거지. 홉킨즈의 편지를 보니까 이 친구 꽤 흥분한 것 같은데, 원래 웬만한 일에는 꿈쩍도 안 하는 사람이거든. 그러니까 이건 폭력적인 문제인 것 같고, 우리한테 보여주기 위해 시체를 그대로 놓아두겠다는 거야. 단순한 자살 같은 거라면 나한테 도움을 청하지 않았을 거네. 부인을 석방시켰다는 얘기는 아마도 사고 순간 방에 갇혀 있었기 때문일 거야. 이 사람들은 뭔가 신분이 있는 가문인 것 같구먼. 이 두꺼운 편지지를 보게나. F B 라는 글씨 도안이라든지, 훌륭한 가문을 연상시키는 이 문장, 그리고 애비 그레인지 장원이라는 주소, 이 모든 것이 뭔가 아름다운 풍경을 상상하게 하지 않나? 홉킨즈도 자신의 명성에 부끄럽지 않을 활동을 할 거고, 아무튼 오늘 아침엔 일이 재미있게 돌아갈 모양이네. 살해된 시간은 어젯밤 열두 시 전이야."

"그건 어떻게 알았나?"

"기차 시간표를 확인하고 시간을 계산해 보면 알게 되네. 먼저 신고를 받은 지역 경찰이 출동을 했을 거고, 거기서 런던 경시청에 보고를 해서 홉킨즈가 파견됐을 거고, 그리고 그가 나한테 도움을 요청해왔을 거네. 그렇다면 이런 순서를 따져 보면 그것만 해도 하룻밤은 충분히 걸렸을 거야. 아, 여기가 치즐허스트 역이군. 이제 곧 모든 게 밝혀질 걸세."

좁은 시골길을 2마일쯤 마차로 더 가서 우리는 커다란 장원의 문 앞에 도착했다. 문을 열어준 문지기의 심란한 표정에서도 그 집에 뭔가 큰 재난이 있었다는 걸 느낄 수 있었다. 엄청나게 넓은 정원 안에 느릅나무 가로수가 양쪽에 늘어선 길이 나 있고, 그 길을 죽 따라갔더니 팔라디오 풍의 돌기둥이 정면에 세워져 있는 대저택이 보였다. 건물의 가운데 부분은 굉장히 오래돼 보이고 담쟁이 덩굴로 뒤덮여 있었는데, 큰 창문 쪽을 보면 현대식으로 손질한 것 같기도 했다. 그리고 건물의 일부는 훨씬 나중에 덧붙여 지은 것이 분명했다.

젊고 활발해 보이는 스탠리 홉킨즈 경감이 의욕적인 표정으로 현관에서 우리를 맞이했다.

"홈즈 선생님, 잘 오셨습니다. 왓슨 박사님도요. 이렇게 먼 길을 오셨는데, 제가 두 번째 편지를 보낼 시간 여유가 있었으면 이렇게 일부러 오실 것까지도 없었습니다. 왜냐하면 부인이 의식을 회복해서 모든 상황을 다 설명했는데, 너무나 명백하고 어디에도 문제가 없다는 게 밝혀졌기 때문이죠. 그런데 홈즈 선생님, 루이스햄의 강도 사건을 기억하고 계십니까?"

"랜돌 삼인조 말인가요?"

"그렇습니다. 아버지와 두 아들이죠. 이건 그자들이 한 짓입니다. 틀림없습니다. 이 주일 전에 시드넘에서도 한탕을 했는데, 그때 바로 인상착의가 목격되었지만 이렇게 가까운 곳에서 곧이어 또 저지를 줄이야, 아주 대담한 놈들입니다. 어쨌든 그놈들의 짓이 분명합니다. 이번에 붙잡히면 사형이죠."

"그럼, 유드테스 경은 살해됐겠네요?"

"그렇습니다. 난로용 쇠막대기로 머리를 맞았습니다."

"하녀한테 물었더니, 이름이 유드테스 브랙쿤스톨 경이라고 하던데……."

"맞습니다. 켄트 주에서 손꼽히는 부자죠. 부인은 지금 거실에 있는데, 엄청나게 큰 충격을 받은 상태입니다. 제가 처음에 봤을 때는 거의 정신이 나가 있었는데, 아무튼 자세한 건 직접 물어보시는 게 좋을 겁니다. 그런 다음에 제가 식당으로 안내해 드리겠습니다."

브랙쿤스톨 부인은 그리 평범한 여성은 아니었다. 그렇게 우아하고 아름다운 얼굴을 사람을 나는 거의 본 적이 없었다. 하얀 피부에 금발이고 눈은 파란색인데, 간밤의 무서운 일 때문에 얼굴이 초췌해지지만 않았다면 그야말로 완전한 아름다움이라고 할 수 있었다. 그녀의 피해는 정신적인 것만이 아니었다. 한쪽 눈 위가 검붉은 색으로 부어 있어서 하녀가 식초를 물에 타 그걸로 열심히 마사지를 해주고 있었다. 부인은 소파에 누워 축 처져 있었는데, 우리가 거실로 들어가자 흘긋 쳐다보더니 다시 아름다운 얼굴의 표정을 가다듬었다. 어젯밤에 무서운 일을 겪었는데도 기력은 조금도 약해지지 않은 것 같았다. 그녀는 푸른색과 은빛이 섞인 가운을 입고 있었으며, 검은색 스팽글이 달려 있는 야회복은 소파 위에 걸쳐져 있었다.

"홉킨즈 씨, 제가 알고 있는 건 전부 다 말씀드렸어요."

부인은 귀찮다는 듯이 말했다.

"당신이 저를 대신해 말씀해 주시지 않겠어요? 정 제가 얘기를 해야 한다면 그렇게 하죠. 그런데 이분들은 식당에 가 보셨나요?"

"아니요. 부인의 얘기를 먼저 듣는 게 좋을 것 같아서요."

"빨리 좀 치워 주시면 좋겠어요. 아직 식당에 쓰러진 채로 있는 걸 생각하면 무서워서요……."

부인은 몸서리를 치면서 두 손으로 얼굴을 가렸는데, 그때 가운의 헐렁한 소매가 아래로 미끄러지면서 그녀의 팔목이 드러났다. 홈즈는 그걸 보더니 깜짝 놀라며 말했다.

"아니, 다른 데도 부상을 입으셨네요, 어떻게 된 겁니까?"

하얗고 통통한 팔에 벌겋게 얼룩진 곳이 두 군데 보였다. 그녀는 얼른 그걸 감추며 말했다.

"아무것도 아니에요. 이건 어젯밤 일과는 아무 관계도 없어요. 자, 앉으세요. 자세히 말씀드리겠어요.

저는 유드테스 브랙쿤스톨 경의 아내입니다. 결혼한 지는 일 년 정도 됩니다. 이 결혼이 우리한테 행복한 것이 아니었던 건 숨겨 봐야 소용없겠죠. 우리를 아는 모든 사람들이 그렇게 말할 것이기 때문에 저 혼자 부인한다고 해도 아무도 안 믿을 거라는 얘깁니다.

죄는 저한테 있을지도 모릅니다. 저는 오스트레일리아에서 태어나 자랐는데, 그곳은 전통 같은 걸 별로 중요시하지 않는 자유로운 분위기죠. 너무 격식이 까다롭고 딱딱한 영국식 습관은 저한테 맞지가 않습니다. 하지만 가장 큰 이유는 다른 데에 있었어요. 그건 남편의 술버릇이었죠. 항상 만취할 때까지 마시는 상습적인 술버릇을 주변에 모르는 사람이 없습니다. 이런 남자하고는 한 시간만 같이 있어도 힘듭니다. 활발하고 건강한 여성이 밤낮으로 그런 남자한테 매여 산다는 게 어떤 것일지 상상해 보셨나요? 이런 결혼생활에도 구속력을 인정해야 한다면 그건 모독이고 죄악입니다. 이렇게 나쁜 법률이 허용되고 있는 나라는 벌을 받아야 합니다. 하느님이 이렇게 사악한 일을 언제까지나 용서해 주시지는 않을 거예요."

그녀는 얼굴이 벌게지면서 윗몸을 일으켰다. 이마의 부어오른 상처 아래에서 두 눈이 불길처럼 타고 있었다. 얌전해 보이는 하녀가 아주 조심스럽게 부인의 머리에 쿠션을 대 주었다. 부인은 격노하다가 천천히 흐느끼기 시작했다. 그렇게 얼마간 있다가 그녀는 다시 말을 이어갔다.

"어젯밤에 일어난 사건에 대해 말씀드리죠. 우리 집에서 일하는 사람들은 전부 다 신관 건물에 거주하고 있습니다. 본관은 우리 부부가 쓰는 공간인데, 이 뒤에 주방이 있고, 이층이 침실입니다. 제 시중을 드는 하녀 타리자만 여기 본관 삼층에 거주하고 있고, 다른 사람은 아무도 없습니다. 그래서 이 건물에서 소리가 날 때 신관 쪽까지는 잘 들리지가 않습니다. 도둑은 아마도 여기 상황을 잘 알고 있는 사람인 것 같아요.

남편은 열 시 반쯤에 잠을 자러 갔고, 고용인들도 전부 다 신관 쪽으로 갔는데, 타리자만 아직 잠을 안 자고 있었어요. 제가 또 부를지 모르기 때문에 삼층 방에서 기다리고 있었던 거죠. 저는 여기서 열한 시가 넘도록 책을 읽고 있다가 그만 자려고 집 안을 한번 둘러봤습니다. 아까도 말씀드린 것처럼 남편은 늘 술에 절어 살기 때문에 문단속 같은 건 항상 제가 하는 습관이 돼 있었어요.

맨 처음에 주방을 살펴봤고, 그리고 식기 창고, 총기 창고, 당구대, 객실, 식당들을 순서대로 둘러봤습니다. 그리고 식당의 창문 쪽으로 갔는데, 두꺼운 커튼이 쳐져 있는데도 불구하고 바람이 확 하고 들이닥치더군요. 그래서 창문이 열려 있구나 싶어 커튼을 옆으로 젖히고 봤더니, 웬 남자가 서 있는 거예요. 어깨가 떡 벌어지고 몸집도 좋으면서 꽤 나이 든 남자였는데, 그 남자와 정면으로 눈이 마주친 겁니다. 창문은 거기 하나뿐이고 정원의 잔디밭으로 바로 나갈 수 있는 프랑스 식 창문인데, 아무튼 거기서 바람이 들어왔던 거예요. 저는 촛대를 들고 있었는데, 그 남자 뒤쪽에 또 다른 남자가 두 명이나 식당으로 막 들어오려고 하고 있더군요.

저는 얼른 뒷걸음을 쳤는데, 그 남자가 잽싸게 저한테 덤벼들어서 손목을 잡고는 곧바로 목을 조르기 시작했어요. 소리를 지르려고 했지만 놈이 제 눈 위를 주먹으로 치는 바람에 기절을 하고 말았죠. 정신이 돌아와서 보니까, 제가 식당 의자에 앉혀진 채 묶여 있더군요. 그리고 수건으로 입이 틀어 막혀 있었고요. 그러니 아무 소리도 낼 수가 없었던 거죠. 그때 남편이 들어왔습니다.

남편은 이상한 소리가 나서 잠을 깼던 것 같아요. 그래서 대충 옷을 입고 내려왔던 겁니다. 바지에 와이셔츠 바람으로, 평소 애용하는 검정색 나무 몽둥이를 들고 있었습니다. 그리고는 도둑 한 명이 보이자 벼락같이 몽둥이를 휘둘렀어요. 그때 또 한 사람, 그 나이 든 남자가 급히 난로 옆에 있던 쇠막대기를 집어들어 남편을 향해 내리쳤습니다. 남편은 소리도 못 지르고 그 자리에 쓰러져 그대로 꿈쩍을 안 하더군요. 저는 그걸 보고는 또 정신을 잃고 말았죠. 다시 깼을 때 보니까 도둑들이 찬장에서 은제 그릇들을 몽땅 꺼내 놓고는 포도주를 한 병 따서 마시고 있었어요. 병이 테이블 위에 놓여 있고, 세 명 모두 글라스를 들고 있더군요.

아까도 말씀드렸지만, 세 사람 중 한 사람은 나이가 많이 들고 턱수염도 기르고 있었는데, 나머지 두 사람은 아직 어린 소년들이었어요. 나이 든 사람이 젊은 두 사람의 아버지였는지도 모릅니다. 아무튼 세 사람은 뭔가 한참 수군대더니 저를 묶은 끈이 단단한지를 확인하고는 뒷문을 닫고 프랑스 식 창문을 통해 도망쳤습니다.

저는 그 후로 십오 분 정도 몸을 풀어 보려고 여러 가지 방법으로 애를 쓰다가 입에 물려 있던 수건을 간신히 뺄 수가 있어서 그제야 소리를 질렀더니 하녀가 달려왔습니다. 그리고 신관에 있던 고용인들이 모여들어서 곧 경찰에 알리게 됐던 겁니다. 런던 경시청에는 이곳 경찰에서 연락을 했던 모양이죠? 제가 알고 있는 건 이게 전부입니다. 이런 무서운 이야기는 이제 두 번 다시 하고 싶지 않습니다."
"홈즈 선생님, 뭐 질문하실 것 있습니까?"

홉킨즈가 물었다.

"저는 우선 부인의 휴식을 방해하고 싶지가 않습니다. 그리고 괴롭힐 생각도 전혀 없습니다. 다만 한 가지만 듣고 싶은데요."

홈즈는 그렇게 말하며 하녀를 쳐다보았다.

"당신이 얘기를 좀 해주시면 좋겠습니다."

"저는 내려오기 전에 그 사람들을 봤습니다. 침대 옆 창가에 앉아있었는데, 현관문 근처에 남자 세 명이 있는 게 달빛 아래서 보였거든요. 그때는 별로 신경을 안 썼어요. 그러다가 한 시간쯤 지났을 때, 마님이 소리치는 게 들렸어요. 급히 뛰어 내려가 봤더니, 마님은 의자에 묶여 계시고, 나리께서는 피투성이가 된 채 쓰러져 계셨어요. 마님은 묶여 있는데다 나리의 피가 튀어서 입고 계신 옷이 피투성이가 됐는데도 참 꿋꿋하고 침착하게 계시더군요. 그 무서운 상황에서도 말이죠. 과연 애들레이드 시의 메리 플레이저 아가씨로서 애비 그레인지 장원의 브랙큰스톨 부인답다는 생각이 들었어요. 마님은 정말로 씩씩하고 훌륭하게 대처하셨습니다. 이게 제가 본 전부입니다. 마님의 이야기는 이걸로 충분하겠죠? 그럼, 마님이 이제 쉬셔야 해서요. 제가 방으로 모셔가겠습니다."

하녀는 마치 어머니처럼 다정하게 부인의 어깨를 감싸며 조용히 나갔다.

"저 하녀는 부인이 어렸을 때부터 함께 있었다고 합니다."

홉킨즈가 설명했다.

"아주 애기 때부터요. 그러다가 부인이 일 년 반 전에 오스트레일리아에서 영국으로 올 때 따라왔다는군요. 이름은 타리자 라이트라고 하는데, 요즘엔 아주 보기 드문 하녀죠. 자, 그럼 이쪽으로 오세요. 식당으로 안내해 드리겠습니다."

그런데 그렇게나 풍부한 홈즈의 표정이 영 흥미를 잃은 듯 심드렁해 보였다. 이 사건은 수수께끼랄 것도 없이 완전히 평범한 사건이 된 것 같았기 때문이다. 물론 범인을 체포해야 하는 문제는 아직 남아 있지만, 홈즈까지 거들기에는 너무나 보통의 도둑들이 아닌가 싶었다. 대단한 전문지식이 있는 의사가 특별한 요청을 받고 갔는데 환자는 그저 단순한 홍역이었다고 한다면 그 의사의 기분은 얼마나 황당할까. 그와 똑같은 심정을 나는 홈즈의 눈빛에서 읽을 수가 있었다. 하지만 애비 그레인지 장원의 식당 내부 광경은 막 사라져 가려던 홈즈의 관심을 다시 붙들어 매기에 충분한 불가사의를 갖추고 있었다.

식당은 천장이 높고 큰 방이었다. 벽과 천장은 떡갈나무로 돼 있고, 벽에는 사슴뿔과 옛날 무기가 장식돼 있으며, 입구 정면으로 문제의 그 프랑스 식 창문이 나 있었다. 그리고 오른쪽에는 작은 창문이 나란히 세 개 나 있어서 겨울의 약한 햇빛이 겨우 조금 들어오고 있었다. 왼쪽에는 크고 깊은 벽난로가 있고, 떡갈나무로 된 묵직한 맨틀피스가 설치돼 있었다. 벽난로 옆에는 팔걸이와 가로막대가 세워져 있는 큰 떡갈나무 의자가 있었다. 빨간색 끈이 그 의자에 얽히고 늘어진 모양새로 그대로 남아 있어서, 어젯밤에 부인이 묶여 있었다는 걸 말해 주고 있었다. 사실 이런 자질구레한 것들은 나중에 관찰한 것이고, 우리가 식당에 들어선 순간 눈길이 쏠린 것은 벽난로 앞에 깔려진 호랑이 가죽 위에 길게 쭉 뻗어 있는 시체였다.

40세쯤 돼 보이고 키가 크며 잘생긴 남자의 시체였다. 천장을 향해 누워 있었는데, 짧게 손질된 수염 사이로 허연 잇몸이 드러나 있었다. 두 주먹을 움켜쥔 채 머리 위로 올리고 있었으며, 그 옆에는 검은색 몽둥이가 나뒹굴고 있었다. 독수리를 연상시키는 검붉고 아름다운 얼굴을 잔뜩 찌푸리고 있어서 무시무시해 보였다. 그는 자고 있다가 무슨 소리를 듣고 깼는지, 와이셔츠 속에 화려한 잠옷을 입고 있었으며, 발은 아무것도 신지 않은 채였다. 그의 머리는 심하게 깨져 있었다. 타격이 얼마나 강했는지 온 방 안에 남아 있는 흔적을 보면 알 수 있었다. 타격에 쓰인 난로용 쇠막대기가 엿가락처럼 휘어져 옆에 떨어져 있었다. 홈즈는 그 흉기와 깨진 머리를 살펴보고 나서 말했다.

"랜돌 영감이 엄청 힘이 세구먼."

"그렇습니다. 저한테도 기록이 있는데, 아주 거친 놈입니다."

홉킨즈가 말했다.

"그런 녀석이라면 체포에 문제는 없겠네요."

"그럼요. 오래전부터 경계 대상이었는데 미국으로 건너간 듯해서 사실 좀 벽에 부딪히고 있었거든요. 그런데 여기 있다는 게 밝혀졌으니까 절대로 놓치는 일은 없을 겁니다. 항구마다 벌써 수배 전단이 뿌려져 있고, 밤에는 현상금에 대한 발표도 할 것 같습니다. 그런데 부인한테 인상착의가 목격됐으면 경찰에 금방 발각되고 쫓긴다는 걸 잘 알 텐데, 왜 이런 짓을 했을까요?"

"하긴 그렇군. 부인까지 살해해 버렸을 텐데 말이야."

홈즈가 말했다.

"부인이 의식을 회복하고 있는 걸 눈치채지 못했을지도 모르잖나."

나도 내 생각을 말했다.

"그랬을까? 아니면 부인이 죽은 줄 알았기 때문에 새삼스레 죽일 필요가 없었는지도 모르지. 그건 그렇고, 이 살해된 남자는 어떻게 보입니까, 홉킨즈 씨? 뭔가 이상한 얘기들도 듣지 않았나요?"

"네, 그렇습니다. 보통 때는 좋은 사람인데, 술만 마셨다 하면 아주 손을 쓸 수가 없는 그런 성격 같습니다. 그렇다고 매번 만취하는 것도 아니지만, 아무튼 술이 들어가면 흥분하고 날뛰고 그러는 거죠. 그럴 때는 마치 악마가 되다시피 해서 못하는 짓이 없는 모양입니다. 부자에다 신분도 있는 사람인데, 철창 신세를 질 뻔한 일도 몇 번이나 있었다고 하더군요. 한번은 개에게 석유를 뿌리고 불을 지른 적도 있었다고 합니다. 그게 하필 부인의 개였기 때문에 난리가 났지만, 아마도 비밀리에 적당히 마무리를 지었나 봅니다. 그리고 하녀 타리자에게 술병을 던진 사건도 있었는데, 그건 수습하는 데 꽤 어려움이 있었다고 하더군요. 어쨌든 우리끼리 얘기지만, 이 집안엔 이 남자가 없는 게 차라리 훨씬 나은 것 같습니다. 아니, 뭘 조사하고 있는 겁니까?"

홈즈는 의자 옆에 앉아서 부인이 묶여 있었던 빨간 끈의 매듭을 세심히 들여다보고 있었다. 그 끈은 벨에 연결되어 있는 것을 도둑이 급하게 잡아 뜯어 사용한 것인데, 홈즈는 끈이 끊어진 부분을 열심히 조사했던 것이다. 벨은 물론 전기 식이 아니고 끈을 당겨 울리는 식이었다.

"그런데 이걸 세게 잡아 뜯었을 때는 분명히 주방에서 벨 소리가 크게 났을 텐데요."

"아무도 듣지 못했습니다. 주방이 뒤쪽에 있기 때문이죠."

"그쪽에 아무도 없다는 것을 도둑들이 어떻게 알고 있었을까? 또 어떻게 벨 끈을 잡아 뜯는 그런 무모한 짓을 했을까?"

"바로 그겁니다, 홈즈 선생님. 저도 그 점을 몇 번이나 생각해 봤습니다. 그러니까 범인은 집 내부 사정을 잘 알고 있는 녀석이 틀림없습니다. 이를테면 이 집의 일상적인 습관 같은 것 말이죠. 고용인들이 이 본관 건물에 살지 않고 별관에 살기 때문에 잠을 자러 가고 나면 주방에서 아무리 벨이 울려도 아무도 못 듣는다는 겁니다. 그런 것들을 완전히 파악하고 있는 것 같은데, 그렇다면 고용인 가운데 내통하는 사람이 있다는 얘기거든요. 그런데 고용인들이 모두 여덟 명인데, 전부 다 아주 성격들이 좋더군요."

홉킨즈가 말했다.

"그럼 주인 남자한테 술병으로 맞은 하녀가 가장 의심을 받을 만하겠네요. 하지만 그럴 경우, 헌신을 다해 모시고 있는 부인을 배신하는 행위가 되는 거죠. 그러나 뭐, 그런 것은 지금 큰 문제가 아니고, 랜돌을 잡으면 공범이 누군지 밝혀지겠죠. 부인이 말한 것 중에 만약 확인이 필요하면 여기 남아 있는 물건들 가지고 얼마든지 알아볼 수는 있을 것 같아요."

그렇게 말하며 홈즈는 프랑스 식 창문으로 가서 문을 활짝 열었다.

"여기는 아무 흔적도 없군. 땅바닥이 이렇게 딱딱하게 굳어 있으니까 흔적이 남을 수가 없지. 맨틀피스 위의 저 양초는 켜져 있었겠죠?"

"도둑들이 그 촛불하고 부인이 들고 있던 촛불을 이용해 도망쳤던 것 같습니다."

"훔쳐 간 물건은 뭐가 있죠?"

"그건 별로 대단한 게 없습니다. 찬장에서 꺼낸 은그릇 대여섯 개가 전부이니까요. 부인의 말로는, 처음엔 집 안을 샅샅이 뒤져서 가져가려 했겠지만 유드테스 경을 살해했기 때문에 그냥 급히 달아난 것 같다고 하더군요."

"물론 당황했겠죠. 그런데 식탁에 앉아서 포도주를 마셨다고 했는데, 왜 그랬을까요?"

"한잔 마시면서 마음을 가라앉히려고 그랬겠죠."

"아, 그렇군요. 여기 세 개의 글라스엔 아무도 손 안 댔겠죠?"

"그렇습니다. 병도 그대로 뒀습니다."

"잠깐, 아니, 이게 뭐지?"

글라스 세 개가 한 군데로 모아져 있고 전부 다 술 자국이 묻어 있었는데, 그중 한 개에 포도주가 조금 남아 있었다. 병에도 술이 3분의 2쯤 남아 있고, 코르크 마개는 옆에서 뒹굴고 있었다. 술병이 먼지를 잔뜩 뒤집어쓰고 있는 것으로 봐서, 밤에 몰래 들어온 도둑들이 그걸 마셨을 법하지는 않았다.

홈즈의 눈빛이 달라졌다. 지금까지 심드렁해 보이던 태도는 일거에 사라지고, 깊고 날카로운 눈초리가 생생하게 다시 돌아와 있었다. 그는 코르크를 집어 들더니 세밀하게 관찰하고 나서 말했다.

"이걸 어떻게 뽑았을까?"

홉킨즈는 아무 대꾸도 안하고 반쯤 열려 있는 서랍을 가리켰다. 안에 테이블보와 커다란 코르크 따개가 들어 있었다.

"이 코르크 따개를 사용했다고 부인이 말했나요?"

"아니요. 코르크를 뽑을 때는 부인이 아직 깨어나기 전이라……."

"아, 그랬었군요. 그런데 도둑들은 이 코르크 따개를 사용하지 않았어요. 이 코르크는 주머니칼 속에 들어 있는 그 병 따는 것 있죠, 나이프와 같이 붙어 있는 그 일 인치 반 정도의 짧은 병따개, 그걸로 뽑은 거예요. 잘 보세요. 세 번이나 위치를 바꿔서 비틀어 뽑았거든요. 범인을 잡으면 한번 조사해 보세요. 분명히 그 여러 가지 기구가 달린 나이프를 가지고 있을 겁니다."

"아, 놀랍네요."

"그나저나 도무지 알 수 없는 건 이 글라스일세. 부인이 분명, 세 사람이 포도주를 마시고 있는 걸 봤다고 했죠?"

"네, 봤다고 분명히 말했습니다."

"그렇다면 맞겠죠. 나로서는 아무 할 말은 없어요. 그런데 말이죠. 이 글라스들을 아주 주의해야 됩니다. 뭐라고요! 아무것도 이상한 데가 없다고요? 그러면 곤란한데. 뭐, 할 수 없죠. 나처럼 특별한 지식을 갖고 있으면 아무렇지도 않게 설명할 수 있지만, 경감은 일을 너무 어렵게 생각하고 있군요. 이 글라스 문제만 해도 그냥 우연에 지나지 않을지도 몰라요. 그럼, 홉킨즈 경감, 나는 먼저 가겠습니다. 내가 있어 봐야 별로 도움이 될 것 같지도 않고, 게다가 경감은 나름대로 벌써 해결 방법을 찾았을 테니까요. 랜돌을 붙잡거나 다른 진전 사항이 생기면 연락 좀 바라겠습니다. 어쨌든 이 사건도 머지않아 잘 해결될 것으로 믿고 있어요. 자, 왓슨, 돌아가세. 그러는 게 시간도 유용하게 쓸 수 있을 것 같네."

돌아오는 기차 안에서 홈즈는 뭔가를 계속 골똘히 생각하고 있었다. 그는 스스로에게 힘을 불어넣듯이 머리를 흔들며 문제를 해결한 듯한 얼굴이 됐다가도, 다시금 의문이 꼬리를 물고 떠오르는지 눈썹을 찌푸렸다가 공허한 표정이 되곤 했다. 그렇게 한참을 되풀이하며 그의 생각은 줄곧 애비 그레인지 장원의 식당과 어젯밤에 벌어진 그 참극의 현장으로 날아가는 것 같았다. 그러는 가운데 기차가 시골의 작은 역에서 멈췄다가 다시 천천히 움직이기 시작했다. 그때 별안간 홈즈가 플랫폼으로 뛰어내리더니 나까지 잡아 끌어내렸다.

"미안하네, 미안해."

기차가 커브를 돌아 사라져 가는 것을 지켜보면서 홈즈가 말했다.

"이 변덕스런 생각이 틀릴지도 모르는데 자네까지 같이 가자고 해서 정말 미안하구먼. 그래도 왠지 이대로 내버려 두는 게 아무래도 마음에 걸려서 말이야. 내 본능은 이걸 반대한다고 요란하게 부르짖고 있다네. 이건 그런 게 아니야. 어딘가에 틀린 점이 있어. 절대로 틀린 점이 있네. 그런데 부인의 말은 별로 이상한 것이 없고, 하녀의 증언까지 있는 데다 자잘한 이야기들도 다 맞아떨어지고 있거든. 내가 왜 이런 생각을 하게 됐냐 하면, 그 세 개의 글라스 때문이야.

내가 그 설명에 만족하지 않았더라면, 모든 것을 의심해 보면서 자신감 있게 주의력을 갖고 충분히 조사했더라면, 그리고 미리 준비되어 있었던 그 엉터리 이야기에 속지 않고 처음부터 선입견에 사로

잡히지 않고 연구했더라면, 다른 행동을 취했어야 할 명확한 사실을 뭔가 발견하지 못했을 리 없었을 거야. 아무튼 여기 벤치에 좀 앉게. 좀 있으면 치즐허스트 행 열차가 올 거니까, 그때까지 내가 증거를 말해 보겠네. 첫째로, 하녀가 부인의 말을 덮어놓고 사실이라고 인정하고 있는데, 그 말을 그대로 믿으면 안 되네. 그리고 부인의 매력 있는 인품에 우리가 끌려들어가서도 안 돼.

부인의 말을 냉정하게 들어 보면 확실히 뭔가 의심스러운 점이 있어. 삼인조 도둑은 이 주일쯤 전에도 시드넘 지방에서 꽤 시끄러운 사건을 일으켰거든. 그들의 수법이랄지 인상착의 같은 건 신문에도 기사로 나왔기 때문에, 예를 들어 도둑을 이용한 연극을 꾸미려고 한다면 누구나 다 그런 기사를 생각해낼 걸세. 그리고 사실 도둑들은 한탕을 하고 나면 당분간은 보통 위험한 일에 손대지 않고 조용히 그걸로 안락을 누리는 경향이 있지. 게다가 아직 초저녁이라고 할 수 있는 열한 시가 지나서 도둑이 들었다는 것도 그리 흔한 일이 아니고, 소리를 못 지르게 여자를 때려눕혔다는 것도 뭔가 부자연스럽게 들리거든. 그런 짓을 하면 오히려 더 집안이 시끄러워질 테니까 말이야. 그리고 또 그놈들은 세 명인데, 한 명의 남자를 느닷없이 죽여 버린다는 것도 상식적으로 납득이 안 되는 이야기야. 또 가까운 곳에 값나가는 물건들이 있는데, 겨우 그 정도 물건을 훔쳐서 도망갔다는 것도 이상하지. 그리고 마지막으로, 놈들이 술을 반쯤 남기고 갔다는 것은 도저히 이해가 안 돼. 이렇게 이상한 점들을 자네는 어떻게 생각하나?"

"그렇게 전체를 모아 놓고 보니까 확실히 마음에 걸리긴 한데, 하나하나를 따로 보면 아무것도 아닌 것 같아. 내가 가장 이상하다고 생각하는 건, 부인이 의자에 묶여 있었다는 거야."

"나는 그렇게 생각지 않네. 왜냐하면 부인을 죽여 버린다면 모를까, 그러지 않는 이상은 자기들이 도망친 다음에 즉각 경찰에 신고하지 못하도록 하기 위해서 그럴 수밖에 없었다는 거지. 어쨌든 부인의 이야기에는 그대로 믿을 수 없는 점이 있다는 걸세. 그중에서도 가장 걸리는 건 바로 그 글라스고 말이야."

"그런데 글라스가 어쨌다는 건가?"

"그 글라스를 머리에 떠올릴 수 있겠나?"

"그럼, 똑똑히 생각나지."

"세 명의 도둑이 그 글라스로 포도주를 마셨다는 이야기가 이상하다고 생각되지 않나?"

"왜지? 잔들에 전부 포도주가 묻어 있지 않았나?"

"그건 맞는데, 잔에 포도주 찌꺼기가 남아 있던 건 하나뿐이었어. 그 점을 예사로 보면 안되네. 그걸로 뭔가 생각나는 거 없나?"

"마지막으로 따른 글라스에 찌꺼기가 들어갔겠지."

"그런 일은 있을 것 같지 않은데. 왜냐하면 병 속엔 원래 포도주 찌꺼기가 가득 있으니까 말이야. 처음 두 잔엔 깨끗한 포도주만 나오고, 마지막 잔에는 포도주 찌꺼기가 나온다는 건 생각하기가 좀 어렵지. 내 생각엔 여기에 두 가지의 경우가 있다네. 아니, 두 가지뿐이라 달리 설명할 수도 없어. 우선 한 가지는, 두 개의 글라스에 따르고 나서 병을 흔들었기 때문에 세 번째 글라스에 찌꺼기가 흘러 나왔던 거지. 그런데 그런 일은 거의 있을 것 같지 않네. 그래, 이건 확실히 내 생각이 맞아."

"맞다니, 뭐가 맞다는 건가?"

"실제로 사용한 것은 두 개 뿐이고, 그 두 개의 글라스에서 남은 찌꺼기를 세 번째 글라스에 버린 거야. 그래서 세 사람이 있었던 것처럼 꾸몄다는 거지. 이렇게 생각하면 찌꺼기가 하나의 글라스에만 있었던 이유가 설명되지 않나? 그것이 틀림없을 거야. 나는 그렇게 확신하고 있다네. 작은 증거지만 이 해석이 핵심을 겨냥하고 있다면, 이제까지 평범한 사건으로 생각하고 있던 게 갑자기 아주 중대한 사건으로 보이는 것이지. 즉 브랙쿤스톨 부인과 하녀가 우리한테 거짓 증언을 한 것이고, 그건 뭔가 강한 이유가 있어서 진범을 감싸고 있는 것이기 때문에 그들의 말은 전혀 믿을 수가 없는 거라네. 때문에 우리는 누구의 도움도 빌리지 않고 독자적으로 사건을 규명해야만 하네. 이게 지금부터 우리 앞에 놓인 과제일세. 아, 저기 치즐허스트 행 기차가 오는구먼."

애비 그레인지 장원 사람들은 우리를 다시 보고는 매우 놀라워했다. 홉킨즈 경감도 보고하러 떠나고 없어서, 홈즈는 식당을 점유해 안에서 문까지 걸어 잠그고 거의 두 시간 동안이나 면밀한 조사를 거듭했다. 결과적으로 그는 확고한 기초를 세운 다음 비로소 그 빛나는 추리의 전당을 조립했던 것이다.

나는 한쪽 구석 자리에 앉아 있었는데, 마치 선생의 실기 지도를 열심히 지켜보는 학생처럼 그의 비범한 수사 기술을 놓칠새라 눈으로 쫓고 있었다. 홈즈는 창문, 커튼, 카펫, 의자, 끈 등을 일일이 세밀하게 조사한 다음 한참 동안 생각을 정리하는 것 같았다. 유드테스 경의 시체는 이미 치워져 있었지만 나머지 것들은 아침에 본 그대로 있었다.

홈즈는 별안간 큰 맨틀피스 위로 올라갔다. 그의 머리보다 훨씬 위쪽에 빨간 끈의 끊어진 조각이 2, 3인치 정도 길이로 철사에 붙어 있었던 것이다. 그는 잠시 그것을 올려다보고 있더니 벽에 붙어 있는 나무 선반에 한쪽 무릎을 올렸다. 더 가까이 가서 보려는 것 같았다. 그리고 그렇게 하면 그 짧은 끈 조각에 손이 닿을 것 같았다. 그러나 그가 관심을 가진 것은 그 끈 조각이 아니고 나무 선반 그 자체인 모양이었다. 이윽고 그는 반갑다는 듯 약간의 탄성을 지르며 아래로 뛰어내렸다.

"이제 제대로 풀릴 것 같네. 진상을 알아냈어. 이건 우리가 경험한 것 가운데서도 아주 드문 일 중 하나일세. 그런데 내가 얼마나 느리고 둔한 인간이었는지, 하마터면 이 중대한 것을 놓칠 뻔했으니 말이야. 아무튼 큰 줄기는 해결된 셈이고 이제는 자잘한 게 조금 남아 있네. 사슬의 연결고리를 찾아내기만 하면 되지. 그러면 완전히 끝날 거네."

"그러면 범인도 알아냈단 말인가?"

"그게 말이지. 단 한 사람이라네. 만만치 않은 놈이긴 하지만 말일세. 아주 맹수처럼 힘이 세거든. 쇠막대기가 구부러질 정도면 알 만하지 않나. 키는 6피트 3인치, 몸이 다람쥐처럼 날째고, 거기다가 손재주도 있어. 그리고 이렇게 교묘한 이야기를 만들어낸 걸 보면 머리도 꽤나 영리하다는 거지. 왓슨, 이런 상황이니까 사실 범인은 전혀 엉뚱한 놈이고, 그놈의 꾀에 우리가 지금 걸려 있는 셈이라네. 다행히도 그놈이 한 가지 단서를 남겨 놓았지. 벨의 끈 말이야. 그렇지 않았다면 우리는 완전히 속아 넘어갈 판이었거든."

"벨의 끈이라고?"

"그게 말이지, 벨의 끈을 아래에서 잡아당기면 어느 부분이 끊어질 것 같나? 철사로 연결한 이음새부터 끊어지는 게 당연하지 않겠나. 그런데 저렇게 이음새 부분이 아니라 삼 인치나 아래에서 끊어져 있거든. 그건 무슨 이유일까?"

"거기가 닳아서 약해져 있었던 모양이지."

"제대로 얘기했네. 이렇게 끝이 풀리고 약해져 있다네. 그런데 이건 끈이 닳아서 약해진 게 아니고, 놈이 꾀를 부려서 나이프로 끝을 긁어 이렇게 만든 거야. 저 위쪽에 가서 끊어진 부분을 보게나. 저기는 조금도 닳아 있지 않거든. 그러니까 놈은 칼로 잘랐던 거지. 여기서는 잘 안 보여서 내가 아까 맨틀피스로 올라갔던 거라네. 그러면 내가 그 과정을 설명해 보겠네. 범인은 끈이 필요했어. 하지만 아래에서 잡아당겨 끊으면 벨이 울리기 때문에 곤란해지지. 그럼 어떻게 했느냐? 우선 맨틀피스로 올라갔어. 그런데 끈까지 손이 안 닿으니까 저 선반에다 한쪽 무릎을 걸쳤네. 선반 먼지 위에 그 흔적이 남아 있거든. 그리고 나이프로 끈을 잘라낸 거야. 내가 해보니까 삼 인치 정도 팔이 짧아서 끈에 손이 안 닿았어. 그렇다면 범인은 나보다 적어도 삼 인치는 큰 남자라는 게 맞겠지. 그리고 저 떡갈나무 의자의 앉는 바닥을 보게나. 무슨 흔적일까?"

"피가 묻어 있군."

"그렇다네. 이것만 봐도 부인의 이야기가 거짓이라는 걸 알 수 있지. 부인이 의자에 결박되고 나서 유드테스 경이 살해되었다면 저런 곳에 피가 묻을 수가 없겠지. 그러니까 이건 바로 남편이 살해된 뒤에 부인이 의자에 앉혀졌다는 걸 보여주는 거야. 부인의 검은 드레스를 잘 살펴보면 분명히 엉덩이 부분에 피가 묻어 있을 걸세. 그래도 어쨌든 워털루는 아직 멀었어. 지금은 말렝고에 있을 뿐이야(말렝고는 이탈리아의 작은 마을. 1800년에 나폴레옹은 말렝고에서 오스트리아군과 싸워 이겼지만, 1815년에는 워털루에서 영국군에게 패했음). 먼저 패하고 그다음에 승리를 거두는 거지. 자, 그럼 이제부터는 하녀 타리자와 얘기를 해야겠네. 마음을 아주 다잡아야 할 것 같네. 안 그러면 알고 싶은 것을 끌어낼 수가 없을 것 같아."

오스트레일리아 출신인 하녀 타리자는 엄청나게 충실하고 별난 사람이었다. 그녀는 말이 별로 없고 의심이 많은 성격이라, 홈즈가 아무리 편하고 유쾌하게 대해도 마음을 열어 얘기하기까지는 오랜 시간이 걸려야 했다. 그녀는 결국 살해된 주인 남자에 대한 증오심을 전혀 숨길 생각도 없이 털어놓았다.

"네, 그분이 술병을 던졌던 건 사실입니다. 제 앞에서 마님을 욕하시기에, 제가 이렇게 얘기했죠. 만약 여기에 마님의 오빠라도 계신다면 그런 말은 하시지 못할 거라고요. 그랬더니 갑자기 술병을 던지더군요. 아름다운 마님을 혼자 내버려 둔다면 술병을 아마도 수십 병쯤은 던졌을 거예요. 오래전부터 마님을 학대했는데 마님께서는 자존심이 있기 때문에 그냥 참고 계셨던 겁니다. 웬만한 일은 저한테조차 말씀을 안 하세요. 아침에 보신 팔의 상처도요, 마님은 말씀을 안 하셨지만 저는 잘 알고 있는데, 그건 모자의 핀으로 찔렸던 거예요. 저 오만한 미치광이는, 하느님 돌아가신 분에 대해 이렇게 말하는 걸 용서해 주소서, 정말로 사악한 악마였어요. 처음엔 아주 착한 사람인 줄 알았어요. 겨우 십팔 개월 됐는데, 마님과 저는 십팔 년이나 된 것 같습니다. 마님은 그때 막 런던으로 오셨고, 아니 영국이 처음이고 다른 어디에도 가신 적이 없었습니다. 주인 남자는 재산도 많지, 런던에서 살았지 하니까 여자 꼬시는 재주는 아주 능란했을 것 아닙니까? 마님을 금방 유혹했던 거죠. 그것이 마님의 엄청난 실수였고요. 그래서 어마어마한 대가를 치른 겁니다. 주인을 처음 봤을 때 말인가요? 그건 이곳에 오고 얼마 안 지나서였는데, 유월에 도착했으니까 칠월에 봤겠네요. 그리고 작년 일월에 결혼하셨던 거죠. 네, 마님은 지금 거실에 계십니다. 만나실 수는 있지만 너무 오래도록 귀찮게 묻지는 말아 주세요. 부탁드립니다. 지금은 몸도 마음도 너무나 지쳐 계시니까요…….”

브랙큰스톨 부인은 소파에 누워 있었는데 아침에 봤을 때보다는 훨씬 더 기운이 있어 보였다. 하녀는 우리와 함께 부인에게 가자마자 다시 부인의 이마에 난 상처를 찜질하기 시작했다.

"저를 다시 심문하러 오신 건 아니겠죠?"

"아닙니다."

홈즈는 조용히 말을 꺼냈다.

"괜히 부인을 괴롭히는 짓은 하지 않습니다. 저는 오히려 부인을 안심시켜 드리고 싶은 사람입니다. 왜냐하면 부인이 꽤 고생을 하신 것 같기 때문입니다. 부인이 저를 완전히 믿어 주신다면 반드시 배신당하지 않을 거라는 걸 알게 되실 겁니다."

"저더러 어떻게 하라는 말씀인가요?"

"사실 그대로만 말씀해 주시면 됩니다."

"아니, 홈즈 선생님!"

"아침에 말씀하신 건 아무 도움도 되지 않습니다. 저에 대한 평판을 들으셨는지 모르지만 이 조그마한 명성을 걸고 말씀드리면, 부인의 이야기는 전부 다 꾸민 것입니다."

부인과 하녀는 얼굴이 새파래지며 두려운 눈초리로 홈즈를 바라보았다.

"굉장히 무례하군요. 마님을 지금 거짓말쟁이로 몰아붙이는 건가요?"

하녀가 먼저 입을 열었다.

홈즈는 조용히 일어나며 말했다.

"아무것도 하실 말씀이 없습니까?"

"전부 다 얘기했으니까요."

"다시 한번만 생각해 보세요. 솔직하게 털어놓는 게 좋지 않을까요?"

부인의 아름다운 얼굴에 잠시 망설이는 빛이 나타났다가 다시 생각을 고친 듯 금방 표정이 굳어져 버렸다.

"유감스럽군요."

홈즈는 모자를 집어 들고 안타까운 듯 어깨를 들썩이며 더 이상 아무 말도 없이 거실 밖으로 나갔다. 그리고 저택을 떠나려다 넓은 정원에 연못이 보이자 그쪽으로 다가갔다. 연못의 물은 완전히 얼어 있었는데, 한 마리 있는 백조를 위해 얼음 한쪽이 깨트려져 있었다. 홈즈는 그걸 잠시 쳐다보다가 정문을 향해 부지런히 걸어갔다. 정문 옆에는 문지기가 사는 오두막이 있었다. 홈즈는 거기서 스탠리 홉킨즈에게 보내는 편지를 써서 문지기에게 부탁했다.

"이것이 잘 될지 아니면 실수가 될지 그건 모르지만, 어쨌든 이렇게 되돌아온 것을 정당화하기 위해서는 홉킨즈에게 뭔가를 남겨 놓아야만 하네. 우리가 다음에 찾아갈 곳은 애들레이드 사우샘프턴 항로의 선박회사인데, 아마도 펠 메일 거리의 모퉁이에 있었던 것 같네. 남오스트레일리아와 영국을 오가는 선박회사가 또 하나 있는데, 먼저 큰 회사부터 살펴보기로 하세."

선박회사로 가서 홈즈가 지배인에게 명함을 내밀자, 지배인이 우리를 정중히 대접하며 필요한 도움을 금방 주었다. 1895년 6월에 오스트레일리아에서 영국으로 들어온 그 선박회사의 배는 한 척밖에 없었다. 배의 이름은 '지브롤터의 바위'인데, 그 회사의 선박 중 최고로 우수한 배였다. 승객 명단을 조사해 봤더니 애들레이드의 플레이저 양이 하녀와 함께 탄 걸로 돼 있었다. 이 배는 지금 오스트레일리아로 항해 중인데, 현재는 아마도 수에즈 운하의 남쪽 근처를 지나고 있을 것이며, 승선한 선원은 한 사람만 빼고 전부 다 1895년과 똑같은 사람들이었다. 그 한 사람은 1등 항해사인 재크 크로커 씨로서, 그동안 선장으로 승진했고, 이틀 뒤에 사우샘프턴을 출발하는 새 여객선 '바스 록'에 타기로 돼 있었다. 그는 시드넘에 사는데, 잠시 후에 아침 일정을 체크하기 위해 그곳으로 올 예정이라고 했다.

"아니요. 꼭 만날 필요는 없습니다. 그 사람의 경력이나 성격 같은 걸 좀 알고 싶습니다."

그래서 알아본 바에 의하면, 그의 경력은 아주 좋았다. 그 회사의 선원 가운데 그와 비교될 만한 사람이 하나도 없을 정도였다. 그는 배 안에서 일을 할 때는 신뢰할 수 있지만 배 밖에서는 매우 거칠고 저돌적인 면이 있는데, 반면 정직하고 성실하며 친절하다는 것이었다.

우리는 애들레이드 사우샘프턴 항로의 선박 회사에서 이야기를 듣고 난 후, 그곳을 나와 곧바로 경시청으로 향했다. 그러나 마차가 경시청 앞에 도착했는데도 홈즈는 내릴 생각을 안하고 눈썹을 찌푸리며 생각에 잠겨 있더니, 그대로 마차를 돌려 체링 크로스 전신국으로 가게 했다. 그리고 거기서 전보를 한 통 치고 나서, 우리는 베이커 거리로 돌아왔다.

"아니야, 그럴 수는 없네, 왓슨."

방으로 들어가자마자 홈즈가 소리쳤다.

"체포영장이 떨어지고 나면 이미 손 쓸 수가 없으니까 말일세. 지금까지 내가 한두 차례 진짜 범인을 지목하는 바람에 범죄보다 더 큰 피해를 냈다고 생각된 적이 있었다네. 그래서 이번에는 신중하게, 내 양심대로 영국 법률을 좀 희생시킬 생각이네. 그러니까 섣불리 행동하기 전에 좀 더 알아봐야겠어."

저녁 때 스탠리 홉킨즈가 베이커 거리로 찾아왔다.

"홈즈 선생님은 정말로 마법사 같다니까요. 선생님의 능력은 도무지 사람의 것이라고 믿어지지가 않으니 말이죠. 도둑들이 훔쳐 간 은그릇이 연못에 빠져 있는 걸 도대체 어떻게 아셨습니까?"

"알고 있었던 건 아닙니다."

"그런데 조사해 보라고 말씀하시지 않았어요?"

"그러니까 연못 속에 있었단 말이죠?"

"그럼요. 건져냈죠."

"도움이 돼서 다행입니다."

"도움은 됐지만, 사건은 더 복잡하게 꼬이고 있습니다. 어렵게 훔친 은그릇을 연못에 던져 버리다니, 이상한 도둑 아닌가요?"

"그건 확실히 이상한 짓이죠. 그런데 원래 은그릇을 훔치려고 한 게 아니라, 그러니까 속임수의 수단으로 그걸 훔쳤을 뿐이기 때문에, 난 그들이 한시라도 빨리 그걸 버렸을 거라고 생각했어요."

"어떻게 그런 이상한 일을 생각해 내셨죠?"

"그런 일도 있을 수 있겠다고 생각했던 거죠. 프랑스 식 창문으로 도망쳤는데, 바로 앞에 연못이 있고, 게다가 얼음 한쪽이 깨져 있는 걸 봤으니 말이죠. 그보다 더 숨기기 좋은 장소는 없지 않겠어요?"

"숨기는 장소라고요? 점점 더 흥미로워지는데요. 음, 그렇겠네요! 아직 초저녁이라 은그릇 같은 걸 가지고 다니면 사람들 눈에 띄니까, 우선 연못 속에 숨겨 뒀다가 나중에 잠잠해진 다음에 찾아가려고 그랬겠네요. 이건 정말 홈즈 선생님의 만착설(瞞着說, 눈속임)보다도 훨씬 더 설득력이 있는데요."

"거의 틀림없을 겁니다. 그러고 보니까 경감님의 해석도 탁월한데요. 내 생각이 오히려 황당하게 보이는군요. 하지만 이 황당한 생각 덕분에 은그릇이 발견되지 않았습니까?"

"맞습니다. 모두 선생님 덕분입니다. 저는 완전히 헛다리를 짚었던 거죠."

"헛다리를 짚다니요?"

"아, 그게 말이죠, 랜돌 일당이 오늘 아침에 뉴욕에서 체포됐다고 하더군요."

"아니, 그럼, 어젯밤에 그자가 켄트 주에서 살인을 저질렀다는 말은 완전히 빗나간 소리네요."

"그렇습니다. 할 말이 없습니다. 그런데 말이죠, 삼인조 강도가 랜돌 그자들만 있는 건 아니잖습니까? 우리가 아직 모르는 다른 삼인조가 있는지도 모르죠."

"그건 물론 그럴 수 있죠. 아니, 벌써 가려고요?"

"네, 실례하겠습니다. 이 사건을 철저히 밝히려면 지금 놀고 있을 시간이 없으니까요. 더 설명해 주실 건 없습니까?"

"글쎄요, 한 가지 힌트를 드린 것 같은데요."

"그게 뭐였죠?"

"만착설입니다."

"하지만 홈즈 선생님, 그것은……."

"그렇습니다. 어쩌면 거기서 뭔가를 끌어낼 수 있을지도 모르죠. 혹시 저녁 식사 하고 가시지 않겠어요? 안 하신다고요? 네, 그럼, 안녕히 가십시오. 수사 상황을 꼭 알려주세요."

저녁 식사가 끝나기 무섭게 홈즈는 또 이 사건에 대해 얘기하기 시작했다. 파이프를 물고 불을 붙인 다음, 슬리퍼 신은 발을 난롯불 쪽으로 뻗고 앉아서 시계를 보며 말했다.

"왓슨, 사건이 곧 밝혀질 것 같네."

"언제?"

"지금부터 몇 분 안으로 말일세. 내가 아까 스탠리 홉킨즈에게 했던 말이 좋지 않았다고 자네는 생각했겠지?"

"그거야 자네가 알아서 하겠지."

"교묘하게 피하는군. 그 문제는 이렇게 생각하지 않으면 안 되네. 내가 알고 있을 때는 비공식이지만, 홉킨즈가 알고 있을 때는 그게 공식적인 일이 되는 거지. 말하자면 나는 개인적으로 판단할 자유가 있지만, 홉킨즈는 그럴 수가 없는 거야. 그는 모든 것을 공개해야만 하는 입장에 있기 때문에, 그렇지 않을 경우 비난을 받게 되지. 그래서 아직은 불확실한 상황인데 그에게 털어놓게 되면 그를 어려운 처지로 만들 수가 있어서, 내가 확신을 갖기 전까지 일부러 설명하지 않았던 거라네."

"그러면 그 확신은 언제쯤 생길 것 같은가?"

"때는 이미 왔네. 잠시 후면 이 특별한 연극의 마지막 장면을 볼 수 있을 걸세."

아닌 게 아니라 층계에서 웬 발소리가 나며, 남자의 표본이라고 할 만한 건장한 체격의 사람이 방으로 들어섰다. 이렇게나 멋진 남자가 이 방에 들어온 것은 아마도 처음인 것 같았다. 키가 훤칠한 젊은이인데 금발에 파란 눈으로, 피부는 열대지방의 햇볕에 태워 구릿빛으로 변해 있으며, 걸음걸이조차 탄력 있고 경쾌한 모습으로 선뜻 들어왔던 것이다. 체격으로 보아 아주 강하면서도 동작 또한 민첩할 것 같았다. 그는 들어서자마자 문부터 닫고는 두 손을 움켜잡고 심호흡을 했다. 아마도 격렬한 감정을 억누르는 눈치였다.

"크로커 선장님, 이쪽으로 앉으세요. 제 전보를 받아 보셨죠?"

손님은 소파에 앉더니 조금 어리둥절해 하며 우리 두 사람을 번갈아 쳐다보았다.

"전보를 받았으니까 이렇게 오라는 시간에 찾아온 거 아닙니까? 회사에도 오셨다고 들었습니다. 당신에게서 빠져나가지는 못할 거라고 각오는 하고 있었어요. 그렇기는 한데 이제 저를 어떻게 하실 작정입니까? 체포하는 건가요? 뭔가요? 제가 고양이한테 잡힌 쥐도 아닌데, 그렇게 앉으셔서 장난치시면 곤란합니다."

"왓슨, 시가를 좀 드리게나. 아무튼 크로커 씨, 그거라도 피우면서 마음을 좀 가라앉혀 보세요. 당신을 다른 범죄자들처럼 생각했다면, 저도 이렇게 마주 앉아서 담배를 피운다거나 하지는 않았을 겁니다. 이 점을 잘 참고해 주시면 좋겠어요. 어쨌든 솔직히 말씀해 주셔야 합니다. 그러다 보면 좋은 생각이 떠오를 수도 있으니까요. 그러나 저를 속이려 하면 저도 가만히 있을 수만은 없습니다."

"저더러 어떻게 하란 말씀인가요?"

"어젯밤에 애비 그레인지 장원에서 벌어진 일을 사실 그대로 말씀해 주세요. 어떤 것 하나도 빼거나 덧붙이면 안 됩니다. 아시겠죠? 진실을 말씀해 달라는 거죠. 저는 이미 대략적으로 알고 있기 때문에 만약 당신이 사실을 얘기하지 않고 쓸데없이 지어 내거나 한다면 당장 창밖으로 호루라기를 불어서 경찰을 부를 수 있습니다. 그렇게 되면 이 문제는 영원히 제 손을 떠나게 될 겁니다."

선장은 잠시 생각하고 있더니 햇볕에 그을린 큰 손으로 무릎을 짚고 말했다.

"얘기하죠. 당신도 약속을 지키는 신사라고 생각하니까 모든 걸 다 얘기하겠습니다. 다만 우선 말씀드리고 싶은 건, 저는 눈곱만큼도 후회하지 않고, 또 어떤 누구도 두렵지 않다는 것입니다. 저는 두 번이라도 똑같이 이렇게 할 거고, 제가 한 것을 떳떳하게 생각합니다. 그 악마는 저주 받는 게 당연하니까요. 그놈이 고양이처럼 목숨이 아홉 개나 있다고 해도, 저는 그걸 다 빼앗고 말 겁니다. 그녀, 메리만 아니라면 말이죠. 그녀의 이름은 메리 플레이저입니다. 지금의 그 저주스러운 이름 따위로 어찌 부를 수가 있겠어요! 그녀를 힘들게 할까 봐 그게 걱정일 뿐입니다. 그녀의 아름다운 얼굴을 미소 짓게만 할 수 있다면 저는 제 목숨이라도 기꺼이 바칠 수 있습니다. 그러니 어떻게 제가 가만히 보고만 있을 수 있겠어요? 모든 걸 다 털어놓고 말씀드리겠습니다. 들어보시고 나서, 이것이 정말로 팔짱 끼고 보고만 있을 일인지 아닌지, 그건 남자 대 남자로서 얘기해 보고 싶습니다."

오래전 얘기부터 하겠습니다. 당신이 모든 걸 알고 계신 것 같으니까요. 제가 그녀를 처음 알게 됐던 건, 제가 일등 항해사로 타고 있었던 여객선 '지브롤터의 바위'에 그녀가 승객으로 있었을 때였어요. 이것도 아마 알고 계셨겠죠. 처음 봤을 때부터 그녀는 저한테 있어서는 이 세상에 단 하나뿐인 여성이었습니다. 그때부터 배에 있는 내내 오로지 그녀 생각밖에는 나지 않더군요. 당직 날 밤에는 어둠 속에서 무릎을 꿇고 그녀의 아름다운 발이 밟았던 갑판의 한 지점을 몇 번이나 입맞춤했는지 모릅니다. 그녀는 저를 그저 평범한 태도로 대했습니다. 우리가 무슨 약속 같은 걸 한 사이도 아니고요. 그래서 저로서는 무슨 불만을 가질 수 있는 입장이 아니었어요. 그리워하는 건 저 혼자뿐이고 그녀는 저를 친구로 대해 줬으니까요. 그래서 배에서 내리게 됐을 때도 그녀의 마음은 전혀 아무렇지도 않았지만 저는 결코 그렇지가 않았습니다.

그러다가 다음 항해에서 돌아왔을 때, 그녀가 결혼했다는 소식을 들었습니다. 좋아하는 사람이 있으면 당연히 결혼할 수 있는 거죠. 특히나 신분과 재산이 있는 사람이라면 말이죠. 또 그녀에게만큼 그런 것이 어울리는 여자도 세상에 없을 겁니다. 그녀는 아름답고 우아하게 태어났으니까요. 저는 이 결혼 자체를 나쁘다고 말하는 게 아닙니다. 그 정도로 제가 나밖에 모르는 사람은 아니거든요. 저는 그녀가 가난한 선원과 결혼하지 않고 행운을 만났다는 걸 오히려 기뻐했었죠. 그만큼 제가 메리 플레이저를 아끼고 있었던 겁니다.

그건 그렇고, 그 후로 두 번 다시 그녀를 만날 수 있으리라는 건 생각도 안하고 있었어요. 그리고 저도 지난번 항해에서 돌아온 후 승진을 했죠. 그런데 새 배가 아직 진수되지 않아서 두 달 가까이 시드넘의 집에서 대기를 하게 되었습니다. 그런데 어느 날 시골길을 걷다가 타리자 라이트를 만나게 된 거예요. 오래전부터 메리가 데리고 있던 하녀죠. 타리자는 그 자리에서 메리에 대해, 그리고 남편에 대해 숨김없이 다 얘기를 해주더군요. 저는 미쳐 버릴 것 같았습니다. 그녀의 신발을 핥을 자격도 없는 술주정뱅이 악마 같은 것이 하필이면 그녀에게 걸리다니! 그런 것이 그녀를 손대다니! 정말 너무나 괴롭더군요. 그 뒤에 타리자를 또 만났습니다. 그리고 메리도 두 번이나 만났어요. 그런데 그녀가 더 이상은 만나려 하지를 않더군요. 그러는 사이 저도 이 주일 후에 출항한다는 통보를 받았어요. 그래서 떠나기 전에 그녀를 다시 한번 만나 보려고 했습니다. 타리자는 처음부터 저한테 호의적이었고, 메리를 너무나 아끼는 만큼 저 이상으로 그 악마를 증오하고 있었어요. 저는 타리자한테서 애비 그레인지 장원에 대해 얘기를 듣고 있었습니다. 메리는 아래층 자기 방에서 늦게까지 책을 읽는다고 하더군요.

그래서 어젯밤에 저는 그곳으로 몰래 들어가, 밖에서 창문을 두드렸습니다. 그녀는 저를 보고 처음엔 열어 주지 않더군요. 하지만 저는 그녀가 마음속으로 저를 좋아하고 있다는 걸 알기 때문에 추위 속에 내버려 두지는 않을 거라고 생각했습니다. 그녀는 정면의 큰 창문 쪽으로 돌아오라고 조용히 말하더군요. 가 봤더니 창문이 열려있어서 저는 식당으로 들어갈 수 있었습니다. 거기서 그녀가 직접 여러 가지 상황을 얘기하는데, 저는 그야말로 피가 끓어올랐습니다. 제가 사랑하는 여자를 학대하는 그 짐승을 어찌 저주하지 않을 수 있겠습니까?

그런데 그때, 제가 창문 근처에서 그녀와 나란히 서 있는데, 물론 어떤 마음의 거리낌도 제 속에 없었다는 건 하느님도 알고 계시지만, 그 버러지 같은 놈이 미치광이처럼 뛰어들어오더니 세상에서 가장 악질 말투로 그녀한테 욕을 퍼부으면서 몽둥이로 그녀의 얼굴을 때리는 거였어요. 저는 재빨리 쇠막대기를 집어 들었죠. 양쪽이 무기를 들고 있으니까 이제 공평한 게임이 시작된 겁니다. 여기 보세요. 이 팔의 상처는 제가 먼저 일격을 받았던 증거입니다. 그다음에 제 차례가 되었죠. 그리고는 마치 썩은 나무토막처럼 해치워 버렸던 겁니다.

제가 후회했을 것 같습니까? 천만에요! 그때는 제가 살해되느냐 그놈을 죽이느냐 하는 순간이었으니까요. 그런 정신병자한테 어떻게 그녀를 맡겨 둘 수 있겠습니까? 그래서 저는 그를 죽였습니다. 제가 잘못한 것일까요? 입장을 바꿔서 두 분이 그 자리에 있었다면 어떻게 하셨겠습니까?

그녀는 그놈한테 맞았을 때 비명을 질렀습니다. 그래서 타리자가 내려왔던 거예요. 찬장에 포도주가 한 병 있기에 저는 그것을 따서 메리의 입에다 조금 부어 넣었어요. 그녀가 너무 심한 충격을 받아 죽은 사람처럼 꼼짝도 하지 않았기 때문에 제가 그렇게 했던 거죠. 그리고 나서 저도 한 잔 마셨어요. 타리자는 아주 냉정하게 대처를 했습니다. 그다음 이야기는 전부 다 타리자가 만든 것입니다. 마치 도둑이 든 거처럼 모든 걸 지어 냈죠. 그 줄거리를 타리자가 메리에게 설명해 주고 있는 동안, 저는 위로 올라가서 벨의 끈을 잘라냈습니다. 그리고는 메리를 의자에 묶었던 거죠. 그리고 끈이 자연스럽게 끊긴 거처럼 보이게 하려고 끝 부분을 문질러 놓았죠. 그렇지 않으면 왜 도둑이 기어 올라가 끊었을까 하고 의심을 갖게 될 것 같았으니까요.

그런 다음 은그릇들을 꺼내 도둑이 훔쳐간 것처럼 해놓고는, 십오 분 후에 경찰에 알리라고 이르고 저는 그곳을 나왔습니다. 정원으로 나가자마자 바로 은그릇을 연못에 던져 버리고, 일생에 두 번 다시 없을 희한한 일을 했다는 생각을 하면서 편안한 마음으로 시드넘을 향해 떠났습니다. 이렇게 됐던 거죠. 모든 걸 솔직하게 하나도 숨기지 않고 말씀드렸어요. 제 목숨을 걸고, 거짓은 전혀 없습니다."

홈즈는 아무 말도 없이 한동안 담배만 피우고 있다가 이윽고 천천히 일어나더니 선장에게 다가가 그의 손을 잡았다.

"제가 예측했던 것과 똑같았습니다. 선장님의 이야기는 전부 다 사실이라고 저는 믿고 있습니다. 선반을 이용해 높은 곳에 있는 끈을 자를 수 있는 사람은 곡예사나 선원이 아니면 어렵습니다. 또 의자에 붙들어 맨 끈의 매듭은 배에서 잘 쓰는 독특한 방법이죠. 어쨌든 그 부인이 선원을 만날 수 있었던 것은 딱 한 번, 그러니까 영국으로 오는 배 안에서였던 겁니다. 그런데 그녀가 이 선원을 감싸면서 뭔가를 숨기고 있는 것 같았고, 어쩌면 그를 사랑하고 있는 듯도 싶었죠. 그렇다면 그 선원은 일반 선원이 아니라 좀 높은 자리에 있는 인물이라는 짐작이 갔던 겁니다. 거기까지 생각해 내고 보니까, 선장님을 찾는 일은 전혀 어렵지가 않았죠."

"경찰에 이 속임수가 발각될 거라고는 전혀 생각지 않았습니다."

"경찰은 꿰뚫어 보지도 못했어요. 내 생각엔, 결코 발각되지 않을 거라고 봅니다. 그런데 크로커 씨, 당신이 그 극단적인 분노를 느꼈기 때문에 한 행동이라는 것은 저도 인정을 하지만, 그래도 이건 그냥 넘어갈 문제는 아닙니다. 당신의 행동에 정당방위가 성립될지 어떨지, 저로서는 단정을 지을 수가 없습니다. 그건 법률에 따라 배심원들이 결정할 일이죠. 그러나 당신을 돕고 싶기 때문에 하는 말인데, 이십사 시간 안에 어디론가 숨어 버린다면 더 이상 누구도 추궁하지 않을 거라는 걸 장담합니다."

"그런 다음에 이 사건이 알려지는 겁니까?"

"그렇습니다. 공표는 되겠죠."

선장은 화를 내며 얼굴이 벌게졌다.

"저를 도대체 어떻게 보시고 그런 제안을 하시는 거죠? 저도 법률을 조금은 아는데요, 그렇게 되면 메리가 공범의 책임을 지게 되는 것 아닙니까? 제가 그녀한테 모든 불행을 떠넘기고 저 혼자 내빼는 그런 남자로 보입니까? 저는 그런 사람이 절대 아닙니다. 충분한 처벌을 각오하고 있으니까, 메리는 절대로 법정에 서는 일이 없도록 해야 됩니다. 뭐 방법이 없을까요, 홈즈 씨?"

홈즈는 다시 선장의 손을 잡으며 말했다.

"잠시 선장님을 시험해 봤을 뿐입니다. 당신이 올바르게 생각했다는 걸 알겠군요. 하지만 저로서도 책임이 매우 큰 문제이긴 합니다. 그래도 홉킨즈 경감한테는 암시를 해주었으니까, 그것을 이용하지 못하면 어쩔 수가 없는 거죠. 알겠습니까? 그러면 여기서 당연히 거쳐야 할 법적 수속을 밟기로 하죠. 당신은 피고, 왓슨은 배심원, 그리고 저는 판사입니다. 배심원으로 이만큼 딱 들어맞는 인물도 없을 겁니다. 그럼 배심원에게 질문하겠습니다. 배심원께서는 피고의 증언을 모두 다 청취하셨습니다. 그렇다면 피고는 유죄입니까, 무죄입니까?"

"재판장님, 무죄입니다."

내가 말했다.

"백성의 뜻은 신의 뜻입니다. 크로커 선장에게 무죄를 선언합니다. 다른 희생자가 나타나지 않는 한 당신은 다시 붙잡히는 일이 없을 것입니다. 일 년 후 그 부인에게로 돌아가십시오. 그녀와 당신의 미래로 말이죠. 오늘 밤에 우리가 내린 판정이 옳았다는 걸 입증되기 바라겠습니다."

독신 귀족

The
NEWS RECEIVED IN BALTIMORE.
BALTIMORE, Thursday, July 9.

세인트 사이몬 경의 결혼과 그 후 뜻밖의 파국에 대한 사건은 그 불행한 남자가 속해 있는 상류사회에서마저도 더 이상 화젯거리가 못 되는 옛날이야기가 되고 말았다. 이유는 새로운 스캔들이 터져 나와 세인트 사이몬 경의 스토리보다 훨씬 더 흥미진진한 가십거리를 만들어 내면서 4년 전의 그 낡은 드라마를 완전히 덮어 버렸기 때문이다. 그러나 내가 보기에는, 사람들이 세인트 사이몬 경의 사건에 대해 그 진실을 제대로 몰랐기 때문에 다른 스캔들에 의해 쉽게 잊히지 않았나 하는 생각이 든다. 그래서 간단하게나마 이 특별한 사건에 대해 기록을 해둬야만 할 것 같다. 내 친구 셜록 홈즈가 사건을 해결하기 위해 애를 썼던 만큼 그의 회상록을 완성하기 위해서도 이 기록은 꼭 해두는 게 좋을 것 같다.

내가 결혼하기 2, 3주일 전, 아직 홈즈와 함께 베이커 거리의 하숙집에서 살고 있을 때였다. 어느 날 오후, 홈즈는 산책을 마치고 집으로 돌아와 책상 위에 편지 한 통이 놓여 있는 걸 발견했다. 그날은 비가 올 듯 날씨가 잔뜩 흐리고 가을바람도 강하게 불고 있어서 나는 하루 종일 집에 틀어박혀 있었다. 아프가니스탄 전쟁에 나갔을 때 한쪽 다리에 총알이 박혔었는데 그 상처 자국이 날씨만 흐려지면 콕콕 쑤시고 아파 왔던 것이다. 나는 안락의자에 앉아 맞은편 의자에 두 발을 올려놓고 산더미처럼 많은 신문에 파묻혀 있었다. 그날의 뉴스거리를 어느 정도 다 읽었을 때 나는 신문을 옆으로 밀쳐두고 무심코 책상 위에 놓여 있는 편지 봉투를 바라보았다. 그러고는 커다란 문장(紋章)과 머리글자를 보며, 도대체 어떤 귀족에게서 온 것일까 하고 속으로 생각했다. 그때 마침 홈즈가 돌아왔다.

"여보게, 고귀한 분한테서 자네 앞으로 편지가 왔네. 아침에 온 건 아마도 생선 가게와 세관원에서 보낸 거겠지?"

내가 말했다.

"음, 그렇군. 아무튼 나한테 오는 편지는 가지각색이라 재밌지."

홈즈는 아주 즐거워하며 대답했다.

"그리고 허술해 보이는 편지일수록 재미가 있지. 그런데 이 편지는 별로 내키지 않는 초대장일 것 같은데. 왜 그런 거 있잖은가, 요란한 사교인 것 같지만 사실은 하품 나오고 거짓말이나 해대는 그런 것 말일세."

그는 편지를 꺼내 읽어 보았다.

"여보게 왓슨, 이건 의외로 재미있는 작업이 될 것 같은데!"

"초대장이 아니란 말인가?"

"아니야, 이건 분명 의뢰를 부탁하는 거야."

"그 의뢰자가 귀족이란 말이지?"

"그렇다네, 영국에서도 손꼽히는 명문가지."

"허, 축하하네."

"아니야 왓슨, 거드름 피는 것 같지만, 나는 의뢰자의 신분보다는 일의 재미가 더 중요하다네. 하지만 이번 조사에서는 어쩌면 재미도 있을 것 같아. 요즘 보니까 자네도 신문을 아주 꼼꼼히 읽는 것 같던데?"

"그렇다네."

나는 구석에 쌓여 있는 신문 더미를 가리키며 침울한 목소리로 대답했다.

"할일이 없어서 말이야."

"잘 됐구먼. 그럼 나한테 정보를 좀 주게나. 나는 범죄 기사와 구인란 같은 것밖엔 안 읽거든. 특히 구인란은 아주 유용하지. 그런데 왓슨, 자네가 요즘 뉴스를 꼼꼼히 챙겨 읽었다면 분명 세인트 사이몬 경의 결혼식 기사도 읽었겠지?"

"당연히 읽었지. 아주 재미있던데."

"그럼 잘 됐네. 이 편지는 바로 세인트 사이몬 경에게서 온 거라네. 내가 읽어 줄 테니까, 자네는 신문을 다 뒤져서 이 사건에 대한 기사 일체를 나한테 알려주게나. 알겠지! 그럼 읽어 보겠네.

〈셜록 홈즈 선생 귀하

저는 백워터 경에게서 선생을 소개받았는데, 선생의 신중한 판단은 절대로 신뢰할 수가 있다고 들었습니다. 그래서 저의 결혼식과 관련해 생긴 불행한 사건에 대해 선생을 방문하여 의논드리고자 합니다. 이 사건은 경시청의 레스트레이드 경감에게 수사를 의뢰했지만, 선생의 도움을 구하는 데 대해 경감도 반대하지 않으며 얼마쯤은 효과가 있을 것이라고도 말했습니다. 제가 4시에 방문하겠으니 혹시 그 시간에 선약이 있더라도 그 약속을 좀 연기해 주시고 저를 꼭 만나 주시면 고맙겠습니다. 제가 부탁드리고 싶은 건 극히 중대한 사건이기 때문입니다.〉

글로브너 맨션에서 부친 거구먼. 거위 깃털 펜으로 썼는데, 사이몬 경의 오른손 새끼손가락 바깥쪽에 잉크가 묻어 있겠군. 쯧쯧."

홈즈는 그렇게 말하며 편지를 다시 접었다.

"네 시라고 했지? 지금이 세 시니까, 한 시간 후면 오겠구먼. 그럼, 그동안에 자네 도움을 좀 받아서 사건의 경과를 확실히 알아둬야겠네. 거기 신문들 속에서 자네가 관련 기사를 다 골라내 날짜 순서로 좀 맞춰 주게. 나는 의뢰자의 신원을 조사할 테니까."

홈즈는 벽난로 옆 책장에서 빨간색 표지로 된 신원조회 관련 책을 한 권 꺼냈다.

"아, 이거네."

그는 소파에 앉아 그 책을 펼쳤다.

"로버트 월싱엄 드 비어 세인트 사이몬, 밸모럴 공작의 둘째아들, 문장의 바탕색은 하늘색이고, 중간의 검은색 띠 위에 세 개의 마름모꼴 장식이 들어간 무늬를 하고 있음. 1846년에 태어남. 그럼 올해 마흔한 살이니까 결혼하기엔 문제가 없는 나이군. 전 내각에서 식민

담당 차관을 지냈구먼. 아버지인 공작은 외무장관을 지냈고 말이야. 플랜태지닛 왕가(1154—1399년에 이르는 약 250년 동안의 영국 왕조)의 직계이고, 외가 쪽으로는 튜더 왕가의 피가 흐르고 있구먼. 음, 그런데 이것만으로는 별로 쓸모가 없겠는데. 왓슨, 구체적인 자료는 역시 자네 도움이 아니면 안 될 것 같네."

"필요한 자료가 곧 나올 거니까 잠깐만 기다리게."

내가 말했다.

"전부 다 아주 최근에 읽었는데, 무척 재미있게 봤으니까 말이야. 자네가 그동안 다른 사건을 맡고 있어서, 괜히 쓸데없는 이야기로 방해하지 않으려고 자네한테 말하지 않았던 거라네."

"아, 그 글로브너 스퀘어의 가구 운송차 사건 말인가? 그건 벌써 해결이 끝났지. 하긴 처음부터 그건 감이 왔었으니까. 자, 골라 냈으면 빨리 말해 주게."

"내가 알고 있는 한에서는 이 보도가 맨 처음에 나온 것일세. 모닝 포스트의 소식란에 나온 기사인데, 날짜는 보다시피 몇 주일 전이야."

나는 그렇게 말하며 그 기사를 소리 내어 읽었다.

"〈밸모럴 공작의 둘째 아들 로버트 세인트 사이몬 경은 미국 캘리포니아 주 샌프란시스코 시의 앨로이셔스 도란 씨의 외동딸 해티 도란 양과 약혼, 소문에 의하면 가까운 시일 내에 화촉을 밝힌다는 소식…….〉

뭐 이것 뿐인데."

"간단명료하군."

그렇게 말하며 홈즈는 긴 다리를 난로 쪽으로 뻗었다.

"그 무렵 사교계 신문 하나에 좀 더 자세히 나와 있었던 것 같은데…… 아, 여기 있네.

〈결혼 시장에 있어서 요즘처럼 자유무역을 하듯 행해지고 있는 결혼 제도는, 국산품에 대해서 매우 부당한 결과를 낳고 있는 현상에 비추어 볼 때 머지않아 보호 정책을 취해야 할 필요가 촉구되고 있다. 대영제국 명문 가정의 지배권이 이제 대서양 저편에서 오는 아름다운 사촌들의 손으로 차근차근 옮겨 가고 있기 때문이다. 지난주에도 한 아름다운 침입자가 보란 듯이 영예를 차지하여, 최근의 이 새로운 경향에 더 불을 지핀 셈이 되었다. 20년 동안이나 큐피드의 화살을 완전히 외면했던 세인트 사이몬 경이 이번에 캘리포니아 주 부호의 아름다운 딸, 해티 도란 양과 머지않아 결혼을 한다고 발표하였던 것이다. 웨스트벨리 저택의 성대한 피로연에서도 고상한 기품과 미모로 대단한 주목을 받았던 도란 양은 외동딸로서, 지참금은 넉넉한 여섯 자리 숫자에 이르고 장래엔 더욱 막대한 유산을 받게 될 것으로 알려져 있다. 한편 밸모럴 공작이 수년 전부터 값비싼 그림을 팔고자 내놓고 있다는 사실은 공공연한 비밀이며, 세인트 사이몬 경도 버치무어에 약간의 영지를 소유하고 있을 뿐이기 때문에, 이 결혼이 캘리포니아 여상속인으로 하여금 공화국 부인에서 일약 영국 귀족으로 뛰어오르도록 한다 하더라도 그녀만이 이익을 보는 입장이라고 할 수는 없다.〉"

내가 기사를 다 읽고 나자 홈즈가 하품을 하며 물었다.

"그 밖에 또 다른 기사가 있나?"

"그럼, 많이 있지. 모닝 포스트에 나온 기사를 보면, 결혼식은 하노버 스퀘어의 세인트 조지 교회에서 가족이 모인 가운데 거행될 것이고, 참석자는 친한 친구 몇 명으로 국한될 것이며, 식이 끝난 다음엔 앨로이셔스 도란 씨가 가구까지 통째로 사들인 랭카스터 게이트의 저택으로 돌아갈 예정이라고 되어 있네. 그리고 이틀 뒤, 그러니까 이번 수요일 신문에는 결혼식이 끝난 후 피터즈필드 옆에 있는 백워터 경의 영지에서 신혼여행을 보내게 될 거라고 간단히 나와 있구먼. 신부의 실종사건이 생기기 전까지 보도된 기사는 이것이 전부라네."

"뭐가 생기기 전까지라고?"

홈즈가 놀라며 물었다.

"신부가 사라졌단 말일세."

"언제 사라졌는데?"

"피로연 때."

"음, 예상했던 것보다 재미있군. 그야말로 극적이네."

"그러게 말이야. 나도 평범한 일은 아니라고 생각했지."

"물론 결혼 전에 사라지는 일은 흔히 있고, 때로는 신혼여행 중에도 그런 일이 생기지. 그런데 이렇게 극적으로 사라진 사건은 생각이 안 나는군. 더 자세히 나와 있는 기사를 찾아보게."

"기사들이 다 엉성해서 말이야."

"우리 둘이 생각하면 부족한 데를 메울 수도 있겠지."

"이것도 불완전하긴 한데, 어제 조간신문에 나온 이걸 읽어 보겠네. 이건 제목까지 붙어 있는데, '공작의 결혼식에서 괴사건 발생'이라고 쓰여 있군.

〈로버트 세인트 사이몬 경의 가족은 결혼식 직후 일어난 이상하고 곤란한 사건으로 인해 몹시 놀라고 있다. 어제 여러 신문에 일부 보도되었던 대로 결혼식은 그제 아침에 치러졌다. 그리고 곧이어 결혼식과 관련된 이상한 소문이 떠돌기 시작했는데, 마침내 사실인 것으로 확인되었다. 경의 친구들이 사건의 소문을 잠재우려고 애썼음에도 불구하고, 이 사건은 이미 대중 속에서 관심의 초점이 되어 있어, 일반적인 화젯거리나 다름없는 것을 무시하려고 하는 건 아무런 도움이 안 된다는 걸 알 수 있게 했다.

하노버 스퀘어의 세인트 조지 교회에서 거행된 결혼식은 극히 조촐한 것으로서 참석자는 신부의 아버지 앨로이셔스 도란 씨, 밸모럴 공작부인, 백워터 경, 신랑의 동생 유스터스 경과

누이동생 클레라 세인트 사이몬 양, 그리고 알리시아 위틴턴 양뿐이었다. 식이 끝난 뒤 일행은 랭카스터 게이트의 앨로이셔스 도란 씨 저택에 마련된 피로연 자리로 갔다. 이때 신원을 알 수 없는 한 부인이 일행을 뒤따라 와서는 저택 안으로 억지로 들어가려 해서 한바탕 옥신각신 실랑이가 일어났다. 그녀는 세인트 사이몬 경에게 정당하게 요구할 것이 있어서 왔다는 것이었다.

창피스런 소동이 잠시 벌어지다가, 그 부인은 결국 집사와 제복을 입은 하인들에게 쫓겨나게 되었다. 다행히 신부는 먼저 집에 들어가 있었기 때문에 이 불쾌한 광경을 보지는 않았다. 참석자들과 함께 피로연 자리에 앉아 있다가 갑자기 속이 안 좋다면서 자기 방으로 들어갔다는 것이다. 그러나 그 이후로 모습이 보이지 않자 신부의 아버지가 하녀에게 물었더니, 하녀 말로는 신부가 방에 들어왔다가 외투와 모자를 걸치고는 곧 급히 나갔다는 것이었다. 하인 한 사람은 어떤 부인이 그런 복장을 하고 집 밖으로 나가는 것을 보았지만, 신부는 당연히 피로연에 있는 줄로만 생각했기 때문에 그 부인이 신부라는 건 전혀 몰랐다고 했다. 그래서 앨로이셔스 도란 씨는 딸의 실종을 확인하고 신랑과 함께 그 즉시 경찰에 신고를 했다. 경찰에서도 현재 수사에 전력을 쏟고 있는 만큼 조만간 이 괴상한 사건도 해결될 것으로 보인다. 그러나 어젯밤 이후로 신부의 행방에 대해서는 아무런 단서도 잡히지 않고 있는 것이 사실이다.

일부에서는 범죄 사건을 언급하는 소리도 있지만, 경찰 입장에서는 신원을 알 수 없는 그 부인이 질투나 또는 다른 동기로 신부의 실종 사건에 연루되었을 것으로 믿고 그녀의 체포 수배령을 내렸다고 한다.〉"

"그 밖에 또 있나?"

홈즈가 물었다.

"음, 다른 신문에 또 짧은 기사가 하나 실려 있는데, 이건 뭔가 꽤 호기심을 자극하는구먼."

"어떤 내용인데?"

"도란 씨의 저택에서 소동을 일으켰던 그 여자 이름이 플로라 밀러인데, 그 여자가 체포되었다는 기사야. 알레그로 극장에서 무용수로 일했었는데, 세인트 사이몬 경과 수년 동안 아는 사이였다는구먼. 이 내용밖에는 다른 설명이 더 없는데, 아무튼 사건 전체에 대해 알게 된 셈이네. 적어도 신문에 나온 걸로 봐서는 말이야."

"어쨌든 굉장히 재미있는 사건일 것 같은 느낌이 드는구먼. 무슨 일이 있어도 이 건은 맡아야겠는걸. 그런데 이거 벨 소리 맞지? 왓슨, 벌써 네 시가 넘었으니까 틀림없이 그 고귀한 손님이 오셨을 걸세. 아참 왓슨, 나랑 같이 여기 있게나. 다른 사람이 함께 있어야 나중에 기억을 확인할 때도 좋거든."

그때 한 소년이 방문을 힘차게 열면서 말했다.

"로버트 세인트 사이몬 경입니다."

쾌활하고 기품이 있어 보이는 한 신사가 방으로 들어섰다. 그는 코가 날렵하고 얼굴색이 창백하며 입매에 고집이 엿보이는 게, 어딘지 좀 조급해 보이는 인상이었다. 그러나 눈빛에 분명한 기운이 어려 있는 것으로 보아, 아무래도 사람들을 거느리고 명령하는 높은 신분을 타고난 사람 같은 그런 침착함이 깃들어 있었다.

태도는 활달했지만 허리가 약간 구부정하고 무릎을 굽히는 식으로 걷고 있어서, 전체적으로 본인의 나이보다 늙어 보이는 면이 있었다. 그는 들어오면서 모자를 벗었는데, 드문드문 흰머리가 섞여 있고, 위쪽으로는 머리숱이 빠져 좀 휑해 보였다. 옷차림은 어찌 보면 다소 경박스러울 정도로 멋을 부렸는데, 칼라를 높이 세우고 검정색 프록코트에 흰색 조끼를 받쳐 입었는가 하면, 노란색 장갑을 끼고, 번쩍거리는 에나멜 구두에 밝은 색깔의 짧은 각반을 차고 있었다. 그는 얼굴을 좌우로 돌리며 금테 코안경의 끈을 오른손으로 흔들면서, 그렇게 거드름을 피우듯 방 안으로 들어섰던 것이다.

"안녕하십니까, 세인트 사이몬 경."

홈즈가 일어나 인사를 하며 말했다.

"자, 거기 소파에 앉으시죠. 이분은 저를 도와주고 있는 왓슨 박사입니다. 불 쪽으로 더 가까이 오세요. 그럼, 천천히 얘기를 해보시죠."

"홈즈 선생, 짐작하고 계실 거라고 생각하지만 나는 지금 정말로 난처한 상황에 있습니다. 어찌해야 할지 모르겠어요. 선생은 이런 종류의 까다로운 문제를 수없이 다뤄 봤겠지요. 하긴 나 같은 신분에 관련된 일은 처음 하시겠지만."

"아닙니다. 그 점에 대해서라면 잘못 아신 것 같습니다."

"뭐라고 하셨죠?"

"이 비슷한 사건을 얼마 전에 의뢰받았는데, 어떤 국왕 폐하였습니다."

"아니! 그런 일이 있었다고요? 어느 나라 국왕이었는데요?"

"스칸디나비아 국왕이었습니다."

"그렇다면, 왕비가 사라졌다는 건가요?"

"죄송합니다만."

홈즈가 나지막이 말했다.

"의뢰하신 사건의 내용은 절대 말하지 못하도록 되어 있습니다. 이건 당신한테도 마찬가지로 비밀을 약속한다는 뜻입니다."

"그렇죠. 당연한 말씀입니다. 너무나 당연하죠. 제가 그만 실례를 했군요. 아무튼 제 사건에 대해서는 참고될 만한 것이 있으면 뭐든 숨기지 않고 다 얘기해 드리겠습니다."

"고마운 말씀입니다. 신문에 나온 기사는 다 알고 있는데, 그것 이외엔 아무것도 모릅니다. 그런데 신문에 실린 것을 그대로 믿어도 될까요? 일테면 신부 실종 사건에 대한 기사들 말이죠."

세인트 사이몬 경은 신문 기사를 쳐다보았다.

"네, 보도된 것은 전부 사실입니다."

"하지만 좀 더 자세한 것을 모르는 상태에서는 아무래도 판단하기가 어렵습니다. 그래서 직접 질문을 드려 사실을 좀 파악하고 싶군요…….”

“아 네, 얼마든지 물어보세요.”

“해티 도란 양을 처음 만나신 게 언제입니까?”

“샌프란시스코에서 일 년 전에 만났습니다.”

“미국에 가셨다는 거죠?”

“그렇습니다.”

“그때 약혼하셨습니까?”

“아니요.”

“하지만 오랜 교제를 하셨던 거죠?”

“해티는 참 유쾌한 사람이었고, 그녀도 제가 좋아하고 있는 걸 알고 있었을 겁니다.”

“그녀의 아버지가 굉장한 부자라고 하던데요.”

“태평양 연안에서는 제일 부자로 알려져 있습니다.”

“무슨 사업으로 재산을 모은 겁니까?”

“광산사업이죠. 몇 년 전까지만 해도 아무것도 없었다고 하더군요. 그런데 광맥을 찾게 되면서 거기다 투자를 한 게 불길처럼 일어났던 거죠.”

“그런데 그 아가씨, 그러니까 당신 부인은 성격이 어떤 사람인가요?”

세인트 사이몬 경은 코안경을 약간 만지더니 뭔가 생각하는 눈빛으로 난로의 불길을 쳐다보았다.

“그게 말이죠, 홈즈 씨.”

"그녀는 아버지가 부자가 됐을 때, 이미 스무 살이 넘어 있었습니다. 그때까지는 광산의 작업장에서 뛰어다니며 놀거나 숲이나 산 등에서 자유롭게 컸기 때문에, 학교보다는 오히려 자연에서 교육을 받았다고 할 수가 있죠. 영국식으로 말하면 말괄량이 아가씨라고 할 수 있는데, 그야말로 자유분방하고 야성적으로 살아서 성격도 강한 면이 있고 아무튼 전통 같은 것에는 얽매이지 못하는 그런 기질이었습니다. 충동적인 면도 있고, 아니 화산 같다고 해야겠지요. 그래서 결단도 빠르고 해야겠다고 생각하는 것은 실행력도 아주 좋은 것 같습니다. 그 반면에, 사실은 이 점이 없었다면 저의 명예로운 집안에 들어올 수 없었겠지만……."

그는 이 지점에서 약간 거만을 떨며 헛기침을 했다.

"근본은 기품이 있는 여성입니다. 영웅심도 있어서 자신을 희생하는 면도 있고, 비열한 짓은 수치로 여기는 그런 여성이라고 믿고 있습니다."

"혹시 사진을 갖고 계신가요?"

"여기 가지고 왔습니다."

그가 내보인 것은 사진이 아니라 상아에 새긴 작은 조각인데, 검은색 머리에 윤기가 흐르고 눈과 입이 매우 우아하고 아름답게 표현된 대단한 미인의 얼굴이었다. 홈즈는 오랫동안 그 조각상을 들여다보았다. 그리고는 세인트 사이몬 경에게 돌려주었다.

"그럼, 그 뒤에 아가씨가 런던으로 오셔서 다시 교제를 이어가셨던 거군요?"

"그렇습니다. 지난번 사교철(5월부터 7월까지) 때 그녀의 아버지와 함께 왔던 겁니다. 그렇게 몇 번 만나고 약혼을 했고, 그리고 이번에 결혼했던 거죠."

"지참금을 굉장히 많이 가지고 왔다고 들었습니다만."

"네, 상당한 금액이었습니다. 우리 집안으로서는 뭐 보통 수준입니다만."

"그건 당연히 경의 수중에 남게 되는 거겠죠? 어쨌든 결혼을 하셨으니까."

"글쎄요. 그 점은 아직 제대로 모르지만……."

"그러시겠죠. 그런데 결혼식 전날 도란 양을 만나셨습니까?"

"네, 만났습니다."

"컨디션이 좋아 보였나요?"

"물론이죠. 아주 좋아 보였습니다. 앞으로의 생활에 대해 오랫동안 얘기도 나누고 했거든요."

"알겠습니다. 그럼 결혼식 날 아침엔 어땠습니까?"

"완전히 쾌활했습니다. 적어도 결혼식이 끝날 때까지는……."

"그럼 결혼식이 끝나고 나서는 뭔가 달라진 점이 보였다는 말씀인가요?"

"네, 사실을 말하자면, 저는 그때서야 비로소 그녀의 기질에 상당히 다혈질적인 면이 있다는 걸 알게 되었습니다. 하지만 말도 안 되는 사소한 일을 가지고 그랬기 때문에, 이 사건과는 전혀 관계가 없을 것 같습니다."

"아니, 그렇게 말씀하실 게 아니라 구체적으로 좀 얘기해 주시겠습니까?"

"하도 유치한 일이라서요. 식이 끝나고 함께 교회 부속실로 가려고 막 퇴장하는데, 그녀가 부케를 떨어뜨렸습니다. 마침 맨 앞좌석 부근을 걷고 있을 때라 부케가 그 좌석에 떨어진 거예요. 행렬이 가다가 잠시 멈췄지만 그 좌석에 앉아 있던 신사가 부케를 그녀한테 다시 건네주었기 때문에 별일 없이 끝난 걸로 생각을 했던 거죠. 그런데 나중에 제가 그 얘기를 꺼냈더니 해티가 시무룩하게 대답을 하는 거예요. 그리고 돌아가는 마차 안에서도 계속 그 사소한 일 하나 때문에 이해할 수 없을 정도로 기분을 못 풀고 있는 것 같더라고요."

"맨 앞좌석에 어떤 신사가 앉아 있었다고요? 결혼식에 모르는 사람도 참석을 했습니까?"

"그렇습니다. 교회가 열려 있을 때는 오는 사람을 쫓아낼 수가 없으니까요."

"그 신사가 부인의 친구는 아닙니까?"

"아닙니다. 그냥 신사라고 한 것뿐 보통 남자였습니다. 어떤 옷차림을 하고 있었는지도 거의 기억이 안 날 정도니까요. 그런데 이야기가 잠시 옆으로 샌 것 같군요."

"알겠습니다. 그러니까 세인트 사이몬 경의 부인께서 결혼식장을 나올 때는 들어갈 때만큼 유쾌하지 못하셨다는 말씀인데요. 그렇다면 피로연을 위해 아버지 집으로 돌아온 다음에는 부인이 어떻게 하셨습니까?"

"하녀와 얘기를 했습니다."

"하녀가 누구입니까?"

"앨리스라고 하는데, 미국 여자고, 아내가 캘리포니아에서 올 때 데리고 온 여자죠."

"부인 옆에서 시중을 드는 여자란 말입니까?"

"맞습니다. 그런데 여자가 좀 지나친 데가 있더군요. 제가 보기엔 멋대로 하도록 내버려 두는 것 같았습니다. 하긴 그런 점에서도 미국인과 우리의 사고방식이 다르니까요."

"그 앨리스라는 하녀와 얼마 동안이나 얘기를 하던가요?"

"한 이삼 분이었던 것 같은데요. 저는 다른 일을 생각하고 있었으니까요."

"두 사람이 무슨 얘기를 하는지 안 들으셨다는 말씀이네요."

"아내가 '클레임 점핑(채굴권을 횡령한다)' 어쩌고저쩌고 하는 말을 하고 있었습니다. 그녀는 가끔 그런 종류의 속된 말을 사용하더군요. 무슨 뜻이었는지는 모르겠어요."

"미국 속어에는 꽤 의미가 깊은 것들이 있죠. 그런데 하녀와 얘기가 끝난 다음엔 부인이 어떻게 하셨습니까?"

"피로연에 갔습니다."

"당신이 에스코트하셨겠네요?"

"아니요. 혼자 갔습니다. 그녀는 자잘한 그런 일에 대해 지나치게 자기 방식대로 합니다. 모든 사람들이 자리에 앉고 십 분쯤 지났을 때, 해티가 갑자기 자리에서 일어나더니 조용한 말소리로 몇 마디 양해를 구하고는 그 자리를 떠났습니다. 그런 후로 돌아오지 않았던 거죠."

"하녀 앨리스의 증언에 의하면, 방으로 가서 웨딩 드레스 위에 코트를 걸치고는 챙 없는 모자를 쓴 채 나가셨다고 했죠?"

"맞습니다. 그런 다음 플로라 밀러와 함께 하이드 파크에 들어가는 것을 누가 봤다고 하더군요. 이 여자는 지금 구류 중인데, 결혼식 날 아침에 도란 씨 집에서 한바탕 난리를 쳤었죠."

"그랬다고 하더군요. 참 그 여성과 당신의 관계에 대해서 좀 알고 싶습니다만……."

세인트 사이몬 경은 어깨를 움츠리며 약간 찡그렸다.

"한 육칠 년 동안 친하게 지냈습니다. 네, 아주 친하게 친했지요. 전에 알레그로 극장에 있었던 여자입니다. 나로서는 할 만큼 해 줬기 때문에 이제 와서 딴소리를 들을 이유는 없습니다. 그런데 홈즈 씨, 아시겠지만 여자들이 참 그렇습니다. 플로라도 매력적인 아가씨이긴 하지만 워낙 집착하는 성격인데다 저한테 완전히 빠져 있었습니다. 그러다가 제가 결혼한다는 얘기를 듣고는 몇 번이나 위협적인 편지를 보내더군요. 결혼식을 그렇게 조촐하게 치른 것도 사실은 교회에서 한바탕 소란이 일어날까 봐 걱정 돼서 그랬던 겁니다. 저희가 결혼식이 끝나고 도란 씨 집으로 가자마자 그 집 앞에 나타나서는 제 아내를 마구 욕하고 모욕을 주면서 심지어 협박하는 투로 지껄이며 막무가내로 들어가려고 했습니다. 어쩌면 그런 일이 일어날지도 모른다는 생각에 미리 사복 경관 두 명을 배치해 놓았기 때문에 그들이 곧 내쫓을 수 있었죠. 플로라는 결국 거기서 소리쳐 봐야 소용이 없겠다는 걸 깨닫고 조용히 물러갔던 것 같습니다."

"부인께서도 그 문제를 아셨습니까?"

"아니요. 다행히도 듣지 못했던 것 같습니다."

"그런데 그 플로라라는 여자와 함께 하이드 파크에 갔다고요?"

"그렇습니다. 경시청의 레스트레이드 경감도 그 점을 의아하게 생각하고 있습니다. 플로라가 아내를 꼬여 내 무서운 계략을 꾸민 게 아닌가 하는 것이죠."

"네, 그런 추정도 가능할 수 있겠네요."

"홈즈 씨, 당신도 그렇게 생각하십니까?"

"단정 짓는 건 아닙니다. 하지만 당신은 있을 수 없는 일이라고 생각하시는군요?"

"왜냐하면 플로라는 파리 한 마리 죽일 여자가 못되기 때문입니다."

"하지만 질투는 사람의 성격을 이상하게 바꿔 버릴 수도 있는 법이죠. 그런데 부인께서 사라지신 것에 대해 당신의 생각은 어떻습니까?"

"저는 홈즈 씨의 의견을 들으러 온 것이지 제 생각을 말하러 온 게 아닙니다. 그래서 사실 전부를 그대로 말한 겁니다. 그러나 물으시니까 말씀드리자면 아마도 그녀는 결혼으로 인한 변화, 그러니까 높은 신분이 되었다는 그런 변화 말이죠, 그것 때문에 지나치게 큰 혼란을 느낀 건 아닐까 하는 생각이 들었습니다."

"그건 바로, 갑자기 정신이 이상해졌다는 뜻인가요?"

"네, 그런 셈이죠. 단지 저한테서 도망갔기 때문이 아니라, 많은 사람들이 소원하면서도 이룰 수 없었던 것을 내팽개쳐 버렸다는 점에서 볼 때, 그것 외에는 달리 설명이 되지 않으니까요."

"그렇게 생각할 수도 있겠죠."

홈즈는 슬며시 웃으며 말했다.

"세인트 사이몬 경, 이 정도면 필요한 자료는 거의 다 된 것 같습니다. 그런데 한 가지만 더 묻겠는데요, 피로연 자리에서 당신은 밖이 보이는 장소에 앉으셨습니까?"

"제가 앉은 자리에서는 길 맞은편과 공원이 보였습니다."

"그랬군요. 그럼, 이제 돌아가셔도 됩니다. 나중에 연락드리겠습니다."

"이 사건이 잘 해결된다면 말이겠죠?"

세인트 사이몬 경이 자리에서 일어나며 말했다.

"아닙니다. 이미 해결했습니다."

"네? 뭐라고요?"

"이미 해결했다고 말씀드렸습니다."

"그럼, 제 아내는 어디에 있습니까?"

"그 점도 곧 해결할 겁니다."

세인트 사이몬 경은 머리를 흔들며 말했다.

"그 문제는 당신과 나보다 더 예리한 두뇌가 필요할 것 같은데요."

그러더니 위엄을 갖춘 고통스런 표정으로 인사를 하고 나갔다.

"세인트 사이몬 경이 황송하게도 내 두뇌를 자기 두뇌와 같은 수준으로 인정해 주는구먼."

셜록 홈즈가 웃으며 말했다.

"자, 이제 까다로운 심문이 끝났으니까 위스키소다와 시가를 즐겨야겠네. 나는 저 의뢰인이 들어오기 전에 이미 결론을 내렸었지."

"설마!"

"정말일세. 내가 이것과 비슷한 사건 기록을 몇 개나 가지고 있거든. 물론 아까 말했던 것처럼 이렇게 재미있는 건 처음이지만 말이야. 모든 것을 다 검토해 보니까 역시 확신이 들더구먼. 상황 증거도 때에 따라서는 매우 중요한 의미를 갖게 되지. 헨리 데이비드 소로의 말은 아니지만, 우유 속에서 송어가 나왔을 경우엔 말일세."

"자네가 들은 것과 똑같이 나도 들었는데 말이야."

"그런데 나는 여러 가지 전례를 알고 있으니까 자네와는 다르지. 몇 년 전에 스코틀랜드 애버딘에서 비슷한 사건이 있었고, 프랑스와 프로이센 간에 전쟁이 일어났던 그다음 해에 뮌헨에서도 아주 유사한 사건이 있었지. 이번 사건도 같은 경우야. 아니, 레스트레이드 경감이 왔네! 안녕하시오, 레스트레이드. 거기 찬장에 손님용 큰 잔이 있고, 시가는 그 상자 속에 있어요."

경감은 두꺼운 모직 코트에 목도리를 두르고 있었는데, 옷차림으로 봐선 영락없는 하급 선원의 모양새였다. 그런데 무슨 검정색 자루를 하나 들고 있었다. 그는 역시나 무뚝뚝한 말투로 인사하고 자리에 앉더니 시가에 불을 붙였다.

"어떻게 되었소?"

홈즈가 눈을 반짝이며 물었다.

"그런데 불만스러운 표정을 하고 있군요."

"불만스러운 표정이라고도 할 수 있겠죠. 그 세인트 사이몬 경의 신부 사건 말이죠. 이제 정말 넌더리가 난다니까요……. 그게 도대체 머리도 꼬리도 잡히지가 않으니."

"허! 그거 신기하군요."

"이렇게 복잡한 사건은 정말 처음 겪네요. 뭐 단서 하나가 제대로 잡혀야 말이죠. 손가락 사이로 다 빠져나가 버리니 원. 오늘도 하루 허탕 쳤어요."

"그런데 흠뻑 젖으셨군요."

홈즈가 경감의 코트 소매를 만져 보면서 말했다.

"맞습니다. 하이드 파크의 서펜타인 연못 바닥을 뒤졌거든요."

"허! 그건 또 왜요?"

"세인트 사이몬 경의 부인 시체를 찾느라고요."

그때 셜록 홈즈가 의자에 깊숙이 기대며 껄껄 웃었다.

"트라팔가 광장의 분수 연못도 뒤져 봤습니까?"

"네? 거긴 왜요?"

"거기서도 시체가 나올 가능성은 있을 테니까 말이죠."

레스트레이드 경감은 짜증 난 얼굴로 홈즈를 흘겨보았다.

"내참, 당신은 모든 것을 완전히 알고 계시는 것 같군요."

레스트레이드가 비꼬듯 말했다.

"아닙니다. 방금 전에 자세한 얘기를 좀 들었을 뿐입니다. 물론 짐작되는 것은 있죠."

"허! 그럼, 서펜타인 연못은 이 사건과는 관계가 없다는 말씀인가요?"

"없다고 생각합니다."

"그럼, 연못에서 이런 물건들이 나온 건 어떤 이유에선지 설명을 좀 해주시죠."

그는 이렇게 말하며 자루를 열어 그 안에서 물방울이 떨어지는 신부의 실크 드레스와 흰색 구두, 신부의 화환, 베일 등을 꺼내 바닥에 내팽개쳤다. 전부 다 물에 젖어 이미 변색되어 있었다.

"보세요."

레스트레이드는 마지막으로 결혼반지를 그 위에 올리며 말했다.

"어떻게 생각하십니까, 홈즈 선생, 이걸 보니까 좀 난처하시죠?"

"허허, 정말 그러네요."

홈즈는 시가의 푸른 연기를 뿜어내며 말했다.

"이것들을 전부 서펜타인 연못에서 건져 냈다고요?"

"아니요. 기슭 가까이에 떠 있는 것을 공원의 관리인이 발견했습니다. 부인의 물건이 맞는다고 확인됐기 때문에 시체도 멀리 있지 않을 거라고 생각했던 거죠."

"그 훌륭한 논법을 그대로 따른다면, 인간의 몸은 전부 다 옷장 옆에 있게 되겠군요. 그래서 당신은 이 물건들을 보고 어떤 결론을 내려고 했습니까?"

"부인의 실종에 플로라 밀러가 관련되어 있다는 증거를 끌어낼 수 있다고 생각합니다."

"그건 좀 어렵지 않을까요?"

"네? 정말로 그렇게 생각하십니까?"

레스트레이드는 조금 불쾌한 듯 큰소리로 말했다.

"홈즈 선생, 당신의 연역법과 추리는 별로 실제적이라고 할 수는 없을 것 같군요. 같은 시간 동안 꼭 두 가지 잘못을 저지르고 계시거든요. 이 옷은 분명히 플로라 밀러가 관계되어 있다는 것을 나타내고 있으니까요."

"그건 또 왜죠?"

"이 옷에 주머니가 있습니다. 주머니에 명함 지갑이 있고요. 그리고 명함 지갑 속에 편지가 들어 있군요. 자, 보세요. 이것이 편지입니다."

그는 앞 테이블에다 던지듯 편지를 놓으며 말했다.

"이렇게 쓰여 있군요."

〈모든 것이 준비되는 대로 만나겠어요. 즉시 와 주세요. FHN〉

"자, 보세요. 저는 처음부터 플로라 밀러가 세인트 사이몬 경 부인을 꼬여내 공모자와 짜고 부인을 숨겼을 거라고 생각했어요. 이 F H

N은 그녀의 이니셜인데, 틀림없이 저택 현관에서 부인한테 슬쩍 이 편지를 건네주는 식으로 전달해서는 그들 계략에 걸려들게 만든 겁니다."

"뭐, 그럴듯하게 들리는군요, 레스트레이드 경감."

홈즈가 웃으며 말했다.

"정말 멋집니다. 잠깐 좀 볼까요?"

그는 이렇게 말하며 대수롭지 않은 듯 편지를 집어 들더니 갑자기 열심히 들여다보았다.

"이거 굉장한 건데."

"그렇죠? 그렇게 생각되시죠?"

"그럼요. 축하합니다."

레스트레이드는 당당하게 일어서더니 고개를 숙여 그 편지를 다시 들여다보았다.

"아니!"

그가 별안간 소리쳤다.

"뒷면을 보고 계시잖아요."

"아니, 이쪽이 겉이에요."

"겉이라고요? 그럴 리가! 이쪽에 연필로 편지가 쓰여 있잖습니까?"

"그런데 이쪽은 호텔 계산서의 잘라진 부분 같아서 아주 흥미를 끌거든요."

"그런 것은 전혀 중요하지 않아요. 나도 아까 봤다시피 말이죠."

레스트레이드가 말했다.

〈10월 4일 방값 8실링, 아침 식사 2실링 6펜스, 칵테일 1실링, 점심 식사 2실링 6펜스, 셰리 주 한 잔 8펜스.〉

"그것밖엔 아무것도 안 쓰여 있잖습니까?"

레스트레이드가 또 말했다.

"그렇게 보이겠죠. 하지만 이것이 중요하다는 점은 변함이 없습니다. 참 그 편지도 최소한 이니셜은 아주 중요하니까, 어쨌든 축하한다고 말해야겠네요."

"제기랄, 시간만 낭비하고 말았군."

레스트레이드는 그 말을 하며 일어섰다.

"아무튼 나는 말이죠, 불 옆에 앉아서 무슨 이론이 어쩌고저쩌고 하면서 떠드는 그런 일이 아니라 직접 부지런히 움직이는 걸 더 존중합니다. 안녕히 계시오, 홈즈 선생. 어느 쪽이 먼저 사건의 진상을 밝혀낼지는 이제 알게 되겠죠."

그는 젖은 물건들을 다시 자루에 집어넣고는 나가려 했다.

"레스트레이드 경감, 내가 한 가지만 힌트를 드리지요."

홈즈는 라이벌이 떠나기 전에 느긋한 말투로 그를 불러 세웠다.

"문제의 진짜 해답은 전혀 다른 곳에 있습니다. 알려 드릴까요? 세인트 사이몬 부인이란 건 완전히 꾸며낸 이야기입니다. 그런 인물은 존재하지도 않고 존재했었던 적도 없어요."

레스트레이드 경감은 아주 딱하다는 표정으로 홈즈를 쳐다보았다. 그리고는 나를 또 돌아보며 자신의 이마를 가볍게 세 번 두드리고는 심각하다는 식으로 머리를 흔들더니 재빨리 나가 버렸다.

경감이 막 문을 닫자 홈즈가 일어나 급히 코트를 걸쳤다.

"저 사나이가 부지런히 움직이고 어쩌고 하는 말을 했지만, 그것도 일리는 있는 말이야."

그는 말하면서 서둘렀다.

"그러니까 왓슨, 자네는 잠시 신문이나 읽고 있게나. 나는 나갔다 오겠네."

셜록 홈즈가 나를 두고 나간 건 다섯 시가 지나서였는데, 그 뒤로 나는 신문을 읽을 틈도 없었다. 한 시간도 안 돼 한 식품점의 배달꾼이 나지막한 상자를 들고 들이닥쳤기 때문이다. 그는 같이 온 젊은이에게 상자를 열게 하더니, 놀라며 바라보고만 서 있는 내 앞에서 하숙집의 소박한 마호가니 식탁 위에다 미식가의 음식 같은 저녁 식사를 차리기 시작했다. 약간 식어 보이기는 하지만, 도요새 두 마리와 꿩 한 마리, 거위 간 파이가 차례로 놓이더니 이어서 거미줄이 잔뜩 끼어 있는 오래된 술병 몇 개까지 옆에 곁들여 나왔다. 그렇게 진수성찬을 늘어놓은 두 남자는, 누군가 음식 값을 이미 지불하고 이곳에 배달하라는 주문을 했다면서 그 말 외에는 아무런 설명도 하지 않고 마치 아라비안 나이트의 마법사처럼 사라졌다.

아홉 시 조금 전에 셜록 홈즈가 활기찬 모습으로 돌아왔다. 그는 뭔가 진지한 표정을 하고 있었지만 눈빛이 반짝거리는 것으로 보아 분명 허탕을 친 것 같지는 않았다.

"아, 식사 준비가 됐군."

그는 두 손을 비비며 말했다.

"누가 오는가 보네? 다섯 사람 자리나 차려 놓았으니."

"어, 손님이 몇 명 올지도 모르겠네."

그가 말했다.

"그런데 세인트 사이몬 경은 벌써 와 있을 줄 알았는데 안 왔구먼. 아, 마침 계단에서 소리가 나는군. 그 사람이 맞을 거야."

누가 요란한 소리를 내며 들어왔는데, 정말로 낮에 왔던 그 손님이었다. 그는 코안경을 유난히 더 심하게 흔들거리며, 위엄 있는 얼굴에 몹시 당혹스러운 표정을 하고 있었다.

"심부름꾼을 만나셨군요?"

홈즈가 물었다.

"네, 편지를 받고는 솔직히 너무나 놀랐습니다. 그 이야기가 충분히 근거 있는 소릴까요?"

"그렇습니다. 가장 사실과 가까운 얘기죠."

세인트 사이몬 경은 의자에 몸을 푹 기대고는 이마에 손을 댔다. 그리고는 중얼거렸다.

"공작이 알면 뭐라고 하실까? 가문의 사람이 이런 굴욕을 당했다는 걸 들으시면."

"이건 정말 황당한 사건이죠. 굴욕적이라고는 전혀 생각되지 않는데요……."

"그건 당신이 보는 관점에서 생각하는 것이겠죠."

"누가 나쁘다고 할 수는 없는 것 같습니다. 너무나 당돌한 부인의 행동은 물론 유감스럽지만, 그 상황에서는 다른 방법도 없었던 것 같거든요. 어머님이 안 계시기 때문에, 이렇게 막다른 입장에 처했을 때 딱히 의논 상대가 되어 줄 사람이 없었던 겁니다."

"아닙니다. 이건 나를 모욕한 겁니다. 아주 대놓고 모욕을 한 거죠."

세인트 사이몬 경은 손가락으로 테이블을 두드리며 말했다.

"그 부인도 참 너무나 어려운 입장에 처해 있었으니까 불쌍히 여기고 너그럽게 이해해 주셔야 할 것 같습니다."

"아니요, 그럴 수 없습니다. 저는 정말 화가 납니다. 사실 심한 수치를 당한 것이니까요."

"벨 소리가 나는데요."

홈즈가 말했다.

"아, 계단을 올라오고 있군요. 세인트 사이몬 경, 제가 그렇게 부탁을 드려도 받아들이시지 않으니까, 제가 부른 변호인을 만나 보시는 것도 좋을 것 같습니다."

그렇게 말하며 홈즈는 문을 열어 한 부인과 신사를 방으로 들어오게 했다.

"세인트 사이몬 경."

홈즈가 말했다.

"여기 프랜시스 헤이 몰턴 부부를 소개하겠습니다. 부인은 이미 알고 계시리라 생각합니다만."

두 사람을 본 우리의 의뢰인은 자리에서 벌떡 일어나더니 곧 시선을 내리고 한 손을 프록코트의 가슴에 집어넣으며 못 박힌 듯 그 자리에 서 있었다. 위엄에 몹시 상처를 받은 모습이 역력했다. 부인이 얼른 앞으로 나서며 악수를 청했지만 그는 쳐다보지도 않았다. 그의 결의를 관철하기 위해서는 그것도 좋았을 거라고 여겨지는 건, 그녀의 애원하는 얼굴을 도저히 거절할 수가 없었다는 것이다.

"화가 나셨군요, 로버트."

그녀가 말했다.

"정말 그럴 만도 하죠."

"변명 같은 건 필요 없어요."

사이몬 경이 불쾌한 투로 말했다.

"제가 당신한테 너무나 미안한 일을 저질렀다는 것도 알고 있고, 나가기 전에 얘기를 했어야 하는 것도 알고 있습니다. 하지만 그때 저는 너무나 당황한 상태였고, 여기서 프랭크를 다시 만나고부터는 내가 무엇을 하고 있는지 무엇을 말하고 있는지 나 자신도 모르게 되고 말았던 거예요. 결혼식이 끝나고 나갈 때 그 자리에서 기절하지 않았던 게 이상할 정도였어요."

"몰턴 부인, 얘기하시는 동안 저와 친구는 자리를 피하는 게 좋을 것 같습니다만."

"잠깐만, 실례지만."

부인과 함께 온 신사가 입을 열었다.

"저희가 이번 일을 너무 지나치게 비밀로 했던 것 같습니다. 저로서는 유럽 전체에, 미국 전체에 이 진상을 알리고 싶습니다."

그는 몸집은 작은 편이지만 매우 강단이 있어 보이고 햇볕에 그을려 건강하며 수염도 말끔하게 깎아 예리해 보이는 인상에다 아주 적극적 태도를 가지고 있었다.

"그럼, 제가 다 얘기를 하죠."

부인이 말했다.

"프랭크와 저는 81년에 록키산맥 근처에 있는 맥과이어라는 곳에서 처음 만나게 됐습니다. 거기에 아버지의 광산이 있었죠. 우리는 곧 약혼을 했습니다. 그런데 아버지가 갑자기 큰 광맥을 발견하고는 순식간에 엄청난 부자가 됐던 반면에, 프랭크의 광구 쪽은 광맥이 가늘어서 그만 차츰 광산을 폐쇄하게 되었습니다. 아버지는 갈수록 부자가 되었지만 프랭크는 반대로 점점 어려워졌죠. 그러니까 아버지가 급기야는 저더러 약혼을 취소하라고 하면서 저를 샌프란시스코로 데리고 간 겁니다. 그러나 프랭크는 단념하지 않았어요. 저를 뒤따라와서 우리는 아버지 몰래 만났습니다. 아버지가 알면 불같이 화를 낼 게 뻔해서 우리는 둘이서 모든 것을 결정했습니다. 프랭크는 다시 돌아가서 재산을 만들어 갖고 오겠다면서, 아버지만큼 부자가 되기 전에는 저와 결혼하러 돌아오지 않겠다고 했습니다. 그래서 저는 그를 기다리기로 약속하고, 프랭크가 살아 있는 동안은 다른 사람과 절대로 결혼하지 않겠다고 맹세했습니다. 그랬더니 그가 말하더군요. '그렇다면 왜 지금 결혼하면 안 되는 거지? 그렇게 하면 당신을 믿고 있을 수 있는데 말이야. 그리고 돌아올 때까지 내가 당신의 남편이라는 말은 절대로 하지 않을 거요.' 그래서 우리는 곧 의논을 해서 목사님의 입회 아래 결혼식을 올리게 되었습니다. 그러고 나서 프랭크는 재산을 만들기 위해 떠났고, 저는 아버지가 계신 곳으로 돌아갔습니다.

그 후 가끔 소식이 들려왔는데, 프랭크가 몬태나에 있다고 하더군요. 그리고 얼마 지나서는 애리조나의 광산으로 갔고, 그다음에는 뉴멕시코에 있다고 들었습니다. 그러다가 신문에 기사가 났는데, 아파치족의 인디언이 광산촌을 습격해 많은 사람들을 살해했는데 그 명단에 프랭크의 이름이 들어 있었습니다. 저는 슬픔을 견디다 못해 그때부터 몇 달 동안이나 아파 누워 있었지요. 아버지는 제가 폐병에 걸린 줄 알고 샌프란시스코에 있는 거의 모든 의사들에게 진찰을 받도록 했습니다.

그로부터 일 년이 지나도 프랭크한테서는 아무런 소식이 없기에 저는 정말로 그가 죽었다는 것을 믿게 되었습니다. 그 무렵 세인트 사이몬 경이 샌프란시스코에 오셔서 우리는 런던으로 가서 결혼하기로 됐던 겁니다. 아버지는 대단히 기뻐하셨지만 저는 마음속으로 어떤 남자도 프랭크를 대신할 수는 없다고 항상 생각하고 있었습니다.

그러나 세인트 사이몬 경과 결혼한다면 저는 아내로서 당연히 경에게 최선을 다할 생각이었습니다. 애정은 억지로 안 되는 것이지만 행동은 의지대로 할 수 있으니까요. 경과 함께 결혼식장으로 들어섰을 때는 저도 할 수 있는 한 좋은 아내가 되겠다고 마음먹었죠. 하지만 그때 저의 심정을 상상이라도 하실 수 있을까요? 결혼식 단 위에 올라가 문득 돌아다본 순간, 글쎄 맨 앞좌석에 프랭크가 서서 저를 쳐다보고 있는 것 아니겠어요. 저는 처음에 유령을 봤나 생각했습니다. 하지만 다시 한번 돌아다봤을 때도 그는 역시 같은 자리에 서서, 자기를 본 게 기쁜지 슬픈지를 묻고 있는 듯한 눈빛으로 저를 쳐다보고 있었습니다. 저는 그때 다행히도 쓰러지지 않았지요. 눈앞이 빙글빙글 돌고 목사님의 말씀은 마치 벌이 윙윙거리는 소리처럼 귓속에서 울렸습니다. 어찌해야 좋을지 정말 모르겠더군요. 결혼식을 중지시키고 교회에서 소동을 일으켜도 되는 것일까. 그런 생각을 하며 다시 한번 프랭크 쪽을 쳐다보았는데, 그는 마치 제 생각을 알고 있는 듯 입술에 손가락을 대며 아무 말도 하지 말라는 신호를 해 보였습니다. 그런 다음 종이에 뭔가를 쓰더군요. 저는 그걸 보고는 저한테 보낼 쪽지라고 생각했습니다. 그래서 퇴장하다가 그의 좌석 앞을 지날 때 일부러 그에게 부케를 떨어뜨렸고, 그는 부케를 주워서 줄 때 저한테 슬쩍 그 쪽지를 건넸던 겁니다. 쪽지엔 신호를 하면 오라고 그 말만 적혀 있었습니다. 저는 프랭크에게 했던 제 약속을 지킬 순간이 왔다는 것을 조금도 의심하지 않았기 때문에, 모든 걸 그가 하자는 대로 맡기기로 결심을 굳혔습니다.

피로연에 가자마자 저는 하녀에게 그 얘기를 했습니다. 하녀는 캘리포니아에 있을 때부터 프랭크를 알고 있었고, 항상 그의 편이었던 사람입니다. 저는 하녀에게 입을 다물고 있도록 당부하고는, 몇 가지 물건과 제 외투를 준비해 놓으라고 일렀습니다. 세인트 사이몬 경에게 미리 말씀을 드려야 한다는 건 알고 있었지만, 경의 어머님이나 신분이 높은 분들 앞에서 그런 이야기를 한다는 건 생각만 해도 무서웠습니다. 지금은 이대로 떠나고 나중에 설명해 드리자고 생각했죠.

피로연 좌석에 앉고 나서 십 분도 안 돼 길 건너편에 프랭크가 서 있는 모습이 창문으로 보였습니다. 그는 저한테 신호를 하더니 공원으로 들어가더군요. 저는 그때 바로 슬쩍 빠져나가 준비를 하고 그가 있는 곳으로 갔습니다. 가는 도중 어떤 모르는 여자가 다가와서는 세인트 사이몬 경에 대해 이런저런 얘기를 하더군요. 별로 듣고 싶지는 않았지만, 경에게도 결혼 전에 작은 비밀이 있었던 것 같은 그런 이야기였습니다. 하지만 저는 그 여자에게서 벗어나 곧 프랭크를 만났습니다.

우리는 승합마차를 타고 프랭크가 머물고 있던 고든 스퀘어의 하숙집으로 가서 그토록 오랜 세월을 기다려 왔던 진짜 결혼을 하게 되었습니다. 프랭크는 아파치족에게 포로로 잡혀 있다가 탈출해서 샌프란시스코로 갔는데, 거기서 제가 영국으로 갔다는 말을 듣고는 저를 쫓아 영국까지 왔던 겁니다. 그리고 결국 저의 두 번째 결혼식 날에 간신히 저를 만날 수 있었던 거죠."

"신문에 난 걸 보고 알았습니다."

프랭크라는 미국인이 설명했다.

"신부의 이름과 교회가 쓰여 있기에 교회로 찾아갔던 겁니다. 신부가 어디에 사는지는 몰랐으니까요."

이어서 부인이 설명을 계속했다.

"우리는 앞으로 어떻게 할지를 의논했습니다. 프랭크는 모든 걸 다 밝히는 게 좋겠다고 했지만, 저는 너무나 부끄러웠기 때문에 그냥 이대로 사라지고 싶었습니다. 이젠 그 사람들을 두 번 다시 만나지 말아야지, 하고 생각했을 정도니까요. 아버지한테라도 간단히 편지를 써서 제가 무사히 잘 있다는 걸 알려드리고 싶었지만……. 피로연에서 제가 돌아오기를 기다리고 계실 그 귀부인들과 신사분들을 생각하면 그냥 무섭기만 했어요. 그래서 프랭크가 신부 예복을 모두 한 데 묶어서 아무에게도 발견되지 않을 것 같은 장소에 버리러 갔습니다.

그런데 여기 홈즈 씨라는 친절한 신사분이 어떻게 저희가 있는 장소를 아시게 됐는지 모르지만, 오늘 밤에 찾아오셨더군요. 그리고는 제 생각이 잘못됐고 프랭크의 말이 옳다면서, 언제까지나 비밀로 하고 있으면 우리가 나쁜 일을 하고 있다는 걸 시인하는 것이나 마찬가지라고 말씀해 주셨습니다. 저희는 내일 파리로 떠나 버릴 참이었는데, 선생님께서 그렇게 친절하게 분명한 얘기를 해주셨던 겁니다. 그리고 저희들이 세인트 사이몬 경하고만 따로 얘기할 수 있는 기회를 만들어 주셔서 이렇게 찾아온 겁니다.

자, 로버트, 저는 모든 걸 다 말씀드렸어요. 걱정을 끼쳐 드린 점은 정말 죄송하지만, 저를 너무 경멸하지 말아 주시면 고맙겠습니다."

세인트 사이몬 경은 굳어진 마음을 조금도 풀지 않고 눈살을 찌푸리며 입을 꾹 다물고 얘기를 듣고만 있었다.

"실례지만,"

그가 말했다.

"저는 극히 은밀한 개인적인 이야기를 이렇게 다른 사람들이 있는 자리에서 하는 습관이 되어 있지 않습니다."

"그럼, 용서하지 못한다는 얘기군요. 작별의 악수라도 해주시지 않겠어요?"

"물론 해야죠. 정 원하신다면."

그는 그녀가 내민 손을 그저 냉랭하게 잡을 뿐이었다.

"제 생각으로는,"

홈즈가 권했다.

"당신도 화해의 식탁에 참석해 주시면 좋겠는데요."

"그건 좀 지나친 제의라고 생각합니다."

세인트 사이몬 경이 대답했다.

"일이 이렇게 된 마당에 제가 뭘 어떻게 하겠습니까? 하지만 저 사람들과 함께 어울리지는 못하겠네요. 난 이제 그만 이쯤에서 떠나고 싶습니다."

세인트 사이몬 경은 우리 네 사람에게 갑자기 인사를 한 후 어깨를 추켜올리며 방을 나갔다.

"몰턴 씨."

셜록 홈즈가 말했다.

"이렇게 미국인을 만나게 돼서 아주 반갑습니다. 저는 옛날에 어떤 왕이 어리석은 짓을 했다든가 어떤 장군이 실수를 저질렀다고 해서, 우리 후손이 언젠가 세계 곳곳에 국가를 세우고 유니언 잭과 성조기를 휘날리는 일에 방해가 되는 건 아니라고 믿고 있는 사람입니다."

"이 사건에서 흥미로운 점은 말일세."

몰턴 부부가 떠나고 나서 홈즈가 말했다.

"처음에 얼른 볼 때는 해결이 거의 불가능할 것 같은 사건이라도 아주 뜻밖에 간단히 풀릴 수 있다는 것을 분명히 보여줬다는 것이지. 그 부인의 얘기를 들어보니까 이렇게도 자연스런 일이 없다고 생각되는데, 그 반대로 런던 경시청의 레스트레이드 쪽에서 내린 결론을 보면 이렇게도 이상한 사건이 없는 거지."

"그럼 자네는 그걸 알아내기까지 전혀 어렵지 않았단 말인가?"

"나는 처음부터 두 가지 사실을 분명히 알 수 있었다네. 그 부인이 결혼식을 진심으로 기뻐하며 치렀다는 사실과, 결혼식이 끝나고 돌아가는 그 짧은 시간 동안 그녀가 진심으로 결혼을 후회하기 시작했다는 사실이지. 왜냐하면 그녀의 마음을 바꾸도록 한 어떤 사건이 분명히 아침에 생겼기 때문이네. 그 사건은 도대체 뭘까. 그녀는 계속 남편과 함께 있었기 때문에 다른 사람과 얘기를 했을 것 같지는 않았네. 그렇다면 누군가를 우연히 발견했던 것일까. 만일 그렇다면 그건 분명 미국에서 온 사람이었을 것 같았지. 그녀는 아주 최근에야 영국에 왔기 때문에 결혼식장에서 한 번 보고 마음을 완전히 바꾸게 할 만큼 그녀에게 어떤 영향력을 가진 남자가 영국에 있다고는 생각할 수 없으니까 말일세. 이렇게 거슬러 올라가 보면, 그녀는 그날 아침에 미국인과 만났다는 결론에 어렵지 않게 도달할 수 있지. 그럼 그 미국인은 도대체 어떤 사람이기에 그녀의 마음을 그렇게도 강하게 돌려세울 수 있었을까. 애인일지도 모르고, 남편일지도 모르지. 알아본 바에 의하면, 그녀는 어릴 때부터 보통의 환경과는 아주 다른 거친 자연 속에서 자랐다고 하더구먼. 나는 여기까지 추정을 하고 나서 세인트 사이몬 경의 이야기를 들었던 거라네. 그가 말했던 것들, 그러니까 맨 앞줄에 앉아 있었던 어떤 남자 얘기, 신부의 기분이 갑자기 바뀌었다는 사실, 부케를 떨어뜨린 사건, 그녀가 데리고 온 하녀에게 뭔가 부탁을 했다는 것, 그리고 마지막으로 그녀가 의미심장하게도 클레임 점핑이라는 말을 했다는 사실, 이런 얘기들을 다 듣고 나니까 사건의 줄거리가 명백하게 보이더구먼. 결론은, 그녀가 남자와 함께 도망쳤고, 그 남자는 그녀의 애인이거나 원래의 남편이란 사실이지. 아마도 남편이 맞을 거라고 생각했지만 말이야."

"그런데 그 사람들을 도대체 어떻게 찾았나?"

"어려웠다네. 그런데 우리의 친구 레스트레이드가 자신은 그게 중요한지도 모른 채 자료를 입수하는 바람에 도움이 됐지. 이니셜 글자가 쓰여 있었던 것도 극히 중요한 것이었지만, 그것보다 더 중요했던 것은 그 남자가 일주일 동안 런던의 최고급 호텔에서 계산을 했다는 사실이었네."

"최고급 호텔이라는 건 뭘 가지고 그렇게 생각한 거지?"

"비싼 가격 때문이지. 방값이 팔 실링, 세리 주 한 잔에 팔 펜스 등등 말이야. 이건 분명 최고급 호텔이거든. 이 정도 가격을 받는 호텔은 런던에도 많지 않아. 노섬버랜드 거리에서 두 번째로 들어간 호텔에서 숙박부를 조사해 봤더니 프랜시스 헤이 몰턴이라는 미국 남자가 그 전날까지 숙박을 했더구먼. 그래서 계산서를 좀 보여 달라고 했더니, 레스트레이드가 가지고 왔던 그 영수증하고 똑같은 내용이 적혀 있었다네. 그러면서 그에게 오는 편지는 고든 스퀘어 226번지로 배달한다고 하기에, 즉시 그곳으로 갔지. 사랑하는 그 부부는 마침 집에 있더군. 그래서 아버지가 충고하듯 그 비슷한 말로 설득을 했지. 세인트 사이몬 경에 대해서 그들의 입장을 좀 더 명백하게 하는 게 어느 점으로 보더라도 유리하지 않겠느냐는 말로 말이야. 그런 다음 여기로 와서 세인트 사이몬 경과 만나도록 설득을 했고, 그리고 세인트 사이몬 경도 오도록 했던 거지."

"하지만 결과가 그리 좋지는 않았지."

내가 말했다.

"세인트 사이몬 경이 별로 관대하지 못했어."

"그건 말이야, 왓슨."

홈즈는 웃으며 말했다.

"사랑해서 어려운 과정을 거쳐 결혼을 했는데 갑자기 아내와 재산을 뺏긴다면 그 누구도 관대해질 수는 없을 걸세. 그저 세인트 사이몬 경에게 마음 깊이 동정을 보내는 수밖엔 없는 것 같네. 우리는 그런 상황에 놓이는 일 따위는 절대로 없을 테니까, 우리의 운명에 감사하는 게 좋을 거야. 왓슨, 거기 바이올린이나 좀 집어 주게. 우리에게 이제 남아 있는 유일한 문제는, 이 쓸쓸한 가을밤을 어떻게 보낼 것인가 하는 거라네."

푸른 가닛

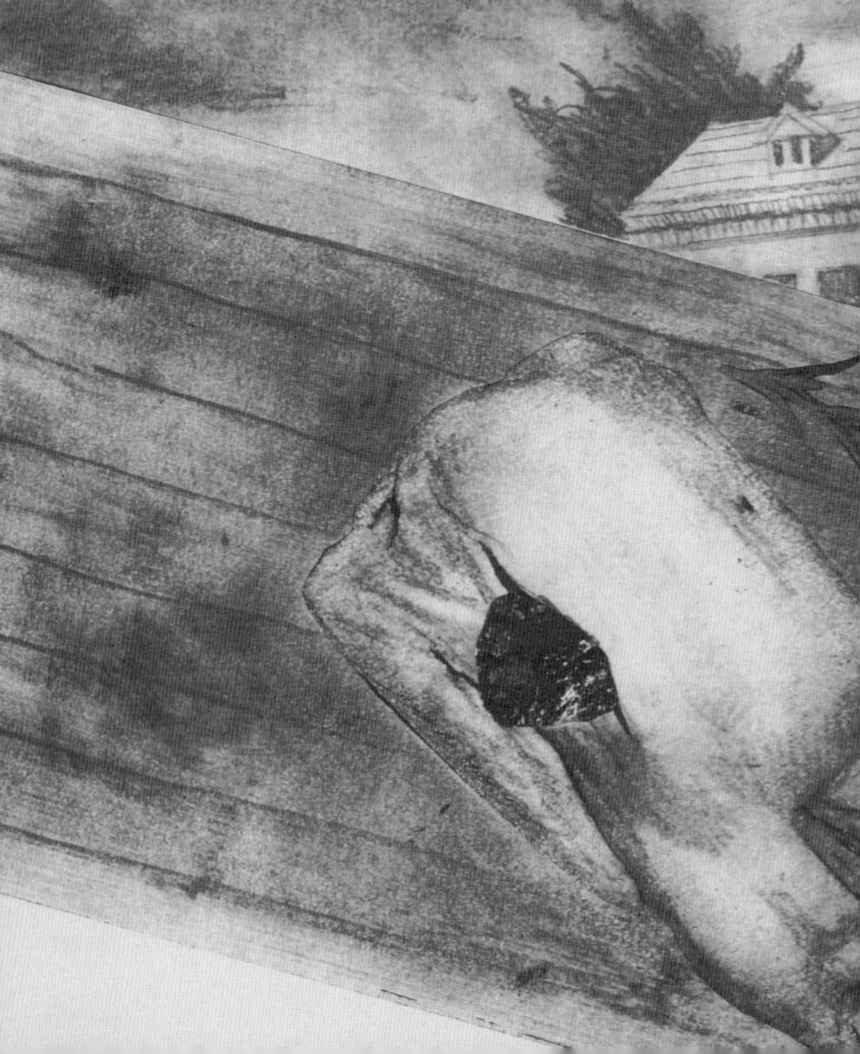

나는 크리스마스 이틀 뒤 아침에 셜록 홈즈를 방문했다. 크리스마스는 지났지만 인사도 할 겸 해서였다. 그는 푸른색 가운을 입고 긴 의자에 눕다시피 기대 있었는데, 오른팔이 닿을 만한 거리엔 담뱃대 걸이가 놓여 있고, 바로 그 옆에는 방금 읽다가 놓아 둔 것 같은 한 뭉치의 조간신문이 구겨진 채 놓여 있었다. 그리고 긴 의자 옆으로 나무 의자가 하나 있었는데, 등받이 한쪽 귀퉁이에 낡은 중산모가 걸쳐 있었다. 그 헐어 빠진 중산모는 오랫동안 쓴 흔적이 여실히 드러났고, 몇 군데는 가늘게 찢어진 부분도 있었다. 나무 의자 위에 현미경과 족집게가 놓여 있는 걸 보니, 그 중산모는 아마도 무슨 검사를 받기 위해 그렇게 걸려 있는 것 같았다.

"자네, 약속 있나? 내가 방해한 것 같은데."

내가 홈즈에게 말했다.

"아니야. 마침 누구랑 결과에 대해 얘기하고 싶었는데, 잘 왔네. 사건은 아주 간단한 거야."

그는 엄지손가락으로 중산모를 가리키면서 말했다.

"그런데 이 사건은 아주 관심도 가고, 또 교훈적인 면도 있을 것 같네."

나는 그의 안락의자에 앉았다. 그리고 탁탁 튀는 난롯불에 손을 쬐었다. 그날 아침엔 서리가 많이 내렸고, 유리창에는 성에도 두껍게 얼어붙어 있었다.

"이 중산모가 말이야, 겉으로 보기엔 아무렇지도 않은 것 같지만, 어쩌면 무시무시한 사건에 관련되어 있는 범죄의 단서가 될지도 모르겠네."

홈즈는 그렇게 말하고는 손사래를 치면서 웃었다.

"아니야, 범죄는 없어. 사백만 명이나 되는 사람들이 몇 평방 마일의 도시 안에서 서로 어깨를 부딪치며 살아 가니까, 그런 데서 으레 생기기 마련인, 별것 아닌 사건 가운데 하나일 뿐이야. 이렇게 많은 사람들이 살다 보면 당연히 별별 사건이 다 생기는데, 그런 사건들은 대개가 큰 범죄도 아니면서 대단히 특이한 점이 있다거나 꽤 흥미가 있거든. 우리도 정말로 그런 걸 경험하지 않았나?"

"어, 그랬었지. 내가 노트에 기록한 사건 여섯 개 중에서 세 개나 법적으로는 범죄로 성립되지 않았으니까."

"그렇지. 그 세 개라는 게, 아이린 애들러 서류 발견 사건하고 메어리 서더랜드 양의 괴상한 사건, 그리고 입술이 뒤틀린 사람의 위험담, 그걸 말하는 거겠지. 그렇다면 지금 이 사건도 그런 종류의 하찮은 범주에 들어갈 것 같네. 자네, 그 사람 알지? 경비원 피터슨 말이야."

"그럼, 알지."

"이 물건들이 다 그 사람 것이네."

"저게 그 사람 모자라고?"

"아니, 그 사람이 챙긴 거지. 모자 주인이 누군지는 모르겠어. 자네, 저 모자를 닳아 빠진 중산모라고만 생각하지 말고 지적인 문제로 한번 생각해 보게. 자, 우선 이 모자가 왜 여기에 와 있는지 그 이유부터 내가 설명해 주겠네. 모자가 온 건 크리스마스 날 아침인데, 지금쯤이면 분명히 피터슨 네 집 화덕에서 구워지고 있을 살찐 거위하고 같이 왔다네. 크리스마스 날 새벽 네 시쯤, 피터슨이 파티에 갔다가 술을 잔뜩 마시고 터튼엄 코트 길 쪽으로 해서 집으로 돌아가던 길이었다는군. 그 사람 알잖나, 아주 고지식한 사람인 거 말이야. 어쨌든 그가 걷다가 가스등 아래를 지나가는데, 저 앞쪽에서 웬 키 큰 남자가 비틀거리며 오고 있더래. 가만 보니까 어깨에 하얀 거위를 들쳐 메고 말일세. 그러다가 그 남자가 굿지 거리 모퉁이까지 왔을 때, 갑자기 웬 건달들이 나타나 그 남자한테로 우르르 몰려가더니 시비를 걸고 욕을 해대더라는 거야. 금방 싸움이 벌어졌겠지. 그 패거리 중에 하나가 남자의 모자를 쳐서 땅바닥에 떨어뜨렸는데, 남자가 그걸 막으려고 지팡이를 들고 머리 위로 휘두르다가 그만 뒤쪽에 있는 가게 유리창을 깨뜨려 버렸네. 그걸 보고 피터슨이 그 남자를 도와주려고 막 뛰어가는데, 남자는 우선 자기가 유리창을 깨뜨렸기 때문에 당황한 데다 웬 제복 차림의 경찰 같은 사람이 달려오니까 그걸 보고는 놀라가지고 거위고 뭐고 내던져 버리고 터튼엄 코뜨 길 뒤쪽으로 나 있는 꼬불꼬불한 골목으로 도망쳐 버렸다는 거야. 그 패거리들도 피터슨을 보고는 도망가 버렸고 말이야. 그래서 그 현장에 이 낡아 빠진 모자하고 근사한 크리스마스 거위가 남겨졌던 거지. 이쯤 되면 승리의 전리품 아니겠나?"

"그래서 주인을 찾아서 돌려줬나?"

"이 사람아, 지금 그게 문제 아닌가? 거위 발목에 '헨리 베이커 씨 부인에게'라고 쓰여 있는 작은 쪽지가 묶여 있고, 모자 안쪽에는 HB라는 이니셜이 쓰여 있긴 하지만, 베이커란 성을 가진 사람이 이 런던 안에만 해도 수천 명이나 되고, 헨리 베이커란 이름도 수백 명은 될 텐데, 누가 이 모자의 주인인 줄 알고 습득물 신고를 할 수가 있겠나?"

"그럼 피터슨은 어떻게 한 건가?"

"크리스마스 날 아침에 모자하고 거위를 가지고 여기로 온 거야. 내가 아무리 사소한 사건이라도 관심을 갖고 있다는 걸 아니까 말이야. 거위는 오늘 아침까지 그냥 뒀었는데, 아무리 날씨가 차다고 해도 빨리 먹는 게 좋을 것 같아서, 주운 임자가 그걸 요리하려고 가지고 갔지. 그래서 이렇게 이름도 모르는 웬 남자의 모자만 여기 있게 된 걸세."

"잃은 사람이 광고는 안 했나 보군."

"안 했네."

"그럼 무슨 단서로 주인을 찾을 건가?"

"추측할 수 있는 데까지 해 보는 거지 뭐."

"모자를 가지고 말인가?"

"그럼."

"농담이겠지. 이 헐어 빠진 모자에서 무슨 단서를 찾을 수 있겠나?"

"이 현미경을 보게. 자네는 내 방법을 알고 있지? 이 모자 주인의 특징에 대해서 자네는 얼마나 알아낼 수 있겠나?"

나는 그 모자를 집어 들고 손가락으로 돌려 보았다. 그건 흔히 보는 둥근 모양의 검은색 모자인데, 얼마나 많이 썼는지 몹시 닳아 있었다. 안의 천은 붉은색 실크로 돼 있으며 그것도 색깔이 한참이나 바래 있었다. 모자를 만든 회사의 이름은 붙어 있지 않았다. 그러나 홈즈가 말한 대로 HB라는 이니셜이 한쪽에 쓰여 있었다. 그리고 모자챙에 나비는 있었지만 고무줄은 없었다. 그 밖엔 여러 군데에 금이 가고, 먼지가 많이 묻어 있으며, 몇 군데는 더러운 물질이 번져 있는데 그걸 감추려고 잉크를 칠한 흔적이 남아 있었다.

"나는 아무것도 모르겠는데."

나는 모자를 홈즈에게 넘겨주면서 말했다.

"그 반대야, 왓슨. 자네는 모든 것을 잘 보고 있네. 그런데 자네는 본 것을 가지고 추리를 안 하고 있는 것뿐이야. 추리하기를 망설이고 있는 거지."

"그럼 자네가 이 모자를 가지고 어떤 것을 추리해낼 수 있는지 말해 주게."

그는 모자를 들고 특유의 몰입하는 태도로 한참이나 바라보았다. 그리고 입을 열었다.

"내가 알아낸 것은 이것이 암시하는 것보다 아마도 훨씬 더 적을 걸세. 그러나 몇 가지는 분명하고, 또 몇 가지는 아마도 거의 맞을 가능성이 있어. 첫째, 이 남자는 꽤 교양이 있는 사람인데, 그건 겉으로 보기에도 분명하네. 그리고 지금은 경제적으로 몰락해서 어려운 생활을 하고 있지만, 삼 년 전까지만 해도 형편이 꽤 넉넉했을 거네. 아직 선견지명이 있긴 하지만 아무래도 옛날만 못하지. 자신의 운명에 어두운 그림자가 닥치자 도덕적 타락에 빠지기도 했지만, 심각한 것은 아니고 그저 술을 많이 마시는 정도라고 해야겠지. 마지막으로 분명한 건, 부인이 그 사람을 사랑하지 않는다는 사실이야."

"아니, 뭐라고?"

"하지만 그는 아직도 자존심을 지키고 있어. 앉아서 하는 직업을 갖고 있기 때문에 외출도 거의 안 하고, 운동도 전혀 안 하지. 나이는 중년이고, 며칠 전에 머리를 깎았고, 또 머리에 식물성 크림을 발랐네. 이런 점들이 내가 모자를 보고 알아낼 수 있는 분명한 것들이지. 그리고 끝으로, 그의 집에는 가스가 없다네. 이 점도 확실할 걸세."

"홈즈, 자네 지금 농담하는 거지?"

"천만에. 내가 모든 결론을 다 말해 줘도 자네는 지금 내가 어떻게 추리한 건지 모르겠단 말인가?"

"물론 내가 우둔하긴 하지만, 솔직히 말해 자네가 무슨 말을 하는 건지 도무지 이해를 못 하겠네. 일테면, 그 남자가 교양이 있다는 걸 어떻게 추리한 건가?"

홈즈는 대답을 안 하고 모자를 직접 써 보았다. 모자가 이마를 다 덮고 코까지 내려왔다. 그가 말했다.

"이건 크기의 문제지. 머리가 이렇게 큰 사람은 뇌 속에 뭐든지 들었을 걸세."

"그건 그렇고, 그에게 불운이 닥쳤다는 것은 어떻게 알았나?"

"이 모자는 최소한 삼 년은 됐어. 이렇게 모자챙의 끝이 말려 올라간 스타일은 삼 년 전에 유행했었거든. 그리고 이 모자는 아주 질이 좋은 거야. 여기 실크로 테가 둘러진 것 좀 보게. 안쪽도 잘 돼 있고 말이야. 삼 년 전에 이런 좋은 모자를 살 수 있었다면 그때는 생활이 풍족했던 거고, 그 후 이런 모자를 못 샀다는 것은 분명히 운이 기울었다는 거지."

"음, 알겠네. 하지만 선견지명이라든지 도덕적 타락이라든지 그런 건 어떻게 아나?"

셜록 홈즈가 씨익 웃었다.

"이것이 선견지명이라네."

그는 모자 나비의 조그만 원반과 가는 줄을 가리키며 말했다.

"이것들은 원래 모자에 포함되어 있는 게 아니야. 이 남자가 이것을 샀다는 건 어느 정도 신중하게 대비하는 성격에다 선견지명이 있다는 의미지. 바람에 대처할 준비를 했으니까 말일세. 그런데 고무줄이 끊어졌는데도 새로 바꾸려고 하지 않은 걸 보면, 이제는 전보다 그런 준비를 덜 한다는 뜻이고, 마음도 위축돼 있다는 증거지. 하지만 잉크를 가지고 더러운 얼룩을 지우려고 한 걸 보면 아직까지 자존심은 잃지 않았다는 의미일세."

"자네 말이 아주 그럴 듯한데."

"그다음에, 나이는 중년이고, 머리가 곱슬머리에 깎은 지 얼마 안 됐고, 식물성 기름을 발랐다는 것, 이것들은 전부 다 모자 안을 자세히 조사해서 알았던 것일세. 현미경을 대고 보니까 짧은 머리카락이 잔뜩 붙어 있더군. 그건 이발소에서 자른 모양새였네. 그런데 머리카락이 끈적거리고 식물성 크림 냄새가 나더라고. 그리고 이 먼지들은 보다시피 모래 종류의 잿빛이 아니고, 집 안에서 나는 미세한 갈색 먼지라네. 이건 무슨 뜻이냐 하면, 모자가 늘 방 안에 걸려 있었다는 증거지. 또 모자 안에 보이는 젖은 흔적들은 그가 땀을 많이 흘린다는 표시지. 이건 바로 운동을 하지 않는다는 증거고 말일세."

"그리고 남자의 부인이 그를 사랑하지 않는 게 확실하다고 했지?"

"이 모자는 몇 주일이나 솔질을 전혀 안 했어. 왓슨, 만약 자네 모자에 일주일 동안 먼지가 쌓여 있다면, 그리고 그런 모자를 그냥 쓰고 나가도 자네 부인이 아무 말도 안 한다면, 나는 자네 부인도 자네를 사랑하지 않는 거라고 말할 수밖에 없을 걸세."

"하지만 독신자라면?"

"아니야. 그 남자는 아내와 화해하려고 거위를 선물로 가져가고 있었네. 거위 발목에 묶여 있던 쪽지 얘기 내가 했었지?"

"물론이지. 자네는 한 가지도 안 빼고 다 설명했네. 그런데 그 집에 가스가 들어가지 않는다는 건 도대체 어떻게 추리한 건가?"

"촛농 한 두 방울쯤은 우연히 모자에 떨어질 수 있지. 그런데 다섯 방울이나 떨어진 걸 보면 그 남자가 촛불을 들고 자주 움직였다는 뜻이네. 밤에 한 손에는 모자를 들고, 다른 손엔 촛불을 들고 이층으로 올라간 거야. 어쨌든 가스가 들어오는 집이라면 촛불을 안 켰을 거고, 그러면 촛농도 안 떨어졌을 것 아닌가? 이제 만족했나?"

내가 웃으며 대답했다.

"엄청 놀랍구먼. 그런데 자네 말대로, 아무 죄도 없고, 거위를 떨어뜨린 것밖에는 범죄를 일으킨 것도 아니고, 다른 잘못을 한 것도 아니고, 그렇다면 이 모든 게 쓸데없는 정력 낭비 아닌가?"

셜록 홈즈가 막 대답하려고 하는데, 갑자기 문이 확 열리며 피터슨이 방 안으로 뛰어들었다. 그는 정신이 나간 사람처럼 놀라 어쩔 줄을 모르며 얼굴이 벌겋게 상기되어 있었다.

"거위가, 선생님! 거위가!"

그는 말을 못할 정도로 숨을 헐떡거렸다.

"거위가 왜? 거위가 다시 살아서 자네 집 주방 창문으로 날아가 버렸나?"

홈즈는 소파에 앉은 채 상체를 앞으로 당겨 피터슨의 흥분된 얼굴을 자세히 보려고 했다.

"보세요, 선생님! 집사람이 거위 뱃속에서 이걸 발견했답니다!"

피터슨은 손을 내밀었다. 그의 손바닥에는 황홀한 광채가 나는 푸른색 돌 하나가 놓여 있었다. 콩알 정도 크기의 그 돌은 움푹 들어간 그의 손바닥에서 마치 전깃불처럼 번쩍거리며 투명한 빛을 내고 있었다.

셜록 홈즈가 휘파람을 불며 자리에서 일어났다.

"피터슨, 이건 그야말로 횡재 같은데. 자네가 지금 갖고 있는 게 뭔지나 알고 있나?"

"다이아몬드, 보석이지 뭡니까? 유리를 그냥 종잇장 자르듯이 싹

싹 베어 버리는 비싼 돌 아닌가요?"

"이건 보통 흔한 보석이 아니야. 정말로 귀한 보석이라네."

"이거 모카 백작 부인의 푸른 가닛 아닌가?"

내가 무의식중에 이렇게 외쳤다.

"그래, 그거네. 요즘 날마다 타임즈 신문에 광고가 나지 않았나. 크기와 모양을 보면 알 수 있지. 그 보석은 세상에 하나밖에 없는 정말 귀한 거야. 그래서 가치를 따질 수가 없고 그저 추측만 할 수 있는데, 찾아 주는 사람한테 사례금으로 천 파운드를 준다는구먼. 그래봤자 보석 가격의 이십분의 일도 안 될걸!"

"천 파운드요? 굉장한데요!"

피터슨은 의자에 털썩 앉으며 우리를 쳐다보았다.

"그건 사례금일 뿐이야. 그 배후에 아주 복잡한 사정이 있기 때문에 백작부인은 그 보석을 찾아 주기만 하면 전 재산의 반이라도 내놓겠다고 하는구먼."

홈즈의 설명에 내가 불쑥 말했다.

"그 보석을 잃어버린 곳이 아마도 내 기억에 코스모폴리탄 호텔이었던 것 같은데."

"그래, 바로 오 일 전이었지. 12월 22일에 잃어버렸다고 나왔더군. 땜장이 존 호너가 백작 부인의 보석상자에서 그것을 훔친 혐의로 지금 붙잡혀 있는데, 워낙 불리한 증거가 그 사람한테 많기 때문에 결국 순회 재판으로 넘어가 있는 모양이야. 잠깐만, 그 사건 기사가 어디 있을 걸세."

홈즈는 신문을 뒤적거리며 날짜를 보더니 한 장을 꺼내 그 기사를 읽기 시작했다.

“〈코스모폴리탄 호텔의 보석 도난 사건. 26세인 땜장이 존 호너는 모카 백작부인의 보석상자에서 푸른 가닛이라고 알려진 보석을 훔친 혐의로 지난 22일 검거되었다. 그 호텔의 수석 웨이터인 제임스 라이더의 증언에 의하면, 그 도난 사건이 발생했던 날 그는 호너를 데리고 백작부인의 의상실로 가서 문 경첩이 떨어진 것을 수리하도록 했다는 것이다. 그래서 수리하는 동안 잠시 그는 호너와 같이 있었는데 다른 일이 생기는 바람에 불려 나갈 수밖에 없었다.

그런데 돌아와 보니 호너는 사라지고 없고 옷장이 함부로 열려 있었으며, 백작부인이 보석을 넣어 두는 곳으로 나중에 확인된 작은 모로코 가죽 상자가 텅 빈 채 화장대 위에 열려 있었다. 라이더는 즉시 경찰에 알렸고, 호너는 그날 밤에 체포되었다. 그러나 보석은 그의 방에도 없었고, 그의 몸에도 없었다. 백작부인의 시녀 캐서린 쿠잭 또한 라이더가 도난 현장을 발견했다면서 떠드는 소리가 들리자 바로 백작부인의 방으로 달려갔으며, 라이더가 본 것과 똑같은 모습을 발견했다는 것이다.

B구역의 브래드스트리트 경감은 호너를 체포한 후, 그가 몹시 흥분한 상태에서 무죄를 강력이 주장했다고 상황을 설명했다. 그러나 호너가 절도 전과자인 사실이 밝혀지면서 피고에게

불리해지자 판사는 곧 판결을 중단하고 순회재판으로 넘겨 버렸다. 재판이 진행되는 동안 극도로 흥분해 있던 호너는 그 말을 듣고 기절해 버려 법정에서 끌어내야 했다.〉

뭐, 경찰에서는 그렇게 할 수밖에 없었겠지."

홈즈는 못마땅하다는 듯 신문을 던져 버리며, 무슨 생각이 있는지 이렇게 말했다.

"지금 우리가 풀어야 할 문제는, 보석이 사라진 그 보석상자와 터튼엄 코트 로드에서 주운 거위의 뱃속에서 나온 보석, 이 두 개의 끈이 어떻게 연결되느냐 하는 것일세. 여보게 왓슨, 좀 전에 우리가 한 추리가 굉장히 중요한 의미를 띠고 있는 것 같네. 그리고 범죄도 그 안에서 찾게 될 것 같네. 자, 여기에 보석이 있고, 이 보석은 거위 뱃속에서 나왔으며, 그 거위는 헨리 베이커 씨가 가지고 있었던 것이고, 헨리 베이커 씨는 닳아 빠진 모자를 가진 사람이야. 그리고 이 남자의 여러 특징들은 아까 말한 것들이지. 따라서 우리는 먼저 이 남자를 찾는 것부터 시작해야 하네. 그리고 그가 이 사건에서 어떤 역할을 했는지, 그걸 따져 봐야 할 걸세. 그러려면 가장 간단한 방법에서 출발해야 하는데, 그게 뭐냐 하면, 바로 오늘 석간 신문에 광고를 내는 거지. 만약 이 방법이 실패한다 해도 다른 방법을 쓰면 되네."

"뭐라고 광고를 쓸까?"

"펜과 종이 좀 주게나. 자, 뭐라고 쓰냐 하면, '굿지 거리 모퉁이에서 거위 한 마리와 검정색 중산모를 발견함. 헨리 베이커 씨는 오늘 저녁 여섯 시 반에 베이커 거리 221번지 B호로 오면 이 물건들을 찾을 수 있음.' 이렇게 하면 분명하고도 간단하지."

"그렇군. 그런데 그 남자가 이 광고를 보게 될까?"

"그럴 것 같네. 살림이 어려운 사람한테는 이 정도 물건도 큰 거니까. 그 남자는 항상 신문을 들여다볼 걸세. 그날 저녁에 그 남자가 도망친 건 아무래도 유리창을 깨뜨린 데다가 피터슨이 달려오는 걸 보고 놀라서 그랬던 것 아닌가? 하지만 나중엔 거위를 포기하고 도망친 걸 아주 후회했을 거야. 그 남자를 아는 주변 사람들이라면 모두 그 일에 신경을 쓰고 있을 테니까, 그 사람 이름이 신문에 났다면 당연히 읽어 보겠지. 피터슨, 자네가 광고대행사에 가서 이걸 석간 신문에 내달라고 하게."

"어떤 신문에요?"

"음, 글러브, 스타, 펠멜, 세인트 제임스, 가제트, 이브닝 뉴스, 스탠더드, 에코, 그리고 자네 생각나는 대로 아무 데나 내게."

"알겠습니다. 그런데 이 보석은 어떻게 하나요?"

"참, 그 보석은 이리 주게. 내가 맡고 있겠네. 그리고 피터슨, 올 때 거위를 한 마리 사 오게. 지금 자네 식구들이 맛있게 먹고 있을 거위 대신 다른 것을 그 남자에게 줘야 하지 않겠나."

피터슨이 나간 뒤 홈즈는 보석을 들고 햇빛에 비춰 보았다.

"정말 대단한 보석이군. 이 번쩍이는 광채를 좀 보게. 그래서 이게 모든 범죄의 근원이 되는 거지. 악마의 미끼로 쓰이는 게 바로 이런 좋은 보석들이잖나. 그러니까 크고 좋은 보석들일수록 피비린내 나는 사연들을 갖고 있는 걸세. 이 보석은 발견된 지 십 년밖에 안 됐어. 중국 남쪽 아모이 강 연안에서 발견됐는데, 빛깔이 루비처럼 붉지 않고 푸른색인데다, 가닛의 모든 특징을 다 가지고 있는 거라네. 세상에 모습을 드러낸 지 얼마 안 됐는데도 벌써 많은 범죄사건에 얽혀 있는 보석이지. 살인사건이 두 번, 황산 투척 사건이 한 번, 자살 사건이 한 번, 그리고 도난사건이 여러 번인데, 이 많은 사건들이 다 이 조그만 사십 그램짜리 목탄 결정체 때문에 일어난 거야. 이렇게 아름다운 장신구가 교수대나 감옥으로 사람을 보내는 역할을 할 줄 누가 생각이나 했겠는가. 이걸 금고 속에 넣어 두고, 백작부인한테 내가 이걸 가지고 있다고 편지를 써서 보내게."

"그럼 자네는 호너가 누명을 쓰고 있다고 생각하나?"

"그건 말할 수가 없네."

"그렇다면 헨리 베이커가 이 사건과 관련해 어떤 역할을 했다고 자네는 생각하나?"

"헨리 베이커라는 남자는 훨씬 더 죄가 없을 걸세. 그 사람은 자기가 가지고 가는 거위가 순금으로 만들어진 거위보다 훨씬 더 값진 거라는 사실을 몰랐을 테니까 말이야. 우리 광고가 효과를 나타내면, 그건 아주 간단한 시험으로 알 수 있을 걸세."

"그럼, 그때까지는 아무것도 할 일이 없겠군."

"없지."

"그럼 나는 왕진을 다녀오겠네. 자네가 아까 말한 여섯 시 반까지는 틀림없이 돌아올 수 있을 거야. 이런 묘한 사건이 어떻게 해결될지 좀 봐야겠어."

"꼭 오게. 식사는 일곱 시네. 산비둘기 요리가 나올 걸세. 그러고 보니, 허드슨 부인한테 산비둘기 뱃속을 잘 살펴보라고 해야겠군!"

나는 환자 때문에 예정보다 늦어져, 다시 베이커 거리로 돌아왔을 때는 6시 30분이 조금 지나 있었다. 집에 가까이 다가왔을 때 문득 앞을 쳐다보자, 웬 키 큰 남자가 스카치 보닛을 머리에 쓰고, 외투를 턱까지 여며 입고는, 부챗살처럼 불빛이 퍼져 나오는 가로등 아래서 기다리고 있었다. 내가 도착해 벨을 누르자 문이 열렸고, 그 남자와 나는 곧 홈즈의 방으로 들어갔다.

"헨리 베이커 씨죠?"

홈즈가 소파에서 일어나며 방문객에게 인사를 건넸다.

"여기 난롯가에 앉으세요, 베이커 씨. 날씨가 아주 춥군요. 제가 보기에 당신 체질은 겨울보다는 여름에 더 잘 적응하실 것 같습니다. 아 왓슨, 자네 때맞춰 잘 왔네. 베이커 씨, 저게 당신 모자 맞습니까?"

"네, 그렇습니다. 제 모자가 맞군요."

그는 머리가 크고, 어깨가 넓으며, 체격도 큰 편이었다. 얼굴은 꽤 지적으로 보이고 넓적한데다, 희끗희끗한 턱수염을 기르고 있었다. 뺨과 코 부위가 불그스레하고, 악수를 하려고 내민 손이 약간 떨고 있는 것을 보니, 홈즈가 말한 그의 습관에 대한 추리가 문득 떠올랐다. 그는 무척이나 낡은 검정색 프록코트의 단추를 목까지 잠그고 칼라는 세워서 입고 있었다. 소매 아래로 다소 마른 듯한 팔목이 비어져 나왔는데, 셔츠의 소맷부리가 보이지 않았다. 그는 단어를 신중하게 선택하며 낮은 목소리로 매번 끊어서 말했다. 불운한 지식인 같은 인상을 풍겼다.

“우리가 이걸 며칠 간 보관했습니다. 그런데 당신이 광고로 주소를 알릴 거라고 생각했었는데, 왜 안 냈던 거죠?”

방문객은 멋쩍은 표정을 지었다.

“요즘 형편이 안 좋습니다. 게다가 그때 덤벼든 깡패들이 제 모자와 거위를 다 가져갔을 거라고 생각했거든요. 그래서 괜히 헛돈 들여 가며 낭비하고 싶지는 않았습니다.”

“그렇군요. 그런데, 거위는 말이죠……. 우리가 먹어 버렸어요.”

“네? 먹어 버렸다고요?”

남자는 흥분해 의자에서 몸을 반쯤 일으켰다.

“우리가 안 먹었다면 결국 아무한테도 소용없게 됐을 뻔했죠. 그건 그렇고, 저기 찬장 위에 놓인 거위가 당신의 것과 무게도 똑같고, 특히 아주 신선한데, 어떻습니까? 가지고 가시겠어요?”

“아 네, 그렇게 하죠.”

베이커 씨가 안도의 숨을 내쉬며 대답했다.

“한데 당신 거위의 깃털과 다리, 끈, 그런 건 다 남아 있으니까 원하시면…….”

남자가 웃음을 터뜨렸다.

“그게 크리스마스 새벽에 겪은 일을 기억하는 데는 소용이 있겠지만, 그 이상은 아닙니다. 괜찮으시면 저 찬장 위에 있는 거위만 가지고 가겠습니다."

홈즈는 힐끗 나를 쳐다보더니 어깨를 으쓱했다. 그리고는 찬장으로 가서 거위를 가지고 왔다.

"좋습니다. 자, 받으세요. 당신의 모자도 같이 가져가시고요. 그런데 그 거위는 어디서 사셨습니까? 그렇게 좋은 거위를 별로 못 봐서 말이죠."

"아, 그거요."

베이커 씨는 거위를 팔 밑에 끼고 말했다.

"우리가 대영박물관 근처에 있는 알파 여관에 자주 가는데…… 낮에는 주로 박물관 안에 있고요……. 올해는 윈디게이트라는 여관 주인이 거위클럽을 조직했어요. 매주 얼마씩 적립을 해서, 크리스마스 때 거위 한 마리씩을 받는 겁니다. 저는 그동안 계속 적립을 했었죠. 그리고 나서…… 그다음은 들으신 것과 같습니다. 아무튼 이 모자를 찾게 되어 감사합니다. 스카치 보닛은 저한테 안 어울리고, 체격에도 안 맞아서요."

그는 우스운 듯한 제스처를 하며 우리에게 인사하고는 그대로 나가 버렸다.

그 남자 뒤에서 문을 닫으며 홈즈가 말했다.

"헨리 베이커 씨에 대해서는 이제 충분하네. 그는 이 사건에 대해 아무것도 모르는 것이 확실해. 자네, 배고픈가?"

"아니, 별로."

"그럼, 저녁은 늦게 먹고, 아예 단김에 뿌리를 뽑아 버리세."

"그렇게 하지 뭐."

날씨가 몹시 추워서 우리는 외투를 입고 목도리까지 두른 다음 밖으로 나갔다. 별들은 맑은 하늘에 차갑게 반짝이고 있고, 거리의 사람들은 피스톨에서 연기가 나오는 것처럼 입김을 내뿜으며 지나갔다. 우리는 발소리를 힘차게 내며 성큼성큼 걸어 닥터스 쿼터와 윔플 거리, 할리 거리를 지나 위그모어 거리를 거치며 옥스퍼드 거리로 들어섰다. 15분쯤 지나 우리는 알파 주점이 있는 블룸스베리에 도착했다. 그 주점은 홀본으로 통하는 거리 모퉁이에 자리하고 있었다. 홈즈는 술집 문을 열고 들어가 흰색 앞치마를 두른 얼굴이 불그스레한 주인에게 다가가더니 맥주 두 잔을 주문했다.

"당신네 거위를 보니까, 맥주도 훌륭할 것 같은데요!"

"네? 우리 집 거위라니요?"

주인은 놀라는 것 같았다.

"그렇습니다. 우리는 바로 삼십 분 전에, 당신네 거위클럽의 회원인 헨리 베이커 씨한테서 그 말을 들었어요."

"아, 네. 그런데 그 거위는 우리 집 거위가 아닌데요."

"그래요? 그럼, 누구네 거위죠?"

"코벤트 가든의 도매상에서 스물네 마리를 사온 거예요."

"나도 거기 가게를 몇 군데 아는데, 누구 가게인가요?"

"주인 이름이 브레킨리지라고 하던데요.

"음, 모르는 사람인데. 자, 건배합시다. 장사가 잘 되길 바랍니다. 안녕히 계세요. 왓슨, 이제 브레킨리지네 가게로 가세."

밖으로 나오자 홈즈가 외투를 여미며 말했다.

"여보게 왓슨, 지금 한쪽엔 거위라는 귀여운 게 있고, 또 한쪽엔 우리가 무죄를 증명해 주지 않으면 최소한 칠 년 징역형을 받을 사람이 있네. 그런데 어쩌면 우리가 건드리는 게 오히려 그 사람의 유죄를 증명해 주는 게 될지도 몰라. 하지만 어쨌든 우리는 지금 경찰이 손을 못 대고 있는 이 이상한 사건의 실마리를 붙들고 있는 셈이네. 정말로 우연히 우리 손 안에 들어왔으니, 뭐 어쩌겠는가. 그렇다면 끝까지 가 보는 수밖에. 자, 남쪽을 향해 뛰어가세!"

우리는 다시 홀본을 지나, 엔델 거리를 거쳐, 코벤트 가든 시장의 빈민촌이 있는 작은 골목으로 들어섰다. 거기에 브레킨리지라는 이름의 큰 가게가 하나 보였다. 주인은 경마 같은 노름을 좋아할 것 같이 생겼는데, 인상이 제법 날카롭고 턱수염을 길렀으며, 가게 문을 막 닫으려고 직원들에게 셔터 내리는 것을 지시하고 있었다.

"안녕하세요. 날씨가 춥네요."

홈즈가 그 남자에게 말을 건넸다.

남자는 고개를 끄덕이며 우리를 이상한 시선으로 쳐다보았다.

"거위가 다 팔렸나 보군요."

홈즈는 대리석으로 만들어진 빈 탁자를 가리키며 말했다.

"내일 아침에 오백 마리가 들어올 겁니다."

"내일 아침엔 소용이 없어요."

"그럼, 저기 창고에 몇 마리 남았는데요."

"나는 누가 이 집을 추천해서 왔어요."

"누가 추천했는데요?"

"알파 주점 주인이요."

"아, 그 사람 알죠. 우리 집에서 스물네 마리 사 갔어요."

"그 거위들 아주 좋던데요. 어디서 공급받는 거죠?"

뜻밖의 질문에 그 남자는 크게 화를 냈다.

"아니, 이보시오. 당신들 대체 뭘 찾는 거죠? 솔직히 말해 보시오."

남자는 머리를 꼿꼿하게 세우고 뒷짐을 지며 물었다.

"내 말이 솔직하지 않았어요? 당신이 알파 주점에 판 그 거위들을 어디서 사왔느냐고 물었던 것뿐인데요."

"그런 건 말할 수가 없소! 가 주시오."

"그게 뭐 그리 대단한 일도 아닌데, 나는 왜 당신이 그렇게 화를 내는지 이유를 모르겠네요."

"화를 왜 내냐고요? 여보시오, 당신도 누가 시비를 걸면 나처럼 화가 안 나겠어요? 돈 주고 물건 사 왔으면 됐지, 그 거위를 어디다 팔았느냐, 어디서 사 왔느냐, 얼마에 팔았느냐, 계속 귀찮게 하고 있으니…… 그래, 세상엔 그 거위밖에 없단 말이오?"

"나는 그런 질문을 하는 다른 사람들과는 아무 상관이 없어요. 당신이 말해 주지 않는다면 게임에서 지게 될 거요. 그것뿐이오. 나는 늘 가축에 대해서는 내기를 하는 습관이 있는데, 내가 먹은 거위는 시골에서 온 것이라는 데 오 파운드를 걸었어요."

그러자 남자가 큰소리로 말했다.

"그럼, 당신은 오 파운드를 잃었어요. 그 거위는 도시에서 기른 것이오."

"설마?"

"그렇다니까요."

"난 못 믿겠는데요."

"아주 어렸을 때부터 그것들을 만져 온 나보다 당신이 그 일을 더 잘 안다고 생각하나요? 똑똑히 들으시오. 알파 주점에서 사간 거위는 모두 도시에서 길러진 것들이오."

"나는 절대 못 믿겠네요."

"그럼, 내기할까요?"

"내 추측이 맞을 테니까, 당신은 괜히 돈만 잃을 거요. 그러나 당신에게 너무 자신 있는 소리를 하지 말라고 가르치는 데 일 파운드를 내기로 걸겠소."

주인 남자는 쓴웃음을 지었다.

"빌, 장부를 가져와 봐라."

소년이 작고 얇은 노트와 크고 기름때 묻은 노트를 가져와 램프 아래에 놓았다.

"이보세요. 고집을 엄청 부리시네요. 그런데 내가 거위를 다 팔았나 했더니 한 마리가 남아 있나 보네요. 여기 작은 노트를 보세요."

"아, 네."

"이게 다 거위를 구매한 지방의 주소와 이름이에요. 아시겠어요? 그리고 이쪽 페이지에 있는 것들은 시내에서 사온 것들인데, 이름 뒤에 있는 이 숫자가 장부에 적혀 있는 그 판매가격이에요. 그리고 이쪽 페이지의 빨간색 잉크로 쓴 걸 보세요. 이게 바로 시내에서 사 오는 거위 가게 이름입니다. 여기 세 번째 이름 좀 크게 읽어 보실래요?"

"브릭스턴 로드 117번지, 옥쇼트 부인, 249."

홈즈가 그렇게 읽었다.

"좋습니다. 그럼, 장부에서 그 페이지를 찾아보세요."

홈즈는 페이지를 넘겨 찾아보았다.

"여기 있네요. 브릭스턴 로드 117번지, 옥쇼트 부인, 계란과 가축 도매상."

"자, 다음엔 끝에 써 있는 걸 보세요."

"12월 22일, 칠 실링 육 펜스에 거위 스물네 마리."

"좋아요, 그 아래를 읽어 보세요."

"알파의 윈디게이트 씨에게 십 실링에 판매했음."

"뭐, 더 할 말 있는 거요?"

홈즈는 기분이 안 좋아 보였다. 그는 주머니에서 1파운드를 꺼내더니 책상 위에 던지다시피 하며 몹시 불쾌한 표정으로 말하기도 싫다는 듯 그 집을 나와 버렸다. 그리고는 한참을 걸어가서는 가로등 아래 멈춰 서서 그 특유의 소리로 크게 웃어 재꼈다.

"저렇게 턱수염을 기르고 주머니에 빨간색 수건을 꽂고 있는 사람들은 내기를 걸면 잘 넘어간다니까. 정말이야. 천 파운드를 그 사람한테 건다고 해도 이보다 더 완벽한 정보를 얻을 수는 없었을 걸세. 저 사람은 나를 이길 거라고 확신했기 때문에 내기에 덤벼들었거든. 왓슨, 이제 우리 조사도 다 끝나 가는데, 지금 우리가 결정해야 할 건 오늘 저녁에 옥쇼트 부인 집을 찾아가느냐, 아니면 내일 가느냐 하는 걸세. 그런데 저게 뭐지? 우리 말고도 이 문제에 대해 궁금해 하는 사람이 있나 본데?"

홈즈가 갑자기 말을 중단하며 뒤돌아서 가게 쪽을 쳐다보았다. 거기서 떠들썩한 싸움 소리가 들려왔던 것이다. 가만 보니 웬 쥐새끼 같이 생긴 한 남자가 흔들거리는 램프 불빛 아래 서 있고, 브레킨리지라는 가게 주인은 문 앞에 떡 버티고 서서 지극히 왜소한 앞의 남자에게 마구 고함을 치고 있었다.

"다를 왜 이리 거위 얘기를 하고 난리요? 아주 진저리가 나는구먼. 전부 다 싹 악마한테나 줘 버리면 좋겠네. 자꾸 이렇게 쓸데없는 짓거리로 나를 귀찮게 하면 개를 풀어서 쫓을 테니까 알아서 하쇼. 옥쇼트 부인을 이리로 데려오면 내가 말한다니까 그러네. 그런데 당신은 도대체 거위와 무슨 관계가 있는 거요? 내가 당신한테 그 거위를 샀다는 거요?"

"아니에요. 그중 한 마리가 내 거위거든요."

왜소함 남자는 거의 울 듯이 말했다.

"그럼, 옥쇼트 부인한테 가서 물어보시오."

"그 사람은 여기 와서 물어보라고 하던데요."

"그럼 더 이상 내 알 바 아니오. 프러시아 왕한테나 가서 물어보든지. 나는 더 말하고 싶지 않소. 나가 주시오."

가게 주인이 덤빌 듯 남자에게로 다가섰다. 그러자 남자는 잽싸게 가게를 나와 어둠 속으로 묻히고 말았다.

"허허, 아마도 우리가 브릭스턴 로드로 가지 않아도 될 것 같은데. 자, 왓슨, 이리로 오게. 저 친구한테서 뭐가 나올 것 같네."

가게 근처로 가서 구경꾼들을 제치고 홈즈는 그 왜소한 남자를 붙잡았다. 남자가 깜짝 놀라며 우리를 쳐다봤다. 가게 불빛이 희미하게 비추는 데서 보니, 남자는 얼굴에 핏기라곤 하나도 없이 아주 마른 몰골이었다.

남자가 두려운 목소리로 물었다.

"당신들 누구세요? 뭐 할 말이 있나요?"

홈즈가 느긋한 표정으로 대답했다.

"실례가 될지 모르겠는데, 당신이 저 가게 주인과 얘기하는 게 다 들렸어요. 그래서 혹시 내가 당신한테 어떤 도움이 될지도 모르겠다는 생각이 드네요."

"당신이요? 누구신데요? 그 일에 대해 어떻게 아십니까?"

"나는 셜록 홈즈라고 합니다. 사람들이 모르는 일을 아는 것이 내 직업이죠."

"그래도 이 일은 아무것도 모르실 텐데요."

"그런데 내가 다 알고 있어요. 당신은 지금 브릭스턴 거리에 있는 옥쇼트 부인 집에서 브레킨리지라는 장사꾼에게 팔렸다가 다시 알파 주점 윈디게이트 씨한테로 팔려 나가고, 그다음엔 그 술집 조합원 중 한 사람인 헨리 베이커 씨한테로 넘어간 바로 그 거위를 찾고 있는 것 아닌가요?"

"네, 맞습니다. 바로 제가 만나고 싶은 분을 만났네요."

남자는 거의 외치다시피 말하며 떨리는 손을 내밀었다.

셜록 홈즈는 마침 거리를 지나가는 사륜 마차를 불러 세웠다.

"이런 때는 바람 부는 시장에서 얘기하는 것보다 편안한 방 안에서 얘기하는 것이 좋습니다. 실례지만 성함이 어떻게 되죠?"

남자는 잠시 망설이더니 흘끗 곁눈으로 쳐다보며 대답했다.

"존 로빈슨입니다."

"아니, 본명을 말씀해 보세요. 가명은 왠지 재미가 없어서 말이죠."

남자의 창백한 얼굴이 불그스레해졌다.

"네, 그럼. 제 본명은 제임스 라이더입니다."

"아, 그러시군요. 코스모폴리탄 호텔의 수석 웨이터, 맞죠? 자, 어서 마차에 타세요. 알고 싶은 것 전부를 내가 다 얘기해 드릴 테니까."

왜소한 남자는 반쯤은 두렵고 반쯤은 호기심 어린 눈으로 우리를 번갈아 쳐다보았다. 뜻밖의 행운이 올지, 아니면 이대로 파멸로 끝날지 몹시 의아해 하는 표정이었다. 우리는 그렇게 마차를 타고 30분쯤 걸려 베이커 거리의 홈즈 집으로 돌아왔다. 마차에서는 서로 아무 말도 하지 않았다. 새로 만난 그 왜소한 남자의 숨소리만 들리다시피 했는데, 높아졌다 낮아졌다 하며 손을 쥐었다 폈다 하는 걸로 봐서 마음이 몹시 불안하거나 긴장해 있는 것 같았다.

모두 방 안으로 들어서자 홈즈가 유쾌하게 소리쳤다.

"자, 도착했군! 이런 때는 불이 좋죠. 라이더 씨, 추우시죠? 이 의자 앞으로 오세요. 이야기를 시작하기 전에 저는 슬리퍼를 좀 갈아 신겠습니다. 그러면 자, 거위가 어떻게 됐는지 알고 싶다고 하셨죠?"

"네, 그렇습니다."

"그 거위 중 한 마리에 대해서죠? 당신이 찾는 건 바로 그 흰색에 검은 줄이 나 있는 그 거위 맞죠?"

라이더는 너무나 놀라며 떨다시피 했다.

"네네, 맞습니다. 그게 지금 어디에 있는지 아십니까?"

"여기로 왔죠."

"여기로요?"

"네, 아주 훌륭한 거위였어요. 당신이 관심을 갖는 것도 이해가 되는군요. 그 거위는 죽은 뒤에 너무나 멋지고 번쩍거리는 푸른 알을 낳았죠. 그건 지금 내 금고 안에 있어요."

그 남자는 비틀거리며 일어났다. 그리고 오른손으로 난로 위 선반을 붙잡았다. 홈즈는 금고로 가서 푸른 가닛을 꺼내 왔다. 그 보석은 차갑게 번쩍거리면서 별처럼 빛이 났다. 라이더라는 남자는 말로 표현할 수 없이 일그러진 얼굴로, 어찌해야 할지를 몰라 그저 넋이 나간 것처럼 멍하니 쳐다보고만 있었다.

홈즈가 조용히 말했다.

"자, 모든 게 끝났어, 라이더. 손을 들게! 안 그러면 불 속으로 집어넣을 거니까. 왓슨, 저 친구를 의자에다 팔을 뒤로 젖혀서 앉히게. 그리고 지금 너무 창백해서 기절할 것 같으니까 브랜디나 한잔 주게. 자 됐네. 이제 좀 사람처럼 보이는구먼! 참 어처구니없는 놈팡이 같으니라고!"

라이더는 쓰러질 듯 휘청거렸다. 그러나 브랜디를 마신 덕분에 얼굴에 약간이나마 혈색이 돌아와 있었다. 그는 두려움이 가득한 눈빛으로 홈즈를 쳐다보았다.

"나는 모든 단서를 가지고 있고, 필요한 증거도 다 있으니까 반박해봐야 소용없어. 하지만 이 사건을 매듭지으려면 좀 더 분명히 해둬야 할 게 있어. 라이더, 자네는 모카 백작부인의 이 푸른 보석 이야기를 누구한테서 들었나?"

"캐서린 쿠잭한테서 들었습니다."

라이더는 이제 벌벌 떠는 목소리로 말했다.

"백작부인을 시중 드는 그 여자 말이군. 어쨌든 쉽게 큰 부자가 되고 싶다는 생각은 예나 지금이나 참 주제넘은 생각이지. 그리고 자네가 쓴 방법도 별로 좋지 못했어. 라이더, 자네한테는 악마 기질이 있어. 땜장이 호너가 전과가 있는 놈이니까 그놈한테 혐의를 뒤집어씌우려고 했잖은가. 그래서 한통속인 쿠잭과 백작부인 방으로 들어가 보석을 빼내려는 작전을 세운 다음, 호너를 부르기로 한 거야. 그래서 호너가 일을 마치고 간 뒤에 자네가 보석 상자를 훔쳐내고, 비상벨을 울렸던 거네. 가련한 호너만 잡히고 말았지. 그리고는!"

라이더가 갑자기 바닥에 주저앉더니 홈즈의 다리를 붙들었다. 그리고 소리쳤다.

"하느님, 제발 살려 주세요. 부모님을 생각하니 가슴이 터질 것 같습니다. 전에는 한 번도 죄를 지은 적이 없었습니다. 앞으로 절대 이런 짓을 안 할 거예요. 맹세합니다. 하느님 이름으로 맹세할게요. 제발 법정에는 가지 않도록 도와주세요. 제발 좀 도와주세요."

하지만 홈즈는 냉정하게 말했다.

"지금 자네가 엄살 떨 때가 아니야. 호너 생각을 해보라고! 아무 죄도 없는 사람이 피고석에 앉아 있을 것 아닌가!"

"홈즈 선생님, 저는 도망가겠습니다. 프랑스로 도망칠 거예요. 그러면 호너는 무죄가 될 것 아닙니까?"

"지금 그 얘기가 급한 게 아니야. 그다음에 어떻게 됐는지 설명해 보게. 어떻게 해서 그 보석이 거위 뱃속으로 들어갔는지, 그리고 그 거위가 시장에 나왔는지 설명해 보란 말이야. 진실을 말해야 자네 죄가 조금이라도 가벼워질 테니까."

"네, 사실 그대로 다 말씀드리겠습니다. 호너가 잡히자, 저는 보석을 가지고 도망쳐야 했습니다. 언제 제 방을 조사할지 모르니까요. 그런데 호텔 안에는 안전한 곳이 없었습니다. 그래서 저는 핑계를 만들어 밖으로 나와서는 곧바로 누나네 집으로 갔습니다. 누나는 옥쇼트란 사람과 결혼해, 브릭스턴 거리에서 새를 길러 시장에 내다 팔고 있습니다. 그런데 가는 길에 온통 경찰들이 깔려 있더군요. 얼마나 긴장했는지 추운 날씨였는데도 브릭스턴 거리에 도착했을 때는 얼굴에서 땀이 흐를 정도였지요. 제가 들어가니까 누나가, 무슨 일이 있느냐고, 왜 얼굴이 그렇게 창백하냐고 물었습니다. 저는 호텔의 도난사건 때문에 마음이 혼란스러워서 그렇다고만 말했습니다. 그리고 마당에 나가서 담배를 한 대 피우며 어떻게 할지를 궁리했습니다. 저한테 모슬리라는 친구가 있는데, 어떤 범죄 사건으로 펜턴빌 감옥에 들어가 형을 살고 나온 사람입니다. 어느 날 저는 그 친구를 만나서 도둑질하는 방법과 도둑질한 물건을 처분하는 방법에 대해 들었습니다. 그 친구는 저한테 진심으로 대해 주기 때문에 저는 또 한번 그가 사는 킬번으로 가서 얘기를 나누려고 했습니다. 그는 보석을 처분해 돈으로 바꾸는 방법도 알고 있으니까요. 그런데 문제는 어떻게 그의 집까지 안전하게 갈 수 있느냐 하는 것이었습니다. 저는 호텔에서 나와 누나 집까지 갈 때의 그 고통이 떠올랐습니다. 언제 잡혀서 몸수색을 당할지 모르니까요. 제 조끼주머니에 보석이 들어 있었거든요. 저는 누나 집 담에 기댄 채, 발 아래로 왔다갔다 하는 거위를 무심히 보고 있었습니다. 그러다가 문득 어떤 경찰도 감쪽같이 속일 수 있는 좋은 생각이 떠오른 것이었습니다. 누나가 몇 주 전에 저한테 크리스마스 선물로 제일 좋은 거위를 한 마리 주겠다고 말했던 것이 생각났던 거죠. 누나는 한 번 말한 건 꼭 지키는 성격입니다. 그래서 저는 지금 거위를 달라고 해서 거위 뱃속에 보석을 숨겨 가지고 킬번으로 가야겠다고 마음을 먹었습니다. 뒤뜰에 작은 창고가 있었습니다. 저는 거위들 중에 가장 크고 흰색에 줄무늬가 있는 놈을 골라 창고로 몰고 갔습니다. 그리고 그놈을 붙잡고 주둥이를 벌려 목구멍 속으로 손을 쑤셔 박다시피 하며 보석을 밀어 넣었습니다. 거위가 꿀꺽 삼키더군요. 그러자 그 보석이 식도를 지나 위로 내려가는 것 같았습니다. 그런데 거위가 헐떡거리면서 버둥거리자 무슨 일이 생긴 줄 알고 누나가 창고로 왔습니다. 제가 누나한테 설명하려고 잠깐 돌아보는 사이, 맙소사, 거위가 순식간에 도망쳐 무리들 속으로 들어가 버린 겁니다. 누나가 제게 묻더군요.

'왜, 거위한테 어떻게 한 거니?'

'누나가 크리스마스 선물로 나한테 한 마리 준다고 했잖아. 그래서 지금 어떤 놈이 살쪘나 하고 고르는 중이었거든.'

'얘, 네 것은 벌써 따로 골라 놓았지. 이름도 네 이름을 붙였고. 저기 흰색에 큰 놈이야. 전부 스물여섯 마리 있는데, 한 마리는 너한테 주고, 또 한 마리는 우리가 먹고, 나머지 스물네 마리는 시장에 팔려고 그래.'

'그럼 이왕이면 지금 내가 만졌던 걸로 줘.'

'하지만 내가 골라 놓은 게 삼 파운드는 더 나갈걸. 특별히 살찌웠거든.'

'고마운데, 그래도 내가 고른 걸 가져갈게. 지금 가져가도 되지?'

'그럼, 맘대로 해라.'

누나는 좀 언짢은 듯이 대답하더군요.

'그런데 네가 고른 게 어떤 건데?'

'저기, 흰색에 줄무늬 있는 것. 저기 한가운데서 약간 오른쪽에 있는 놈 말이야.'

'그럼, 아예 잡아서 가지고 가라.'

그래서 저는 그 거위를 죽여 킬번으로 가지고 갔습니다. 그리고 친구 모슬리에게 모든 얘기를 다 털어놓고 했죠. 우리는 그런 얘기를 할 수 있는 사이였으니까요. 그는 웃으면서 칼로 거위 배를 갈랐습니다. 그런데 보석이 안 보이는 것이었어요. 저는 금방이라도 기절할 것 같았습니다. 제가 너무나 큰 실수를 했던 거죠. 저는 단숨에 누나 집으로 달려가 뒤뜰로 가 보았습니다. 그러나 거위는 한 마리도 보이지 않았어요.

'거위들 다 어떻게 한 거야?'

저는 비명을 지르듯 물었습니다.

'다 팔았지.'

'어떤 가게에?'

'코벤트 가든에 브레킨리지라는 사람 가게가 있어.'

'그런데 꼬리에 줄무늬 있는 게 또 있었어? 내가 가져간 것 말고.'

'음, 똑같은 게 두 마리 있었어. 눈으로 봐서는 분간을 못하겠던데.'

그래서 저는 브레킨리지의 가게로 정신없이 뛰어갔습니다. 갔더니 벌써 거위가 다 팔리고 없더군요. 그런데 그 사람이 거위를 어디에 팔았는지 절대로 안 가르쳐 주는 거예요. 아까 보셨잖아요. 항상 그런 식으로 대답을 하더라고요. 제 누나는 제가 미친 줄 알더라고요. 가끔은 저도 제 자신이 미쳤나 하는 생각이 들었습니다. 그런데 지금 저는 제 영혼을 팔아 벼락부자가 되기는커녕 도둑놈이라는 낙인만 찍혔습니다. 하느님, 맙소사, 제발 하느님."

그는 두 손으로 얼굴을 가리고 흐느껴 울었다.

한동안 긴 침묵이 흘렀다. 그의 무거운 숨소리와 홈즈가 규칙적으로 책상을 두드리는 소리만 들리고 있었다. 순간, 홈즈가 벌떡 일어나더니 방문을 확 열었다.

"나가!"

홈즈가 소리쳤다.

“네? 오 하느님! 감사합니다.”

“닥치고 나가!”

더 이상 말이 필요 없었다. 후다닥 달려가는 소리, 삐걱삐걱 계단을 내려가는 소리, 쿵 하고 문 닫히는 소리, 그리고 거리로 뛰어가는 발소리만 들릴 뿐이었다.

홈즈는 파이프를 집으려고 팔을 뻗으며 말했다.

“왓슨, 결국 나는 경찰에서 도와달라고 의뢰를 받은 것도 아니거든. 그런데 호너가 문젤세. 그가 위험한 처지에 있다면 그건 다른 문제야. 하지만 이 제임스 라이더는 어디론가 도망치고 나타나지 않을 테니까, 이 사건은 결국 실패로 돌아가는 거겠지. 나는 죄인을 놓아주었지만 그래도 인간을 하나 구한 셈 아니겠나? 이놈은 두 번 다시 그런 짓은 못할 걸세. 거의 사색이 되는 걸 보니까 말이야. 그런데 만약 지금 이놈을 감옥에 집어넣으면 평생 감방에 들락거리게 될 거야. 그러니 지금 용서하지 않으면 언제 하겠나. 우리도 참 우연히 이런 괴상한 사건에 부딪힌 것이니까, 이 사건을 해결하는 게 노력에 대한 대가가 되겠지 뭐. 여보게 왓슨, 벨을 누르게. 거위 사건을 또 하나 시작하세.”

기사의 엄지손가락

내가 셜록 홈즈와 가깝게 지낸 지 벌써 수년이 흘렀지만, 그동안 그가 사건을 의뢰받은 수많은 문제 가운데 내가 그를 끌어들인 사건은 단 두 번밖에 없다. 해저리 씨의 엄지손가락 사건과 워버튼 대령의 광기 사건이 그것이다. 이 두 가지 가운데 두 번째 사건이 두뇌가 예리하고 독창성이 풍부한 사람이 볼 때는 훨씬 더 해볼 만한 일이라고 생각되었겠지만, 첫 번째 사건도 나름대로 매우 기괴한 발단을 보이며 상상을 뛰어넘는 극적인 상황으로 전개되었던 특징이 있었다. 그래서 이 첫 번째 사건이 항상 놀랄 만한 성과를 보여주었던 홈즈의 추리 활동에 있어서 제대로 걸린 사건이라고까지 말할 수는 없더라도, 기록에 남겨질 만한 자격은 오히려 두 번째 사건보다 더 많이 갖추고 있는 게 아닐까 하는 생각이 든다.

이 사건은 이미 한 번 이상 신문에 보도가 되기는 했었지만, 이런 이야기들이 대개 그렇듯 신문 지면에 반 단 정도로 아주 짧게 대략적인 내용만 기사화된 것으로는 제대로 알 수가 없고 충격을 느낄 수도 없다. 그렇지 않겠는가. 온갖 사건들이 매일같이 신문 지면에 나타났다가 사라지고, 또 어떤 새로운 사실이 발견되면 사건의 실마리가 풀리면서 수수께끼가 하나씩 밝혀지고 마침내 진실이 드러나는 그런 극적인 보도들이 많으니 말이다. 그런 경우와 비교하면 이 사건의 보도는 그만큼 눈에 덜 띌 수밖에 없었다.

나로서는 그때 이 사건에서 깊은 인상을 받았었는데, 그 후 2년이 지났는데도 아직까지 그 인상은 조금도 흐려지지 않고 남아 있다. 그래서 지금부터 간략하게 이 사건에 대해 얘기해 보려고 한다.

1889년 여름이었다. 그때는 내가 결혼을 하고 얼마 안 된 무렵이었다. 나는 결혼 후 다시 병원을 개업하는 바람에, 같이 살던 베이커 거리의 집에 홈즈를 혼자 남겨 두고 떠날 수밖에 없었다. 하지만 그 집에 들르는 걸 그만둔 적은 없었고, 때로는 홈즈의 그 자유분방한 생활 습관을 좀 바꾸게 하려고 그를 설득해 우리 부부를 찾아오게끔 만들기도 했다.

내 병원은 꾸준히 잘 돼 갔는데, 병원이 파딘턴 역에서 별로 멀지 않은 곳에 위치해 있었기 때문에 역에서 일하는 사람들 중 몇 명이 찾아와 진료를 한 적도 있었다. 그 가운데 오랫동안 고통스러운 병에 시달렸던 어떤 환자가 내 치료를 받고 나았는데, 그는 너무나 고마운 나머지 내 실력을 알리기 위해 열심히 애를 쓰고 있었다. 그는 자신의 충고를 들을 만한 사람이라면 전부 내 병원으로 보냈던 것이다.

어느 날 아침 일곱 시도 안 된 시각이었다. 하녀가 방문을 노크하는 소리에 난 잠에서 깨어났다. 그녀는 파딘턴 역에서 일하는 남자 두 명이 지금 진료실에서 기다리고 있다고 말했다. 철도 사고로 오는 환자는 증세가 가벼운 경우가 드물다는 것을 나는 경험으로 알고 있기 때문에 급히 진료실로 내려갔다. 막 내려갔더니 나를 광고하기에 바쁜 그 차장이 진료실에서 나오며 뒤의 문을 꼭 닫았다.

"데리고 왔습니다."

그는 엄지손가락으로 어깨 너머를 가리키며 조용히 말했다.

"이제 안심이 됩니다."

"도대체 무슨 일인데요?"

차장이 하는 말투로 보아 진료실에 있는 사람이 왠지 이상한 남자 같은 느낌이 들어 나는 그렇게 물었다.

"새로운 환자 유형이죠."

그는 거의 속삭이듯이 목소리를 낮춰 말했다.

"제가 데리고 오는 게 낫겠다고 생각했습니다. 그러면 도망칠 염려는 절대로 없으니까요. 이놈이 건강에 이상이 있는 건 아닙니다. 그럼 선생님, 실례하겠습니다. 선생님이나 저나 할 일이 산더미처럼 많으니까요."

그러면서 나의 이 충성스런 호객꾼은 내가 고맙다는 말도 할 틈이 없이 얼른 나가 버렸다.

진료실에 들어가 보니 신사 차림의 한 남자가 책상 옆에 앉아 있었다. 그는 여러 색깔이 섞인 트위드 양복을 수수하게 차려입고 있었으며, 가벼운 재질로 된 모자가 내 책 위에 놓여 있었다. 그는 한쪽 손에 천을 감고 있었는데, 핏자국이 배어 있었다. 나이가 스물다섯은 넘지 않아 보이는 젊은이로, 다부지고 남자답게 생긴 얼굴이지만, 아마도 피를 많이 흘린 탓에 감정이 격해지고 두려움에 빠져 있는지 완전히 자제력을 잃고 절망해 있는 모습이었다.

"선생님, 너무 일찍 깨워서 죄송합니다."

그가 먼저 입을 열었다.

"어젯밤에 엄청난 사고를 당하는 바람에…… 오늘 아침 기차로 파딘턴 역에 내려서 역무원한테 병원이 어디냐고 물었더니, 어떤 분이 친절하게 여기까지 안내해 주시더라고요. 하녀한테 제 명함을 주었는데, 저기 벽 옆에 테이블 위에 놔둔 것 같습니다."

나는 명함을 집어 들었다. '빅터 해저리, 수력기사, 빅토리 거리 16번지 A(4층)' 아침 방문객의 이름과 직업, 주소가 그렇게 쓰여 있었다.

"기다리게 해서 죄송합니다."

나는 진료 의자에 앉으며 말했다.

"야간열차를 타고 오셨군요. 엄청 지루하셨겠네요."

"아니요. 그렇게 지루하지는 않았습니다."

젊은 남자는 말하면서 웃기 시작했다. 워낙 큰 소리로 웃는 바람에 몸이 의자 뒤로 넘어지다시피 하며 옆구리까지 흔들리고 뱃속저 깊은 데서 터져 나오는 것 같았다. 의사로서 내 직관으로 볼 때 그 웃음은 위험한 것이었다.

"웃지 마시오!"

내가 소리쳤다.

"마음을 진정시키세요!"

그러면서 나는 그에게 주전자에서 물을 따라 마시게 했다.

그러나 소용이 없었다. 그는 성격이 특이한 사람이 어떤 심한 충격을 받았을 경우 닥칠 수 있는 히스테릭한 발작 증세를 일으켰던 것이다. 잠시 후 그는 제정신으로 돌아왔지만 무척 피로한 모습으로 당황스러워했다.

"제가 추태를 보였네요."

그는 아직도 숨가빠하며 말했다.

"아니 괜찮아요. 이것 좀 마셔 보세요."

내가 물에 브랜디를 조금 타서 그에게 마시게 했더니, 창백한 얼굴이 정상으로 돌아오기 시작했다.

"기분이 좋아졌습니다."

이윽고 그가 말했다.

"그런데 선생님, 이 엄지손가락을 좀 봐 주시겠어요? 아니 엄지손가락이 있었던 자리죠."

그는 감겨 있는 손수건을 풀고 손을 내보였다. 나도 웬만한 건 눈 하나 깜짝 안 한다고 하지만, 그의 손은 정말이지 소름이 끼쳐 볼 수가 없을 정도였다. 펼치고 있는 네 손가락 옆에 엄지손가락이 있는 게 아니라, 뭐라고 말로 표현할 수 없을 만큼 무섭고 시뻘건 해면체 같은 표면이 그 자리에 있었던 것이다. 뿌리째 잘려 나갔거나 아니면 잡아 떨어진 것 같았다.

"아, 정말 심하네."

나도 모르게 소리가 나왔다.

"끔찍한 사고를 당하셨군요. 피를 많이 흘리셨겠어요?"

"네, 그랬습니다. 사고를 당했을 때 저는 의식을 잃고 한동안 기절해 있었습니다. 정신을 차렸을 때도 아직까지 피가 흐르고 있었기 때문에 손수건 끝으로 손목을 잡아매고 작은 나뭇가지를 끼워 돌리면서 지혈을 했습니다."

"참 잘하셨네요. 외과의사 하셔도 되겠어요."

"그건 말이죠, 수력학의 문제거든요. 바로 제가 하는 일이죠."

"이 상처는……."

나는 상처를 자세히 들여다보며 말했다.

"무겁고 잘 드는 칼로 벤 것 같은데요."

"고기 써는 식칼 같은 것이었어요."

그가 대답했다.

"과일 칼이겠죠?"

"천만에요, 아닙니다."

"그럼, 죽이려고 했다는 건가요?"

"네, 그랬습니다."

"아니 그럼, 무서운 일이었네요."

나는 그의 상처를 솜으로 깨끗이 소독한 후 치료를 하고 나서 가제를 대고 석탄산 소독 붕대로 감았다. 환자는 의자에 기댄 채 고통을 참고 있었지만 이따금 입술을 꽉 깨물곤 했다.

"기분이 어떤가요?"

처치를 끝내고 내가 물었다.

"아주 좋습니다. 브랜디와 붕대 덕분에 완전히 살아난 것 같은 느낌입니다. 정말 너무 힘들었거든요. 아무튼 엄청난 사고를 당했으니까요."

"그 얘기는 하지 않는 게 좋겠습니다. 신경에 해로우니까요."

"알겠습니다. 지금 말할 생각은 아니었습니다. 하지만 어차피 경찰에 신고는 해야겠죠. 이 상처가, 이렇게 되돌릴 수 없는 상처가 증거로 남지 않았다면 경찰이 제 말을 믿어 줄지도 의심이 가지만 말이죠. 물론 이건 선생님 앞이니까 하는 소립니다. 아무튼 이건 말도 안 되는 사건이라고 할 거고, 또 증거가 될 만한 것도 거의 없으니까요. 경찰이 설사 저를 믿어 준다고 하더라도 제가 제공할 수 있는 단서가 극히 막연한 것이기 때문에 과연 이 범죄에 어떤 판결이 내려지게 될지, 저는 정말 의문이 듭니다."

"허어!"

내가 큰소리로 말했다.

"그런 종류의 문제를 꼭 해결하고 싶다면 경찰에 가기 전에 내 친구 셜록 홈즈한테 가 보시라고 적극 권하고 싶군요."

"아, 그분에 대한 얘기는 들은 적이 있습니다."

환자는 그렇게 대답하며 말을 이어갔다.

"물론 경찰에도 알리지 않으면 안 되겠지만, 그분이 맡아 주신다면 정말로 좋겠습니다. 소개 좀 해주십시오."

"당연하죠. 나와 함께 가시면 됩니다."

"정말 감사합니다."

"마차를 타고 갑시다. 지금 거기로 가면 아침 식사를 같이 할 수 있겠네요. 어때요? 지금 가실 수 있겠어요?"

"네, 문제없습니다. 얘기를 다 털어놓기 전까지는 아무래도 마음이 가라앉지 않을 것 같습니다."

"그러면 곧 마차를 부르죠."

나는 그렇게 말하고는 2층으로 뛰어올라가 아내에게 간단히 상황을 설명해 주었다. 그리고 5분 후, 나는 이미 마차에 앉아 처음 알게 된 한 젊은이와 함께 베이커 거리를 향해 달리고 있었다.

예상대로 셜록 홈즈는 타임즈 신문의 구인 광고 페이지를 간간히 쳐다보며 파이프를 문 채 실내복 차림으로 거실에서 왔다갔다 하고 있었다. 그 파이프에는 보통 전날 피운 담배 찌꺼기를 모아 맨틀피스 구석에서 꼼꼼히 말린 것이 채워져 있다. 그는 항상 그렇듯이 조용하고 정중한 태도로 우리를 맞이해, 마침 준비하고 있던 신선한 베이컨과 계란을 더 만들게 해서는 함께 아침 식사를 했다. 식사가 끝난 후, 그는 새로운 방문객을 소파에 앉게 하고는 머리에 베개를 받혀 주며, 옆 탁자 위에다 물 탄 브랜디 잔을 놓아 주었다.

"해저리 씨, 당신이 겪은 사건이 그렇게 흔한 일은 아니라는 것을 잘 알고 있습니다."

홈즈는 이렇게 말을 시작했다.

"소파에 기대 아주 편하게 하고 계세요. 그리고 가능한 모든 이야기를 자세히 설명해 주시고, 중간에 피곤하시면 말을 중단하고 거기 있는 술을 좀 드시도록 하세요. 그러면 정신도 들고 기운도 더 날 테니까요."

"감사합니다."

내 환자가 말했다.

"선생님한테 치료를 받아서 다시 살아난 느낌이었는데, 아침 식사까지 대접을 받으니까 완전히 다 나은 느낌이 듭니다. 귀중한 시간을 낭비하지 않도록 바로 저의 괴상한 경험을 전부 다 얘기해 드리겠습니다."

홈즈는 늘 그렇듯이 방심한 듯한 얼굴로 커다란 팔걸이가 달려 있는 소파에 자리를 잡고 앉았다. 그런 태도에는 흔히 예민하고 정열적인 그의 본성을 감추려는 의도가 숨어 있었다. 나는 홈즈의 맞은편에 앉아 우리의 방문객이 자세히 설명하는 그 괴이한 사건 이야기에 귀를 기울였다.

"먼저 말씀드려야 할 게, 저는 아버지도 어머니도 없는 외톨이로 런던의 한 하숙집에서 혼자 살고 있다는 겁니다. 직업은 수력기사이고, 그리니치에 있는 유명한 베너 앤 매시슨 회사에서 칠 년 간 견습생활을 했기 때문에 경험은 꽤 있는 편입니다. 이 년 전에 그 회사에서 고용 계약이 만료되었을 때 마침 아버지가 돌아가셨는데, 그때 저한테 꽤 큰돈을 남기셨기 때문에 저는 혼자 독립해서 일을 해 보려고 빅토리아 거리에 사무실을 차렸습니다.

누구나 독립해 사업을 처음 시작할 때는 막막한 생각을 하게 마련이라고 하지 않습니까? 그런데 제 경우는 특히 더 심했습니다. 일거리가 들어온 게 이 년 동안 상담 세 건, 자질구레한 일 한 건이 전부였으니까 말이죠. 수입이라곤 이십칠 파운드 십 실링이 고작이었습니다. 매일 아침 아홉 시부터 오후 네 시까지 작은 사무실에 앉아 기다리는 게 일이었기 때문에, 어느 순간부터는 정말 희망이 안 보이고 이렇게 독립해서 영업하는 건 도저히 성공하지 못하리라는 생각만 들었습니다.

그런데 어제였어요. 막 문을 닫고 들어가려 하는데 직원이 들어오더니 어떤 신사가 일 관계로 저를 만나고 싶어서 기다리고 있다고 말하더군요. 그가 가져온 명함을 보니까, '육군대령, 라이샌더 스타크'라고 적혀 있었습니다. 저는 직원을 따라가서 대령을 만났는데, 키는 보통보다 큰 편이지만 몸이 아주 빼빼할 정도로 말라 있었습니다. 그렇게 마른 사람은 본 적이 없을 정도였지요. 얼굴 전체가 깎인 듯 뾰족했는데 특히 코와 턱 부분은 무섭도록 심했고, 튀어나온 광대뼈 때문인지 피부를 힘껏 잡아당겨 놓은 것 같은 모습이었습니다. 마른 체형은 아마도 타고난 것 같았어요. 병 때문에 그렇게 된 게 아니고요. 왜냐하면 눈빛도 반짝거리고, 걸음걸이도 힘차고, 태도도 자신감이 넘쳤으니까요. 검소해 보이기는 하지만 옷을 잘 차려입었고, 나이는 한 마흔쯤 돼 보였습니다. 그가 저한테 '해저리 씨죠?' 하고 묻는데, 어딘가 독일 억양이 섞여 있는 듯한 말투였습니다. 그러면서 이렇게 말하더군요.

'당신은 일도 잘 하시는데다 사리 분별이 있고 특히 비밀을 잘 지켜주시는 분이라고 듣고 찾아왔습니다.'

젊은 사람이 이런 칭찬을 들으면 기분이 좋아지죠. 그래서 저도 머리를 숙여 감사의 뜻을 표현했습니다. 그리고 물었죠.

'그런데 실례지만, 누가 저를 추천해 주셨습니까?'

'지금은 말씀드릴 수가 없습니다. 그리고 부모님이 안 계시고 런던에서 혼자 사신다는 얘기도 들었습니다.'

'네, 맞습니다. 그런데 하시고자 하는 일이 제 직업의 성격과 어떤 관계가 있는지는 모르겠지만……. 아무튼 일을 의논하러 오신 거죠?'

'그렇습니다. 하지만 제가 말씀드리는 것이 그냥 하는 얘기가 아니라는 것을 이제 알 것입니다. 저는 일을 부탁하러 찾아왔지만, 우선 비밀을 철저히 지켜 주시는 게 더 중요한 점이거든요. 아시겠죠? 절대로 비밀입니다. 그렇기 때문에 가족과 함께 살고 있는 사람보다는 혼자 사는 사람이 훨씬 더 적절하리라 생각했던 겁니다.'

그래서 제가 말했죠.

'그럼 비밀을 지키는 문제에 있어서는 저를 믿으셔도 되겠습니다.'

제가 그렇게 대답하는 동안 그는 제 얼굴을 힐끗힐끗 쳐다보았는데, 저는 그렇게 의심스런 눈초리로 상대방을 살피는 표정은 이제껏 본 적이 없었습니다.

이윽고 그가 말하더군요.

'그럼, 약속해 주시는 거죠?'

'네, 약속합니다.'

그래도 못 믿겠는지 그는 다그치다시피 말했습니다.

'일을 시작하기 전에도, 일을 하는 중에도, 나중에 일이 끝난 후에도 절대 완전한 침묵을 지켜야 합니다. 구두든 서면으로든 일체 누

설해선 안 됩니다.'

'분명히 약속하겠습니다.'

'좋습니다.'

순간 대령이 갑자기 일어나 번개처럼 문으로 달려가더니 확 여는 겁니다. 복도엔 아무도 보이지 않았습니다.

'음, 염려 안 해도 되겠군.'

그는 자리로 돌아오면서 말하더군요.

'직원들은 아무튼 사장이 하는 일을 알고 싶어 하니까요. 이제 안심하고 얘기해도 되겠습니다.'

그는 의자를 제 옆으로 바싹 끌고 오더니, 또다시 그 의심스런 눈으로 주의 깊게 제 얼굴을 뜯어보는 것이었습니다.

그 비쩍 마른 남자의 괴상한 행동을 계속 쳐다보는 동안 저는 이제 서서히 혐오감과 공포심이 마음속으로 밀려드는 것을 느꼈습니다. 손님을 놓치면 안 된다고 한편으로는 생각하면서도 그만 짜증스런 심정을 참지 못하고 겉으로 드러내고 말았습니다.

'무슨 일인지 빨리 얘기를 해주십시오. 제 시간도 굉장히 귀중한 가치가 있으니까요.'

오, 하느님, 이 마지막 말을 용서해 주시길……. 저도 모르게 그만 입에서 그 말이 튀어나오고 말았던 겁니다.

'하룻밤 일인데, 오십 기니면 되겠습니까?'

그가 묻더군요.

'네, 좋습니다.'

'하룻밤도 아니고 한 시간쯤이라고 말하는 게 맞을 겁니다. 뭐냐 하면, 전동장치가 나간 수력 압착기를 검사해 달라는 것입니다. 그래서 어디가 잘못되었는지를 알려주시면 나머지는 우리가 손을 보려고요. 어떻게 생각하십니까?'

'일도 간단한 것 같고, 보수도 아주 좋군요.'

'그렇습니다. 그럼 오늘 밤에 막차로 와 주십시오.'

'어디로 말입니까?'

'버크셔의 아이퍼드입니다. 옥스퍼드셔에 가까운 작은 마을인데, 레딩에서 칠 마일쯤 되는 거리죠. 파딘턱 역에서 타면 열한 시 십오 분쯤 도착하는 기차가 있습니다.'

'알겠습니다.'

'마차로 모시러 가겠습니다.'

'그럼, 거기서 또 더 가야 되는군요?'

'그렇습니다. 우리 집은 완전히 시골이라서요. 아이퍼드 역에서 칠 마일은 충분히 될 겁니다.'

'그럼 한밤중에도 도착하지 못하겠네요. 돌아오는 기차는 없을 테니까 거기서 묵어야 할 것 같은데요.'

'간이침대는 있으니까 준비해 드리죠.'

'상당히 복잡하군요. 좀 더 좋은 시간에 가면 안 될까요?'

'우리 생각으로는 밤늦게 오시는 편이 좋겠어서요. 이렇게 불편한 사정이 있어서 저희도 일류 기사에게 감정을 맡기는 정도의 보수를 당신처럼 무명의 청년에게 지불하겠다는 겁니다. 하지만 이 일을 맡

고 싶지 않으시다면 지금이라도 물론 그렇게 결정하실 수 있습니다.'

저는 오십 기니를 떠올리며, 그 정도 돈이라면 많은 도움이 될 수 있겠다는 생각이 들었습니다. 그래서 대답했죠.

'맡고 싶지 않다니요, 천만에요. 기꺼이 하겠습니다. 그런데 제가 할 일이 어떤 것인지 좀 더 분명히 알고 싶습니다.'

'당연한 말씀입니다. 이렇게까지 말하면서 비밀 엄수를 약속해 달라고 하니 이상한 느낌을 갖는 것도 당연하지요. 저도 자세한 설명을 안하고 일을 맡기려는 생각은 없었습니다. 그런데 이 방이 도청될 위험은 없겠죠?'

'전혀 없습니다.'

'그럼 말씀드리죠. 산성 백토가 굉장히 비싼 것인데, 영국에서는 한두 군데서밖에는 나오지 않는다는 거 알고 계시죠?'

'네, 들었습니다.'

'얼마 전에 제가 레딩에서 십 마일쯤 떨어진 곳에 자그마한 땅을 하나 샀습니다. 그런데 글쎄 운 좋게도 거기 일부 토지에서 산성 백토층이 발견된 겁니다. 그래서 조사해 봤더니, 그 지층 자체는 별로 큰 규모가 아니고 그 주변의 거대한 층을 연결하는 작은 줄기에 불과하다고 하더군요. 그러니까 다시 말하면 오른쪽 층, 왼쪽 층 모두 옆집 사람들의 토지에 속해 있다는 것이죠. 하지만 그 사람들은 자기네 땅속에 금광만큼이나 값비싼 산성 백토층이 있다는 걸 모르고 있거든요. 그렇다면 두말할 것도 없이 그 사람들이 자기네 땅의 비밀을 알기 전에 그 땅을 사 버리면 되는 거죠. 그렇게만 되면 저는 굉장한 돈을 벌게 될 텐데, 유감스럽게도 그만한 돈이 저한테 없는 겁니다. 그래서 친구 몇 명한테 그 얘기를 했더니, 이렇게 하라는 거예요. 말하자면 내 땅에 있는 그 산성 백토를 먼저 캐내어 그걸로 돈을 만들어서 옆집 땅을 사는 게 좋을 거라는 얘기죠. 그래서 얼마 전부터 조용히 비밀리에 채굴 작업을 하고 있습니다. 그런데 능률을 좀 올리려고 거기에다 수력 압착기를 장치했는데, 그게 그만 아까 얘기했던 것처럼 고장이 나 버린 겁니다. 그래서 그걸 좀 봐달라고 당신한테 부탁드리러 온 거죠. 그러나 누차 말씀드리지만 어쨌든 그 비밀이 새 나가면 절대 안 되니까 엄청 조심을 해야 한다는 겁니다. 만약 집에 수력 기사가 왔다는 게 알려지기라도 하면 금방 사방에서 탐색의 눈이 번뜩거리면서 이 일도 탄로가 나고 말 겁니다. 그러면 땅을 사는 계획도, 큰돈을 벌겠다는 계획도 전부 다 물거품이 되고 마는 거죠. 그래서 오늘 밤에 아이퍼드로 오시는 것을 누구에게도 발설하지 말아달라고 당신한테 부탁을 드렸던 겁니다. 그럼, 설명은 다 드린 것 같습니다……'

'잘 알겠습니다. 그런데 한 가지 납득이 안 되는 점이 있는데요. 산성 백토는 자갈처럼 파내는 거라고 알고 있는데, 그 채굴 작업에 수압기가 무슨 쓸모가 있는 겁니까?'

'아아, 그건 말이죠.'

그는 별것 아니라는 듯이 말했습니다.

'우리 나름대로 독특한 방식을 쓰고 있어서요. 그러니까 흙을 벽돌처럼 압축시켜서 그게 뭔지 알아볼 수 없도록 만들어 운반시키려고 하거든요. 그런데 그건 뭐 그리 대단한 일이 아닙니다. 자, 이젠 비밀을 완전히 털어놓은 것 같은데요. 해저리 씨, 제가 당신을 얼마나 신뢰하는지 아시겠죠?'

그렇게 말하면서 그 남자는 일어섰습니다. 그리고는 거듭 말하더군요.

'그럼, 열한 시 십오 분에 아이퍼드에서 기다리겠습니다.'

'네, 꼭 가겠습니다.'

'한마디도 누설하시면 안 됩니다.'

그는 다시 한번 저를 탐색하듯 한참이나 쳐다보더니 악수를 하고 떠났습니다. 그의 손이 땀에 젖어 차갑더군요.

그런데 두 분께서 이해하실 거라고 생각합니다만, 그 사람이 가고 나서 가만히 생각해 보니까 갑자기 의뢰받은 그 일이 굉장히 이상하다는 생각이 드는 거예요. 한편으로는 물론 좋기도 했습니다. 왜냐하면 일단 보수가 제 쪽에서 요구할 수 있는 금액의 최소한 열 배는 되는 데다, 이게 실마리가 되어 혹시라도 일거리가 차례로 들어올지 어떻게 알겠느냐는 생각이 들었기 때문입니다. 그러나 또 한편으로는 그 남자의 얼굴 생김새와 태도에서 받은 불쾌한 느낌이 남아 있고, 무슨 산성 백토가 어쩌고저쩌고 하면서 왜 꼭 한밤중에 오라는 것인지, 또 그 일이 어디에 누설될까 봐 왜 그리도 걱정을 하는지 그 모든 것이 납득되지 않았습니다. 그럼에도 불구하고 어쨌거나 불안 같은 건 말끔히 바람에 날려 버리고 식사를 든든히 한 다음 마차로 파딘턴 역으로 달려가 기차를 탔습니다. 누구한테도 말하지 말라는 당부도 잘 지키고 말이죠.

레딩에서 기차를 갈아타고 또 다른 곳으로 가야만 했습니다. 그래도 아이퍼드로 가는 막차를 탈 수 있어서 열한 시가 조금 지나 어둠침침한 작은 역에서 내렸습니다. 그 역에서 내린 사람은 저 혼자였고, 플랫폼에는 짐꾼 한 사람만이 졸린 얼굴로 랜턴을 들고 서 있더군요. 하지만 역 밖으로 나갔더니 약속했던 대로 그 남자가 건너편 어둠 속에서 기다리고 있는 게 보였습니다. 제가 다가가자 그는 아무 말도 안 하고 제 팔을 덥석 잡더니 활짝 문을 열어 놓은 마차에 저를 황급히 밀어 넣는 것이었습니다. 그리고 마차의 문을 닫고 마부석의 칸막이벽을 두드리자 우리가 탄 마차는 말이 달릴 수 있는 최대 속도로 미친 듯이 달리기 시작했습니다."

"말이 한 필뿐이었나요?"

홈즈가 물었다.

"네, 한 필뿐이었습니다."

"말의 색깔은 보셨습니까?"

"네, 마차에 탈 때 옆에 있는 불빛으로 보였습니다. 밤색 말이었습니다."

"말이 피로해 보였나요, 아니면 기운이 있어 보였나요?"

"힘이 있어 보였고 윤기도 반들반들했습니다."

"고마워요. 이야기를 중간에 끊어서 미안합니다. 계속 말씀하시죠. 얘기가 아주 재밌는데요."

"그렇게 최소한 한 시간은 계속 달렸던 것 같습니다. 라이샌더 스타크 대령이 그때 말하기로는 대략 칠 마일쯤 되는 거리라고 했는데, 속도와 걸린 시간으로 봐도 제 생각에 거의 십이 마일은 될 겁니다. 그 사람은 내내 아무 말도 안 하고 제 옆에 앉아 있었는데, 제가 그쪽을 쳐다볼 때마다 저를 뚫어지게 바라보고 있는 눈길을 여러 번 느꼈습니다. 그 지역은 아무래도 시골이라 도로 상태가 별로 좋지 못하다 보니까 마차가 심하게 흔들리고 기우뚱거리기도 하더군요. 그런데 도대체 주변이 어떤 곳인지 보려고 해도 볼 수가 없게 되어 있더라고요. 창문이 불투명 유리로 되어 있어서 아무것도 보이지 않고 가끔 지나치는 등불의 어스름한 그림자만 보일 뿐이었습니다. 너무나 지루해서 제가 가끔 용기를 내어 그 사람한테 말을 걸어 보았지만, 그 사람은 그저 '네' '아니요' 라고만 대답할 뿐 더 이상 얘기하기를 꺼려 하더군요. 어쨌든 그렇게 한참 동안이나 덜커덩거리는 길을 달리다가 마차가 슬슬 속도를 늦추더니 차르르 자갈 밟는 소리가 들리고 이윽고 멈춰 서는 것이었습니다. 라이샌더 스타크 대령은 잽싸게 마차에서 내리더니, 같이 내린 저를 잡고 정면에 활짝 열려 있는 현관으로 재빨리 끌어당기는 것이었습니다. 그러니까 저는 마차에서 곧장 현관으로 뛰어든 셈이라 집이 어떻게 생겼는지 볼 틈도 없었던 거죠. 현관으로 들어가자 즉시 문이 닫히며 마차가 떠나는 소리만 희미하게 들렸습니다.

집 안은 말 그대로 암흑이었고, 대령은 혼자 뭐라고 중얼거리며 성냥을 찾는 것 같았습니다. 잠시 후 흐릿한 불빛이 비치더니 한 여인이 램프를 머리 위로 높이 들고 가만히 얼굴을 내밀어 우리를 계속 살피더군요. 무척 아름다운 부인이었는데. 입고 있는 검정색 드레스도 램프 불빛에 언뜻 반사되는 광택으로 보아 아주 고급 천으로 보였습니다. 그녀가 알아들을 수 없는 외국어로 무슨 말인가를 묻자 대령이 신경질적으로 뭐라고 쏘아붙였습니다. 그러더니 부인에게 다가가 뭐라고 소곤거리며 다시 방으로 들어가게 하고는 그 램프를 들고 제가 있는 쪽으로 왔습니다.

'잠시 저쪽 방에서 기다리고 계세요.'

대령은 그렇게 말하며 저를 다른 방으로 안내했습니다. 소박해 보이는 작고 조용한 방인데, 가운데 동그란 테이블 위에 독일어 책 몇 권이 놓여 있더군요. 스타크 대령은 램프를 문 옆에 있는 오르간 위에 놓았습니다. 그리고는 '일 분 이상 기다리게 하지는 않겠소.' 하고 말하더니 어둠 속으로 사라졌습니다.

기다리는 동안 테이블 위에 있는 책을 들여다보았는데, 제가 독일어는 모르지만 그중 한 권은 과학 논문이고, 다른 것들은 시집이라는 것 정도는 알 수 있었습니다. 그런 다음 시골 경치를 좀 내다보려고 창문으로 다가갔는데, 떡갈나무로 만들어진 덧문이 꽉 닫혀 있고 빗장까지 단단히 질러져 있었습니다. 그리고 집 안이 이상할 정도로 너무나 조용했습니다. 복도에서 구식 벽시계가 크게 똑딱거리는 소리만 들릴 뿐, 모든 것이 죽은 듯 고요하기만 했습니다. 뭔가 막연한 불안감이 엄습해 오더군요. 도대체 이 독일인들은 어떤 사람들일까, 마을에서 한참 떨어진 이런 으슥한 동네에 살면서 무엇을 하고 있는 것일까, 여기는 어딜까, 온갖 생각이 밀려왔습니다. 아이퍼드에서 십 마일 정도 떨어진 장소라는 것만 알고 있을 뿐, 북쪽인지 남쪽인지 동쪽인지 전혀 짐작조차 가지 않았습니다. 그런데 가만 생각해 보니, 십 마일 거리라면 레딩도 있고 다른 큰 마을도 있기 때문에 제가 막연히 생각했던 것보다 별로 산골짜기가 아닐지도 모른다는 생각이 들더군요. 그렇기는 하지만 무섭도록 조용한 걸로 봐서는 아무래도 시골에 온 게 틀림없다는 생각이 다시 들었습니다. 저는 방 안을 왔다갔다 하면서 마음을 진정하기 위해 콧노래를 부르기도 하며, 어쨌든 오십 기니를 벌 수 있게 되었다는 생각도 했습니다.

그때쯤 그 적막함 속에서, 아무런 기척도 없이 제가 있던 방문이 천천히 열리는 것이었습니다. 그리고 램프를 들고 있던 그 부인이 문 앞에 서 있는 거예요. 램프의 노란 불빛이 그녀의 아름다운 얼굴을 비추고 있었는데 몹시 긴장돼 있는 표정이었습니다. 그런데 가만 보니 그녀는 공포에 질린 얼굴로 떨고 있는 게 아니겠어요. 그 부인을 보니 저 또한 심장이 얼어붙는 것 같더군요. 그녀는 떨리는 손을 들고 조용히 하라는 신호를 하더니, 서투른 영어로 몇 마디를 재빨리 속삭이고는 잔뜩 두려운 눈빛으로 뒤쪽 어둠 속을 자꾸만 돌아보는 것이었습니다.

'나는 도망치고 싶어요.'

그녀는 그렇게 말했는데, 가능한 낮은 소리로 말하려고 애를 썼습니다.

'도망치고 싶어요. 여기에 있는 거 좋지 않아요. 당신이 하는 일 좋지 않아요.'

'하지만 부인! 저는 아직 볼일이 남아 있는데요. 기계를 보기 전에는 돌아갈 수가 없습니다.'

제가 그렇게 말했죠.

하지만 그녀는 계속 간절히 얘기를 했습니다.

'기다려도 소용없어요. 이 문으로 나갈 수 있습니다. 아무도 방해 안 합니다.'

그렇게까지 말하는데도 제가 미소를 지으며 머리를 흔들자, 그녀는 아예 방 안으로 들어서며 두 손을 맞잡고 애원하듯 말했습니다.

'제발, 부탁이에요. 빨리 도망치세요. 지금도 늦지 않아요.'

저는 천성적으로 고집이 세서 누가 제 일을 방해하면 오히려 더 하고 싶어 하는, 그런 기질이 있습니다. 그래서 오십 기니의 보수와 거기까지 지루하게 마차를 타고 갔던 일, 그리고 불쾌하게 하룻밤을 보낼 수밖에 없는 상황 등 모든 것이 한꺼번에 머릿속에 밀려오더군요. 그래, 이 모든 것들이 헛일이 돼도 상관없을까, 의뢰받은 일도 안 하고 보수도 안 받고 꼭 도망쳐야 할 이유가 있을까, 이 여자가 정신이 이상한 건 아닐까, 잠깐이지만 그 모든 것을 생각해 보지 않을 수가 없었습니다. 그러면서 마음속으로는 오싹할 정도로 겁을 먹고 있으면서도, 겉으로는 태연한 척 고개를 흔들고 고집을 부리며 무슨 일이 있어도 그곳에 남아서 일을 끝마칠 거라고 단호하게 말했습니다.

그러나 그녀는 더 강하게 호소를 하기 시작했습니다. 바로 그때 위층에서 쾅 하고 문 닫히는 소리가 들리더니 계단을 내려오는 발소리가 들리는 것이었습니다. 그녀는 순간 귀를 기울이더니 절망적인 몸짓으로 두 손을 펼쳐 보이며, 아까 갑자기 나타났을 때와 똑같이 아무 소리도 내지 않고 조용히 사라져 갔습니다.

곧 라이샌더 스타크 대령이 방으로 들어왔는데, 그는 퍼거슨이라는 한 사나이를 대동한 채였습니다. 그 사나이는 턱에 살집이 많아 두둑하고, 토끼처럼 수염을 기른 데다 키가 작고 통통했습니다.

'이 사람은 내 비서 겸 지배인입니다.'

대령이 그를 소개하며 말했습니다.

'그런데 제가 이 문을 닫고 간 것 같은데, 문틈으로 바람이 들어오지 않았습니까?'

'아니요, 들어오지 않았습니다. 방이 좀 답답한 것 같아서 제가 열었습니다.'

제가 그렇게 대답하자 그는 여전히 의심스런 눈으로 저를 힐끗 쳐다보더군요.

'그럼, 곧 작업을 시작하는 게 좋겠군요. 퍼거슨과 두 분이 기계를 살펴보시도록 제가 안내해 드리겠습니다.'

'모자를 쓰고 있는 게 낫겠지요?'

제가 물었습니다.

'아닙니다. 기계가 집 안에 있으니까요.'

'뭐라고요? 집 안에서 백토를 캐내고 계시다고요?'

'아니요, 아니요. 안에서는 흙을 압착하는 것만 하고 있습니다. 아무튼 그런 일엔 상관하지 마세요. 당신은 기계를 검사해 보고 어디가 잘못돼 있는지 그것만 얘기해 주시면 되는 겁니다.'

대령이 램프를 들고 앞장섰으며, 뚱뚱한 지배인과 제가 그 뒤를 따라 계단을 올라갔습니다. 아주 고풍스런 집 안은 거의 미로와도 같은 형태더군요. 복도를 다 지나자 곧바로 아주 좁은 통로가 이어지고, 그리고 나선형 계단으로 연결된 다음 끝에 나지막한 작은 문이 보이는 것이었습니다. 몇 세대에 걸쳐 살았는지 바닥이며 계단들이 모두 움푹 패여 있을 정도였습니다. 그리고 이층엔 카펫도 깔려 있지 않고 가구라곤 아무것도 없으며, 벽은 석회가 벗겨져 떨어져 있고 습기가 많은지 곳곳에 곰팡이가 얼룩져 있었습니다. 저는 태연한 척 차분한 표정을 하고 있었지만, 부인의 경고를 무시한 게 아무래도 마음에 걸렸기 때문에 두 명의 동행인을 가능한 계속 경계의 눈으로 지켜보았습니다. 퍼거슨이라는 남자는 무뚝뚝하니 말도 거의 없었는데, 하는 말투로 봐서 저와 마찬가지로 영국인이라는 것을 알 수 있었습니다.

라이샌더 스타크 대령은 마침내 그 작은 문 앞에 멈춰 서더니 자물쇠를 열었습니다. 안을 보니까 아주 조그마한 공간이더군요. 세 남자가 한꺼번에 들어갈 수 없을 만큼 좁아서, 퍼거슨은 뒤에 남고 저와 대령이 안으로 들어갔습니다.

'자, 우리는 지금.'

대령이 설명을 하기 시작했습니다.

'수압기 안에 들어와 있어요. 그러니까 만약 누군가가 지금 기계를 작동시킨다면 그야말로 엄청난 사고가 일어나게 되는 거죠. 이 위 천장이 바로 피스톤의 아래쪽 면이기 때문에 그게 내려오면 몇 톤이나 되는 무시무시한 압력으로 이 금속의 바닥을 밀어붙이게 되거든요. 이 바깥쪽에 가느다란 관이 몇 개 있어서 그게 수압을 전달시키면서 작동을 해 나가는 방식인데, 잘 아시겠지만 기계는 제대로 움직이고 있는데 움직임이 좀 느려진 곳이 있어서 전체적으로 압력이 약간 줄어든 게 지금 문제입니다. 그러니까 좀 살펴보시고 어떻게 하면 고칠 수 있는지 그걸 말씀해 주세요.'

저는 대령한테서 램프를 받아 들고 기계를 자세히 들여다보기 시작했습니다. 수압기가 정말 엄청 커서 압력이 대단할 것 같더군요. 우선 바깥쪽으로 돌아가 운전용 지렛대를 밀어서 내려 봤는데, 아닌 게 아니라 시익! 하는 소리가 나더라고요. 그건 분명 어딘가에서 물이 새고 있다는 증거였죠. 가만 보니 사이드 실린더 중 하나에서 물이 역류하고 있는 것 같더라고요. 그래서 뜯어 봤더니 추진기의 끝에 달린 고무패킹이 닳아서 소켓 사이에 틈이 생겨 있었던 겁니다. 그것 때문에 압력이 줄어들고 있는 게 틀림없어서, 저는 두 사람에게 그 점을 설명해 주었죠. 그들은 아주 주의 깊게 제 설명을 듣고 나더니, 그걸 어떻게 수리하면 되는지 몇 가지 실질적인 질문을 하더군요. 그들이 완전히 납득을 한 후, 저는 다시 한번 압착실로 돌아가 제 스스로 궁금한 점을 알아내기 위해 내부를 잘 살펴보았습니다. 산성 백토 이야기가 모두 꾸며낸 말이라는 것은 첫눈에 봐도 알 수 있었습니다. 그런데 그토록 엄청난 기계를 전혀 엉뚱한 목적에 쓰기 위해 설치하다니, 도저히 이해가 안 되더군요. 벽은 사방이 다 목조로 되어 있는데 바닥은 철재로 되어 있어서 유심히 살펴봤더니, 바닥 전체에 얇은 금속 재질 같은 게 붙어 있었습니다. 그래서 그게 도대체 뭔지 더 자세히 보려고 허리를 구부려 손으로 긁어보고 있는데, 독일어로 낮게 외치는 것 같은 목소리가 들렸습니다. 그래서 올려다봤더니, 대령이 악마 같은 얼굴로 저를 노려보며 내려다보고 있더군요.

'지금 뭘 하고 있는 거지?'

그가 물었습니다.

이 남자의 말재간에 감쪽같이 넘어갔다는 사실이 화가 나서 제가 말했습니다.

'당신의 백토에 감탄하고 있는 중입니다. 이 기계의 용도를 제대로 알고 있었다면 좀 더 도움이 되는 조언을 해드릴 수가 있었을 텐데요.'

하지만 곧바로 그 말을 괜히 했다는 생각이 들었습니다. 별안간 대령의 표정이 굳어지며 음울한 눈빛이 사납게 번쩍이더군요.

'좋아, 이 기계에 대해 시원하게 알려 주지.'

그는 말을 마치자마자 한걸음 뒤로 물러나 방을 나가더니 밖에서 작은 문을 쾅 닫고는 재빨리 자물쇠로 잠가 버렸습니다. 저는 문으로 달려들어 손잡이를 잡아당겨 보고 발로 차 보고 어깨로 부딪쳐 보고 갖은 방법을 다 써 봤지만 꿈쩍도 안 하더군요.

저는 소리를 질렀습니다.

'여보세요! 대령! 문 열어요!'

아무리 외쳐도 소용이 없었어요.

그때 조용하다가 갑자기 무슨 소리가 들려오더군요. 저는 온몸이 오그라드는 것 같았습니다. 지렛대가 덜커덩 하는 소리가 들리더니 물이 새고 있는 그 사이드 실린더에서 시익시익 하는 소리가 들려왔던 겁니다. 대령이 기계를 작동시켰던 거죠. 램프는 제가 바닥을 들여다볼 때 놓아 두었던 곳에 그대로 있었습니다. 그 불빛으로 시꺼먼 천장이 서서히 저를 향해 내려오는 게 분명히 보였습니다. 그 정도 무게라면 일 분도 안 돼 제 몸을 눌러 버려 형체도 없는 고깃덩어리로 만들고 말 거라는 걸 저만큼 잘 아는 사람이 있을까요? 저는 온 힘을 다해 비명을 지르며 있는 힘껏 문을 들이받고 자물쇠를 손톱으로 긁어 댔습니다. 악을 쓰며 대령에게 애원을 했지만 지렛대의 덜커덩거리는 소리가 제 목소리를 집어삼키고 말았습니다. 어느새 천장은 머리 위 1, 2피트까지 내려와서 손을 들면 그 단단하고 거칠거칠한 표면에 닿을 정도가 되었습니다. 그때 제 머리를 스친 건, 죽을 때도 몸의 위치에 따라 고통이 훨씬 다르지 않을까 하는 생각이었습니다. 만약 엎드린다면 척추에 압력을 받을 것이고, 그 경우 뚝뚝 부러지는 소리가 날 텐데, 그 상상을 하자 몸서리가 쳐졌습니다. 아니면 누워 있다고 할 경우, 편할지는 모르지만 누운 채로 그 시꺼먼 무서운 그림자가 내 위로 덮쳐 오는 걸 바라볼 수 있을 만큼 기력이 남아 있을까. 이제 천장이 낮아져 더 이상 허리를 펴고 서 있을 수 없게 되었을 때, 문득 제 눈에 한 줄기 빛이 들어왔습니다.

아까 말씀드렸던 것처럼 천장과 바닥은 철재로 되어 있는데, 벽은 나무로 되어 있었습니다. 절망적으로 허둥대며 사방을 둘러보고 있는데 두 장의 나무판자 사이로 한 줄기 노란 불빛이 새나오는 것이 얼핏 보이는 것이었어요. 판자는 내려오는 압력에 눌려 부러지고 휘어지면서 틈이 차츰 벌어졌습니다. 죽음을 피할 길이 있으리라고는 도저히 믿어지지 않았는데, 바로 그 순간 저는 판자 사이로 몸을 던졌고 그곳으로 빠져나가게 됐던 겁니다. 그런 다음 거의 정신을 잃고 쓰러져 있었지요. 램프가 으스러지는 소리와 천장과 바닥의 철재가 부딪치는 소리가 들려오더군요. 그야말로 일촉즉발의 순간에 탈출을 했던 겁니다.

누군가 제 손목을 마구 잡아당겨서 정신이 돌아왔는데, 보니까 저는 좁은 복도의 돌바닥 위에 쓰러져 있고, 아까 봤던 그 부인이 저를 내려다보며 왼손으로 제 손목을 잡아끌고 있더군요. 그리고 오른손에는 촛불을 들고 있었습니다. 그 부인의 진심 어린 충고를 물리쳤으니 제가 얼마나 어리석은 겁니까?

'이리! 이리로!'

그녀가 숨을 헐떡이며 외쳤습니다.

'그 사람들이 이제 올 거예요. 그러면 당신이 거기에 없다는 걸 알게 돼요. 그러니까 시간 낭비 말고 빨리 이리로 오세요!'

이번에는 당연히 그녀의 충고를 따랐습니다. 저는 간신히 일어나 비틀거리며 그녀의 뒤를 따라 복도를 달려 나선형 계단을 뛰다시피 내려갔습니다. 계단 아래로 다시 넓은 복도가 이어지는데, 거기까지 갔을 때 어딘가에서 뛰어오는 발소리와 두 남자의 외치는 소리가 크게 울려 오더군요. 한 사람은 우리와 같은 층에서, 또 한 사람은 아래층에서 서로 고함을 치고 있었습니다. 저를 안내한 부인은 걸음을 멈추더니 어찌해야 할지 갈피를 못 잡다가 주위를 한번 둘러 보고는 그곳의 문을 열어 젖혔습니다. 침실이었는데, 창문에 달빛이 환하게 비치고 있더군요.

'도망칠 수 있는 길은 여기밖에 없어요. 높지만 뛰어내릴 수 있겠죠?'

그녀의 말이 막 끝나자 복도 저편 끝에서 희미한 불빛이 비치며 라이샌더 스타크 대령의 가느다란 그림자가 한 손에 랜턴을 들고 다른 손에는 큰 칼처럼 보이는 무슨 흉기를 들고 이쪽으로 달려오는 게 보였습니다. 저는 그 안으로 뛰어들어가 창문을 열고 아래를 내려다봤습니다. 달빛에 비친 정원이 너무나 고요하고 아름답고 상쾌해 보이더군요. 창까지 높이는 30피트 정도 되는 것 같았습니다. 저는 창틀로 올라갔죠. 그러나 곧바로 뛰어내리지 않고 잠시 기다렸습니다. 저를 구해 준 생명의 은인과 뒤쫓아 오고 있는 악마 사이에 무슨 얘기가 오가는지 확인하지 않고는 갈 수가 없다는 생각이 들었기 때문입니다. 만약 그 부인에게 위험한 일이라도 생기면 저는 돌아가서 그녀를 구할 생각이었습니다. 하지만 그 생각이 머릿속에 떠오르자마자, 대령은 벌써 방 안으로 들어서서 부인을 제치고 다가오려 했습니다. 그러자 부인이 그를 붙잡고 말리려 하더군요.

'프리츠! 프리츠!'

부인은 서툰 영어로 말하고 있었습니다.

'지난번 약속 제발 생각해 줘요. 이제는 하지 않는 걸 말하셨지요? 이 사람은 말하지 않을 거예요. 틀림없이 말하지 않을 거예요.'

'엘리제, 미친 거야?'

대령은 그녀의 팔을 뿌리치느라 버둥거리면서 말했습니다.

'왜 이래. 우리를 파멸시킬 작정이야? 이놈이 너무 많은 걸 봤어. 이 팔 놓으라고!'

그는 마침내 부인을 밀쳐 버리고 창문으로 달려들더니 무거운 칼로 제 손을 마구 찌르더군요. 저는 도망가려고 창문틀을 잡은 채 매달려 있었는데, 손이 잘리는 고통이 가해지자 더 이상 버틸 수가 없었습니다. 꽉 붙잡고 있었던 손이 풀리면서 그대로 떨어지고 말았죠.

추락해서 충격은 꽤 있었지만 부상을 입지는 않았습니다. 그러나 위험이 사라진 것은 결코 아니었기 때문에 저는 다시 부리나케 일어나 있는 힘을 다해 정원의 어두운 덤불 속으로 뛰어 들어갔습니다. 그러나 극도로 현기증이 나고 속도 울렁거리더군요. 그리고 손이 심하게 쑤시고 아파서 봤더니, 엄지손가락이 잘려 나가 없고 피가 많이 흐르고 있었습니다. 손수건을 꺼내 상처 부위를 싸매려고 했는데, 다음 순간 갑자기 귀가 멍멍해지더니 정신이 가물거리고, 그대로 장미 덤불 속에서 쓰러져 버리고 말았습니다.

그렇게 의식을 잃고 얼마나 있었는지는 잘 모르겠습니다. 꽤 오랫동안 있었던 건 분명합니다. 의식이 다시 돌아왔을 때 보니까, 달은 벌써 기울고 아침이 밝아 오고 있었으니까요. 옷은 밤이슬에 젖어 있고 양복의 소맷부리는 상처에서 흘러내린 피로 완전히 시뻘겋게 돼있더군요. 다시 엄청난 고통을 느끼는 순간, 곧 간밤에 일어났었던 그 지옥 같은 일이 생생이 떠오르며 아직 추격자를 벗어난 게 아니라는 생각이 불현듯 밀려들었습니다. 저는 벌떡 일어났죠. 그리고 막 그곳을 벗어나려 하는데, 주위 풍경이 달랐던 겁니다. 아무리 둘러봐도 전날 밤에 있었던 그 집과 정원이 보이지 않는 거예요. 제가 누워 있었던 곳은 큰길 옆에 있는 울타리 구석이었는데, 저 아래쪽으로 기다란 건물이 하나 보이더군요. 그쪽으로 가 봤더니 글쎄 거기는 어젯밤에 제가 도착했던 아이퍼드 역이더라고요! 손에 이렇게 끔찍한 상처만 없었다면 몇 시간 동안의 그런 공포도 그저 재수 없는 악몽으로밖에 생각되지 않았을 겁니다.

저는 얼떨떨한 상태로 역에 들어가 아침 열차를 알아봤습니다. 한 시간쯤 기다리면 레딩으로 가는 기차가 있다고 하더군요. 어젯밤에 도착했을 때도 얼핏 봤던 그 짐꾼이 여전히 있었습니다. 저는 그에게 가서 혹시 라이샌더 스타크 대령이라는 이름을 들어본 적이 있느냐고 물었더니 전혀 모른다고 대답하더군요. 그래서 다시 물었습니다.

'어젯밤에 마차 하나가 역 앞에서 기다리고 있었는데, 그건 혹시 본 기억이 납니까?'

'아니요, 못 봤습니다.'

'그럼, 이 근처에 경찰서가 있나요?'

'삼 마일쯤 떨어진 거리에 있습니다.'

그는 그렇게 대답할 뿐이었습니다.

저는 너무나 기진맥진해서 삼 마일은 도저히 걸을 수가 없었습니다. 그래서 런던으로 돌아가서 경찰에 알려야겠다고 생각했던 거죠. 런던에 도착한 게 여섯 시가 좀 안 됐는데, 우선 상처부터 치료하려고 역무원한테 가서 물었더니 그분이 여기까지 친절하게 데려다주셨던 겁니다. 저는 이제 이 사건을 선생님께 완전히 맡기고 뭐든지 지시대로 할 작정입니다."

이 이상한 이야기를 듣고 나서 홈즈와 나는 잠시 아무 말도 안 하고 그냥 앉아 있었다. 이윽고 셜록 홈즈가 일어나 책장으로 가더니 두툼한 자료집 속에서 신문 스크랩 한 장을 꺼내 왔다.

"이걸 보세요. 당신의 흥미를 끌 만한 광고인데요, 일 년 전쯤 모든 신문에 실렸던 겁니다. 한번 읽어 볼까요?

〈행방불명, 젤레마이어 해일링, 25살, 수력 기사, 이달 5일 오후 10시에 하숙집을 나간 뒤 소식이 없음, 복장은…….〉

어떻게 생각하세요? 대령이 수압기 검사를 의뢰했을 때의 날짜와 같다고 생각되지 않습니까?"

"세상에!"

내 환자는 그렇게 외쳤다.

"이제야 그 부인이 말한 뜻을 알겠습니다."

"틀림없어요. 그 대령이란 자는 냉혹하고 무자비해서 탈취한 배에 타고 있는 사람들을 하나도 살려 두지 않는 해적과도 같은 인종이죠. 그 누구한테서도 자기의 일을 방해받지 않으려고 치밀하게 계획하고 있는 겁니다. 자, 그렇다면 한시도 지체할 수가 없군요. 몸이 괜찮으시다면 아이퍼드에 갈 준비를 하고 이제부터 함께 경시청으로 갑시다."

그로부터 세 시간쯤 지났을 때, 우리는 버크셔에 있는 그 작은 마을을 향해 레딩에서 출발하는 기차를 탔다. 셜록 홈즈와 수력 기사, 런던 경시청의 브래드스트리트 경감, 사복 형사 그리고 나, 이렇게 다섯 명이었다. 경감은 그 주의 군사지도를 좌석에 펼쳐 놓고는 아이퍼드를 중심에 놓고 컴퍼스로 열심히 원을 그려 보고 있었다.

"자, 보십시오. 이 원은 마을을 중심으로 해서 반경 십 마일로 그린 것입니다. 그러니까 우리가 목표하는 장소는 분명 이 원 근처에 있다는 얘깁니다. 아까 분명히 십 마일이라고 하셨죠, 해저리 씨?"

"마차로 한 시간은 충분히 걸렸습니다."

"그러니까 의식을 잃고 있는 사이에 그들이 당신을 그 정도 거리에다 다시 옮겨 놓았다는 생각이 든단 말씀이죠?"

"그랬던 것 같습니다. 그러지 않고서는……. 참 그러고 보니, 어딘가로 운반되어 간 것 같은 기억이 어렴풋이 납니다."

"그런데 한 가지 이해되지 않는 게 있는데요."

내가 말했다.

"당신이 의식을 잃고 정원에 쓰러져 있는 걸 그들이 봤다면 왜 죽이지 않고 살려 뒀을까요? 여자의 애원에 그 악마가 갑자기 자비심이라도 베푼 걸까요?"

"그럴 리는 절대로 없습니다. 그렇게 잔악한 얼굴은 본 적이 없으니까요."

"아, 그런 일은 어차피 해결됩니다."

브래드스트리트 경감이 다급한 듯 말했다. 그는 계속 지도에 집착하고 있었다.

"지금 원이 그려져 있으니까 목표하는 것이 이 원의 어느 지점에 있는지, 우선 그것만 빨리 알고 싶습니다만."

그때 홈즈가 조용히 말했다.

"그 위치는 말이죠, 손가락으로 가리켜 알려 드릴 수 있습니다."

"뭐라고요?"

경감이 깜짝 놀라며 물었다.

"벌써 아신다고요? 그렇다면 누가 또 당신과 생각이 같은지 모두들 얘기해 봅시다. 제 생각으로는 남쪽입니다. 이쪽이 아무래도 더 한적한 곳이니까요."

"아니, 저는 동쪽이라고 생각합니다."

내 환자가 말했다.

"그럼, 저는 서쪽을 선택하겠습니다. 서쪽에는 작고 조용한 마을들이 꽤 있으니까요."

사복 형사가 말했다.

"저는 북쪽으로 하지요. 왜냐하면 그쪽에는 언덕이 없거든요. 해저리 씨의 얘기를 들었을 때 마차가 언덕길로 갔다는 말은 없었으니까 말이죠."

내가 그렇게 말하자 경감이 웃으며 얘기했다.

"하하하, 모두들 멋지게 나뉘었네요. 네 사람이 동서남북을 한 곳씩 지적하는 바람에 한 바퀴를 돌았군요. 그럼 홈즈 선생, 당신의 결정 투표는 누구한테로 던지시겠습니까?"

"모두 틀렸습니다."

"하지만 그 외에는 없잖습니까?"

"아니요. 저는 여깁니다."

홈즈는 원 한가운데를 손가락 끝으로 가리켰다.

"놈들은 여기에 있을 겁니다."

"그런데 십이 마일이나 달리지 않았습니까?"

해저리 씨는 숨을 몰아쉬며 말했다.

"육 마일은 가고, 육 마일은 돌아온 거죠……. 이보다 더 간단한 일은 없습니다. 마차에 탈 때 말이 무척 생기 있고 반들반들 윤이 났다고 말씀하셨죠? 만약 십이 마일을 이미 역까지 달려왔다면 말이 그렇게 생기 있을 수가 없어요."

"음…… 놈들이 그런 짓을 충분히 꾸밀 만하죠."

브래드스트리트 경감이 생각에 잠겨 말했다.

"아무튼 이 일당의 수작에 대해서는 의심의 여지가 없습니다."

"전혀 없죠."

홈즈가 설명을 했다.

"놈들은 조직화된 위조 화폐 범인들인데, 그 기계를 이용해서 대용품인 합금을 만들어 왔어요."

"수법이 워낙 뛰어난 일당들이 숨어 있다는 걸 전부터 알고 있었습니다."

그러면서 경감은 말을 이어 갔다.

"반 크라운짜리 가짜 은화가 수천 개나 만들어졌으니까요. 우리는 레딩까지 추적을 했는데, 그다음부터는 완전히 종적을 감춰 버리더군요. 그렇게 귀신 같이 사라지는 재주만 봐도 보통 놈들이 아닌 거죠. 그런데 이런 좋은 기회가 찾아와 마침내 놈들을 잡을 수 있게 됐군요."

하지만 경감의 생각은 너무 단순했다. 이 악당들은 법의 처벌을 기다릴 만큼 그렇게 호락호락한 운명의 당사자들이 아니었던 것이다. 우리가 탄 기차가 아이퍼드 역에 도착했을 때, 근처 작은 숲의 그늘에서 거대한 연기 기둥이 솟아올라 주변 일대의 하늘을 커다란 타조 깃처럼 덮고 있었다.

"불이 난 건가요?"

우리가 내리고 기차가 다시 출발했을 때 브래드스트리트 경감이 역장에게 물었다.

"네, 그렇습니다."

"언제부터 시작됐습니까?"

"어제 밤부터라고 하던데, 불길이 번져서 다 타 버린 것 같은데요."

"누구 집입니까?"

"베카 박사라는 분의 집입니다."

"잠깐만요."

수력 기사가 놀라며 끼어들었다.

"베카 박사요? 혹시 아주 마르고 콧날도 뾰족한 그 독일인 말인가요?"

역장이 유쾌하게 웃으며 대답했다.

"아니요. 베카 박사는 영국인인데, 여기 교구에서 그분만큼 멋진 풍채를 자랑하는 사람은 없을 겁니다. 그러고 보니까 그 집에 외국 사람이 한 분 머물고 있긴 하네요. 아마도 박사의 환자가 맞지 싶은데요. 그런데 하도 말라서 버크셔의 좋은 쇠고기를 잔뜩 먹여도 아무 소용이 없을 것 같던데요."

역장의 말이 채 끝나기도 전에 우리는 화재가 일어난 곳으로 서둘러 갔다. 나지막한 언덕을 올라가자 바로 정면에 흰색으로 칠해진 커다란 저택이 보였는데, 모든 창문과 틈새에서 아직도 불길이 활활 치솟고 있었다. 소방차 세 대가 정원에서 불길을 잡으려고 애쓰고는 있지만 거의 소용이 없는 것 같았다.

그때 해저리가 흥분하며 외쳤다.

"저 집이에요! 자갈이 깔린 마찻길도 있고, 제가 쓰러져 있었던 장미 덤불도 있네요! 저 두 번째 창문에서 제가 떨어졌거든요."

"어쨌든 당신은, 복수는 한 셈입니다. 당신이 놓아 두었던 석유 램프가 수압기에 눌렸을 때 아마도 불이 나무 벽으로 옮겨 붙었을 겁니다. 그놈들은 당신을 뒤쫓느라고 정신이 없으니까 그걸 신경 쓸 새가 없었던 거죠. 자, 여기 구경꾼들 속에 혹시 그 악당들이 있는지 잘 살펴보세요. 하기야 달아났다면 지금쯤 백 마일은 너끈히 갔겠지만 말이죠."

홈즈의 말은 그대로 사실로 드러났다. 그날로부터 지금 이 순간까지, 그 아름다운 부인에 대해서도 악마 같은 독일인에 대해서도 무뚝뚝한 지배인에 대해서도, 들리는 소식이라곤 아무것도 없었다. 그날 새벽에 몇 사람이 큰 상자 몇 개를 마차에 싣고 레딩 방향으로 죽어라 달려가는 것을 한 농부가 봤다는 얘기는 있었지만, 도망자들의 자취는 거기서 끊겨 버리고 더 이상 이어지지 않았다. 게다가 홈즈의 그 뛰어난 능력에도 불구하고 그들의 행방에 대한 단서는 어디서도 발견할 수 없었다.

소방수들은 집 안에 있는 이상한 기계를 보고는 몹시 놀랐는데, 삼층 창틀에서 아직도 피에 젖어 잘려 있는 사람의 엄지손가락을 보고는 기절할 듯 놀라 소리를 쳤다.

아무튼 해가 질 무렵쯤에야 소방수들의 노력이 겨우 효과를 나타내 불길은 잡혔지만 지붕까지 폭삭 내려앉은 저택은 그야말로 완전한 폐허로 바뀌어 있었다. 그리고 우리의 불운한 친구에게 그토록 값비싼 희생을 치르게 했던 그 수압기도 뒤틀린 실린더 몇 개와 쇠파이프만 남기고 사라져 거의 흔적조차 보이지 않았다. 창고에 산더미 같이 쌓여 있던 니켈과 주석은 발견됐지만 위조 화폐는 단 한 개도 나오지 않았는데, 마차에 싣고 떠났다는 큰 상자의 정체가 아마도 이것이 아니었을까 하는 추측만 할 수 있었다.

정원의 덤불 속에 있던 수력 기사가 어떻게 의식을 되찾은 장소까지 옮겨졌을까 하는 것도 자칫하면 영원한 수수께끼로 남을 뻔했는데, 다행히도 정원의 부드러운 흙이 아주 간단히 설명해 주었다. 그는 분명 두 사람에 의해 운반되었으며, 한 사람의 발은 아주 작고 또

한 사람의 발은 유난히 크다는 게 흙바닥에 그대로 남아 있었던 것이다. 아마도 같은 악당이지만 덜 흉악했던 그 무뚝뚝한 지배인이 부인의 도움을 받아 정신을 잃은 수력 기사를 위험하지 않은 장소로 옮겨 놓지 않았을까 싶다.

"제기랄."

런던으로 돌아가는 기차 안에서 수력 기사가 억울함을 토로하며 말했다.

"정말 어처구니가 없습니다. 엄지손가락 잃어버리고, 오십 기니도 날려 버리고, 그러면서 제가 얻은 건 아무것도 없으니 말입니다."

"경험을 얻었죠."

홈즈가 웃으며 말했다.

"경험은 분명 어디엔가 쓸모가 있습니다. 당신은 그 이야기를 들려준 것만으로도 이제부터 평생 훌륭한 이야기꾼이라는 평판을 얻을 겁니다."

너도밤나무 숲

"예술 그 자체를 위해 예술을 사랑하는 사람들은,"

하면서 셜록 홈즈는 텔레그라프 신문의 광고 면을 옆으로 밀어 놓으며 말하기 시작했다.

"별로 중요하지도 않고 평범한 표현 속에서도 굉장한 즐거움을 발견할 때가 흔히 있는 법이지. 왓슨, 자네는 그런 진리를 잘 이해하고 있는 것 같네. 왜냐하면 자네는 내가 다뤘던 사건들을 아주 열심히 기록하고 그걸 때로는 잘 미화시켜 놓기도 하니 말이야. 하지만 그보다는, 내가 유명해지고 내 평판이 높아지게 만들어 준 떠들썩한 사건이나 재판들보다 오히려 사건 자체는 매우 평범하지만 내 전문 영역인 추리나 논리 면에서 능력을 발휘할 수 있었던 사건들을 자네가 더 비중 있게 다룰 줄 알기 때문이지. 그 점에서 나는 자네를 아주 신뢰하고 있다네."

"하지만 내가 쓴 걸 두고 뭐 스캔들을 조장한다나 그렇게 말하는 사람들도 있는데, 아닌 게 아니라 그렇게 생각되는 면도 좀 있긴 하지."

내가 웃으며 말했다.

"음, 그럴 것도 같구먼. 그런데 자네의 결점은 아마도……."

홈즈는 시뻘개진 숯을 부젓가락으로 집어 긴 벚나무 파이프에 불을 붙이며 본격적으로 비평하기 시작했다. 그는 깊은 생각에 잠겨 있다가 거기서 빠져나와 토론을 하고 싶을 때는 언제나 사기 파이프 대신 이 벚나무 파이프를 즐겨 사용하곤 했다.

"……자네의 결점은 그러니까, 줄거리에 너무 지나친 장식과 과장을 덧붙이려고 하는 데 있는 것 같네. 원인에서부터 결과까지의 추리 과정만 정확하게 잘 기록하는 것이 가치가 있는 것이니까, 그것만 써 주면 좋겠네."

나는 친구의 지나친 예민함에 동의하기가 싫어서 시큰둥하게 대답하고 말았다. 내가 또 한번 새삼 깨달은 건, 강한 자기 확신이 그에게 유별난 개성을 만들어 주는 데 큰 힘이 되어 있다는 것이었다.

"아니야, 내 이기심이나 자만심으로 그렇게 말하는 게 아닐세."

그는 언제나 그렇듯 내 감정까지 꿰뚫어 보고 있었다.

"내가 내 일에 있어서 완전히 정의로운 것을 원하는 이유는 그게 내 개인의 일이 아니기 때문이라네. 나 자신을 넘어서는 문제인 거지. 범죄는 어디에나 있지만 논리적인 추리를 해서 해결하는 사건은 잘 없지 않나. 그러니까 자네도 사건 자체가 아닌 추리 과정의 그 치밀한 내용을 써야 한다는 것이네. 자네는 논리적인 강의가 되어야 할 것을 그냥 소소한 이야기로 전락시키고 있는 셈이네."

그날은 날씨도 으슬으슬하게 추운 초봄 아침이었는데, 우리는 아침 식사를 마친 뒤 베이커 거리의 낯익은 방에서 이글거리며 타고 있는 난롯가에 나란히 앉아 있었다. 밖에는 짙은 안개가 끼여 있어

집들이 모두 거무스름하게 보이고, 건너편 집의 창문도 누르스름한 연기처럼 소용돌이치는 안개를 통해 얼핏 검은 얼룩처럼 보였다. 방에는 가스 램프가 켜 있고, 식사 후 그릇들이 그대로 식탁에 놓여 있어 테이블 보가 하얗게 비치며 접시와 포크 등이 반짝거리고 있었다.

셜록 홈즈는 아침부터 많은 신문들의 광고를 하나하나 살펴보다가 그 일이 끝났는지 이제부터는 내 작품에 대해 시큰둥한 태도로 단점을 지적하기 시작했던 것이다.

"그렇다고는 해도,"

그는 긴 파이프를 입에 물고 난롯불을 한동안 바라보고 있다가 다시 말을 이어갔다.

"자네가 쓴 걸 가지고 스캔들을 조장하느니 어쩌느니 하고 조롱하는 건 틀린 말이야. 자네가 흥미를 가진 사건들은 대부분 법률적으로는 범죄가 성립되지 않는 것들이었기 때문이지. 이를테면 보헤미아 왕을 도우려 했던 장난 같은 사건과 메어리 서더랜드 양의 특별한 경험, 또 입술 뒤틀린 사나이 사건, 독신 귀족의 사건, 이런 것들은 전부 다 법률의 범위 밖에 있었던 문제니까 말이야. 자네는 오히려 스캔들을 유발하지 않도록 지나치게 신경을 썼기 때문에 거의 평범하게 만들고 말았는지도 모르네."

"결과적으로는 그렇게 됐을지도 모르지."

내가 대답했다.

"하지만 나는 해결해 나가는 과정을 쓸 때 참신하고 재미있는 방법만을 쓰려고 했거든."

"내참! 이빨을 보고도 직공인지 식별하지 못하고, 왼손 엄지손가락을 보고도 식자공인지 판별하지 못하는 그런 둔감한 독자들이 분석이나 추리의 아름다움을 느낄 수나 있을까. 설사 자네가 쓴 이야기가 평범해졌다고 해도 자네를 탓할 수는 없네. 왜냐하면 정말 특별한 사건이라고 할 만한 건 요즘 시대에는 더 이상 없으니까 말이야. 요즘 사람들은, 이렇게 말하면 지나칠지도 모르지만, 적어도 범죄자들은 모험심이나 독창성을 잃어버렸어. 나 자신만 하더라도 겨우 한다는 게, 잃어버린 연필이나 찾아낸다든지 이제 막 학교를 졸업한 풋내기들한테 충고나 하는 식으로 떨어질 때까지 떨어졌지. 그러다 보니까 이제 내려갈 수 있는 데까지 내려간 것 같더군. 왓슨, 이 편지는 오늘 아침에 받은 건데, 한번 읽어 보게."

그는 꾸깃꾸깃 접혀진 편지를 나에게 건넸다. 전날 밤에 몬터규 플레이스에서 부친 것인데, 내용은 다음과 같았다.

〈셜록 홈즈 선생님. 저는 지금 가정교사 자리를 권유받고 있는데, 그것을 맡는 게 좋을지 어떨지를 몰라서 선생님의 의견을 들어 보고 싶습니다. 내일 아침 10시에 찾아뵙겠으니, 잘 부탁드리겠습니다.

바이올릿 헌터〉

"여자, 여잔가?"

내가 물었다.

"아니, 모르네."

"벌써 열 시 반인데."

"지금 벨 소리가 울리는 걸 보니까 바로 이 여자 같은데."

"이건 자네가 생각하는 것보다 재미있는 사건이 될지도 모르겠는걸. 전에 왜 푸른 가닛 사건이라고 있었잖은가. 그것도 처음엔 그냥 단순한 장난으로밖에 생각되지 않았었는데, 나중에 점점 큰 사건으로 전개되지 않았었나. 이번 것도 그렇게 되지 말라는 법은 없지."

"어, 그렇게 되면 좋겠지만, 말하고 있는 사이에 의뢰인이 온 것 같으니까 곧 알 수 있게 되겠지."

그의 말이 끝나기도 전에 문이 열리며 젊은 여인이 방으로 들어왔다. 수수하고 단정한 복장을 한 그녀는 물새 알과 같은 주근깨가 얼굴에 가득했으며, 쾌활하면서도 차분해 보이고 혼자 독립적으로 세상을 살아온 여자답게 몹시 활발했다.

"갑자기 방해를 하게 되어 죄송합니다."

그녀는 나의 친구가 일어나 맞이하자 그렇게 인사를 했다.

"저는 너무나 이상한 경험을 했는데, 의논할 만한 부모님도 없고 친척도 없어서 이렇게 의견을 듣고 싶어……."

"자, 헌터 양, 여기 앉으십시오. 도움이 된다면 뭐든 기꺼이 해드리겠습니다."

홈즈는 새로운 의뢰인의 태도와 말투에 무척 호감을 느끼고 있는 것 같았다. 그는 특유의 예민함으로 그녀를 관찰하고 나서 눈을 감고 두 손의 손가락 끝을 맞대며 그녀의 이야기에 집중하려고 귀를 기울였다. 그녀가 말하기 시작했다.

“저는 오 년 동안 가정교사를 했습니다. 스펜스 먼로 대령의 집에 기거했었죠. 그런데 두 달쯤 전에 대령이 노바스코샤(캐나다 남동부의 반도)의 핼리팩스로 전근을 가시면서 아이도 데리고 가시는 바람에 저는 실직을 하게 되었습니다. 그래서 신문에 광고도 내고, 광고를 보고 찾아가기도 했습니다만 전혀 일이 풀리지 않았습니다. 그러는 동안 얼마 되지도 않은 저축이 바닥나고 앞이 막막하기만 하더군요.

웨스트엔드에 웨스터웨이라는 유명한 여성 가정교사 소개소가 있습니다. 저는 거기도 일주일에 한 번 정도 찾아가 보았죠. 혹시 적당한 일자리가 있을까 싶어서요. 웨스터웨이는 그 소개소를 시작한 사람의 이름인데, 지금은 미스 스토퍼라는 분이 관리를 하고 있습니다. 미스 스토퍼는 자그마한 사무실에 앉아서 일을 하는데, 일을 찾는 여성들이 대기실에서 기다리고 있다가 자기 차례가 되어 사무실로 들어가면 그녀는 장부를 보고 적당한 일자리가 있는지 없는지를 상담해 주는 그런 일을 합니다.

지난주에 거기에 갔을 때도 항상 그랬듯이 자그마한 사무실로 들어갔는데, 그날은 미스 스토퍼뿐 아니라 한 남자가 같이 있었습니다. 그는 엄청 뚱뚱했는데 턱살도 겹겹이 붙어 주름이 목까지 내려올 정도였어요. 그는 코안경을 쓰고 미스 스토퍼 옆에 앉아서는 들어오는 구직자마다 뚫어져라 쳐다보고 있더군요. 그런데 제가 들어가자마자 의자에서 엉덩이를 들며 미스 스토퍼에게 말했습니다. '이 사람이 좋습니다! 이보다 나은 사람은 아무리 찾는다 해도 발견하지 못할 것 같군요. 네, 좋습니다. 좋아요.' 그는 아주 만족했는지 싱글벙글 웃으며 두 손을 비벼 대고 있었습니다. 정말 후덕한 분으로 느껴져서 믿음이 가더군요.

그가 곧 저에게 물었습니다.

'아가씨, 일자리를 찾고 계시는 거죠?'

'네, 그렇습니다.'

'가정교사 자리 맞죠?'

'네.'

'급여는 어느 정도 원하십니까?'

'전에 있었던 스펜스 먼로 대령 댁에서는 한 달에 사 파운드 받고 있었습니다.'

'네? 뭐라고요? 너무한 거 아닌가요. 그건 착취죠!'

그분은 너무나 분개했다는 듯 통통한 두 손을 내밀며 외치더군요.

'이렇게 아름답고 교양 있는 여성에게 그것밖에 지불하지 않다니, 너무한 거 아니야!'

'아닙니다. 저는 당신이 생각하시는 거처럼 그렇게 대단한 교양을 가지고 있진 않습니다.'

제가 그렇게 말했죠.

'불어와 독일어를 조금 하고, 그리고 음악과 미술에 대해…….'

'쯧쯧.'

그분은 제 말이 끝나기도 전에 그렇게 혀를 차더군요.

'그런 것은 중요하지 않아요. 진짜로 중요한 것은 숙녀다운 태도와 예의가 잘 갖춰져 있느냐 하는 거죠. 이런 건 새삼 말 안 해도 잘 알고 계시리라 생각하지만, 만약 당신이 그런 걸 갖추고 있지 않다면 앞으로 이 나라 역사의 중요한 부분을 맡게 될 어린이를 가르치는 데는 부적당하다는 얘깁니다. 하지만 만약 당신이 그만한 자격을 갖추고 있다면, 나로서는 최소한 세 자리 액수를 보수로 지급하는 게 당연하다고 생각합니다. 아가씨, 만약 저의 집에 와 주신다면 처음 일 년 간은 백 파운드를 지급해 드리겠습니다.'

홈즈 선생님, 이해하시리라 생각합니다만 제가 아무리 경제적으로 곤란한 처지에 있다 해도 그 제의는 너무나 좋은 조건이라 솔직히 정말이라고 믿어지지가 않았습니다. 하지만 그분은 제 얼굴에 얼핏 스치는 의혹 같은 것을 금방 눈치채고는 곧 지갑을 꺼내더니 거기서 지폐 한 장을 꺼내더군요.

'이것도 내 방식이지요.'

그는 주름이 잔뜩 진 얼굴로 싱글벙글 웃으며 그렇게 말했습니다.

'나는 약속이 되면 급여의 반을 선불로 지급합니다. 용돈과 필요한 것에 쓰도록 하세요.'

저는 이렇게 사람을 꼼짝 못하게 붙들어 매다시피 하는 사려 깊은 사람은 한 번도 만나 본 적이 없었습니다. 이미 여러 가게에 외상값이 있었기 때문에 선불은 많은 도움이 될 것 같았죠. 그러나 아무래도 자연스런 일 같지가 않아서 약속을 정하기 전에 좀 더 구체적으로 알아봐야겠다고 생각했습니다. 그래서 제가 물었죠.

'그럼 댁은 어디십니까?'

'햄프셔요. 아름다운 시골 마을이지요. 윈체스터에서 오 마일쯤 떨어진 곳에 너도밤나무 숲이 있는데, 그 동네랍니다. 그곳은 정말 좋은 시골이고, 오래된 시골집이 있어요.'

'제가 할 일은 뭐죠? 미리 좀 알고 싶어서요.'

'어린애가 하나 있죠. 올해 여섯 살 된 개구쟁인데, 슬리퍼로 바퀴벌레를 얼마나 잘 죽이는지 언제 한번 보여드리고 싶을 정돕니다. 철썩! 철썩! 철썩! 눈 깜박하는 사이에 세 마리는 거뜬히 잡는다니까요.'

그분은 의자에 등을 기대고는 눈이 실처럼 가늘어지도록 웃었습니다.

저는 솔직히 어린아이의 장난 얘기를 듣고 좀 놀랐지만, 그분이 워낙 유쾌하게 얘기를 하시는 바람에 그냥 농담이려니 하고 생각하고 말았습니다.

'그럼, 그 아이만 맡아 보면 되나요?'

제가 또 물었습니다.

'아니, 아가씨, 다른 일도 있죠.'

그는 힘을 주어 말하더군요.

'아가씨가 영리하니까 벌써 눈치챘으리라 생각하는데, 내 아내가 부탁하는 일도 좀 거들어 주시면 좋겠어요. 여성이니까 별로 어렵지 않게 할 수 있는 간단한 일들이죠. 아무튼 그렇게 까다로운 일은 아닐 것 같은데, 어떨지 모르겠네요.'

'할 수 있는 한 하겠습니다.'

'뭐, 정말 걱정할 일은 아니에요. 이를테면 옷차림 같은 문제인데요, 우리가 좀 변덕스런 점이 있긴 하지만 마음은 착한 사람들입니다. 그래서 만약 우리가 어떤 옷을 가지고 그걸 입어 달라고 요구하면 우리의 변덕을 들어줄 수 있나요?'

'네. 그렇게 하겠습니다.'

저는 그렇게 대답은 했지만 속으로는 정말 어처구니가 없었습니다.

그는 계속 요구사항을 묻더군요.

'그리고 또, 여기에 앉아 달라, 저기에 앉아 달라, 그런 부탁을 해도 별로 기분 나빠 하지는 않겠죠?'

'네, 전혀.'

'그럼, 집에 오시기 전에 머리카락을 자르도록 부탁한다면, 가능할까요?'

저는 제 귀를 의심했습니다. 홈즈 선생님, 보시다시피 제 머리는 숱이 많고 특이한 갈색을 띠고 있는데요, 그래서 심지어는 무척 아름답다는 말을 들을 때도 있습니다. 그런데 이렇게 도무지 종잡을 수도 없는 일에다 제 머리카락까지 싹둑 자르고 싶지는 않았습니다. 그래서 대답했죠.

'죄송하지만 그것만은 약속해 드리기가 어렵습니다.'

그 남자 분은 가느다란 눈으로 저를 응시하고 있다가 제 대답을 듣고는 얼핏 표정이 일그러지더군요.

'사실은 머리카락이 가장 문제인데요.'

그가 말했습니다.

'그게 내 아내의 취미이기 때문이죠. 아시겠지만 아가씨, 여성의 취미 생활이란 건 그 요구를 들어주지 않으면 괴롭게 되거든요. 아무튼 아가씨는 머리카락을 자를 수 없다는 말씀이죠?'

'네, 머리카락만은 자를 수 없습니다.'

저는 또 한번 분명히 말했습니다.

'아, 그렇다면 어쩔 수가 없군요. 우리 얘기는 이것으로 끝내겠습니다. 유감이네요. 아가씨는 다른 모든 점에서는 정말 나무랄 데가 없는 분인데 말이죠. 그럼 미스 스토퍼, 다른 사람을 만나 보겠습니다.'

미스 스토퍼는 우리가 얘기하는 동안 내내 전혀 끼어들지 않고 서류 정리만 하고 있었습니다만, 이내 약간 난처한 표정으로 저를 바라보더군요. 제가 거절했기 때문에 수수료도 날아가 버렸을 것 같아서 저는 걱정이 되었습니다.

'구직자 명단에 계속 이름을 올려놓으시겠어요?'

그녀가 저한테 묻더군요.

'네, 부탁합니다.'

'그래요? 하지만 올려놓기만 하면 뭐해요. 이렇게 좋은 자리도 거절하면서.'

미스 스토퍼는 그렇게 쌀쌀하게 말했습니다.

'이만한 자리가 또 나올지 안 나올지 그건 모르니까 그리 알고 기다리세요. 그럼 헌터 양, 안녕히 가세요.'

그녀는 책상 위의 종을 울려 급사를 부르더군요. 그래서 저는 그 사무실을 나왔습니다.

홈즈 선생님, 그 길로 저는 하숙집으로 돌아왔습니다만, 집에 와 보니 찬장에 남아 있는 음식도 거의 없고 책상 위에는 청구서가 아직 두세 장이나 남아 있더군요. 그런 형편이다 보니까 제가 완전히 바보 같은 짓을 한 건 아닐까 하는 의문이 생기지 않을 수 없었던 거죠. 저는 다시 깊이 생각해 봤습니다. 그 사람들이 이상한 변덕을 가지고 있고 굉장히 특이한 방식을 요구하고 있기는 하지만, 그렇기 때문에 그런 괴벽에 대한 보수를 주겠다는 것 아니겠습니까. 영국에서 일 년에 백 파운드의 급여를 받는 여자 가정교사는 거의 없을 겁니다. 그런데다 이 머리카락을 안 자르고 남겨 둔다고 해서 도대체 어디다 쓸 일이 있겠어요. 머리를 짧게 해서 더 아름다워진 사람도 많으니까 저도 그럴지 모른다는 생각도 들었고요. 그런 생각을 하다 보니까 그다음 날엔 제가 실수를 한 것 같다는 자책감이 밀려오면서 마음이 안 좋더군요. 그다음 날엔 그 생각이 더 확고해졌고요. 그래서 민망하지만 다시 한번 소개소에 찾아가서 그 일자리가 아직 남아 있는지 어떤지 물어보려던 참이었는데, 그 남자 분한테서 편지가 온 겁니다. 이건데 제가 읽어 보겠습니다.

〈윈체스터 교외의 너도밤나무 저택에서 친애하는 헌터 양에게

미스 스토퍼가 아가씨의 주소를 가르쳐 줘서 이렇게 연락드리게 되었습니다. 혹시 다시 한번 생각해 보실 수 있는지 문의하고자 합니다. 집에 돌아와 아내에게 아가씨에 관해 얘기를 했

더니, 그녀도 매우 기뻐하며 아가씨 같은 분이 와 주시기를 몹시 바라고 있더군요. 우리의 유난스런 요구에 대해 너무 언짢게 생각지 마시길 바라며, 그 보상의 의미로 분기당 30파운드, 즉 1년에 120파운드를 드리겠습니다. 우리가 이상한 변덕을 부리기는 하지만 이게 그렇게 힘 드는 일은 아닙니다. 아내는 검푸른 색깔 같은 특이한 색을 즐기기 때문에, 오전 중에는 아가씨에게 그 색깔의 옷을 입어 달라고 부탁할지도 모르겠습니다. 그렇다고 아가씨가 일부러 그런 옷을 살 필요는 없고, 현재 필라델피아에 있는 딸 앨리스의 옷이 있으니 그걸 입으면 사이즈도 대략 맞을 것 같습니다. 또 우리가 지정하는 장소에 앉아 달라거나 어떤 종류의 놀이를 해 달라고 부탁드리게 될 것 같습니다. 하지만 그런 것들은 별로 큰 불편을 끼쳐 드리지는 않겠죠. 다만 아가씨의 머리카락에 대해서는, 전날 소개소에서 잠깐 뵈었을 뿐인데도 무척 아름다워 보였기 때문에 지금도 눈에 남아 있어 몹시 안타깝게 여기지 않을 수가 없습니다. 하지만 그 점만큼은 우리의 부탁을 들어주시기 바라며, 그 때문에 급여를 올려 드리는 것이니 그만한 보상이 된다면 좋겠습니다. 어린애를 돌보는 일은 전혀 힘들지 않으니, 꼭 와 주시기를 부탁드리겠습니다. 기차 시간을 알려 주시면 제가 윈체스터까지 마차로 마중을 나가겠습니다.

제플로 루카슬〉

홈즈 선생님, 이런 내용입니다. 저는 가려고 마음을 먹고 있습니다만 그쪽과 확실한 계약을 하기 전에 선생님의 의견을 한번 들어 보고 싶어서 이렇게 뵙고자 한 것입니다."

"하지만 헌터 양, 이미 가려고 결심을 하셨다면 다른 말이 뭐 필요할까요?"

홈즈가 웃으며 대답했다.

"그래도 거절하는 게 좋다고 생각하시는 건 아닌가요?"

"솔직히 말해서, 만약 아가씨가 내 동생이라면 나는 찬성하고 싶지 않습니다."

"그건 무슨 뜻이죠, 홈즈 선생님?"

"그런데 그게 판단할 수 있는 정확한 자료가 없으니까 분명한 대답은 할 수가 없습니다. 아가씨도 뭔가 나름 느끼는 게 있겠죠?"

"글쎄요. 저로서는 단 한 가지밖에 설명할 수가 없습니다. 루카슬 씨는 아주 친절하고 좋은 분인 것 같습니다. 그런데 어쩌면 부인에게 정신병이 있는 것 아닐까 하는 생각이 듭니다. 그래서 그게 소문이 나면 정신병원에 가야 하니까, 루카슬 씨가 애써 부인의 변덕을 맞춰 주려고 그러는 거 아닐까 하는 생각이 들거든요. 그래야 부인의 발작을 예방할 수 있을 테니까요."

"가능한 얘깁니다. 지금으로선 그 추측이 가장 가능성 있는 얘기인 것 같네요. 그래도 어쨌든 젊은 여성이 그런 집에 들어가는 건 바람직한 일이라고는 할 수 없군요."

"하지만 홈즈 선생님, 경제적 문제도 있고 해서……."

"글쎄, 급여는 매우 좋군요. 아니 너무 좋습니다. 그래서 불안한 생각도 드는 거예요. 일 년에 사십 파운드면 얼마든지 고용할 수 있는데, 왜 백이십 파운드나 주겠다는 것인지, 뭔가 특별한 사연이 있는 게 분명합니다."

"저는 선생님께 미리 이런 상황을 얘기해 놓으면 나중에 도움을 부탁할 수 있을 거라고 생각했습니다. 선생님이 항상 저를 지켜 주고 계신다고 생각하면 굉장히 안심이 될 것 같았거든요."

"아, 그럼요. 그 점은 염려 마시고 돌아가세요. 이 이야기는 근래 몇 달 동안 제가 취급한 사건 중에서 가장 흥미로운 것이 될 것 같군요. 몇 가지 점에서 극히 이색적인 특징이 있습니다. 만약 수상한 일이 생기거나 위험이 닥칠 것 같으면……."

"위험이라고요? 어떤 위험이 있을 거라고 생각하세요?"

홈즈는 머리를 흔들었다.

"그걸 알면 이미 위험이라고 할 수가 없죠."

그리고는 말했다.

"하여튼 낮이든 밤이든 언제라도 전보를 보내 주시면 곧 아가씨를 도우러 가겠습니다."

"네, 그럼 됐습니다."

그녀는 밝은 표정으로 의자에서 일어났다.

"저는 이제 완전히 안심하고 햄프셔로 갈 수 있겠네요. 루카슬 씨한테 당장 편지를 쓰고 오늘 밤에 머리를 자른 다음, 내일 윈체스터로 떠나도록 하겠어요."

그녀는 홈즈에게 감사하다는 말을 거듭하고는 나를 돌아보며 인사하고 설레는 듯한 표정으로 나갔다.

"적어도 말이야."

나는 그녀가 침착한 걸음으로 계단을 내려가는 소리를 들으며 홈즈에게 말했다.

"저 아가씨는 젊지만 자신의 몸은 충분히 지킬 수 있을 것 같네."

"그래야겠지."

홈즈가 진지한 표정으로 대답했다.

"내 판단이 옳다면 곧 소식이 올 걸세."

내 친구의 예언이 들어맞기까지는 별로 오래 걸리지 않았다. 그러나 그 두 주일 동안 나는 이따금 그녀를 떠올리며, 그 젊은 아가씨가 낯설고 이상한 생활 속에서 지금 얼마나 헤매고 있을까 하고 생각하곤 했다. 예사롭지 않은 높은 보수와 괴상한 조건, 어린아이를 돌보는 건 어렵지 않다는 등, 그 모든 것이 뭔가 의심스런 상황을 추측하게 했기 때문이다. 그런 것이 모두 단순한 변덕 때문인지 아니면 무슨 음모가 있는 건지, 그것도 아니면 루카슬 씨가 자선가인지 악마인지, 도무지 알 수가 없었다. 내 능력으로는 아무런 판단도 서지 않았다.

한편 홈즈는 눈을 찌푸리며 30분 동안이나 계속 멍하게 앉아 있는 적이 많았다. 그럴 때 내가 이 이야기를 꺼내면 귀찮아하면서 손을 흔들고 말했다.

"자료! 자료! 자료를 좀 달란 말일세. 찰흙이 없으면 벽돌도 못 만들지 않나."

이러면서 그는 내 말을 물리쳤다. 하지만 그러면서도 마지막에는 항상, 친동생이라면 절대 그런 자리에 보내지는 않을 텐데, 하고 중얼거렸다.

어느 날 밤늦게, 마침내 전보가 날아들었다. 나는 잘 준비를 하려던 참이었고 홈즈는 이따금 하는 화학 실험을 막 시작하려던 참이었다. 그는 실험을 한번 시작했다 하면 거기에 완전히 몰입해 버리기 때문에 레토르트나 시험관을 들여다보고 있는 그에게 밤 인사를 한 후 자러 갔다가 다음 날 아침에 식사를 하러 가 보면, 잠도 안 자고 여전히 같은 자세로 있는 경우가 흔했다.

홈즈는 노란 봉투를 뜯어 한번 훑어보고는 나에게 던져 주었다.

"왓슨, 브래드쇼 여행 안내서에서 기차 시간을 좀 알아봐 주게."

그는 그 말을 하고는 실험을 시작했다.

전보는 짧지만 매우 급한 내용이었다.

〈내일 낮 윈체스터의 블랙 스완 호텔로 와 주시기 바람. 어찌해야 할지 모르겠어요. 꼭 오시기 바람. 헌터〉

"자네도 같이 가겠나?"

홈즈가 얼굴을 들며 물었다.

"그러지 뭐."

"그럼, 열차 시간표를 봐 주게."

"아홉 시 반에 기차가 있군."

나는 안내서를 보며 말했다.

"윈체스터엔 열한 시 반에 도착이야."

"아주 딱 적당하군. 그럼 아세톤 분석 실험은 다음 기회로 미루는 게 낫겠어. 아침에 최상의 컨디션을 지킬 필요가 있으니까 말일세."

다음 날 열한 시쯤 우리는 옛날에 영국의 수도였던 윈체스터에 가까워지고 있었다. 홈즈는 계속 조간신문을 샅샅이 읽고 있다가 햄프셔 주에 들어선 무렵부터는 신문을 옆으로 밀어 놓고 창밖 풍경을 바라보기 시작했다. 평화로워 보이는 봄날의 푸른 하늘에 하얀 솜 같은 구름이 서쪽에서 동쪽으로 움직이고 있었다. 태양은 밝게 빛나고 바람도 선선해 우리의 기운을 더 북돋워 주는 것 같았다. 저 멀리에 올더쇼트 시를 둘러싸고 있는 완만한 구릉지대가 보이고, 그 주변에 우거진 숲 사이로는 빨간 지붕과 회색 지붕들이 드문드문 보였다.

"공기도 참 좋고 멋지네."

내가 그렇게 소리쳤다. 베이커 거리의 안개 속에서 나왔으니 정말로 기분이 상쾌했던 것이다.

하지만 홈즈는 걱정에 잠겨 있는 듯 고개를 저었다.

"왓슨, 자네는 이해하기 힘들겠지만, 나 같은 기질을 가진 사람은 어떤 것을 보더라도 꼭 일과 결부시켜서 생각하는 습관이 있다네. 자네는 저기 흩어져 있는 농가의 모습들을 보고 멋지다고 감탄하지만, 나는 저런 경치를 보면 집이 외딴곳에 고립되어 있다는 게 마음에 걸리고, 저런 곳에서는 아무도 모르게 범죄가 저질러질 수도 있겠다는 생각이 들어서 꺼림칙하기만 하다네."

"자네는 정말 질리게 한다니까!"

내가 또 소리쳤다.

"이렇게 아름다운 옛 농가들을 보면서 범죄가 일어날까 봐 걱정하는 사람이 자네 말고 또 있을까."

"나는 외따로 떨어진 농가를 보면 항상 어떤 공포심이 생기더군. 왓슨, 이건 내 경험에서 나온 확신인데, 우중충한 런던의 뒷골목보다 오히려 밝고 아름다운 전원에서 더 무서운 범죄가 일어난다네."

"너무 겁주는 거 아니야?"

"아닐세. 그건 분명한 이유가 있다네. 도시에는 사람들 눈이 많으니까 법률로 하지 못하는 것도 할 수가 있기 때문이지. 예를 들어 아주 더러운 뒷골목 같은 데서 어린애가 누구한테 맞아 우는 소리가 들리면 가해자에게 분개하면서 동정하는 이웃이 반드시 나타나게 마련이거든. 게다가 경찰이 골고루 퍼져 있으니까 한마디만 하면 즉시 출동해서 처리를 할 수가 있다네. 범죄 행위부터 피고석까지 가는 데 불과 한 걸음밖에 안 되는 거야. 그런데 저렇게 외따로 떨어져 있는 농가들은 전부 다 밭에 둘러싸여 있는데다 법률이라곤 거의 아무것도 모르는 무지한 사람들이 살고 있기 때문에, 매년 흉악한 범죄들이 저질러져도 아무한테도 들키지 않고 그대로 묻혀 버리고 있는지도 모른다는 거지. 우리한테 도움을 요청한 이 아가씨도 윈체스터 시내에만 살고 있다면 내가 이렇게까지 걱정하지는 않았을 걸세. 시내에서 오 마일이나 떨어진 시골이니 얼마나 위험하겠

나. 그래도 다행히 그녀의 몸에 직접적인 위험이 닥친 상황은 아닌 것 같네."

"그런 것 같아. 우리를 만나러 윈체스터 시내까지 나올 수 있을 정도면 도망칠 수 있다는 거니까."

"그렇지. 자유롭게 행동할 수는 있는 모양이네."

"그럼, 도대체 무슨 사건일까? 자네 혹시 뭔가 짚이는 거 없나?"

"일곱 가지 가능성을 생각해 봤는데, 전부 다 우리가 지금까지 알고 있는 사실과 맞아 떨어지더군. 하지만 그중 어떤 것이 맞는지는, 거기 도착해서 새로운 정보를 들어야만 판단할 수가 있을 것 같네. 아, 저기 대성당의 탑이 보이기 시작하네. 곧 헌터 양의 이야기도 듣게 되겠군."

블랙 스완 호텔은 역에서 멀지 않은 간선도로에 접해 있는 유명한 호텔인데, 우리가 들어갔을 때 헌터 양은 이미 자리를 잡고 있었다. 그녀는 별도의 룸에서 점심 식사까지 예약해 놓고 있었다.

"정말 잘 오셨어요."

그녀는 신중한 표정으로 말을 시작했다.

"두 분 다 정말 고맙습니다. 그런데 저는 어찌해야 좋을지 모르겠어요. 홈즈 선생님께서 조언을 해주시면 저한테 큰 도움이 될 것 같습니다."

"어떤 일이 있었는지 말씀해 보세요."

"네, 그러겠습니다. 루카슬 씨에게 세 시까지 돌아가겠다고 약속하고 나왔기 때문에 저도 빨리 말씀드려야 합니다. 나오는 이유는 말

안 하고, 그냥 시내에 가고 싶다고만 말하고 허락을 받아 왔거든요."

"처음부터 차례대로 말씀해 보시죠."

홈즈는 이야기에 집중하려고 길고 마른 다리를 난로 쪽으로 뻗어 편안한 자세를 취했다.

"우선 말씀드려야 할 건, 제가 루카슬 씨 부부한테서 부당한 대우를 받았다는 말은 아닙니다. 이 얘기는 그 사람들을 위해 맨 먼저 해두고 싶습니다. 하지만 저는 그 부부를 도저히 이해할 수가 없고, 뭔가 불안해서 견딜 수가 없는 겁니다."

"어떤 점이 이해가 안 되는 거죠?"

"왜 그런 짓을 하는지 모르겠습니다. 네, 처음부터 자세히 말씀드리지요. 제가 처음 여기 도착했을 때 루카슬 씨가 마중 나와서 이륜마차로 너도밤나무 저택까지 데리고 가 주셨습니다. 저택은 말 그대로 아름다운 곳에 있었지만 건물 자체는 별로 아름답지 않더군요. 석회 칠이 된 사각형의 큰 건물인데, 오랫동안 비바람에 시달려 아주 낡은 모습이었죠. 집 둘레에 넓은 공터가 있는데, 삼면은 숲이고 한쪽은 사우샘프턴 간선도로를 향해 있어 약간 비탈진 풀밭으로 돼 있더군요. 도로는 현관에서 백 야드 정도 떨어진 곳에서 구부러져 있고요. 이 전면의 토지만 그 집 땅이고, 위쪽 숲은 서더턴 경의 사냥터와 이어진다고 하네요. 정면 현관문 바로 앞에는 너도밤나무 숲이 있는데, 그래서 아마도 너도밤나무 저택이라고 불리는 모양이에요.

저의 새로운 주인은 계속 기분이 좋은지 직접 말을 다루고, 그날 밤에 부인과 아이를 소개해 주시더군요. 홈즈 선생님, 제가 베이커 거리의 댁에 갔을 때 말씀드렸던 추측은 완전히 빗나간 것이었습니다. 부인은 정신병에 걸린 게 아니더라고요. 하지만 말이 거의 없고 얼굴색이 몹시 나빠 보였습니다. 남편 분이 최소한 마흔다섯 살은 된 것 같은데 부인은 훨씬 젊으시고요. 서른 살 이상으로는 보이지 않습니다. 가만히 얘기를 들어 보니까, 두 분이 결혼하신 건 칠 년쯤 됐는데, 루카슬 씨는 재혼이고 전부인하고 사이에 있는 딸은 지금 필라델피아에 있다고 하더군요. 루카슬 씨가 저한테 슬쩍 얘기를 하시는데, 그 딸이 새엄마하고 성격이 맞지 않아서 미국으로 가 버렸다고 합니다. 벌써 스무 살은 됐을 것 같은데, 그 딸 입장에서는 아무래도 젊은 새어머니와 잘 지내기가 힘들었겠죠.

루카슬 부인은 얼굴도 그렇고 정신도 그렇고 제가 보기엔 어딘지 좀 흐리멍덩한 것 같습니다. 저야 물론 부인에게 호감도 반감도 특별히 없습니다. 그냥 공기 같은 존재로 느껴지니까요. 하지만 남편과 아이를 지극히 사랑하고 계시더군요. 부인의 눈은 밝은 잿빛인데, 늘 남편과 아이를 세심히 지켜보고 계시다가 그들이 뭔가 필요한 것 같으면 말하기 전에 스스로 먼저 하시려고 항상 온 마음을 쓰고 계십니다. 또 남편 분도 자신만의 방식으로 무척 솔직하고 다정하게 부인을 대하고 계시는 걸 알았습니다. 어쨌든 그분들은 아주 사이가 좋은 부부라고 할 수 있습니다. 그러면서도 그 부인에게는 뭔가 비밀스런 걱정이 있는 것 같은 느낌이 들거든요. 굉장히 슬프고 어두운 표정을 하고 있을 때가 많고, 때로는 멍하니 다른 생각에 잠겨 있기도 하고요. 눈에 눈물이 고여 있는 것을 본 적도 많습니다. 아마도 아이 때문에 그럴지도 모른다는 생각을 해 봤습니다. 세상에, 그렇게 버릇이 나쁘고, 그렇게 천성을 고약하게 타고난 아이도 처음 봤으니까 말이죠. 그리고 나이에 비해 몸은 작은데 머리만 덩그렇게 크고 균형이 안 맞는 아이랍니다. 게다가 하루 종일 심술을 부리면서 지나치게 장난이 심하고, 또 성질을 부리다가 시무룩하니 아무 말도 안 하다가 그런 식으로 종잡을 수 없게 만드는 거예요. 그 애가 좋아하는 장난 중 하나가 자기보다 약한 동물을 괴롭히는 것인데, 그러다가 쥐나 벌레 같은 걸 아주 기가 막히게 잘 잡더군요. 그런데 홈즈 선생님, 아이에 대한 얘기는 그만 해야겠습니다. 이야기가 옆으로 빠진 것 같으니까요."

"나는 자세히 전부 다 듣고 싶은데요."

내 친구가 입을 열었다.

"관계가 있든 없든 다 얘기해 주시죠."

"그럼, 중요한 일은 빠뜨리지 않고 말씀드리겠습니다. 제가 루카슬 씨 댁에 도착하고 나서 금방 불쾌하게 느낀 점은 그 집에서 일하는 사람들의 태도였습니다. 한 부부가 고용되어 있는데, 남편인 톨러라는 사람은 머리털과 턱수염이 희끗희끗하고 무식한 데다 거칠고 하루 종일 술 냄새를 풍기고 있더군요. 제가 도착한 이후로도 벌써 몇 번이나 고주망태가 되어 쓰러질 정도였는데, 루카슬 씨는 전혀 아무런 신경을 안 쓰는 겁니다. 그의 아내는 키가 크고 체격도 좋은 여자인데 항상 심술 난 얼굴을 하고 있고 무뚝뚝하니 말도 거의 안 하는 성격이더군요. 루카슬 부인과 비슷한 점이 많은데, 그보다 더 심한 편이죠. 그 부부는 참 불쾌한 사람들입니다. 그래도 다행스러운 건 제 방이 건물 끝에 아이 방과 나란히 붙어 있기 때문에 그 사람들과 많이 부딪치지 않는다는 점입니다. 저는 그냥 제 방에서 시간을 보내거든요.

너도밤나무 저택에 오고 나서 이틀 동안은 조용히 지냈습니다. 그러다가 사흘째 아침이었는데, 루카슬 부인이 식사를 마치고 내려오시더니 남편에게 뭔가 귓속말을 하시더군요. 루카슬 씨가 '알았소' 하고 대답하시고는 저를 쳐다보며 말씀하셨습니다.

'헌터 양, 당신이 우리의 유별난 부탁을 들어주려고 머리카락까지 자른 데 대해 고맙게 생각하고 있습니다. 짧은 머리도 아주 잘 어울리는군요. 그런데 내가 말했던 그 푸른색 옷이 당신한테 잘 어울릴지 어떨지 한번 보고 싶은데, 지금 당신 방 침대 위에 그 옷을 내놓았으니까 귀찮더라도 좀 입어 봐 주시면 좋겠네요.'

그래서 곧바로 방에 가 봤더니 색다른 푸른색 옷이 놓여 있었습니다. 천은 모직물의 일종이고 고급 물건인데, 누군가가 입었던 것 같더군요. 그리고 사이즈는 꼭 맞춤처럼 저한테 딱 맞았습니다. 그 옷을 입고 다시 루카슬 씨 부부한테로 갔더니 그들은 호들갑스럽다 할 정도로 너무나 기뻐했어요. 두 분은 거실에서 저를 기다리고 계셨는데, 집의 정면을 거의 다 차지할 정도로 큰 거실에는 바닥까지 닿는 긴 창문이 세 개나 나 있는 구조입니다. 그 가운데 창문 앞에 의자가 하나 놓여 있었는데, 루카슬 씨가 저더러 거기에 앉으라고 하더니 본인은 제 맞은편에서 왔다갔다 하기 시작했습니다. 그리고는 제가 이제까지 들어본 적이 없는 재미있는 이야기를 차례차례 해주셨습니다. 홈즈 선생님, 그분이 얼마나 재미있는 사람인지 아마 상상을 못하시겠지만, 저는 하도 웃어서 힘이 들 정도였답니다. 그런데도 루카슬 씨 부인은 유머라고는 전혀 모르는지 웃기는커녕 그동안 내내 두 손을 무릎에 올려놓은 채 침울하고 어두운 표정으로 앉아 있기만 했습니다. 그렇게 한 시간쯤 지나자 루카슬 씨가 갑자기 이제 공부할 시간이 됐다면서 옷을 다시 갈아입고 에드워드의 방으로 가라고 저한테 말씀하시더군요.

그리고 그 이틀 뒤에 완전히 똑같은 상황에서 똑같은 연극을 또 시작했습니다. 저는 또 그 옷으로 갈아입고 거실의 창문 앞에 있는 의자에 가서 앉았죠. 루카슬 씨는 흉내도 낼 수 없을 만큼 독특한 말투로 굉장히 재미있는 이야기를 들려주기 시작했고, 저는 또 배꼽을 잡고 웃었습니다. 그러기를 얼마 후, 이번에는 노란색 표지로 된 소설책을 저한테 주시더니 제 그림자가 책에 드리워지지 않도록 조심하면서 책을 읽어 달라고 하시는 거예요. 그래서 장의 중간쯤부터 읽기 시작했는데, 십 분쯤 지나자 또 갑자기, 문장을 읽고 있는 도중인데도 이제 그만두고 가서 옷을 갈아입으라고 하시지 뭡니까.

홈즈 선생님, 짐작이 가실 겁니다. 저는 도대체 뭣 때문에 이렇게 희한한 연극을 하는 걸까 하고 궁금해지기 시작했습니다. 제가 눈치를 챈 건, 주인 부부가 제가 창문을 바라보는 쪽에 앉지 않도록 굉장히 조심하고 있다는 것이었어요. 그래서 저는 등 뒤쪽에서 무슨 일이 벌어지고 있는지 알아야겠다는 생각이 들었습니다. 하지만 처음엔 아무리 생각해도 알 수 있는 방법이 없더군요. 그러다가 좋은 생각이 났죠. 깨진 손거울이 하나 있었거든요. 그걸 손수건 속에 숨겨 두면 되겠다는 생각이 떠올랐던 겁니다. 그래서 그다음에 같은 상황이 됐을 때, 저는 너무나 웃겨 죽겠다는 시늉을 하면서 손수건으로 눈앞을 가리는 척하며 간신히 거울에 비치는 창밖을 보려고 했습니다. 그런데 실망을 하고 말았어요. 아무것도 특별한 게 없었던 겁니다.

네, 처음엔 그렇게 생각했어요. 하지만 두 번째 기회가 왔을 때 잘 살펴봤더니, 웬 자그마한 남자가 회색 옷을 입고 턱수염을 기른 채 사우샘프턴 거리에 서서 이쪽을 보고 있는 것 아니겠습니까. 거기는 큰 길이라 항상 사람들이 지나다니는 곳이거든요. 그런데 그 남자는 그냥 지나가던 중이 아니라, 정원을 가리고 있는 울타리에 기대 서서 아주 열심히 이쪽을 보고 있었던 겁니다. 그래서 제가 손수건을 내리고 부인을 쳐다봤더니 저를 살피는 듯한 눈초리로 가만히 응시하고 계시는 거예요. 아무 말도 하지는 않았지만 제가 손수건에 거울을 숨기고 창밖을 쳐다본 걸 분명히 눈치챈 것 같았습니다. 부인이 갑자기 벌떡 일어서시더군요. 그러더니 말했습니다.

'제플로! 길에서 웬 남자가 헌터 양을 흘끔거리며 쳐다보고 있네요.'

그러자 루카슬 씨가 저한테 물었습니다.

'헌터 양, 당신이 아는 사람은 아니겠죠?'

'아닙니다. 이 동네에는 아는 사람이 없어요.'

'참 뻔뻔한 놈이네. 저 사람한테 손을 흔들어서 좀 쫓아 주지 않겠어요?'

루카슬 씨가 저한테 그렇게 말하자 부인이 말하더군요.

'그냥 모른 척하고 내버려 두는 게 낫지 않을까요?'

'아니오. 내버려 두면 계속 기웃거리게 될 테니까 말이오. 헌터 양, 저 사람을 쳐다보고 이런 식으로 손을 흔들어 주면 좋겠어요.'

제가 시키는 대로 하고 나자 부인이 커튼을 곧 내렸습니다. 그 일이 있었던 게 일주일 전인데, 그 후로는 푸른 옷을 입고 창문 앞에 앉은 적도 없고 길거리에 서 있는 남자를 본 적도 없습니다."

"그 뒷얘기도 계속 해 보세요."

홈즈가 말했다.

"아가씨 얘기는 점점 더 재미있을 것 같은데요."

"지금부터 말씀드리는 일들은 좀 다른 이야기일지도 모르고, 또 관련이 없는 일일지도 모르지만 들어주시면 고맙겠습니다. 너도밤나무 저택에 도착한 첫날, 저는 루카슬 씨의 안내로 주방 바로 옆에 있는 작은 창고에 들어가게 되었습니다. 문 앞에 다가가자마자 안에서 쇠사슬 끌리는 소리가 요란하게 들렸는데, 아무래도 무슨 큰 동물이 몸부림을 치는 것 같은 느낌이 확 들더군요.

그때 루카슬 씨가 말했습니다.

'자, 여기서 들여다보세요.'

그는 판자 사이의 가느다란 틈을 가리키면서 저를 쳐다보았습니다.

'어때요, 훌륭한 놈이죠?'

제가 틈 사이로 들여다보고 있는 동안 그가 말하더군요. 어두워서 잘 안 보이지만 무슨 물체가 웅크리고 있는 것 같고 눈 두 개가 번쩍거리고 있는 것 같았습니다.

'하하하, 무서워하지 않아도 돼요.'

루카슬 씨는 제가 놀라며 뒤로 주춤하는 걸 보고는 웃었습니다.

'아, 저놈은 카를로라고 하는데, 마스티프 종의 개죠. 내 개지만 저놈을 다룰 수 있는 사람은 마부 톨러 영감뿐이에요. 밥은 하루에 한 번, 아주 조금밖에 주지 않기 때문에 항상 저렇게 독이 올라 있답니다. 그래서 밤에 톨러가 사슬을 풀어 놓으면 저택 안에 몰래 들어오는 놈들이 있을 경우 바로 달려들어 한 입에 물어뜯어 버리죠. 절대로 살아남지 못하게 됩니다. 그러니까 당신도 밤에는 어떠한 일이 있어도 집 밖으로 나가면 안 됩니다. 목숨이 위험해지니까요.'

그건 분명히 필요한 경고였습니다. 그리고 다음 날 밤 저는 밤 두 시쯤에 무심코 창밖을 내다봤는데 달빛이 무척 아름답고 잔디밭이 은색으로 반짝거려서 마치 대낮처럼 밝아 보였습니다. 저는 잠시 그 조용하고 아름다운 광경을 보며 넋을 잃고 있었죠. 그러다가 문득 정원을 보게 되었는데, 너도밤나무 숲 그늘에서 무언가가 움직이고 있는 거예요. 그러더니 달빛 아래로 나가더군요. 그때 바로 정체를 알 수 있었는데, 송아지 크기만 한 누런색 개가 턱살은 축 늘어져 있고 코 부분이 거무스름하면서 앙상하게 뼈만 남아 있더라고요. 그리고는 어슬렁거리며 잔디밭을 가로지르더니 또 반대쪽 나무 그늘로 사라져 버리더군요. 그 무섭고 말없는 파수병을 보고는 저는 그만 등골이 오싹해진 느낌이었습니다. 어떤 강도를 만났다 해도 그렇게까지 소름 끼치지는 않았을 겁니다.

그리고 또 다른 이상한 일도 있었습니다. 아시다시피 저는 런던에서 긴 머리를 자르고 왔는데, 잘라 낸 그 머리카락을 묶어서 트렁크 안쪽에다 간직해 두고 있었습니다. 그런데 어느 날 밤에 아이를 재워 놓고는 방에 있는 가구를 살피다가 짐을 좀 정리했습니다. 제 방에는 오래된 장롱이 하나 있는데, 거기 있는 서랍 세 개 중에 위쪽 두 개는 비어 있더군요. 그런데 맨 아래 서랍은 자물쇠가 채워져 있는 거예요. 그래서 위쪽 두 개에다 일단 속옷 종류를 넣고는, 나머지는 어떻게 해야 하나 생각하면서 잠시 망설이고 있었습니다. 그때 문득 어떤 생각이 떠올랐어요. 세 번째 서랍이 무슨 잘못으로 잠가졌던 것은 아닐까. 저는 곧 열쇠 꾸러미를 꺼내 그걸 열어 보려고 시도했습니다. 그런데 우연히도 첫 열쇠가 딱 들어맞아 열리는 거예요. 서랍 안에는 단 한 가지 물건이 들어 있었는데, 그것이 무엇이었을 것 같습니까? 바로 제 머리카락 다발이었어요.

저는 그걸 꺼내 자세히 살펴봤죠. 독특한 색깔과 숱이 많은 것도 너무나 똑같았습니다. 그런데 가만히 생각해 보니까 그럴 리가 없다는 느낌이 들더군요. 왜냐하면 제 머리털을 그 서랍에 넣고 자물쇠로 잠근다는 것은 도대체 있을 수 없는 일이기 때문이었습니다. 저는 부들부들 손을 떨며 트렁크를 열어 위에 있는 물건들을 다 끄집어내고 맨 밑바닥에서 제 머리카락 다발을 꺼냈습니다. 그리고는 두 다발을 나란히 놓고 비교해 봤습니다. 정말로 완전히 똑같은 머리털이었어요. 너무나 이상한 일이었죠. 저는 곰곰이 여러 가지를 생각해 봤습니다. 하지만 아무리 생각해 봐도 두 다발의 수수께끼는 도저히 풀리지가 않더군요. 그래서 그 수상한 머리털을 다시 서랍에 집어넣고 다른 사람들에게는 아무 말도 하지 않았습니다. 잠겨 있던 서랍을 제 맘대로 연 것도 찜찜했고요.

홈즈 선생님, 눈치채셨는지 모르지만 저는 원래 관찰력이 상당히 좋은 편이라 금방 그 저택의 전체적인 구조를 파악하게 되었습니다. 그런데 그 집에 보통 때는 잘 사용하지 않는 것 같은 날개 건물이 따로 있습니다. 톨러 부부가 거주하는 곳으로 연결되는 통로 바로 옆에 그 건물로 가는 문이 있는데, 항상 자물쇠가 채워져 있더군요. 어느 날 제가 계단을 올라가는데 루카슬 씨가 열쇠 꾸러미를 들고 그 문에서 나오는 걸 봤습니다. 저는 루카슬 씨가 평소에 아주 성격도 좋고 쾌활한 분으로 알고 있었는데, 그날은 완전히 다른 사람처럼 보였습니다. 잔뜩 찌푸린 표정에 얼굴색이 시뻘겋게 되어 이마에 굵은 심줄이 나 있을 정도였어요. 그분은 문에 다시 자물쇠를 채우더니 저를 보고도 아무 말도 안 하고 그대로 가버리더군요.

저는 호기심이 일어났습니다. 그래서 아이를 데리고 정원으로 산책을 나갔을 때 그 날개 건물의 창문이 보이는 곳으로 돌아가 봤습니다. 창문이 네 개 나란히 나 있더군요. 그중 세 개는 먼지가 잔뜩 끼어 있고, 네 번째 창문은 덧문까지 닫혀 있었습니다. 어쨌든 창문들이 전부 다 아주 낡은 것 같았어요. 산책을 하는 척하면서 가끔 그 창문을 올려다보고 있는데 루카슬 씨가 언제나 그렇듯이 아주 유쾌한 얼굴로 우리 쪽으로 다가오시더군요. 그러더니 저한테 말을 했습니다.

'아참! 아까는 모른 척해서 미안해요, 아가씨. 딴생각에 빠져 있어서 말이죠.'

저는 아무렇지 않다고 대답하고는 그 기회를 틈타 물어봤습니다.

'루카슬 씨, 저 건물에 빈 방이 여러 개 있네요. 그런데 한 방만 덧문이 닫혀 있군요.'

'아 그거요, 내가 사진을 취미로 하고 있거든요.'

루카슬 씨가 말했습니다.

'저기다가 암실을 만들었어요. 그런데 아가씨는 정말 눈치가 빠르네요. 내가 그런 사람을 고용하게 될 줄은 생각도 못했군요. 정말 꿈에도 생각 못했어요.'

그분은 농담하듯이 말을 했습니다만, 저를 쳐다보는 눈초리로 봐서는 농담하는 기색이 아니었습니다. 저는 곧 그 눈빛에서 어떤 의심과 당혹감을 읽어 냈습니다. 그건 농담과는 거리가 먼 것이었죠.

홈즈 선생님, 이렇게 해서 결국 그 집엔 뭔가 비밀스런 것이 분명히 있다는 걸 제가 알게 되었고, 그래서 그곳을 언젠가는 꼭 확인해 봐야겠다는 생각이 강하게 솟구쳤습니다. 호기심만은 아니었습니다. 오히려 의무감 같은 걸 느끼거든요. 제가 그곳을 확인하는 게 뭔가 좋은 결과를 가져올 것 같은 그런 느낌이 든다는 겁니다. 여성의 직감이라고 흔히 말하죠. 아마도 그 직감으로 그런 생각이 들었는지도 모릅니다. 어쨌든 그 느낌이 굉장히 강하게 와 닿아서, 어떤 방법으로든 저 금단의 문 안쪽을 엿보기 위해 계속해서 기회를 노리고 있었습니다.

그러다가 어제 겨우 그 기회가 찾아왔습니다. 그 얘기에 앞서 잠깐 미리 말씀드릴 건, 그 날개 건물의 방들에 볼일이 있는 사람은 루카슬 씨 말고도 톨러 부부가 있다는 것입니다. 언젠가 한번 톨러 씨가 검은색 커다란 아마포 자루를 들고 그 건물로 들어가는 것을 본 적이 있었거든요. 톨러 씨는 최근 들어 더 술독에 빠진 것 같더군요. 어젯밤에도 완전히 취해 있었는데, 제가 계단을 올라가 봤더니 그 문에 글쎄 열쇠가 꽂힌 채 그대로 있는 거예요. 잊어버리고 간 게 분명했습니다. 루카슬 씨 부부는 아이와 함께 아래층에 있었기 때문에 그건 두 번 다시없을 절호의 기회였습니다. 저는 조용히 열쇠를 돌려 문을 열고 안으로 들어갔습니다.

문 안쪽에는 벽지도 안 붙어 있고 카펫도 안 깔려 있는 복도가 짧게 나 있고, 그 끝에서 직각으로 구부러져 있었습니다. 돌아서 가보니까 문이 세 개 나란히 늘어서 있는데, 첫 번째 방과 세 번째 방의 문이 열려 있었어요. 방들은 전부 먼지투성이에 음산한 분위기더군요. 한 방에는 창문이 하나 있고, 다른 방에는 창문이 두 개 나 있는데 저녁 햇빛이 희미하게 비쳐 들고 있었습니다. 가운데 방문은 닫혀 있고 두꺼운 쇠막대기가 문 위에 가로질러 있었어요. 그리고 쇠막대기의 한쪽 끝은 자물쇠로 벽의 고리에 고정돼 있고 다른 쪽 끝은 굵은 밧줄로 묶어져 있었습니다. 굉장히 삼엄하게 닫혀 있는데다 문에도 또 자물쇠가 채워져 있더군요. 그런데 그 열쇠는 보이지 않았습니다. 그 닫힌 방문은 아마도 바깥쪽의 덧문이 닫힌 그 방으로 연결되는 것 같았어요. 하지만 문 아래로 햇빛이 새나오고 있는 걸 보니까 아무래도 천청이 있는 것 같더군요. 그래서 너무 캄캄하지 않고 빛이 보였던 것 같습니다. 저는 잠시 복도에 서서 그 살벌해 보이는 문을 쳐다보며, 도대체 안에 어떤 비밀이 숨겨져 있기에 저렇게까지 해 놓았을까 하고 생각하고 있었어요. 그때 갑자기 방 안에서 사람의 발소리가 들리더니 문 아래로 새나오고 있는 희미한 빛 속에서 무슨 그림자가 앞뒤로 움직이는 게 보인 겁니다. 홈즈 선생님, 그걸 보고 제가 얼마나 무서운 공포를 느꼈는지, 정말 미치는 거 아닌가 싶더라고요. 순간 온몸에서 힘이 다 빠져 버려서 저는 그곳을 도망쳐 나왔습니다. 그 중요한 순간에 말이죠. 마치 어떤 괴물이 제 옷을 붙잡기라도 하는 것처럼 정신없이 뛰었습니다. 복도를 지나 문 밖으로 나왔어요. 그리고 거기서 기다리고 있던 루카슬 씨의 팔에 붙잡히고 말았죠.

'역시 아가씨였군.'

루카슬 씨는 저를 보고 웃었습니다.

'문이 열려 있어서 아가씨일 거라고 생각했어요.'

'너무 무서워요!'

저는 헐떡거리며 말했습니다.

'괜찮아요, 괜찮아요.'

루카슬 씨가 그렇게 말했는데 얼마나 다정하고 편안한 말투로 저를 위로하시는지 홈즈 선생님은 상상도 못하실 겁니다.

'그런데 헌터 양, 무엇이 그렇게 무서웠나요?'

그가 묻더군요. 그러나 그분의 목소리는 어딘지 좀 지나치게 구슬리려는 것처럼 들렸어요. 정말로 연극을 잘했던 거죠. 저는 갑자기 긴장이 됐습니다.

'빈 방에 들어간 건 정말 바보짓이었어요.'

제가 그렇게 말했죠.

'너무 어둠침침하고 무서워서 귀신이 나올 것 같아 도망쳐 나왔어요. 정말로 오싹하게 조용하더군요.'

'분명히 그것뿐인가요?'

그는 저를 날카롭게 쏘아보며 물었습니다.

'어머, 왜요?'

제가 되물었어요.

'내가 여기에 자물쇠를 채워 두는 이유를 알고 계신가요?'

'저는 아무것도 모릅니다.'

'볼일이 없는 사람을 들여보내지 않기 위해서죠. 자, 이젠 아셨죠?'

그는 또다시 아주 다정하게 미소를 짓더군요.

'제가 그걸 알고 있었다면…….'

'좋아요. 어쨌든 이젠 알았죠? 앞으로 두 번 다시 이 안에 들어가려고 하면…….'

그는 별안간 표정을 바꿔 무서운 악마처럼 저를 노려보는 것이었어요.

'개한테 물게 할 거니까.'

저는 너무 무서워서 그다음에 어떻게 됐는지 기억도 안 나는데, 아마도 그를 빨리 벗어나려고 제 방으로 뛰어갔겠죠. 얼마 후에 정신을 차리고 보니까 제가 온몸을 떨면서 침대 위에 쓰러져 있는 거예요. 그때 홈즈 선생님이 떠올랐습니다. 그래서 누구와 이 문제에 대해 의논하지 않고는 하루도 그 집에 있을 수가 없었습니다. 집도 루카슬 씨도 부인도 또 하인이나 아이도 전부 다 무서워졌습니다. 온통 다 무서운 것들뿐입니다. 하지만 홈즈 선생님이 와 주신다면 모든 일이 잘될 것 같습니다. 제가 그 집에서 도망치려고 했으면 그럴 수도 있었지만 무서움보다 호기심이 더 강했습니다. 그래서 남아 있기로 결심하고 홈즈 선생니께 전보를 치기로 한 것입니다. 저는 곧 모자와 재킷을 걸치고 집에서 반 마일 가량 떨어져 있는 우체국에 가서 전보를 쳤습니다. 그러고 나니까 돌아올 때는 마음이 훨씬 편안해지더군요. 그런데 대문까지 왔을 때 문득, 개를 풀어 놓은 건 아닐까 하는 걱정이 들기 시작했습니다. 다행히 톨러 씨가 저녁 때 술에 취해 쓰러져 있던 게 생각났어요. 그 개를 맘대로 다룰 수 있는 사람은 톨러 씨밖에 없고 다른 사람은 사슬조차도 풀 수 없다는 걸 알고 있거든요. 저는 무사히 제 방으로 들어갈 수 있었습니다. 그리고 홈즈 선생님을 만나게 된다고 생각하니까 기분이 좋아서 한밤중까지 잠도 안 오더군요. 오늘 아침에 여기 윈체스터로 나오는 허락을 받는 건 어렵지 않았지만 세 시까지는 돌아가야 합니다. 루카슬 씨 부부가 그 시간에 다른 집을 방문해 밤늦게야 돌아올 예정이기 때문에 아이를 돌봐야 하니까요. 홈즈 선생님, 이제 모든 얘기를 다 해드렸습니다. 그러니까 도대체 무슨 일이 어떻게 돼 가고 있는 것인지, 제가 이제부터 무엇을 어떻게 하면 좋을지 좀 가르쳐주시면 정말 좋겠습니다."

홈즈와 나는 이 이상한 이야기에 마음을 완전히 빼앗겨 귀를 기울이고 있었다. 그러다가 이야기가 끝나자 홈즈는 일어나더니 주머니에 두 손을 찔러 넣고 아주 심각한 표정으로 방 안을 서성거렸다.

"톨러 씨는 아직도 취해 있나요?"

그가 물었다.

"네, 톨러 씨 부인이 자기 혼자 힘으로는 감당할 수가 없다면서 루카슬 부인에게 호소하는 걸 들었습니다."

"그럼 잘 됐네요. 루카슬 씨 부부는 오늘 밤에 외출한단 말이죠?"

"네."

"혹시 자물쇠로 확실히 잠글 수 있는 지하실이 있나요?"

"네, 술 창고가 있습니다."

"헌터 양, 당신은 아주 용감하고 현명하게 대처를 잘 했습니다. 그렇다면 한번 더 용기를 내볼 생각은 없습니까? 당신이 보통 여성이라면 이런 일을 부탁하지는 않을 겁니다."

"네, 해보겠습니다. 어떤 일인데요?"

"제가 오늘 밤 일곱 시에 여기 왓슨 박사와 함께 너도밤나무 저택으로 가겠습니다. 부부는 그때까지 아직 돌아오지 않을 것이고, 톨러 씨는 아마도 계속 인사불성이 돼 있겠죠. 그런데 톨러 씨 부인이 떠들지도 모릅니다. 그러니까 그녀에게 어떤 일을 시켜서 지하실로 보내 자물쇠를 채워 버리면 일이 아주 간단하게 될 겁니다."

"네, 그렇게 하겠습니다."

"고마워요. 그럼 이제 사건을 자세히 분석해 봅시다. 지금 상황에 들어맞는 설명은 딱 한 가지밖에 없습니다. 루카슬 씨가 당신을 여기로 데려온 건 누군가의 대역을 시키기 위해서였어요. 그러니까 당신을 닮은 그 사람은 지금 날개 건물의 방에 감금돼 있는 겁니다. 그건 분명해요. 그렇다면 감금되어 있는 사람은 누굴까요? 그건 틀림없이 미국에 가 있다고 하는 딸 앨리스 루카슬입니다. 당신은 그 딸의 몸집과 키와 머리 색깔이 닮아서 선택되었던 겁니다. 앨리스는 아마 병에 걸렸을 때 머리를 자를 수밖에 없었던지, 당신도 그렇게 짧게 잘라야 했던 거죠. 그래서 당신은 그야말로 우연히 앨리스의 머리털을 보게 됐던 것입니다. 길에 서서 엿보던 그 남자는 앨리스의 친구, 아니 약혼자겠죠. 앨리스와 꼭 닮은 당신이 앨리스의 옷을 입고 늘 그렇듯이 쾌활하게 웃고 있기 때문에 그 남자는 앨리스가 완전히 행복하게 지내고 있는 거라고 믿는 겁니다. 게다가 당신이 손을 흔들며 쫓아내듯이 하는 행동을 보고는 앨리스가 자기한테서 마음이 떠난 거라고 생각했겠죠. 밤에 개를 풀어 놓는 것도 틀림없이 그 남자가 앨리스와 접촉하는 것을 막기 위해서일 겁니다. 자, 여기까지는 명확할 거라고 생각해요. 그런데 이 사건에서 가장 주목해야 할 점은 어린아이의 성격입니다."

"뭐라고! 아니 어떻게 그런 것이 관련이 있나?"

나는 그만 나도 모르게 소리를 쳤다.

"여보게 왓슨, 자네는 의사 아닌가? 그럼, 아이의 성격을 알려면 부모의 성격을 먼저 알아야 한다는 걸 많이 겪었을 것 아닌가. 그렇다면 그 반대도 마찬가지로 그럴듯하다고 생각하지 않나? 아이의 성격을 파악해서 부모의 기질을 알아냈던 경험이 나한테는 꽤 여러 번 있거든. 내 생각엔 이 아이가 병적으로 잔인한 데가 있는 것 같네. 단지 잔인함을 즐기기 위해서 잔인한 짓을 하는 거지. 이런 성질은 내가 보기엔 아버지 쪽의 그 넉살 좋은 기질에서 유전된 것으로 생각되는데, 어쩌면 어머니 쪽일지도 모르네. 아무튼 어느 쪽이든 간에 아이의 그 잔인함을 생각하면 그 부부가 지금 감금해 놓고 있는 딸의 목숨이 매우 위험한 것 같네."

"틀림없이 그런 것 같습니다."

이 사건의 의뢰자가 말했다.

"선생님이 말씀하신 대로 들어맞은 적이 저한테도 여러 번 있습니다. 그럼 얼른 불쌍한 앨리스 양을 구하러 가야죠."

"아니, 신중하게 해야 합니다. 상대방은 엄청 교활한 작자니까요. 일곱 시까지는 우리가 할 수 있는 방법이 없어요. 하지만 일곱 시에 우리가 거기로 가면 곧 해결이 될 겁니다."

홈즈와 나는 길가에 있는 술집에 이륜마차를 맡겨 놓고 너도밤나무 저택으로 갔다. 약속한 대로 정각 일곱 시였다. 헌터 양이 현관 돌층계 위에서 환한 표정으로 우리를 맞이해 주었는데, 그녀가 아니었어도 저택은 너도밤나무 덕택에 쉽게 알아볼 수 있었다. 저녁 햇빛을 받은 나무들은 광택을 낸 금속처럼 짙은 잎사귀를 반짝거리고 있었다.

"부탁한 대로 하셨나요?"

쿵쿵대는 요란한 소리가 지하 어디에선가 울려 왔다.

"네, 톨러 부인이 술 창고에서 내는 소리예요."

헌터 양이 말했다.

"톨러 씨는 아직도 주방 바닥에서 코를 골고 자고 있습니다. 이게 톨러 씨가 가지고 있는 열쇠인데, 루카슬 씨의 것과 똑같은 거예요."

"오! 잘 하셨어요."

홈즈가 탄성을 질렀다.

"자, 그럼 안내해 주실까요. 잠시 후면 이 미친 음모도 다 드러나게 되겠죠."

우리는 계단을 올라가 날개 건물로 통하는 문의 자물쇠를 열고 안으로 들어갔다. 그리고 복도를 지나 꺾어진 곳으로 돌아서자 헌터 양이 말한 그 쇠막대기로 가로지른 문이 나타났다. 홈즈는 밧줄을 끊고 쇠막대기를 떼어 냈다. 그런 다음 열쇠를 자물쇠에 하나하나 꽂아 보았다. 그러나 아무것도 맞지가 않았다. 방 안쪽에선 바스락거리는 소리 하나 안 나고 적막하기만 했다. 홈즈의 표정이 어두워졌다.

"우리가 너무 늦은 건 아닌 것 같은데."

그가 말했다.

"헌터 양, 당신은 들어가지 않는 게 좋겠어요. 자 왓슨, 어깨를 좀 빌려주게. 문을 부술 수 있는지 봐야겠어."

워낙 낡고 흔들리는 문이라 홈즈와 내가 있는 힘껏 밀어붙이자 문은 쉽게 부서졌다. 우리는 허둥지둥 안으로 들어섰다. 그런데 이게 웬일일까? 감금되어 있는 사람의 모습은 전혀 보이지 않았다. 허름한 메트리스 하나와 작은 테이블 하나, 그리고 속옷 등을 넣는 바구니 하나가 있을 뿐, 가구 하나도 제대로 없었다. 그런데 위쪽 천창이 열려 있었다.

"여기서 못된 짓을 하고 있었던 거지."

홈즈가 말했다.

"그 작자가 헌터 양이 눈치챈 걸 알고는 재빨리 그 불쌍한 딸을 어디론가 빼돌렸군."

"하지만 어떤 방법으로?"

내가 물었다.

"이 천창을 통해서지. 어떻게 데리고 나갔는지 한번 살펴봐야겠네."

홈즈는 날렵하게 천창에서 지붕으로 뛰어올라갔다.

"아, 이거네!"

그가 소리쳤다.

"가볍고 긴 사다리가 추녀에 기대 세워져 있군. 이걸 사용한 거야."

"그런데 너무 이상한데요."

헌터 양이 끼어들었다.

"루카슬 씨 부부가 나갈 때는 그곳에 사다리가 없었거든요."

"가다가 되돌아와서 한 거죠. 제가 말씀드린 대로 그 작자는 아주 교활하고 치밀한 데가 있거든요. 어! 계단에서 발소리가 들리네. 틀림없이 그놈일 거야. 왓슨, 권총을 준비하고 있게."

그 말이 채 끝나기도 전에 뚱뚱하고 건장한 체격의 남자가 큰 몽둥이를 들고 방문 앞으로 다가왔다. 헌터 양은 그를 보자마자 비명을 지르며 벽에 바짝 붙어 섰다. 셜록 홈즈가 뛰어가 남자 앞을 가로막았다.

"이봐!"

그가 소리쳤다.

"딸을 어디다 숨겼지?"

그 뚱뚱한 남자는 방 안을 둘러보며 천창이 열려 있는 걸 발견했다.

"그건 내가 묻고 싶은 말이다."

남자는 미친 듯이 소리쳤다.

"야! 이 도둑놈아! 개새끼! 강도 새끼! 내가 이젠 너를 놓아줄 줄 알아! 도망칠 수 있을 것 같냐! 맛을 보여줄까?"

그는 갑자기 뒤로 돌아서 우당탕탕 하며 급히 계단을 뛰어 내려갔다.

"아니, 개를 데리러 갔어요!"

헌터 양이 외쳤다.

"저한테 권총이 있습니다."

내가 다급히 말했다.

"현관문을 닫아야겠어요!"

홈즈가 소리치자 우리는 모두 다 계단을 뛰어 내려갔다. 우리 세 사람이 간신히 현관에 이르렀을 때 개가 으르렁대는 소리가 들리고, 곧 누군가 고통스럽게 비명을 질러 댔는데, 그 소리가 너무나 끔찍해서 듣고만 있어도 몸서리가 쳐졌다. 그때 얼굴이 불그스레하고 쉰 살쯤 되어 보이는 남자가 비틀거리는 걸음으로 옆문에서 나왔다.

"아이고, 이거 큰일났네!"

그 남자가 말했다.

"누가 개를 풀어 놓았지? 이틀이나 밥을 안 줬는데. 자, 빨리 빨리, 안 그러면 물려 죽는다!"

홈즈와 나는 뛰어나가 건물의 뒤쪽으로 갔다. 톨러도 우리를 뒤쫓아왔다. 잔뜩 굶주려 있는 맹견이 루카슬 씨의 목덜미를 물고 있고 그는 고통스럽게 울부짖으며 땅바닥에서 몸부림을 치고 있었다. 나는 곧바로 권총을 꺼내 개의 머리를 쏘았다. 개는 옆으로 고꾸라졌지만 아직도 그 허옇고 날카로운 이빨로 주인의 살찐 목덜미를 물고 있었다. 우리는 힘겹게 개를 떼어 내고 참혹하게 물려 의식을 잃고 있는 루카슬 씨를 집 안으로 옮겼다. 그리고 거실의 소파에 그를 눕힌 다음, 술이 깬 톨러 씨를 술 창고에 갇혀 있는 톨러 부인한테 알리러 보내고 나서 나는 그의 고통을 덜어 주기 위해 할 수 있는 한에서 응급 치료를 해 주었다. 우리가 모두 그렇게 부상자 주위에 모여 있는데, 잠시 후 문이 열리면서 키가 크고 몸집이 마른 한 여자가 들어왔다.

"톨러 부인!"

헌터 양이 소리쳤다.

"그래요, 헌터 양. 루카슬 씨가 밖에서 들어오신 후 당신들한테 가기 전에 저를 창고에서 꺼내 주셨어요. 그런데 이런 일을 계획했으면서 왜 저한테는 말하지 않았죠? 그랬다면 괜한 헛수고는 안 해도 됐을 텐데요."

"역시!"

홈즈가 예리한 눈빛으로 그녀를 쳐다보았다.

"이 일에 대해서는 당신이 가장 잘 알고 있겠군요?"

"그럼요, 선생님. 제가 아는 한에서 뭐든 다 말씀드리겠어요."

"그럼, 거기에 좀 앉으세요. 사실 나도 아직 모르는 점이 몇 가지 있으니까요."

"설명해 드리죠."

그녀가 말했다.

"제가 술 창고에서 나올 수만 있었어도 더 빨리 알려드렸을 거예요. 아시겠어요? 저는 앨리스 아가씨를 돕고 싶으니까 당신들 편에 서 있는 거예요. 이건 뭐 경찰에서 조사해 보면 다 밝혀질 내용이니까요.

앨리스 아가씨는 루카슬 씨가 재혼하고 나서부터 안 좋아지기 시작했습니다. 바보 취급을 당하고 무슨 말을 해도 상대해 주지 않았거든요. 그래도 처음 얼마 동안은 그럭저럭 지낸 편이었어요. 그런데 어느 날 친구 집에 놀러 갔다가 파울러 씨를 만나고 나서부터는 본격적으로 나빠지게 되었던 겁니다. 제가 듣기로는 이랬습니다. 그러니까 아가씨가 자기 앞으로 된 재산이 있었는데, 워낙 차분하고 인내심도 있는 성격이다 보니까 그런 일에 대해서는 전혀 입 밖에도 안 내고 완전히 아버지에게 맡기고 있었다고 하더군요. 루카슬 씨는 아가씨에 대해서는 안심하고 있었지만 만약 사위가 생기면 안심할 수만도 없지 않겠어요? 사위가 법률을 들이대며 요구할 수도 있는 일이니까요. 그래서 루카슬 씨는 사위 될 사람이 권리 행사를 못하게 막으려고 이런저런 궁리를 했던 모양입니다. 그건 곧, 앨리스 아가씨가 결혼을 하든 안 하든 마음대로 돈을 쓸 수 없게 만드는 거였죠. 돈 쓸 권리는 루카슬 씨 자신에게 있다는 증서를 만든 다음, 거기에 아가씨가 서명을 하도록 시키겠다는 작전이었어요. 하지만 앨리스 아가씨는 거절했죠. 그러자 매일 아가씨를 괴롭히고 난리를 하는 바람에 결국 아가씨는 병이 들고 말았습니다. 육 주 동안이나 사경을 헤맬 정도였어요. 겨우 회복은 됐지만 몸에 뼈밖에는 안 남고 완전히 바보처럼 된 데다 그 좋은 머리카락마저 자를 수밖에 없게 됐죠. 그래도 파울러 씨는 조금도 마음을 바꾸지 않고 변함없이 진심으로 아가씨를 사랑하고 있었어요."

"아!"

홈즈가 말했다.

"그 정도 들어 보니까 모든 상황을 알만 하네요. 그럼, 나머지 얘기는 내가 알아맞혀 보죠. 그러니까 결국 루카슬 씨는 감금이라는 최후의 수단을 생각해 냈다는 거죠?"

"그렇죠."

"그런 다음 런던에서 헌터 양을 데리고 왔는데, 그건 딸에게 계속 애정을 갖고 있는 파울러 군이 마음에 들지 않으니까 그를 쫓아 버리려고 그랬던 거고요."

"네, 맞습니다."

"하지만 파울러 군은 훌륭한 뱃사람처럼 참을성이 많아 항상 집 주위를 서성거리다가 당신을 알게 되었고, 당신에게 잘 보이려고 이따금 선물도 하면서 자기 편이 되는 게 좋을 거라는 식으로 당신을 설득했던 거죠."

"파울러 씨는 아주 붙임성 있고 인심도 후한 사람이니까요."

톨러 부인은 태연스럽게 말했다.

"그래서 파울러 군이 당신에게 부탁한 것은 톨러 씨가 자주 술에 취해 있을 것과 주인이 없을 때 사다리를 준비할 것, 그 두 가지였어요."

"맞습니다. 선생님은 어떻게 그리 잘 아시죠?"

"톨러 부인, 당신께 사과를 해야겠군요."

홈즈가 말했다.

"하지만 부인 덕택에 모든 것이 분명히 밝혀졌어요. 아니, 저기 루카슬 부인이 의사를 데리고 오는데요. 왓슨, 우리가 아무래도 법적 문제로 곤란해질 수 있으니까 헌터 양과 함께 윈체스터로 돌아가는 게 좋을 것 같네."

집 앞에 너도밤나무 숲이 있는 그 저택의 불길한 수수께끼는 이렇게 해서 모두 풀리게 되었다. 루카슬 씨는 목숨은 건졌지만 완전히 폐인이 되어 부인의 헌신적인 보살핌에 의지해 간신히 살아가고 있다. 톨러 씨 부부는 아직도 그 집에서 일하고 있는데, 그들이 루카슬 씨의 과거에 대해 너무나 많은 것을 알고 있기 때문에 루카슬이 그들을 쫓아내려고 해도 그리 간단하지는 않을 것 같다. 파울러와 앨리스는 그 집을 떠난 다음 날 사우샘프턴에서 특별 허가증을 얻어 결혼에 성공했다. 그 후 파울러 씨는 인도양의 모리셔스 섬에서 정부 관리로 일하고 있다고 한다.

바이올릿 헌터 양은 결국 사건의 중심인물이 아니었기 때문에 그 후 홈즈가 전혀 관심을 기울이지 않았는데, 그 점이 나는 조금 실망스러웠다. 그녀는 지금 스태퍼드셔의 월솔에서 사립학교 교장으로 일하고 있으며, 아마도 크게 성공했으리라고 짐작하고 있다.

기어다니는 남자

20년 전 런던의 대학가를 뒤흔들고, 이어서 지식 계층에 큰 파장을 불러 일으켰던 추잡한 소문이 하나 있었다. 셜록 홈즈는 그 소문을 없애려면 프레스베리 교수와 관련된 괴이한 이야기를 한 번은 들춰내야 한다고 생각했다. 그러나 여러 가지 걸림돌이 있어서 홈즈는 그 사건을 조사하지 못하고 다른 사건 기록들과 함께 상자 속에 넣어 두고 있었다. 그래서 여태까지 그건 세상에 드러나지 못하고 묻혀 있었다. 그러다가 마침 이번엔 허가를 얻게 되어 세상에 발표하기로 결정했다. 홈즈가 은퇴하기 전에 수사를 맡았었던 다른 사건들 속에 끼워서 하기로 된 것이다. 그러나 발표를 한다 해도 아직까지는 무척 조심스럽게 다뤄야 했다.

때는 1903년 9월의 일요일 아침이었다. 홈즈한테서 짧은 전보 한 통이 일찌감치 도착했다.

〈별일 없으면 좀 보세. 바쁜 일이 있어도 꼭 와야 하네. S. H.〉

그즈음 홈즈와 나는 좀 묘한 관계에 있었다. 홈즈에겐 어떤 것에 지나치게 집착하는 습관이 있는데, 나라는 존재도 그의 습관 중 일부가 되어 있었던 것이다. 일테면 그의 옆에는 항상 바이올린, 독한 담배, 검은색 파이프, 기록 수첩이 있어야 하고, 나 또한 거기에 있어야 했다. 그 외의 것들은 그에게 별로 중요하지 않았다. 그는 사건이 생기면 항상 마음을 의지할 누군가가 필요했다. 따라서 내가 할 역할은 분명했다.

한편으론 나도 홈즈의 주의력을 날카롭게 갈아 주는 숫돌 같은 역할이 돼 주었다. 그런 식으로 그에게 자극을 주었으며, 그는 나와 함께 있으면서도 자주 혼잣말을 중얼거리곤 했다. 말하자면 나의 존재를 전혀 의식하지 않고 얘기를 했는데 어떤 때는 심지어 잠꼬대를 하는 것 같기도 했다. 그럴 때마다 나도 습관적으로 그의 이야기를 듣고 있다는 뜻으로 끼어들어 참견을 했다. 그러다가 내가 이따금 둔하게 그의 이야기 줄거리를 못 따라가서 짜증 나게 만들면, 그에겐 오히려 그것이 불꽃 같은 직관과 감수성을 더 예리하게 번뜩이도록 자극을 주는 계기가 돼 주기도 했다. 이런 것들이 내가 홈즈와의 관계에서 했던 자그마한 역할이었다.

내가 베이커 가에 있는 홈즈의 방에 도착했을 때, 그는 파이프를 문 채 찌푸린 표정으로 팔걸이의자에 파묻혀 앉아 있었다. 아마도 무슨 골치 아픈 일이 생긴 것 같았다. 그는 손짓으로 나를 자리에 앉게 하고는 거의 30분 동안이나 나에게 아무 말도 안 하며 생각에 깊이 빠져 있었다. 그러더니 특유의 그 묘한 미소를 지으며 망상을 떨쳐 내고는 마치 내가 방금 그 방에 들어가기라도 한 듯 새삼스럽게 일어나 인사를 건넸다.

"왓슨, 내가 생각을 좀 하고 있었네. 용서하게. 왜냐하면 이십사 시간 전에 아주 이상한 시간 의뢰가 하나 왔거든. 이 문제를 풀려면 넓게 열어 놓고 여러 측면에서 추리를 해봐야 할 것 같네. 그래서 수사 활동에 이용하는 탐지견에 대해 논문을 하나 쓰려고 그 내용을 생각하고 있던 참이었지."

"그건 이미 알려진 사실 아닌가. 경찰견이니 탐지견이니 하는 개가 있다는 건 알고 있지."

"아니네, 왓슨. 그런 개들이 있다는 건 물론 알고 있지만 그 문제가 그리 단순한 건 아닐세. 자네, 그 너도밤나무 숲 사건 기억 나나. 세상을 깜짝 놀라게 했던? 그때 내가 어린아이의 심리를 관찰해 보고는 아이의 그 잔악성에서 그 애비의 범행을 추적해 내지 않았나."

"그 사건이야 물론 기억하고 있지."

"내가 개에 대해 생각하고 있는 것도 그 사건과 비슷한 점이 있어. 개는 어떤 집에 있느냐에 따라 닮아 가거든. 우울한 집에서 활기찬 개를 본 적 있나? 그리고 유쾌한 집에서 축 처진 개를 본 적 있나? 주인이 사나운 사람이면 개도 사나워지고, 주인이 위험한 사람이면 개도 위험해지기 마련이네. 개는 주인의 성격을 가장 잘 닮아 가는 동물이거든."

"홈즈, 그건 지나친 소리야."

나는 머리를 흔들며 말했다.

홈즈는 파이프에 담배를 채워 넣으며 내 말에 대꾸도 안 하고 다시 의자에 앉았다.

"내가 지금 말한 추리를 실제 문제에 적용해 보는 것이 이번 사건을 푸는 중요한 단서가 될 것 같네. 아주 미묘한 사건이라, 자네도 알다시피 그 실마리를 찾는 게 급하다네. 그것만 찾으면 나머지는 술술 풀리게 될 거야. 프레스베리 교수의 충실한 개 울프하운드 로이가 왜 주인을 물었을까 하는 데 중요한 답이 있다고 생각하네."

나는 그의 말에 어이가 없어 의자 깊숙이 몸을 기댔다. 그 한심한 이야기를 하려고 바쁜 나를 불렀단 말인가! 홈즈는 나를 흘긋 쳐다보며 말했다.

"왓슨, 자네 너무 실망하는 것 같구먼. 사실 심각한 사건일수록 사소한 문제에 그 발단이 있다는 걸 자네 아직도 모르겠나? 캠퍼드의 유명한 생리학자 프레스베리 교수라는 사람 이름은 들어 봤지? 그의 개가 두 번이나 그를 물었다는 건 보통 일이 아닌데, 자네는 그런 생각 안 드나? 어떻게 생각해?"

"개가 병이 든 거 아니야?"

"그 점도 생각해 봤지. 그런데 그 개는 다른 사람은 문 적이 없었고, 아주 특별한 경우 말고는 주인한테 덤벼든 적도 전혀 없었다네. 그러니 참 희한한 일이지. 뭔가 괴이한 일이 있는 게 분명해. 지금 울리는 벨 소리가 베네트 씨가 누른 거라면, 약속 시간보다 일찍 오는 건데. 그가 오기 전에 자네와 미리 얘기를 좀 하려고 했었는데."

계단을 올라오는 급한 발소리가 들리더니 곧 누군가 문을 쾅쾅 두드리고는 방 안으로 처음 보는 의뢰인이 들어섰다. 키가 크고 단정한 모습에 서른 살쯤 돼 보이는 청년은 옷도 잘 차려입고 품위가 있어 보였다. 그러나 그의 태도는 보통의 사회인다운 성숙함보다는 어딘지 학생 같은 소심함이 엿보였다. 그는 홈즈와 악수를 하고는 놀란 표정으로 나를 쳐다보았다.

"홈즈 선생님, 이 사건을 아주 신중하게 다뤄 주시면 좋겠습니다. 프레스베리 교수에 대한 저의 개인적인 신뢰나 사회적인 위치를 봐서도 그렇게 해주셔야 합니다. 그런데 다른 사람 앞에서는 제가 말씀드리기 좀 곤란한데요."

"아, 염려 안 하셔도 됩니다, 베네트 씨. 여기 왓슨 박사는 입이 아주 무거운 분이니까요. 그리고 이 사건을 다루려면 이분의 도움이 꼭 필요합니다."

"그럼, 홈즈 선생님을 믿겠습니다. 그러나 이렇게 비밀스럽게 하는 제 입장도 이해해 주시기 바랍니다."

"왓슨 박사도 이해할 겁니다. 왓슨, 이분은 유명한 과학자 프레스베리 교수의 조수 트레버 베네트 씨일세. 교수와 같은 집에 살고 있고, 교수의 딸과 약혼한 사이라네. 그럼 자네도 대충 상황을 이해했겠지. 베네트 씨는 교수를 헌신적으로 모시고 있는 것 같네."

홈즈는 내게 간단히 설명을 한 뒤 다시 그 청년을 쳐다보며 말했다.

"그런데 도대체 이해가 안 되는 그 사건을 수사하려면 어느 정도는 그 내막을 알 필요가 있습니다."

"네, 알고 있습니다, 홈즈 선생님. 그래서 제가 여기에 온 겁니다. 그런데 왓슨 박사께서도 내용을 알고 계십니까?"

"그건 아직 설명할 시간이 없었어요."

"그럼 새로운 사실을 몇 가지 더 얘기해 드리기 전에 처음부터 다시 설명을 해야겠군요."

"그렇다면 내가 대신 설명을 해드리죠. 제대로 내가 기억하고 있는지 정리도 할 겸 해서요."

홈즈가 말을 시작했다.

"왓슨, 프레스베리 교수는 온 유럽에 명성이 나 있는 분이라네. 아주 학구적인 타입이라 여태껏 한 번도 스캔들 같은 게 일어난 적도 없고 말이야. 그리고 홀아비로 외동딸 에디스 외에는 다른 가족도 없다는구먼. 내가 알아본 바로는 성격도 아주 남성적이고 독립적인 면이 있는데, 다른 사람들도 그를 강인한 인물로 평가하고 있는 것 같네.

그런데 몇 달 전에 이 사건의 발단이 일어났던 거지. 그의 성실한 생활도 깨져 버렸고 말이야. 나이 육십에 그가 비교 해부학회 동료인 모피 교수의 딸과 약혼을 한 거야. 그건 나이 든 사람으로서 분별 있는 행동이 아니라 젊은이들이나 하는 광적인 짓이라고 해야겠지. 하지만 그는 너무나 열렬히 사랑에 빠진 연인의 모습을 내보였던 거네. 세상에 그보다 더한 연인이 없을 정도로 말이야. 약혼녀 앨리스 모피가 마음이고 몸매고 모두 완벽한 여성이다 보니 프레스베리 교수가 반할 만도 하더구먼. 그런데 가족들이 그들의 결혼을 반대하고 나선 거야."

그때 방문객이 끼어들었다.

"우리는 그들의 결혼이 말도 안 된다고 생각했습니다."

"당연하죠. 그 결혼은 도가 지나친 부자연스러운 결합이라고 나도 생각합니다. 그러나 프레스베리 교수가 부자기 때문에 모피 양 아버지는 딸의 결혼을 굳이 반대하지는 않았다는구먼. 모피양도 다른 구혼자가 여러 명 있었지만 그녀의 성격이 세속적인 문제, 그러니까 나이 같은 것에 별로 신경을 안 쓰는 그런 성격이었다네. 그리고 교수의 괴팍한 성격도 알고 있었지만 그래도 그를 좋아한 모양이야. 하지만 아무래도 나이 차이가 많은 게 그들의 결혼을 순조롭게 하지는 못한다는 것을 부인할 수는 없었지.

바로 그즈음 갑자기 교수의 생활에 이상한 베일 같은 것이 씌워지기 시작했다네. 전에 한 번도 그런 행동을 한 적이 없었다는 거야. 어디로 간다는 말도 없이 집을 나가서는 이주일 만에 지친 모습으로 돌아왔다는군. 그는 언제나 아주 솔직한 성격인데, 집에 돌아와서도 가족에게 전혀 아무 얘기도 안 했다는 걸세. 그런데 여기 베네트 씨가 프라하에 있는 친구한테서 편지를 받았는데, 프레스베리 교수와 직접 만나 얘기할 기회는 없었지만 멀리서나마 그를 보게 되어 무척 기뻤다는 내용이 쓰여 있었다는 거야. 그제서야 비로소 가족들은 교수가 그동안 어디에 갔다 왔는지를 알 수 있었던 거지.

자 그럼, 문제의 핵심으로 들어가 볼까. 그 여행 이후로 교수는 이상하게 변하기 시작했다네. 남의 눈을 피하는 것 같았고, 교활한 행동도 서슴지 않았지. 주위 사람들은 그가 예전에 알던 그 교수가 아니라는 걸 금방 느낄 수 있었어. 그의 마음에 뭔가 어두운 그림자가 덮여 있는 것 같았기 때문이지. 지성적인 면은 전혀 달라지지 않았지만 말이야. 왜냐하면 그의 강의는 여전히 매우 좋았다고 하니까. 그런데 어쨌든 그의 태도는 뭔가 전혀 다른, 악의적이고 돌발적인 그런 면이 생긴 거야. 아버지에게 헌신적인 딸은 예전과 같은 관계가 되게 하려고 무척 애를 쓰며, 아버지의 이상한 베일을 벗겨 보려고 갖은 노력을 다했다네. 베네트 씨도 같이 노력을 했는데, 아무리 해도 소용없었다는군. 그럼 이제, 편지 사건에 관해서는 베네트 씨가 직접 말해 줄 걸세."

"왓슨 선생님, 프레스베리 교수님은 저에게 아무런 비밀도 없었습니다. 그의 아들이나 동생이라 하더라도 제가 받은 것 이상의 신뢰는 못 받았을 겁니다. 저는 그의 비서로서 모든 서류를 만질 수 있었기 때문에, 그에게 오는 편지는 일단 제가 먼저 열어 본 다음 종류별로 분류하곤 했습니다. 그게 또한 저의 임무니까요.

그런데 그 방식이 교수님이 여행에서 돌아온 뒤부터 달라졌습니다. 어느 날 그분이 저한테, 우표 아래에 십자 표시를 한 편지가 런던에서 올 테니 그 편지는 뜯지 말고 직접 갖다 달라고 말씀하시더군요. 그 후로 그런 편지가 몇 번 더 왔었습니다. 소인은 런던 서부 중앙 지역으로 찍혀 있었고요, 봉투의 글씨는 교양 있는 사람의 글씨체 같지는 않았습니다. 그리고 분명히 답장을 보내신 것 같은데, 저를 시키시지 않은 걸 보면 아마도 직접 부치셨나 봅니다."

"그리고 상자에 대해서도 얘기해 주시죠."

홈즈가 말했다.

"아, 그 상자요? 교수님이 여행에서 돌아오시면서 작은 나무 상자 하나를 가지고 오셨는데, 유럽 어딘가에서 가져오신 것 같더라고요. 왜냐하면 상자에 독일 분위기의 그림이 조각되어 있었기 때문이죠. 교수님은 그 상자를 실험 기구 넣어 두는 진열장에 보관을 하셨습니다. 그런데 한번은 제가 주사기를 찾으려고 진열장 속을 뒤지다가 그 상자를 열어 봤습니다. 그때 마침 교수님이 저를 보고는 막 화를 내시며 엄청나게 욕을 하시더군요. 저는 그런 일을 처음 당해 봤기 때문에 너무나 당황스럽고 마음이 쓰라렸습니다. 저는 단지 주사기를 찾으려고 상자를 열었던 것뿐이라고 몇 번이나 설명했는데도 교수님은 계속 저를 못마땅한 눈으로 쳐다보시며 화를 풀지 않으셨습니다."

말을 하다 말고 베네트는 주머니에서 조그만 수첩을 꺼내 펼쳤다.

"그 일이 있었던 게 7월 2일이었습니다."

"정확히 기록해 두셨군요. 놀랄 정돕니다. 그 기록 날짜들은 중요하게 쓰일 것 같은데요."

홈즈가 말했다.

"이런 기록 습관도 저의 훌륭하신 교수님께 배운 것입니다. 그때부터 저는 그의 이상한 행동을 관찰하기 시작했는데, 그 이유가 뭔지를 밝혀내는 게 또한 저의 임무라고 생각했습니다. 그래서 바로 그날부터 기록을 하기 시작했던 겁니다. 7월 2일, 교수님이 서재에서 거실로 내려올 때 기르던 애견 로이가 교수님을 물었던 바로 그날이죠. 그리고 7월 11일에도 똑같은 일이 일어났고, 7월 20일에도 또 그랬습니다. 그 뒤로 우리는 로이를 마구간에 가둬 버렸습니다. 로이는 사람을 잘 따르고 명랑한 개였습니다. 그런데 제가 너무 이야기를 많이 해서 지루하신 것 같군요."

베네트가 미안하다는 투로 말했다. 그런데 홈즈는 그의 이야기를 듣지 않고 있었던 게 분명했다. 멍한 얼굴로 천장만 바라보고 있던 그는 베네트가 슬쩍 비꼬듯 하는 말에 그제야 정신을 차리고 베네트를 쳐다보았다.

"참 이상하네요! 그렇게 정확한 기록은 저는 처음 보는데요, 베네트 씨. 아무튼 사건의 경과는 이제 거의 확인이 된 것 같은데, 당신은 어떻게 생각하십니까? 그리고 새로운 이야기가 있다고 하셨는데……?"

그때 방문객의 얼굴에서 어두운 그림자가 걷히며 다시 쾌활하고 솔직한 표정이 되었다.

"바로 그제 일어난 일입니다. 그날 새벽 두 시쯤에 제가 잠이 깼는데, 복도를 조심스럽게 지나가는 발걸음 소리가 들리더군요. 그래서 문을 열고 숨어서 밖을 내다봤습니다. 교수님의 방은 복도 끝에 있는데요."

"그게 언제였습니까?"

홈즈가 느닷없이 물었다.

참 어이없는 질문으로 이야기를 끊자 베네트는 못마땅한 듯 대꾸했다.

"그제 밤이라고 이야기하지 않았습니까? 8월 4일이었습니다."

홈즈는 고개를 끄덕이며 슬쩍 미소를 지으면서 말했다.

"계속 말씀하시죠."

"교수님 방은 복도 맨 끝에 있기 때문에 계단을 내려가려면 제 방 앞을 지나가야 합니다. 그런데 홈즈 선생님, 정말 무서운 일이 있었습니다. 저는 평소 제가 심장이 강하다고 믿고 있었는데, 그 광경을 보고는 소름이 확 끼쳤으니까요.

복도가 어두웠는데 창문으로 희미한 불빛이 비쳐들고 있었지요. 그런데 무슨 시커먼 물체가 제 쪽으로 기어오고 있는 것 같은 모습이 어렴풋이 보였습니다. 그게 점점 가까이 오자 불빛에 갑자기 모습이 드러났는데, 가만 보니까 글쎄 다름 아닌 교수님이었던 겁니다. 그가 기어오고 있었던 거지요. 홈즈 선생님, 분명히 복도를 기어오고 있었다고요! 손바닥과 무릎을 마룻바닥에 대고 얼굴은 두 팔 사이에 넣고 고개를 숙인 채 말입니다. 그런데 전혀 괴로워하는 표정도 없이 자연스럽고 능숙하게 움직이는 것이었어요.

그렇게 제 방 앞을 지나가는데 저는 가슴이 마구 뛰면서 기절할 것 같았지요. 겨우 정신을 차리고 뛰어가서 그를 붙잡으려고 했습니다. 그런데 교수님이 몸을 일으켜 세우더니 입에 담을 수도 없는 욕을 마구 내뱉으면서 저를 뿌리치고 계단을 내려갔습니다. 제가 한 시간 정도 기다려 봤지만 그는 돌아오지 않았습니다. 그러다가 거의 해 뜰 무렵이 되자 그제야 돌아오는 소리가 들렸습니다."

"자 왓슨, 생각나는 게 있으면 말해 보게."

홈즈는 마치 중요한 표본을 관찰하는 병리학자 같은 표정을 지으며 말했다.

"혹시 요통을 앓고 있었던 걸까? 요통이 심하면 똑바로 서서 걷지도 못하고 거의 기다시피 하는 경우가 있거든. 그런 게 아니라면 멀쩡한 사람이 왜 기어다닐까?"

"왓슨, 그렇게 상식적인 생각만 하면 땅에 발을 디딘 채 한 걸음도 앞으로 나가지 못할 걸세. 요통이라는 자네의 진단은 받아들일 수 없네. 그가 금방 몸을 일으켜 세웠다고 했으니까."

베네트가 말을 이어갔다.

"교수님의 건강은 아주 좋은 편입니다. 제가 보기엔 아직도 혈기가 왕성한 것 같거든요. 그래서 이 문제를 경찰과 의논하는 게 마땅치 않아서, 우리는 어떻게 해야 할지 정말 넋을 잃을 지경입니다. 무슨 커다란 절망 속으로 우리 모두 빠져들어가는 거 아닌가 싶어 너무나 불안하고 견딜 수가 없습니다. 제 약혼녀 에디스도 저와 같은 생각을 하고 있어서 더 이상 이렇게 보고만 있을 수가 없어 선생님께 도움을 요청하는 겁니다."

"이 사건은 정말로 호기심을 일으키고 암시하는 바가 있군. 왓슨, 자넨 어떻게 생각하나?"

"의사로서 내 의견을 말한다면, 이 문제는 정신과 의사가 다룰 사항일세. 그 교수가 아마 연애 때문에 머릿속이 어떻게 된 거 아닐까? 그가 외국에 여행을 갔다 온 건 마음을 좀 식히려고 그랬을 걸세. 편지와 상자 문제는 그의 개인 사업과 관련이 있는 것 같고 말이야. 상자 안에는 아마도 공채나 주식, 증권 같은 게 있는 거 아닐까?"

"그러면 왜 개가 주인을 물었을까? 그건 아니야, 왓슨. 그렇게 단순한 문제가 아니야. 지금 내가 추측하기로는……."

홈즈가 그때 무슨 말을 하려고 했는지는 알 수 없었다. 왜냐하면 그 순간 문이 열리면서 젊은 부인이 들어오는 바람에 이야기가 중단됐기 때문이다. 그런데 그 젊은 부인을 보자마자 베네트가 소리를 지르며 일어나더니 그녀에게로 확 다가갔다.

"에디스, 설마 무슨 일이 일어난 건 아니지?"

"당신 뒤를 따라왔어요. 잭, 정말 너무나 무서워서 가만히 있을 수가 없었어요. 집에 혼자 있는 게 끔찍했다고요."

"홈즈 선생님, 제 약혼녀 프레스베리 양입니다."

"일이 점점 결론으로 접어드는군. 왓슨, 그렇게 생각하지 않나?"

홈즈가 슬쩍 웃으며 말했다.

"프레스베리 양, 무슨 새로운 일이 생겼나 보네요. 우리한테 그걸 알리려고 오신 거죠?"

새로운 방문객은 전형적인 영국 숙녀 타입으로 영리하고 아름다운 얼굴을 하고 있었는데, 홈즈에게 가벼운 미소를 지으며 베네트 옆으로 가서 앉았다.

"베네트가 호텔을 떠난 걸 보고는 여기로 오면 만날 수 있을 거라고 생각했어요. 선생님께 우리 문제를 의논하러 가겠다고 저한테 얘기한 적이 있었거든요. 홈즈 선생님, 제 불쌍한 아버지를 위해서 좀 도와주시기 바랍니다, 제발."

"노력해 보겠습니다, 프레스베리 양. 그러나 아직까지는 모호한 점이 많습니다. 아마도 지금 말씀하시려고 하는 이야기 속에 중요한 실마리가 있을지도 모르겠는데요……."

"네, 어젯밤에 일어난 일이었는데요, 홈즈 선생님. 아버지가 어제 하루 종일 이상했거든요. 아버지는 가끔 무슨 일을 하셨는지 전혀 기억을 못 하실 때가 있었습니다. 그럴 때는 마치 꿈속에서 사시는 것 같지요. 어제 바로 그런 일이 있었습니다. 그러면 아버지는 저와 함께 지냈던 예전의 모습과는 완전히 다른 사람이 되곤 합니다. 겉으로 봐서는 달라진 게 없지만 내면은 완전히 다른 사람인 거죠."

"그래서 어떤 일이 있었습니까?"

"어젯밤에 개가 하도 시끄럽게 짖어 대는 바람에 저는 잠이 깼습니다. 로이는 쇠사슬에 묶어 마구간에 넣어 두었다는 건 알고 계시겠죠? 잭이 선생님께 말씀드렸을 것 같은데, 우리는 너무나 두렵기 때문에 저는 제 방문을 항상 잠그고 잡니다. 제 방은 삼층에 있는데, 창문의 블라인드가 올려져 있어서 달빛으로 환한 밖이 잘 보였습니다. 하여튼 개가 미친 듯이 짖어 대는 소리에 전 창가를 쳐다보았는데, 바로 그때 아버지가 저를 쳐다보고 있는 모습이 보이는 것이었습니다. 저는 너무나 깜짝 놀랐죠. 공포에 거의 기절할 뻔했으니까요. 아버지는 창틀을 붙잡고 한 손으로 문을 열려고 안간힘을 썼습니다. 만약 문이 열렸다면 저는 정말 기절했을 겁니다.

홈즈 선생님, 제가 헛것을 본 건 절대 아닙니다. 그렇게 생각지는 말아 주세요. 공포에 온몸이 마비되는 것 같아 제가 아버지의 얼굴을 본 건 겨우 이십 초도 안될 겁니다. 그리고는 곧 아버지가 안 보였어요. 저는 너무나 놀랐기 때문에 바로 침대에서 일어나 창 쪽으로 갈 수가 없었습니다.

그렇게 아침까지 떨면서 춥게 앉아 있다가 다시 침대에 누웠지요. 아침 식사 때 보니까 아버지는 쌀쌀한 표정에 태도도 거칠었는데, 어젯밤에 한 일은 전혀 기억을 못하는 것 같았습니다. 그래서 저는 시내에 일이 있다고 말하고는 이렇게 나온 겁니다."

홈즈는 무척 놀란 표정으로 프레스베리 양의 이야기를 듣고 있었다.

"프레스베리 양, 당신의 방이 삼층에 있다고 하셨는데 혹시 정원에 긴 사다리가 있습니까?"

"아니요. 없습니다. 저도 그게 이해가 안 되는데요. 그냥은 거기까지 올라올 수가 없거든요. 그런데 아버지는 분명히 창틀에 기대 있었어요."

그때 홈즈가 별안간 말했다.

"9월 5일에 일어난 일이군요. 그것 때문에 사건이 더 복잡하게 돌아가는데요."

프레스베리 양이 놀란 표정을 지었다.

그러자 베네트가 물었다.

"홈즈 선생님, 두 번이나 날짜를 따지셨는데, 그게 사건과 무슨 관련이라도 있습니까?"

"그럼요. 아주 중요한 관련이 있죠. 하지만 아직까지는 충분한 자료가 되지 못하고 있습니다."

"선생님께서는 혹시 달의 주기와 정신 이상과의 관계에 대해 생각하시는 건 아닙니까?"

"그건 아닙니다, 베네트 씨. 참 그 수첩을 좀 볼 수 있을까요? 기록한 날짜들을 좀 확인하고 싶어서요. 왓슨, 우리가 할 일이 이제 분명해졌네. 프레스베리 양이 얘기한 대로…… 관찰을 참 잘 하셨는데요……. 교수는 일어난 일을 전혀 기억하지 못하거나 혹은 거의 기억하지 못하는 어떤 병이 있는 것 같네. 그래서 우리가 교수를 방문해보는 게 좋을 것 같네. 교수가 우리와 약속한 것처럼 속이고 말일세. 그러면 그는 자기가 기억을 못해서 약속을 잊은 걸로 생각할 거야. 이런 식으로 그를 직접 만나볼 기회를 만드는 것이지."

"참 좋은 생각입니다. 그런데 한 가지 말씀드려야 할 건, 교수님이 이젠 평소에도 화를 잘 내고 거칠게 행동하신다는 겁니다."

베네트의 말에 홈즈가 싱긋 웃었다.

"우리가 교수를 만나 보려고 하는 건 그럴 만한 이유가 있기 때문입니다. 베네트 씨, 내일 캠퍼드에서 만납시다. 내가 맞게 기억하고 있다면, 그곳에 맛이 과히 나쁘지 않은 체커스라는 술이 있고, 그다지 더럽지 않은 여관도 있을 겁니다. 왓슨, 한 이삼 일 동안은 불편해도 어쩔 수 없이 참고 지내야겠네."

월요일 아침 우리는 유명한 대학 도시 캠퍼드로 떠났다. 홈즈는 그 여행에 대해 아무런 설명도 하지 않고 무심한 듯 앉아 있었지만, 어떤 정신병 같은 사건의 수사에 참여한 나로서는 앞으로 무슨 일이 벌어질지 몹시도 궁금했다. 홈즈는 여관에 도착해 짐을 풀 때까지도 아무런 암시조차 주지 않았다.

"왓슨, 점심 식사 전에 교수를 만나야겠네. 열한 시에 강의가 끝나고 지금은 집에 있을 거야."

"가서 뭐라고 이유를 말해야 할까?"

홈즈는 수첩을 꺼내 펼쳤다.

"8월 25일에도 이상한 증세를 보였다고 적혀 있구먼. 그날 일에 대해서도 잘 기억하지 못하고 있을 걸세. 그냥 가서 약속한 대로 왔다고 하면 그도 아니라고 하지는 못하겠지. 뭐 태연하게 우기는 수밖에는 없을 거야."

"그럼 가 보지 뭐."

"그렇지, 왓슨. 한번 해 보는 거지. 친절한 이곳 토박이가 우리를 안내해 줄 거네."

우리가 탄 마차는 고풍스러운 대학 건물을 지나 양쪽에 나무가 늘어선 도로로 접어들더니 이윽고 아름다운 집 현관 앞에 멈춰 섰다. 잘 가꿔진 잔디밭과 보라색 등나무 꽃이 어우러진 교수의 집은 꽤 고급스러워 보였다. 우리가 마차에서 내릴 때 위쪽 창가에서 회색빛 머리가 보였다. 짙은 눈썹과 커다란 안경 뒤로 날카로운 눈빛이 우리를 내려다보고 있는 것을 느낄 수 있었다.

잠시 후 우리는 그의 서재로 안내되어 들어갔다. 런던에서부터 우리를 오게 한 바로 그 장본인, 베일에 싸여 있는 그 유명한 과학자가 우리 앞에 서 있었다. 태도나 겉모습으로 봐서는 전혀 이상한 점이 없었다. 그는 코트를 입고 있었는데 체격이 꽤 큰 편이었다. 몸집이 좋고 탄탄하며, 교수라는 직업에 걸맞게 위엄도 풍기고 있었다. 그러나 그의 외모에서 가장 눈에 띄는 부분은 눈빛이었다. 예리하고 신중하며 영리하게 보이는 데다 심지어 교활해 보이기까지 했다. 그는 우리가 내민 명함을 들여다보았다.

"앉으세요. 그런데 무슨 일로 저를 찾아오셨습니까?"

홈즈는 유쾌한 미소를 지어 보였다.

"교수님, 그건 제가 여쭤 볼 말씀입니다."

"나에게요?"

"그럼 아닌가요? 저는 어떤 사람한테서 캠퍼드의 프레스베리 교수가 저의 도움을 요청한다는 이야기를 들었습니다만."

"그래요?"

그의 강렬한 잿빛 눈이 못마땅한다는 듯 의혹으로 가득 찼다.

"그런 이야기를 누구한테서 들으셨는지, 그 사람의 이름을 좀 알고 싶습니다."

"죄송하지만 교수님, 그건 비밀이라 말씀드리기가 곤란합니다. 만약 제가 잘못 들은 거라면 폐를 더 끼치기 전에 물러가겠습니다. 죄송합니다."

"아니 괜찮습니다. 그보다는 자세한 내용을 좀 알고 싶습니다. 무척 흥미로운 일이니까요. 그것을 증명할 만한 무슨 종이나 편지 또는 전보 같은 거라도 갖고 계십니까?"

"아니요. 아무것도 없습니다."

"그럼 여기에 올 정당한 핑계가 없는 거군요."

"대답을 피하겠습니다."

홈즈가 단호하게 말했다.

"좋아요. 아무것도 묻지 않겠습니다."

그러면서 교수는 거칠게 말을 이었다.

"선생이 말 안 해도 내가 다 알아낼 수 있어요."

그는 방을 나가더니 벨을 눌렀다. 베네트가 곧 서재로 달려왔다.

"베네트, 이 두 분은 런던에서 오셨는데, 나와 약속이 돼 있어서 왔다고 하시는구나. 자네가 내 편지들을 다 정리하고 있으니까 묻는 건데, 혹시 홈즈라는 사람한테 내가 편지를 보낸 적 있나?"

"못 봤습니다, 교수님."

베네트의 얼굴이 약간 붉어졌다.

"자, 이제 끝났어요."

교수는 홈즈를 노려보듯 쳐다보았다. 그리고는 탁자 위로 두 손을 올려놓고 몸을 앞으로 기댔다.

"가만 보니 선생의 행동이 몹시 의심스럽소."

"소란을 피워서 죄송합니다."

홈즈가 어깨를 움츠리며 말했다.

"그걸로 변명이 될 줄 아오, 홈즈 선생!"

교수는 매우 불쾌한 표정으로 고함을 치며 문으로 다가가 가로막고 섰다. 그리고는 흥분해 격렬한 몸짓으로 두 손을 흔들었다.

"쉽게 이 방을 나갈 수 있을 거라고 생각해요? 착각 마시오."

교수는 분노해 큰 소리를 지르더니 얼굴에 경련을 일으키며 미친 사람처럼 계속 중얼거렸다. 베네트가 말리지 않았더라면 그보다 훨씬 더한 소란이 일어났을 뻔했다.

"교수님! 참으십시오! 괜한 물의라도 일으키면 어떡하시겠습니까? 홈즈 선생님은 유명하신 분입니다. 저분을 이렇게 대하시면 안 됩니다."

교수는 씩씩거리며 마지못해 서재를 떠났다. 우리는 그 집을 나와 조용한 거리로 들어섰다. 소란이 있었지만 홈즈는 아주 재미있어했다.

"어쨌든 교수의 정신이 정상은 아닌 것 같아. 우리가 갑자기 들이닥친 게 좀 무례하긴 했지만, 아무튼 그를 찾아간 건 잘한 일이었어. 우리가 바란 대로 말이야. 그런데 왓슨, 그가 지금 우리 뒤를 따라오고 있는 것 같군. 저 망할 영감이 우리를 쫓아오고 있어."

아닌 게 아니라 뒤에서 뛰어오는 발소리가 들렸다. 그러나 다행히도 그건 사나운 교수가 아니라 그의 조수인 베네트였다. 그는 커브를 돌아 우리 쪽으로 헐떡거리며 달려오고 있었다.

"홈즈 선생님, 죄송합니다. 사과드리려고 왔습니다."

"그럴 필요는 없어요. 일을 하다가 문제가 생기는 건 아무렇지도 않으니까요."

"교수님이 그렇게 화내시는 건 한 번도 본 적이 없습니다. 점점 더 심해지시는 것 같아요. 에디스와 제가 왜 그렇게 불안해 하고 있는지 이해가 되시죠? 그런데 교수님의 지적인 면은 아주 멀쩡하거든요."

"그렇더군요. 그 점에 대해서는 내가 잘못 판단한 것 같소. 그의 기억력은 내가 추측했던 것보다 훨씬 더 좋더군요. 그럼, 우리가 이왕 여기 온 김에 프레스베리 양의 방 창문을 좀 봤으면 하는데요."

베네트는 그러라며 수풀 쪽 길로 앞장서면서 건물의 한쪽이 보이는 지점으로 우리를 안내했다.

"바로 저깁니다. 왼쪽에서 두 번째 창문이요."

"아, 저기는 도저히 그냥 올라갈 수가 없겠는데……. 창문 아래로 덩굴나무라도 있는지, 아니면 밟고 올라설 수 있는 홈통 같은 게 있는지 혹시 살펴봤습니까?"

"네, 혼자서는 도저히 올라갈 수가 없습니다."

베네트가 말했다.

"나도 그렇게 생각하는데, 만약 누가 저기를 기어서 올라간다면 그건 모험이겠지."

"홈즈 선생님, 한 가지 새로운 사실을 더 알려드리겠습니다. 교수님이 따로 편지를 보내는 그 상대방의 주소를 하나 알아냈습니다. 런던에 사는 걸로 돼 있더군요. 교수님이 오늘 아침에 편지를 쓰시기에 그분이 사용하셨던 잉크 압지를 몰래 들여다봤습니다. 신뢰받는 비서로서 이런 수치스런 행동을 하는 것이 도리에 어긋나는 일이라는 건 알고 있지만 주소를 알아내려면 어쩔 수가 없었습니다."

홈즈는 베네트가 내민 압지를 잠깐 보더니 호주머니에 집어넣었다.

"도라크? 참 이상한 이름이군. 슬라브계인 것 같은데, 이게 중요한 단서가 될 것 같군요. 베네트 씨, 우리는 오후에 런던으로 돌아가겠습니다. 여기에 더 있을 필요가 없어서요. 교수가 무슨 범법 행위를 한 것도 아니니까 그를 체포할 수도 없고, 그렇다고 미친 것도 아니니 감금할 수도 없고요. 아무튼 지금으로선 어떠한 조치도 할 수가 없습니다."

"그럼 어떻게 해야 합니까?"

"베네트 씨, 좀 더 두고 기다리는 수밖엔 없습니다. 어떤 사건이 곧 벌어질 것 같은데, 내 추측이 맞는다면 다음 주 화요일에 결정적인 일이 일어날 겁니다. 그날 다시 이곳으로 오겠소. 그런데 프레스베리 양이 그동안 힘들 것 같아서……."

"그건 걱정하지 마세요."

"위험이 사라질 때까지라도 그녀를 다른 곳에 있도록 하는 게 좋을 거요. 교수는 제멋대로 행동하든지 말든지 내버려 두고요. 그를 방해하면 절대로 안 됩니다. 그의 감정을 건드리지 않는 게 중요해요. 그러면 아무 문제없을 겁니다."

"저쪽을 보세요."

베네트가 놀란 얼굴로 속삭였다.

나무 사이로 키 큰 교수의 모습이 보였는데 현관 밖으로 나와 베네트를 찾고 있는 것 같았다. 그는 상체를 앞으로 내밀고 팔을 휘두르며 사방을 두리번거리고 있었다. 교수가 급기야 우리 쪽을 쳐다보자 베네트는 숲을 지나 교수에게로 달려갔다. 그 두 사람은 뭔가 흥분된 목소리로 얘기하며 집 안으로 들어갔다.

여관으로 돌아오는 길에 홈즈가 말했다.

"내 그럴 줄 알았어. 교수가 베네트를 혼자 있게 내버려 두지 않아. 그를 잠깐 봤지만 정말 대단히 명석하고 논리적인 두뇌의 소유자라는 걸 알 수 있겠더구먼. 탐정이 자신의 뒤를 추적하고 있다는 사실을 알고는 감정이 미칠 듯이 폭발했던 거라네. 그는 딸과 베네트가 탐정을 끌어들인 거라고 의심하고 있을 거야. 그래서 지금 아마 베네트한테 난리를 치고 있을 걸세."

홈즈는 우체국으로 들어가 전보를 치고 나왔다. 그리고 저녁 때 답장이 왔는데 홈즈는 그걸 읽어 보더니 나한테 내밀었다.

〈커머셜 거리로 가서 도라크 씨를 만났음. 나이가 좀 든 친절한 보헤미안임. 큰 잡화상을 하고 있음. 머서.〉

"머서는 오래전부터 나를 도와주고 있는 사람이네. 모든 사업에 관해 모르는 게 없는 백과사전이지. 교수가 비밀스럽게 편지를 교환하는 도라크의 정체를 빨리 알아내는 게 중요했다네. 그런데 그가 보헤미안이라는 거 보면 교수가 프라하에 간 것과 무슨 관련이 있는 것 같은데."

"그렇다면 이제 일이 슬슬 풀리기 시작하겠군. 지금까지는 도통 연관 관계라고는 없는 이상한 사건들의 벽에 계속 부딪히는 느낌이었거든. 예를 들면 그 사나운 개와 교수가 보헤미아에 간 게 무슨 관련이 있으며, 또 교수가 밤에 복도를 기어다녔다는 것과 위의 두 사건 사이에 무슨 관련이 있느냐는 말이지. 그리고 자네가 중요하게 생각하고 있는 그 날짜 문제도 정말 이해하기가 곤란하네, 나로서는 말이야."

홈즈는 슬며시 웃으며 두 손을 대고 문질렀다. 홈즈가 전날 얘기했던 그 유명한 포도주라는 체커스 한 병을 탁자 위에 올려놓고 우리는 오래된 여관의 허름한 거실에 앉아 있었다.

"그럼 내가 날짜 문제에 대해서 먼저 설명을 해주겠네."

홈즈는 말을 꺼내면서 두 손 끝을 맞대고 마치 강의를 하듯 자세를 잡았다.

"그 성실한 비서의 기록을 보니까, 7월 2일부터 그런 이상한 일이 시작됐는데, 처음 딱 한 번 빼고는 그 후로 정확히 9일 간격으로 똑같은 발작이 일어났다고 돼 있더라고. 마지막 발작이 지난 금요일 그러니까 9월 3일에 일어났고, 또 그전의 발작도 9일 전인 8월 25일에 일어났었네. 이건 그냥 우연의 일치가 아니라네."

홈즈는 내가 자신의 의견에 동의하기를 강요하며 설명을 이어갔다.

"이제 가정을 한번 세워 볼까? 교수는 9일 간격으로 어떤 독한 약을 복용했는데, 그게 지속 시간은 아주 짧지만 엄청 해로운 성분이 들어 있는 약이라네. 내 추측이 틀림없어. 그의 성질은 원래도 난폭한 데가 있었는데 그 약을 복용한 이후로 더 심해졌지. 그가 프라하에 간 건 그 약의 사용법을 알기 위해서였고, 지금은 런던의 그 보헤미안 상인을 통해 약을 구입하고 있다네. 왓슨, 이제 모든 게 연결되지 않나?"

"그러면 개가 교수를 문 사태와, 교수가 딸의 방 창문을 통해 안을 들여다본 이유, 그리고 밤에 복도를 기어다닌 이유, 이것들은 어떻게 설명할 텐가?"

"이제 겨우 시작인데 뭘. 다음 주 화요일까지는 아무 일도 안 일어날 테니까, 그동안 우리는 베네트와 연락이나 하면서 이 멋진 대학 도시에서 쉬고 있자고."

아침이 되자, 베네트가 여관으로 찾아와 어제의 일을 보고했다. 그는 홈즈가 예상한 대로 교수한테 엄청 혼이 난 것 같았다. 우리가 그 집에 들이닥친 것에 대해 직접 따지지는 않았지만, 계속 불쾌감을 드러내며 심지어 베네트에 대해서도 깊은 불신을 품게 되었다는 것이다. 그러나 아침엔 여느 때와 마찬가지로 학생들에게 엄청 인기 있는 훌륭한 강의를 하러 학교에 갔다는 것이다. 그러면서 베네트가 말했다.

"괴상한 발작 증세에도 불구하고 교수님의 정력과 활력은 더 왕성하신 것 같습니다. 두뇌도 더 명석해지신 것 같고요. 그러나 어쨌든 그분은 전혀 다른 사람으로 변했습니다."

"앞으로 일주일 동안은 아무 일도 없을 겁니다. 나도 바쁘고 왓슨도 환자를 봐야 하니까 다음 주 화요일 이 시간에 여기서 다시 봅시다. 그때는 내가 모든 것을 해결할 것 같소. 그동안 무슨 일이 생기면 곧바로 알려 주시오."

런던으로 돌아온 뒤 며칠 동안은 홈즈를 만나지 못했다. 그리고 월요일 저녁이 되자 홈즈로부터 내일 역에서 만나자는 편지가 왔다. 그래서 우리는 다시 기차를 타고 캠퍼드로 가게 되었는데, 가는 도중 홈즈의 얘기를 들어 보니 그동안엔 정말 아무 일도 일어나지 않았고 교수의 행동도 정상이었다고 했다. 저녁 때 베네트가 우리의 숙소로 찾아왔다.

"오늘 런던에서 우편물이 왔습니다. 제가 못 열어 보고 교수님이 직접 열어 보시는 그 십자 표시된 편지 말이죠. 그리고 물건도 하나 같이 왔습니다. 그것 외에 다른 일은 없었습니다."

"그 정도면 됐습니다."

홈즈는 뭔가 음침한 미소를 지었다.

"베네트 씨, 오늘 밤이면 모든 것이 밝혀질 겁니다. 내 추리가 정확하다면 지금부터 계획을 세워야 할 것 같군요. 베네트 씨는 교수의 행동을 계속 관찰해야 합니다. 오늘 밤에는 잠자지 말고 지켜보세요. 그래서 교수가 당신의 방 앞을 지나갈 때 소리 안 나게 그의 뒤를 살금살금 쫓아가 보세요. 왓슨과 나는 집 밖에서 지키고 있겠습니다. 그런데 당신이 얘기한 그 작은 상자 열쇠가 어디에 있는지 혹시 압니까?"

"그건 교수님의 시곗줄에 묶여 있습니다."

"상자 안의 내용물을 꼭 봐야 되는데……. 최악의 경우 상자를 부숴서라도 봐야 할 것 같소. 집에 다른 사람은 더 없나요?"

"맥페일이라는 마부가 있습니다."

"그의 방은 어딘가요?"

"마구간 위에 있습니다."

"그에게 도움을 부탁해야겠군. 이제 일이 벌어질 때까지 기다리는 수밖에 없습니다. 베네트 씨, 잘 가시오. 내일 아침이 되기 전에 다시 만나게 될 겁니다."

자정쯤 되자 우리는 여관을 떠나 교수의 저택 건너편에 있는 수풀 속으로 숨어 들어갔다. 밤이 상쾌하긴 했지만 좀 추웠다. 두꺼운 코트를 입고 온 게 다행이었다. 바람이 약간 불었고 구름이 이따금 반달을 가리며 지나가고 있었다. 어떤 일이 벌어질지, 기대와 흥분이 없었다면 사실 으스스한 밤샘이었을 것이다. 참으로 이해할 수 없는 사건이지만 이제 결말이 다가오고 있다고 홈즈가 워낙 큰 소리로 확신하는 바람에 나는 잔뜩 긴장을 한 채 그 집을 지켜보았다.

"만약 9일 간격이 맞아떨어진다면 오늘 밤에 분명히 교수가 발작을 일으킬 거야. 발작 증세는 그가 프라하에 다녀온 뒤부터 생겼지. 런던의 그 보헤미안은 프라하에 있는 사람의 대리인으로 비밀리에 교수에게 약을 공급해 주고 있는 거라네. 오늘도 무슨 물건이 왔다고 하지 않았나? 그런데 그가 받는 약이 무엇인지, 왜 그 약을 먹는지는 아직도 모르겠네. 어쨌든 모든 일은 프라하에서 꾸며진 것이 확실해. 아마도 9일 간격으로 약을 복용하라는 지시를 받은 것 같네. 난 사실 이 점에 제일 먼저 주의를 했지. 그런데 그 후유증이 엄청 심한 것 같더군. 자네, 그 사람 손가락 봤나?"

나는 못 봤다고 했다.

"그렇게 툭 튀어나온 손가락 마디는 평생 처음 봤거든. 왓슨, 나는 사람을 볼 때 항상 손부터 먼저 보는 습관이 있다네. 그런 다음엔 소매 끝, 바지 무릎 부분, 그리고 신발을 관찰하지. 그렇게 불거진 관절은 인간의 진화 과정에서나 볼 수 있을 거야."

홈즈는 갑자기 말을 중단하더니 손으로 이마를 탁 쳤다.

"세상에, 왓슨. 내가 정말 한심했었군! 도저히 믿을 수 없는 일이야. 그래도 그게 틀림없이 맞아. 이제 모든 걸 알게 되었네. 내가 왜 진즉 그 생각을 못했을까? 손가락 뼈를 보고도 그렇게 무심히 지나치다니! 그리고 개! 담쟁이 덩굴! 내가 꿈속을 헤매고 있었나? 저기 좀 보게, 왓슨. 교수가 나오고 있어. 그의 행동을 잘 관찰하게."

현관문이 천천히 열리면서 거실의 불빛을 뒤로 한 채 체구가 큰 프레스베리 교수가 밖으로 나오고 있었다. 그는 실내복을 입고 있었다. 그는 문밖에서 몸을 똑바로 펴더니 팔을 앞으로 내밀었다. 그리고 찻길로 내려섰는데, 그의 모습이 갑자기 변하기 시작했다. 웅크리는 것 같은 동작으로 상체를 아래로 숙이고는 손과 발을 땅에 짚는 것이었다. 그리고는 힘찬 기운으로 이리저리 껑충거리며 뛰어다녔다. 그렇게 현관 앞에서 몇 번 왔다갔다 하더니 다른 쪽으로 뛰어갔다. 그때 베네트가 현관 밖으로 나와서 그의 뒤를 조심스럽게 따라갔다. 홈즈가 외쳤다.

"왓슨, 이리 와 보게."

우리는 그 집의 뒤쪽에 있는 숲으로 가서 다시 숨어 있었다. 달빛 아래서 모든 것이 환하게 보였다. 담쟁이 덩굴로 뒤덮인 담 아래쪽에 교수가 있는 게 보였다. 그는 갑자기 믿을 수 없을 만큼 가벼운 동작으로 담을 기어오르기 시작했다. 그러고는 나뭇가지를 이쪽저

쪽으로 붙잡고 다니며 너무나 쉽게 계속 위로 올라갔다. 특별한 목적이 있어서 그렇게 하는 게 아니라 그저 재미로 하는 행동인 것 같았다. 그의 실내복이 움직일 때마다 펄럭거려서 마치 커다란 박쥐가 담벼락에 달라붙어 있는 것 같았다. 그는 곧 싫증이 났는지 아래로 내려오더니 다시 땅에 엎드려 계속 괴상한 동작으로 이번엔 마구간으로 뛰어갔다.

한참 전부터 짖어 대던 개가 마구간 밖에 나와 있다가 주인의 모습을 보고는 갑자기 흥분해 미친 듯이 날뛰었다. 쇠사슬이 당겨지는데도 몸을 떨며 무섭게 짖고 있었다. 교수는 개 옆으로 다가가더니 자극하기 시작했다.

돌멩이를 집어 와 개 얼굴에 던지는가 하면 나뭇가지를 꺾어 개의 입에 대고 휘두르면서 위협을 가했다. 교수는 완전히 미친 사람처럼 개를 놀려 대며 분노를 자극하고 있었다. 우리는 그동안 많은 사건들을 봐 왔지만 이렇게도 기괴하고 혐오스러운 장면은 처음 보았다. 멀쩡한 교수가 개구리처럼 땅바닥에 쭈그리고 앉아 온갖 잔인한 방법으로 개를 고문하자, 독이 오를 대로 오른 개는 그를 물어 죽이려고 안간힘을 쓰고 있었다.

바로 그때였다. 쇠사슬은 그대로 있었지만 개목걸이가 컸기 때문에 목이 거기서 빠져나온 것이었다. 개목걸이가 땅에 떨어지는 소리가 들리기 무섭게 그 개는 교수에게로 달려들어 땅바닥에서 엉키기 시작했다. 개가 으르렁거리자 교수도 동물의 소리 같은 괴이한 공포의 소리를 질러 댔다. 그 장면은 교수의 일생에 있어서 정말이지 가장 극적인 순간이 아니었나 싶다. 성난 개는 그의 목을 물어뜯었다. 송곳니로 깊숙이 물었기 때문에 우리가 그쪽으로 달려갔을 때 교수는 이미 의식을 잃고 있었다. 우리도 개 옆으로 접근하는 건 위험한 일이었지만, 베네트가 외치는 소리를 듣고 개는 금방 순하게 물러났다. 마부도 잠에서 깨어 마구간 위에서 내려왔다.

"그럴 줄 알았습니다."

마부가 머리를 흔들며 말했다.

"전에도 여러 번 이런 일이 있었습니다. 그래서 언젠가는 이런 불상사가 일어날 줄 알았죠."

우리는 개를 다시 가두고 교수를 집 안으로 옮겼다. 의사 면허를 가지고 있는 베네트가 나를 도와 교수의 상처를 치료했다. 날카로운 이빨이 경동맥 근처를 스쳐 출혈이 심하게 일어나는 바람에 몹시 위험했지만, 다행히도 30분 정도 지나자 위험한 고비는 넘어갔다. 교수는 모르핀 주사를 맞고 깊은 잠에 빠져들었다. 우리는 일단 안도했다.

"일류 외과의사의 치료를 받아야 할 것 같군요."

내가 말했다.

"안 됩니다. 이 일이 밖으로 새 나가면 안 됩니다. 만약 소문이라도 난다면 걷잡을 수 없이 퍼져 나갈 겁니다. 대학에서의 권위와 유럽 전체에 알려진 명성과 그리고 딸의 입장을 생각해 보십시오."

베네트의 주장에 홈즈가 대꾸했다.

"그렇겠군요. 그럼 우리만 아는 비밀로 합시다. 그런데 이런 일이

다시 일어나지 않도록 빨리 조치해야 할 일이 있어요. 베네트 씨, 교수의 시곗줄에서 열쇠를 빼 오세요. 그리고 맥페일은 환자를 지키고 있다가 무슨 일이 생기면 우리한테 알려 주셔야 돼요. 그동안 우리는 비밀의 상자를 열어 봐야 되겠소."

베네트가 가져온 열쇠로 상자를 열었는데, 특별한 것은 없었지만 그것만으로도 모든 것을 한눈에 알 수 있었다. 그 안엔 빈 약병 하나, 물약이 들어 있는 병 하나, 주사기 하나, 그리고 알아보기 힘든 글씨로 쓰여 있는 편지 몇 통이 들어 있었다. 편지의 봉투엔 비서가 열어 보면 안 된다는 십자 표시가 있었고, 주소는 전부 커머셜 거리의 A. 도라크라고 돼 있었다. 편지 내용은 프레스베리 교수에게 새 물약을 보낸다는 청구서와 돈을 받았다는 영수증밖에 다른 내용은 없었다. 그리고 봉투 하나가 또 있었는데, 거기엔 교양 있어 보이는 필체로 주소가 씌어 있었고 프라하의 소인이 찍힌 오스트리아 우표가 붙어 있었다.

"이게 중요한 단서 같구먼."

홈즈는 소리를 지르며 편지를 꺼내 읽었다.

"〈존경하는 선생님께

선생님이 여기 다녀가신 뒤로 저는 선생님의 치료법에 대해 깊이 생각해 봤습니다. 물론 특별한 사정이 있어서 저의 치료를 받으려고 하시는 것 같은데, 이 치료에는 그동안의 실험 결과에 의하면 다소간의 위험한 부작용이 따르고 있기 때문에 그 점을 미리 알고 계셔야 할 것 같습니다.

유인원의 혈청이 우수한 효능을 가지고 있는 것은 알고 있지만, 지난번에 말씀드렸듯이 그건 구할 수가 없어서 대신 얼굴이 검은 인도산 원숭이의 혈청을 사용했습니다. 원숭이는 기어다니기도 하고 나무에 오르기도 하지만, 유인원은 서서 걸을 수도 있어서 사람과 비슷한 점이 있으므로 유인원이 더 낫다는 것은 분명한 사실입니다.

그런데 한 가지만 부탁드리고 싶은 게 있습니다. 선생님이 저의 치료를 받고 있다는 사실을 아무에게도 발설하시면 안 됩니다. 영국인 고객으로는 선생님 외에 또 한 분이 있는데, 도라크라는 제 대리인이 두 분께 약을 공급해 드릴 겁니다.

매주 치료 결과를 알려 주시기 바랍니다.

그럼 안녕히 계십시오.

H. 로웬슈타인〉"

로웬슈타인! 그에 대한 기사를 신문에서 읽은 적이 있었다. 회춘의 비밀과 불로장생을 위한 약을 연구하고 있는 희귀한 과학자라고 했다. 프라하의 로웬슈타인! 그는 신비한 정력 강장제인 혈청을 연구했다고 발표했는데, 그 혈청의 출처를 정확히 밝히지 않았기 때문에 그 치료법은 금지되고 있었다. 나는 내가 아는 대로 간단히 설명해 주었다. 베네트는 책장에서 동물학 관련 책을 하나 꺼내 들더니 읽기 시작했다.

“‘랑구르(긴꼬리원숭이), 히말라야 산맥에 서식하는 얼굴이 검은 커다란 원숭이의 일종으로, 원숭이 종류 중에서는 인간의 모습과 가장 유사함.’ 그리고 자세한 설명이 더 있는데, 이것으로 충분할 것 같습니다. 홈즈 선생님, 감사합니다. 이제 모든 의혹이 풀렸습니다.”

홈즈가 설명을 풀어 나갔다.

“진짜 원인은 말이죠, 뒤늦게야 사랑에 빠진 교수가 좀 성급했다는 겁니다. 젊음을 되찾고 싶었던 것이죠. 자연의 섭리를 거스르려고 하면 모든 것은 파괴될 수밖에 없습니다. 주어진 운명의 길을 가지 않고, 인간이, 더구나 교수 같은 지식인이 동물로 되돌아가려고 하다니!”

홈즈는 작은 유리병을 들고 그 안에 들어 있는 맑은 액체를 살펴보며 자리에 앉았다.

“로웬슈타인에게 이 약의 독성에 대해 형사 책임을 져야 한다고 편지를 써야겠소. 그 이상 우리가 취할 조치는 없는 것 같군요. 그러나 이런 일은 앞으로 또 일어날 겁니다. 다른 사람들이 더 나은 방법도 연구하겠지요. 젊어지고 싶어 하는 인간의 본능이 존재하는 한 이런 위험은 언제나 있을 겁니다. 왓슨, 그렇게 생각지 않나? 물질이나 쾌락 같은 세속적인 즐거움만 추구하는 인간들은 하나같이 오래 살고 싶어서 안달하고 있지. 그러나 정신적인 것을 존중하는 사람들은 자연의 순리를 피하려 하지 않고 묵묵히 받아들인다네. 도대체 이놈의 세상이 무슨 구정물을 뒤집어쓰려고 이러는지 모르겠구먼.”

홈즈는 갑자기 꿈에서 깨어나 현실로 돌아온 사람처럼 의자에서 벌떡 일어났다.

"베네트 씨, 이제 더 이상 할 말이 없군요. 그동안 일어난 여러 사건들을 연결 지을 수 있겠죠? 개는 주인이 변한 것을 당신보다 훨씬 더 빨리 알아챈 겁니다. 왜냐하면 개는 냄새로 알았으니까요. 로이가 문 건 교수가 아니라 원숭이였습니다. 또 로이를 학대하고 놀린 것도 원숭이였고요. 원숭이는 높은 곳에 올라가는 걸 좋아하니까 그냥 딸의 방 창문까지 올라갔던 겁니다. 여보게 왓슨, 런던으로 가는 기차가 아침 일찍 있는데 떠나기 전에 체커스에 가서 차나 한 잔 마시기로 하세."

누런 얼굴

내 친구 셜록 홈즈가 매우 드문 특별한 재능을 가진 덕분에 나는 그의 수많은 모험담을 들을 수 있었고, 가끔은 나도 그 이야기 속에 직접 등장하기도 했다. 그래서 그 사건들을 죽 모아 나는 현재 단편 시리즈를 발표하고 있는데, 아무래도 홈즈가 수사에 실패한 이야기보다는 성공한 이야기들을 더 다루게 되는 것 같다. 그건 내가 일부러 그의 명성을 더 드높이고자 하는 의도에서 그런 것이 아니라, 그는 도저히 풀 수 없을 것 같은 어려운 사건에 부딪칠수록 더 활동이 왕성하고 상상할 수 없는 재능을 발휘해 내기 때문에, 말하자면 그런 사건들이 더 재미있기도 하기 때문이다. 한편 내가 홈즈의 실패담을 잘 기록하지 않는 이유는, 그가 해결하지 못할 정도의 사건이라면 그 누가 손을 댄들 거의 틀림없이 미궁으로 빠져 버리고 말 거라는 것을 내가 잘 알고 있기 때문이다.

그런데 아주 드문 일이긴 하지만, 홈즈가 해결하지 못했던 사건 가운데 나중에 그 진상이 밝혀진 경우도 있긴 했다. 그래서 나는 그런 사건 몇 가지를 따로 노트에 적어 두었는데, 그중에서 '두 번째 얼룩' 사건과 이제부터 얘기하려는 것 두 가지가 가장 흥미로운 것이었기 때문에 여기서 기록을 해 보려 한다.

셜록 홈즈는 운동이라는 것을 따로 하지 않았다. 그런데 홈즈만큼 운동을 잘하는 사람도 드물었다. 특히 권투에서 출중한 실력을 보이고 있는데, 중량급에서는 내가 본 적이 없을 만큼 가장 뛰어난 선수 가운데 한 명이었다. 하지만 그는 목적 없이 하는 육체 운동을 정력 낭비로 여기기 때문에, 뭔가 직업상의 이유가 없이는 별로 몸을 움직이려고 하지 않았다. 그런데도 피로 같은 건 느끼지 않았다. 그런 상황 속에서도 잘 단련되어 있는 걸 보면 참 희한했다. 그는 식사도 대체로 부실했고, 거의 엄격하다고 할 정도로 간소했다. 이따금 코카인을 복용하긴 하지만, 그건 사건이 없을 때나 신문도 도무지 읽을거리가 없을 때 심심풀이로 하는 정도였다. 그 외에 다른 악습은 전혀 없었다.

초봄의 어느 날이었다. 홈즈가 마침 한가한 터라 우리는 함께 하이드 파크로 산책을 갔다. 느릅나무에는 파란 새싹이 움트기 시작했고, 창날 같은 호두나무의 싹도 다섯 개의 잎사귀로 막 피어나고 있었다. 서로 잘 아는 사이에서는 흔히 있는 일이지만, 우리는 거의 아무 말도 안 하고 두 시간 동안이나 여기저기를 걸어다녔다. 그러다가 베이커 거리로 돌아왔는데, 그때가 거의 다섯 시 무렵이었다.

"죄송합니다."

하인이 문을 열어 주면서 말했다.

"조금 전에 어떤 분이 찾아오셨습니다."

홈즈는 후회스러운 듯 나를 쳐다보며 말했다.

"오후 산책은 이제 안 갈 거야!"

"그럼 벌써 돌아갔겠네."

"네."

"왜 안에서 기다리시라고 안 했나?"

"네, 그렇게 했습니다."

"얼마나 기다렸는데?"

"삼십 분쯤이요. 무슨 급한 일이 있는지 기다리시면서도 계속 왔다갔다 하거나 발을 구르거나 그러셨습니다. 저는 방 밖에서 기다리고 있었기 때문에 잘 들렸습니다. 그러다가 복도로 나오시더니 이렇게 말씀하시더군요.

'이 친구는 이제 안 돌아오는 건가.'

뭐, 이런 말 비슷했어요. 그래서 제가 그랬죠.

'조금만 더 기다리고 계시면 돌아오실 겁니다.'

'그럼, 밖에서 기다리겠네. 좀 답답해서 말이야. 잠시 후 다시 오겠네.'

그분은 이렇게 말씀하시더니 갑자기 나가셨습니다. 제가 뭐 다른 말을 해도 안 계실 것 같아서 그냥 내버려 뒀습니다."

"좋아, 좋아, 잘했어."

홈즈가 방으로 들어가며 말했다.

"하지만 좀 아까운걸, 왓슨. 사건이 생기길 기다리고 있었는데 말이야. 그 사람의 행동을 들으니까 뭔가 아주 초조했던 것 같은데, 아마도 큰 사건이 아니었을까 싶네. 아니! 저게 뭐야? 테이블 위에 있는 건 자네 파이프가 아니잖나! 그 사람이 놓고 간 건가? 이거 굉장히 오래된 파이프인데. 담배 장수들이 흔히 말하는 호박 물부리가 길게 달려 있군. 런던에 진짜 호박 물부리가 얼마나 있을까? 화석의 곤충이 들어 있기 때문에 진짜는 알아볼 수 있다고 하지만, 가짜 호박에 가짜 곤충을 넣어도 아마 꽤 잘 팔릴걸. 그런데 이런 파이프라면 꽤나 소중하게 다룰 텐데, 이걸 잊어버리고 간 걸 보면 아마도 뭔가 걱정거리가 있어서 허둥댄 건 같은데."

"소중하게 다룬다는 걸 어떻게 알 수 있는데?"

내가 물었다.

"이 파이프의 원래 가격은 칠 실링 육 펜스쯤 하겠지. 자 여길 좀 보게. 두 군데나 수리를 했군. 물부리를 끼우는 나무 부분과 호박을 연결하는 부분 말이야. 이렇게 은고리로 수선을 했는데, 두 군데 다 수선비가 원래 산 값보다 더 비쌌을 거야. 그 돈으로 새 것을 사기보다 수리해서 쓰는 걸 더 좋아한다면 아주 애착을 갖고 있다는 얘기지."

"그 밖에 또 뭐가 있나?"

그가 파이프를 손에 들고 빙빙 돌리면서 늘 그렇듯 뭔가 곰곰이 생각하고 있는 것 같아서 내가 또 물었다.

그는 파이프에 눈을 바짝 대고 들여다보며 마치 골격에 대해 강의하는 교수처럼 긴 가운뎃손가락으로 그걸 톡톡 두들겼다.

"파이프가 때로는 아주 흥미로운 점이 있지."

그가 말했다.

"회중시계와 구두끈을 빼고, 파이프만큼 그 주인의 개성을 잘 나타내는 것도 아마 없을 거야. 뭐 이건 딱히 중요한 특징이랄 것도 보이지는 않지만 말일세. 이 파이프의 주인은 건장한 체격을 하고 있고 왼손잡이에다 치아가 아주 고른 사람인 게 틀림없네. 그리고 성격은 대범한 편이고 경제적 어려움이 없는 남자지."

홈즈는 그저 별것 아니라는 듯 그렇게 말하고는 내 반응을 살피기 위해 나를 힐끗 쳐다보았다.

"칠 실링짜리 파이프로 담배를 피우니까 경제적 어려움이 없는 사람이라는 뜻인가?"

"이건 일 온스 팔 펜스짜리 그로스베너 담배일세."

홈즈는 담뱃재를 손바닥에 털어 내며 대답했다.

"이것의 반값만 해도 웬만한 담배는 다 피울 수 있으니까 돈에는 걱정이 없는 사람이라는 거네."

"그 밖에는?"

"이 남자는 파이프에 불을 붙일 때 램프나 가스 불을 쓰는 습관이 있네. 여길 보게. 한쪽이 이렇게 꺼멓게 돼 있지 않나. 성냥으로는 이렇게 되지가 않거든. 성냥불을 파이프 옆쪽에다 대는 사람은 없을 테니까 말일세. 그런데 램프 불로 파이프에 불을 붙이면 옆이 이렇게 검게 그을리게 되지. 게다가 그을려 있는 쪽은 오른쪽이야. 그러니까 이 사람은 왼손잡이라고 추정하는 걸세. 램프에 파이프를 대 보게. 오른손잡이라면 왼쪽을 램프에 갖다 대는 것이 자연스럽다는 걸 알게 될 거야. 어쩌다 반대로 할 때도 있겠지만, 아무튼 자주 할 수는 없을 거네. 이 파이프는 항상 왼손으로 쥐고 있는 것 같군. 그리고 이 남자는 호박의 물부리를 물고 있어. 호박을 물어 이렇게 자국까지 나려면 힘이 좋고 치아가 고른 사람인 게 분명해. 그런데 이 사람이 계단을 올라오고 있는 것 같은데. 이제부터 파이프 따윈 집어치우고 재미있는 일이나 기대해 보세."

잠시 후 문이 열리면서 한 젊은 남자가 방으로 들어섰다. 키가 크고 고급 티가 나는 짙은 회색 옷을 입고 챙이 넓은 밤색 중절모자를 손에 들고 있었다. 얼른 봤을 때는 서른 살 정도라고 생각했었는데, 가만히 보니까 그보다는 더 나이가 들어 보였다.

"죄송합니다."

남자가 좀 어려워하며 말했다.

"노크를 했어야 하는데, 노크하는 게 당연한데 실례했습니다. 걱정거리 때문에 그만, 이해해 주십시오."

남자는 곧 쓰러질 것처럼 이마에 손을 대고는 주저앉듯 소파에 풀썩 앉았다.

"한 이틀 밤을 통 못 주무셨군요?"

홈즈는 편하고 다정한 어투로 말했다.

"불면은 일할 때나 놀 때보다 더 신경을 압박하니까요. 그런데 무슨 일로 오셨습니까?"

"도움 말씀을 좀 얻고 싶어서요. 저는 어떻게 해야 할지 모르겠습니다. 이제 제 인생은 완전히 꼬여 버린 것 같습니다."

"나에게 탐정 일을 의뢰하고 싶다는 거군요?"

"네, 그렇습니다. 그리고 그것만이 아니라 선생님께서는 사리분별

이 있고 세상 물정에 밝은 분이시니까, 선생님의 의견을 좀 들려주시면 고맙겠습니다. 앞으로 제가 어떻게 하는 게 좋을지, 그걸 알고 싶습니다. 제발 좀 가르쳐 주십시오."

목소리는 크지 않았지만 그는 간절한 말투로 금방 경련이라도 일으킬 듯 힘겹게 말했다. 말만 들어도 안타까움이 밀려왔으며, 심지어는 말을 하고 있는 동안 내내 의지의 힘으로 성벽을 채찍질하고 있는 것만 같았다.

"아주 묘한 일인데요."

그가 말을 이어갔다.

"사람은 대개 자기 집안 일에 대해서는 남들한테 말하기를 꺼려하죠. 그런데 제 아내의 행동에 대해 이렇게 초면에 두 분한테 얘기를 해야 한다는 게……. 그래도 의논을 드릴 수밖에 없다고 생각하니까 정말 너무나 끔찍합니다. 하지만 그렇지 않고는 도저히 견딜 수가 없어서 이렇게 조언을 구하러 왔습니다."

"그랜트 먼로 씨……."

홈즈가 대뜸 말을 꺼냈다.

손님이 의자에서 벌떡 일어나며 소리쳤다.

"아니! 어떻게 제 이름을 아셨죠?"

홈즈가 싱긋 웃으면서 말했다.

"남한테 이름을 알리고 싶지 않으면 모자 안에 이름을 새겨 넣지 마시든가, 대화하는 상대방 쪽으로 모자 앞 부분을 돌리시는 게 좋겠지요. 자, 말씀드리죠. 이 친구와 나는 이 방에서 수많은 비밀스런 얘기를 들어 왔고, 또 다행히도 많은 분들한테 평화로운 해결을 해 드릴 수가 있었습니다. 우리는 당신에게도 그런 도움을 드릴 수 있을 거라고 믿습니다. 그럼, 더 이상 머뭇거리지 마시고 시간을 아껴서 사건의 내용이 무엇인지 차근차근 말씀해 주시죠."

손님은 정말로 얘기를 꺼내기가 거북한지 몹시 불편해 하며 또다시 이마를 문질렀다. 그의 동작과 표정에서 내가 느낄 수 있었던 것은 매우 말수가 적고 융통성이 없는 남자였다는 것이다. 그리고 자존심이 강하고, 자신의 내적인 문제나 상처를 누구에게 말하기보다는 힘겹게 감추고 있는 성격으로 보였다.

남자는 갑자기 모으고 있던 두 손을 크게 휘두르면서 이제는 될 대로 되라는 식으로 말을 하기 시작했다.

"사실은 이렇습니다, 홈즈 씨. 저는 결혼을 했는데, 지금 삼 년째 됩니다. 삼 년 동안은 아내와 제가 아무런 문제 없이 서로를 사랑했고 잘 살아 왔습니다. 우리 부부는 사고방식도 비슷하고 말이나 행동 같은 데서도 서로를 못마땅하게 여긴 적이 없었습니다. 그런데 지난 주 월요일부터 우리 사이에 갑자기 큰 장벽이 생기기 시작했습니다. 아내의 사고방식이나 생활 습관에서 이상한 점이 보이기 시작했는데, 마치 길거리에서 만난 모르는 여자처럼 저로서는 도저히 이해할 수 없는 점이 있다는 걸 알게 되었던 겁니다. 그때부터 우리의 마음은 갈라지고 말았는데, 저는 왜 갑자기 그런 일이 생긴 건지 그걸 알고 싶은 것입니다.

그런데 이야기를 계속하기 전에 한 가지 짚고 넘어갈 게 있습니다. 홈즈 씨, 제 아내 에피는 여전히 저를 사랑하고 있습니다. 이 점은 알고 계셔야 할 것 같아서요. 그녀는 아직도 저를 진심으로 사랑하고 있고, 그 면에서는 전과 달라진 게 없습니다. 그건 제가 잘 알고 있습니다. 항상 똑같이 느끼고 있으니까요. 그러니까 지금 그 문제에 대해서는 따로 얘기하고 싶지 않습니다. 여자가 남자를 사랑하고 있을 때는 남자도 저절로 느낄 수 있는 법이죠. 하지만 우리 두 사람 사이에 뭔가 이해가 안 되는 비밀이 있다면, 그 비밀이 풀릴 때까지는 두 사람 사이가 처음처럼 돌아갈 수는 없는 것 아닐까요?"

"그러니까 사실을 말씀해 주세요, 먼로 씨."

홈즈가 답답한지 그렇게 말했다.

"그럼 솔직하게, 에피의 예전 삶에 대해 제가 아는 대로 말씀드리겠습니다. 제가 처음 아내를 만났을 때, 그녀는 남편과 사별한 몸이었습니다. 무척 젊어서 결혼을 했던 거죠. 그때가 겨우 스물다섯 살이었으니까요. 그 당시 그녀의 이름은 히브론 부인이었습니다. 어렸을 때 미국으로 건너가 애틀랜타 시에서 살다가 거기서 히브론 씨를 만나 결혼을 했는데, 남자가 아주 잘 나가는 변호사였습니다. 두 사람 사이에 아이가 하나 태어났는데 당시 그 지역에 전염병이 발생하면서 남편과 아이 둘 다 죽고 말았습니다. 저는 남편의 사망증명서를 봤습니다. 그러고 나서 그녀는 더 이상 미국에서 살기 싫어 이곳으로 와서는 미들섹스 주의 피너에서 미혼으로 지내고 있는 이모와 함께 살게 되었습니다. 죽은 남편의 유산으로 그녀는 어렵지 않게 살 수 있었습니다. 사천오백 파운드의 돈이 있었는데 남편이 그걸 잘 투자해 뒀기 때문에 평균 칠 퍼센트의 이자가 꼬박꼬박 생기고 있었습니다. 제가 그녀를 만난 건 그녀가 피너에 정착한 지 육 개월쯤 됐을 땐데, 우리는 금방 사랑에 빠져서 몇 주 만에 결혼을 하게 됐던 겁니다.

저는 홉(뽕나무과에 속하는 다년생 풀)을 팔고 있는데 칠, 팔백 파운드의 수입이 들어오기 때문에 우리는 편하게 살 수 있었습니다. 그래서 노베리에 지역에 연간 팔십 파운드를 내는 아담한 별장 하나를 세 얻었습니다. 그곳은 런던에서 멀지도 않으면서 시골 분위기가 났죠. 집 바로 위쪽엔 여관 하나와 주택 두 채가 있고, 바로 앞쪽 밭 건너편에는 별장 하나밖에 없는 동네니까요. 거기서 역까지는 다른 집도 거의 없습니다. 저는 장사 때문에 런던으로 나갔습니다만, 여름에는 일이 없어서 거기 별장에서 아내와 함께 느긋하게 지내곤 했습니다. 그러는 동안 아까도 말씀드렸다시피 이 이상한 사건이 생기기 전까지는 우리 사이에 문제될 건 아무것도 없었습니다.

이야기가 더 나가기 전에 또 한 가지 미리 말씀드릴 게 있습니다. 우리가 결혼했을 때 아내가 자기의 전 재산을 저한테 주었습니다. 저는 그게 별로 내키지 않았습니다. 왜냐하면 만약의 경우 제 사업이 잘못 되기라도 할 때는 아주 복잡하게 된다는 걸 알고 있었기 때문입니다. 그래도 아내가 정 그렇게 하고 싶어 해서 저는 일단 그냥 받았습니다. 그 후 지금부터 육 주쯤 전에, 어느 날 아내가 저한테 이렇게 말하는 거예요.

'잭, 내가 당신한테 내 돈을 주었을 때 언제든지 다시 필요하면 말

하라고 당신이 얘기했지?'

'어, 그랬지. 당신 돈이니까.'

'그럼, 백 파운드만 좀 줘.'

저는 그 말을 듣고 좀 놀랐습니다. 아내가 원하는 것은 새 드레스라거나 뭐 그런 종류일 거라고 생각을 했으니까요.

'그런데 어디다 쓰려고?'

제가 물어봤죠.

'어머, 당신은 내 은행으로서 맡아 줄 뿐이라고 말했잖아. 은행은 고객이 어디다 쓰는지 그런 건 묻지 않는 법이지.'

그녀는 농담처럼 웃으며 말하는 겁니다.

'그래, 꼭 필요하다면 물론 주지.'

'어, 꼭 필요해.'

'그런데 어디다 쓰려고 하는지 왜 말 안 하는 거야?'

'나중에 얘기할게. 하지만 지금은 안 돼, 잭.'

그래서 저는 더 이상 못 물어보고 그냥 있을 수밖에 없었습니다. 우리 사이에 비밀이 생긴 건 그때가 처음이었습니다. 저는 아내한테 수표를 건네주고는 더 이상 그 일은 생각하지 않으려고 했습니다. 그 일이 나중에 생긴 다른 일과 아무런 관계도 없는 건지는 모르겠습니다만, 이것 역시 미리 얘기해 두는 게 좋을 것 같아서 해드렸습니다.

우리 별장에서 멀지 않은 건너편에 별장이 또 하나 있다고 아까 말씀드렸었죠? 두 별장 사이에 있는 것은 밭뿐이지만 그 별장으로 가려면 큰길로 한참 가다가 샛길로 들어가야 합니다. 그 별장 바로 뒤쪽에 커다란 스코틀랜드 전나무 숲이 있어서, 저는 그곳으로 산책 가는 걸 아주 즐겼습니다. 나무는 언제나 친근하게 느껴지니까요. 그런데 그 별장이 요 근래 팔 개월 정도 계속 비어 있더군요. 저는 그걸 볼 때마다 무척 안타까운 생각이 들었습니다. 왜냐하면 그 별장은 이층집인데, 인동 덩굴이 덮인 고풍스런 포치(porch)가 있고 아주 깔끔하거든요. 저는 그 집 앞에 서서 쳐다보면서, 참 살기 좋은 집일 텐데, 하고 몇 번이나 생각했습니다.

그런데 지난 주 월요일 저녁 때 그 주변을 걷고 있는데 웬 짐마차가 샛길에서 큰길 쪽으로 나오고 있는 겁니다. 그래서 무슨 일인가 싶어 별장 쪽을 쳐다봤더니, 포치 옆 잔디밭에 카펫과 살림살이들이 쌓여 있더군요. 별장에 누군가가 이사를 오고 있다는 걸 바로 알 수 있었죠. 저는 그 앞으로 다가가서 한가한 사람처럼 잔뜩 쌓여 있는 짐들을 쳐다보며 도대체 어떤 사람이 이사를 오는 걸까 하고 생각하고 있었습니다. 그때 갑자기 이층 창문에서 어떤 사람이 저를 가만히 쳐다보고 있다는 걸 알았습니다.

그 사람 얼굴에 어떤 특징이 있었는지는 모르지만 갑자기 등골이 오싹해지면서 소름 끼치는 느낌이 들더군요. 거리가 좀 떨어져 있었기 때문에 얼굴이 어떻게 생겼는지는 기억이 안 나지만 아무튼 뭔가 정상이 아니라는 느낌, 그러니까 자연스럽지 않고 사람이 아닌 것 같은 그런 느낌만 들었습니다. 그래서 저는 호기심이 발동해 얼른 그 쪽으로 더 다가가 저를 응시하고 있는 사람이 도대체 누군지 자세히 보려고 했습니다. 하지만 제가 다가가니까 그 얼굴은 별안간 숨어 버리고 말더군요. 그 시간이 너무나 짧고 갑자기 일어난 일이다 보니까 저는 마치 방 안의 어둠 속으로 끌려들어간 느낌이 들었습니다.

저는 그래도 거기 서서 한 오 분쯤 그 일을 곱씹으면서 대체 무슨 일일까 하고 분석해 보았습니다. 그 얼굴이 남자인지 여자인지도 알 수가 없었습니다. 그런데 얼굴색은 분명히 기억에 남아 있었습니다. 뭐랄까, 시체 같다고 할까요, 누런색인데, 정말 소름이 끼칠 만큼 부자연스럽고 딱딱하게 굳어 있는 느낌이 들었습니다. 생각 끝에 저는 그대로 갈 수는 없다는 마음을 먹고 별장에 새로 이사 온 사람을 가서 확인해 봐야겠다고 결심했습니다. 그래서 문으로 다가가 노크를 했더니, 비쩍 마르고 키 큰 여자가 나오더군요. 그런데 인상이 아주 차갑고 접근하기조차 무섭게 생긴 그런 사람이었습니다.

'무슨 일이시죠?'

그녀가 북쪽 사투리로 물었습니다.

'저는 저기 건너편에 살고 있는 이웃입니다.'

제가 우리 집을 턱으로 가리키면서 말했죠.

'지금 이사 오신 것 같은데, 혹시 뭐 도와드릴 일이라도 있을까 해서요…….'

'아, 네, 도움이 필요하면 부탁드리러 갈게요.'

그녀는 이렇게 말하고는 제가 서 있는데도 문을 쾅 하고 닫아 버리더군요. 참 무례해 보였죠. 그래서 너무나 황당해서 저도 그 길로 집으로 돌아갔습니다. 집에 있는데 아무리 다른 생각을 하려고 해도 창가에서 보였던 그 도깨비 같은 얼굴과 여자의 무례한 태도가 마음에 걸려 머릿속에서 떠나지를 않는 겁니다. 아내는 신경이 약하고 해서 창가의 도깨비 같은 얼굴에 대해 저는 한 마디도 하지 않았습니다. 그러다가 그만 잠자기 전에 무심코, '그 별장에 누가 이사를 왔어.' 하고 아내에게 말해 버린 겁니다. 그런데 이상하게도 아내는 별 신경을 안 쓰는지 아무 대답도 안 하더군요.

저는 잠이 들면 깊이 곯아떨어지는 편이라 밤중에 아무리 시끄러워도 깨지는 않는데, 그것 때문에 아내가 가끔 놀리기도 하거든요. 그런데 그날 밤은 그 이상한 일 때문에 머릿속이 계속 복잡해서 보통 때처럼 잠이 깊이 들지 않았습니다. 그러다가 비몽사몽 간에 뭔가가 방 안에서 움직이고 있는 것이 느껴지더군요. 이윽고 정신을 차리고 보니까 아내가 옷을 입고는 조용조용히 외투를 걸치고 모자까지 쓰고 있는 겁니다. 한밤중에 외출 복장을 하고 있는 게 너무나 놀라워 아내한테 막 핀잔을 주려고 하던 참에, 저는 아직 잠도 덜 깬 눈으로 우연히 촛불에 비친 아내의 얼굴을 보게 됐습니다. 저는 그만 충격을 느껴 아무 말도 할 수가 없었어요. 그때까지 한 번도 본 적이 없는 얼굴이었는데 아내의 얼굴이 그렇게 될 수 있다는 걸 상상해 본 적이 없을 정도였습니다. 그녀는 새파랗게 질린 얼굴로 숨도 거칠게 몰아쉬면서 망토를 여미고 있더군요. 그리고는 침대 쪽을 보면서 혹시 제가 잠을 깰까 봐 조심스럽게 살피는 눈치였습니다. 곧이어 그녀는 조심조심하면서 소리도 안 내고 방을 나갔습니다. 그리고 잠시 후 삐거덕 하는 날카로운 소리가 들렸는데, 그건 현관문에서 나는 소리가 분명했습니다. 저는 곧바로 일어나 침대를 주먹으로 치면서 제가 정말로 잠이 깨어 있는지 확인해 보았습니다. 그리고 베개 밑에서 회중시계를 꺼내 봤더니, 새벽 세 시였습니다. 대체 이 시간에 아내는 시골 동네에서 무엇을 하려고 나간 것일까?

저는 이십 분 정도 이런저런 생각을 하면서 도대체 무슨 일일까 계속 궁금해 하며 납득할 만한 설명을 찾아보려고 애썼습니다. 하지만 아무리 생각해 봐도 점점 더 이상한 생각만 들고 도저히 이해가 안 되더군요. 그렇게 캄캄하게 속만 태우고 있는데 또다시 문 닫히는 소리가 들리면서 계단을 올라오는 아내의 발소리가 들려왔습니다.

'도대체 이 시간에 어디를 갔다 오는 거야, 에피?'

그녀가 방으로 들어오자마자 제가 그렇게 물었습니다.

제가 입을 연 순간 아내는 흠칫 놀라면서 소리를 냈는데, 그렇게 놀라는 그녀의 목소리와 태도를 보면서 제 마음은 더욱 더 어지럽기만 했습니다. 왜냐하면 그녀의 태도에서 뭔가 꺼림칙한 것이 느껴졌기 때문이었습니다. 아내는 원래 뭐든 숨기는 게 없는 솔직한 성격이었는데, 한밤중에 방을 슬그머니 나가고 제 말에 너무나 놀라면서 두려워하는 그런 모습을 보이니까 저는 너무 화가 나고 소름이 끼쳤던 겁니다.

'어! 잠 깼네, 잭.'

아내는 약간 짜증이 섞인 미소를 지으며 말하더군요.

'당신은 절대로 잠이 안 깰 거라고 생각했지.'

'어디 갔었어?'

저는 더 심각한 말투로 물었습니다.

'그렇게 놀라는 것도 무리는 아니지.'

아내는 그렇게 말하면서 망토를 벗는데 손이 부들부들 떨리고 있더군요.

'뭐, 그동안 이런 일이 한 번도 없었잖아. 사실은 숨이 막힐 듯이 좀 답답해서 신선한 공기를 마시려고 나갔던 거야. 밖으로 안 나가면 쓰러질 것 같더라고. 이삼 분 정도 현관 앞에 서 있었더니 좀 괜찮네.'

그녀는 이런 변명을 하면서 말하는 내내 제 눈도 쳐다보지 않았습니다. 말투도 평상시와 전혀 달랐고요. 그녀가 거짓말을 하고 있는 게 분명해 보였습니다. 저는 아무 대꾸도 안 하고 벽 쪽으로 얼굴을 돌려 버렸습니다. 제 마음속엔 온갖 고민과 의혹으로 가득했습니다. 아내가 나한테 숨기고 있는 게 뭘까? 도대체 어디에 갔던 것일까? 진실을 알기 전까지는 마음이 풀리지 않을 것 같았지만, 아내가 그렇게 말했으니까 더 묻고 싶지는 않더군요. 새벽까지 뒤척이면서 저는 제 스스로에게 별일 아니라고 수없이 말해 봤습니다. 하지만 모든 게 정말 믿어지지 않았습니다.

다음 날 저는 런던 시내에 볼일이 있었는데 마음이 너무 심란하다 보니까 사업이고 뭐고 아무 생각도 할 수가 없었습니다. 아내도 마찬가지로 마음이 편하지 않은지 제 눈치를 살피는 것 같더군요. 그리고는 자신이 한 말을 제가 믿지 않는다는 것을 알아차리고는 어떻게 하면 좋을지 궁리를 하는 것 같더군요. 아침 식사 때도 우리는 단 한 마디도 하지 않았어요. 그리고 식사가 끝난 후 바로 저는 신선한 아침 공기 속에서 생각을 하고 싶어 산책을 나갔습니다.

수정궁까지 산책을 갔다가 거기 정원에서 한 시간쯤 머문 다음 한 시쯤에 노베리로 돌아왔습니다. 마침 그 별장 앞을 지나는 길이라 저는 또다시 창가를 바라보며 전날 저를 노려보고 있었던 이상한 얼굴이 또 보이지나 않을까 싶어 잠깐 서 있었습니다. 거기 그렇게 서 있는데 갑자기 문이 열리면서 안에서 아내가 나오는 거였어요! 제가 얼마나 놀랐는지 한번 상상해 보십시오, 홈즈 씨.

저는 아내를 보고는 너무나 놀라 아무 말도 나오지 않았는데, 우리가 눈이 마주쳤을 때 아내의 얼굴에 나타난 그 놀라움에 비하면 저의 놀라움은 아무것도 아니었습니다. 순간 아내의 표정은 다시 집 안으로 들어가고 싶은 심정을 언뜻 내보였지만, 이내 그렇게 해봐야 소용없다는 것을 깨닫고는 저에게로 성큼성큼 다가왔습니다. 여전히 파랗게 질린 얼굴에 두려운 눈초리였지만 억지 미소를 지으며 아닌 척하더군요.

'어머, 잭! 새로 이사 오신 분에게 혹시 도와드릴 일이 있을까 싶어서 왔던 거야. 근데 왜 그런 얼굴로 나를 쳐다봐, 잭? 뭐, 기분 안 좋은 일 있어?'

'그렇지. 어젯밤에 온 곳이 여기였어?'

'그게 무슨 말이야?'

'여기에 왔었겠지. 내가 다 알고 있어. 그런데 한밤중에 여기엔 왜 왔어? 이 사람들은 누구야?'

'아니, 나 여기 지금 처음 왔어.'

'거짓말인 거 다 알고 있는데 어떻게 그런 뻔뻔스런 소리를 할 수가 있어? 말투까지 달라지고 말이야. 내가 당신한테 뭐 숨긴 일이라도 있었어? 도대체 무슨 일인지 이 집에 들어가 철저하게 알아봐야겠네.'

'안 돼, 안 돼, 잭, 제발 그러지 마!'

아내는 혼란스러운 마음을 억누르지 못하고 숨가쁘게 말했습니다. 제가 그녀를 뿌리치고 현관문까지 갔을 때 그녀는 제 소매를 붙잡고 늘어지면서 거의 발작이라도 일으킬 것처럼 저를 마구 끌어당기는 것이었어요.

'제발 이러지 마, 잭. 언젠가는 전부 다 얘기해 줄게. 맹세해. 하지만 당신이 이 별장에 들어가면 불행한 일밖에 생기지 않아.'

하면서 아내는 외치더군요. 그래도 제가 아내를 뿌리치고 다시 문으로 가려고 했을 때, 그녀는 끝끝내 저를 만류하면서 미칠 듯이 소리치더군요.

'나를 믿어 줘, 잭! 이번만 나를 믿어 줘, 믿어도 후회할 일은 없을 거야. 알다시피 나는 당신을 위한 일이 아니라면 몰래 어떤 짓을 하거나 그러지는 않아. 우리의 앞날이 걸려 있는 일이니까 나랑 같이 집으로 돌아가. 그러면 모든 일이 잘 될 거야. 당신이 지금 이 집에 들어가면 우리 사이는 끝이야.'

아내의 태도가 너무나 진지하고 심각해 보였기 때문에 저는 아내의 그 말에 솔직히 두려운 생각이 들어 문 앞에서 결심을 못하고 망설이고만 있었습니다.

'그럼 조건이 있어. 한 가지 조건을 달고 믿어 볼게.'

저는 마침내 입을 열었습니다.

'앞으로 더 이상은 다른 비밀이 없어야 돼. 비밀은 이걸로 끝이야. 혼자서 비밀을 지키는 건 좋지만 혼자 어디를 간다거나 나한테 알리지 않는 그런 건 안 하겠다고 약속해 줘. 이제부터 안 하겠다고 약속하면 지나간 일은 내가 다 잊어버릴게.'

'그래, 믿어 줄 거라고 생각했어.'

그녀는 안도의 한숨을 쉬면서 외쳤습니다.

'당신이 말한 대로 할게. 그럼 같이 집으로 가!'

아내는 제 소매를 움켜잡고 끌어당기더군요. 그래서 같이 걸어갔는데, 가면서 뒤를 돌아보니까 이층 창문에서 그 흐릿하고 누런 색깔의 얼굴이 또다시 우리를 유심히 쳐다보고 있는 거예요. 그 도깨비와 제 아내 사이에 어떤 관계가 있는 걸까요? 또 전날 봤던 그 무례한 여자와 제 아내는 어떤 연관이 있는 걸까요? 너무나 이상한 수수께끼였지만 그것이 풀리기까지는 도저히 안심할 수가 없습니다. 그리고 이틀 동안 집에 있었는데 아내는 약속대로 밤에 나가거나 하지는 않았습니다. 아니, 제가 알기로 그녀는 집 밖에 전혀 나가지 않았습니다. 그런데 삼 일째 되는 날, 아내는 저와 그토록 굳게 약속을 했으면서도 어떤 비밀스런 힘에 끌려가는 것 같았습니다. 도저히 아내를 붙잡아 둘 수 없는 어떤 것이 있다는 분명한 증거를 제가 봤으니까 말이죠.

저는 그날 시내에 나갔었는데, 돌아올 때는 항상 세 시 삼십육 분 기차를 타는데 그날은 두 시 사십 분 기차를 탔습니다. 집에 들어가니까 하녀가 놀란 얼굴로 뛰어나오더군요.

'사모님은 어디에 계시지?'

제가 물었습니다.

'산책 나가셨어요.'

그녀가 대답하더군요.

그 말을 듣고 제 마음은 또다시 온갖 의심으로 가득 차기 시작했습니다. 이층으로 올라가 보니까 역시나 아내가 없었어요. 그러고 나서 이층 창문에서 밖을 내다봤는데, 방금 대답했던 하녀가 별장 쪽으로 밭을 가로질러 달려가는 게 보이지 않겠어요. 그때 저는 모든 것을 알았습니다. 아내는 별장에 가 있으며, 제가 돌아오면 하녀더러 부르러 오라고 일러 두었던 겁니다. 그 생각이 미치자 저는 화가 치밀어 견딜 수가 없어서 밖으로 나가 하녀를 뒤따라 밭 쪽으로 뛰어갔습니다. 이 문제를 어떻게든 깨끗이 끝내야겠다고 마음을 먹었던 거죠. 저쪽에서 벌써 아내와 하녀가 빠른 걸음으로 샛길로 오는 것이 보이더군요. 하지만 저는 그들에게 아무 말도 안 하고 계속 별장 쪽으로 뛰어갔습니다. 그 별장에 우리의 생활을 어지럽히는 어떤 비밀이 있는 게 분명했습니다. 저는 그게 무슨 일이든 기어코 비밀을 캐내고 말겠다고 작심했습니다. 별장에 도착해 노크도 안 하고 문을 밀었더니 열리더군요. 저는 안으로 뛰어들어갔어요.

아래층은 아주 조용했습니다. 주방에서 주전자 물 끓는 소리밖에는 들리지 않고, 검은 고양이 한 마리가 바구니 속에 웅크리고 있었어요. 전에 봤던 그 여자는 보이지 않았습니다. 저는 다른 방으로

가 봤는데 역시 아무도 없더군요. 그래서 이층으로 올라갔는데, 거기도 방 두 개가 썰렁하니 사람의 모습은 전혀 보이지 않았습니다. 온 집 안에 아무도 없었던 거죠. 방에 있는 가구나 그림들은 전부 다 흔해 빠지고 촌스러운 것들이었는데, 창문에서 이상한 얼굴이 보였던 그 방만은 특별히 아늑하고 세련된 분위기로 장식돼 있었습니다. 그리고 그 방의 맨틀피스 위에 아내의 전신 사진이 올려져 있더군요. 제 마음속에선 의혹의 불길이 활활 타올랐습니다. 그 사진은 불과 석 달 전에 제가 권해서 찍었던 것이니까요.

그 집에 정말 아무도 없다는 것이 확인될 때까지 저는 좀 더 기다리고 있다가 그 집을 나왔습니다. 하지만 그렇게 마음이 답답하고 짓눌리는 심정은 처음 겪어 봤습니다. 집으로 갔더니 아내가 현관까지 나왔는데, 저는 그녀와 말을 할 기분이 아니고 너무나 어처구니가 없었기 때문에 그녀를 쳐다보지도 않고 그냥 서재로 가 버렸습니다. 그런데 제가 문을 닫기도 전에 아내가 안으로 들어오더군요.

'약속을 어겨서 미안해, 잭. 하지만 사정을 다 듣고 나면 이해해 줄 거라고 믿어.'

'그러면 모든 걸 다 얘기해 봐.'

'그런데 글쎄 도저히 얘기할 수가 없어, 잭.'

'저 별장에 누가 살고 있는지, 당신이 그 사진을 누구에게 줬는지, 다 얘기하기 전에는 우리 사이에 신뢰 같은 건 더 이상 없어!'

저는 그렇게 말하고는 아내를 뿌리치고 집을 나와 버렸습니다. 그것이 바로 어제 일입니다, 홈즈 씨. 그러고 나서는 아내와 만나지도 않았죠. 이 괴상한 사건에 대해서 그 이상은 아무것도 모릅니다. 우리 부부 사이에 어두운 그림자가 드리워진 것은 이번 일이 처음입니다. 이런 충격을 받다 보니까 저는 이제부터 어떻게 하는 게 좋을지 도무지 분간을 할 수가 없습니다. 그래서 오늘 아침에 갑자기 선생님 생각이 나서 이렇게 허둥지둥 달려와 솔직히 다 말씀드리게 된 겁니다. 그래도 아직 분명치 않은 점이 있다면 뭐든 물어봐 주십시오. 하지만 우선 어떻게 하는 게 좋을지 그것부터 좀 말씀해 주세요. 저는 도저히 견딜 수가 없습니다."

홈즈와 나는 큰 흥미를 갖고 흔하지 않은 이 이야기에 귀를 기울이고 있었는데, 의뢰인은 극도로 흥분해서 한마디 한마디에 힘을 주며 말했다. 홈즈는 턱을 괴고 잠시 동안 생각에 잠겨 있었다.

"당신이 창가에서 본 얼굴을 남자라고 확신할 수 있나요?"

홈즈가 마침내 입을 열었다.

"거리가 좀 떨어져 있었기 때문에 확신한다고 말할 수는 없습니다."

"아무튼 그 얼굴을 봤을 때 아주 기분 나쁜 인상을 받았다는 거죠?"

"우선 얼굴색이 자연스럽지 못하고 생긴 것도 이상하게 딱딱한 느낌이 들었거든요. 그리고 제가 가까이 가니까 확 사라져 버리더군요."

"부인이 백 파운드가 필요하다고 말한 후로 얼마나 지났을 때였죠?"

"약 두 달쯤 지났을 때였습니다."

"혹시 부인의 전남편 사진을 본 적이 있습니까?"

"아니요. 없습니다. 사망 직후에 애틀랜타에 큰 화재가 나서 서류 같은 것들이 전부 불타고 말았거든요."

"사망진단서는 가지고 있지 않았습니까? 당신은 그걸 봤다고 했죠?"

"네, 봤습니다. 화재가 난 후에 사본을 떼어 두었던 거죠."

"미국에서 부인을 아는 사람과 만난 적이 있었습니까?"

"아니요. 없었습니다."

"부인께서 다시 미국에 가고 싶다는 얘기를 하신 적이 있습니까?"

"아니요. 없습니다."

"그럼 미국에서 편지가 온 적은요?"

"제가 알기로 그런 일은 없었습니다."

"알겠습니다. 그런데 이 문제는 좀 생각해 봐야 할 것 같군요. 만약 그 별장에 계속해서 사람이 없게 된다면 꽤 까다로운 일이 될 것 같으니까요. 그런데 반대로, 나는 아무래도 이게 맞을 것 같은데, 그 집 사람들이 어제 당신이 올 걸 미리 알고 도망쳐 버렸다면 지금쯤은 돌아와 있을 테니까 문제는 쉽게 해결이 나겠지요. 그러니까 이렇게 하세요. 노베리로 돌아가서 다시 한번 별장의 창문을 유심히 살펴보세요. 만약에 사람이 살고 있는 것 같으면 그 집에 들어가시지 말고 우리한테 곧바로 전보를 쳐 주십시오. 그러면 삼십 분 내로 가서 우리가 그 진상을 밝혀 보겠습니다."

"그런데 집에 계속 아무도 없다면요?"

"그러면 내일 우리가 그쪽으로 가서 다시 의논을 드리겠습니다.

그럼 안녕히 가세요. 참, 특히 말씀드리는데, 아직 뚜렷한 이유가 밝혀지지 않았으니까 너무 걱정하지는 마세요."

홈즈는 그 남자 그랜트 먼로를 문까지 배웅하고는 내게 말했다.

"이게 말이지, 꽤 까다로운 사건인 것 같네, 왓슨. 자네는 어떻게 생각하나?"

"난 기분이 별로 안 좋은데."

내가 대답했다.

"그럴 거야. 내가 잘못 들은 게 아니라면 거기엔 분명 거짓이 얽혀 있어."

"그럼 거짓의 장본인이 누군데?"

"그거야 그 별장의 특별한 방에 있는 그놈이겠지. 그녀의 사진을 맨틀피스 위에 올려둔 그놈 말이야. 왓슨, 분명히 창가의 그 누런 얼굴에 뭔가 수상한 점이 있어. 다른 건 몰라도 그건 확실해."

"어떤 추론을 해 봤나?"

"해 봤지. 아직은 가정이지만 말이야. 그러나 그것이 틀리다면 나는 포기하고 말겠네. 그 별장에 있는 사람은 여자의 전남편이야."

"왜 그렇게 생각하는데?"

"그렇지 않다면 지금 남편이 그 집에 못 들어가게 하려고 여자가 그 난리를 하지는 않을 것 아닌가. 내 생각에 진실은 아마도 이런 것일 것 같네. 그 여자가 미국에서 결혼을 했는데, 하고 보니까 남자가 이상한 성격을 갖고 있는 게 드러나서 여자가 그걸 견디지 못하고 저주하기 시작했다는 거지. 아니 그것보다는 이런 것일지도 몰라.

남자가 아주 특이한 병에 걸린 거야. 문둥병이나 뭐 그런 것 말이야. 그래서 정신이 이상해진 거지. 결국 그녀는 거기서 도망쳐 영국으로 돌아왔고 이름도 바꾸고 새로운 삶을 시작한 거야. 그러다가 두 번째 결혼을 해서 삼 년이나 지났으니까 이제는 자기 인생도 안전해졌다고 생각한 걸세. 그런데 느닷없이 전남편이, 아니면 그 병자와 함께 살고 있는 불행한 여자가, 이 여자가 어디 사는지를 알게 된 거야. 그래서 그 사람들이 이 여자에게 편지를 보내 모든 것을 폭로하겠다고 협박을 했지. 이 여자는 할 수 없이 남편한테서 백 파운드를 얻어 그들의 입막음을 했는데 그자들은 결국 그 동네까지 찾아오고 말았어. 남편이 별장에 누가 이사 온 것 같다고 말했을 때, 이 여자는 그게 자기를 협박한 사람들이라는 걸 알아챘지. 그래서 여자는 남편이 잠들기를 기다렸다가 한밤중에 별장으로 달려가서 자신을 방해하지 말아 달라고 그들에게 부탁을 한 거야. 하지만 그들이 대답을 안 하니까 다음 날 아침에 다시 찾아갔지. 그게 아까 들었던 것처럼 그 집에서 막 나오다가 남편과 부딪혔던 바로 그 날이야. 남편과 다툼이 일어났고, 그 별장에 다시는 안 가겠다는 약속까지 했지. 그런데 이틀 뒤에 여자가 또 가게 됐는데 이유는 그 무서운 사람들을 쫓아버리고 싶다는 심정이 들어서 그랬던 것 같네. 그래서 협상 조건으로 아마도 그쪽에서 요구한 자신의 사진을 가지고 갔던 것 같아. 협상을 하고 있는 사이에 하녀가 달려와서 남편이 돌아왔다고 알린 거지. 그 말을 듣고 여자는 남편이 곧 그쪽으로 들이닥칠 것 같으니까 그 사람들한테 뒷문으로 나가 숲 속에 가서 숨으라고 한 거야. 그랬기 때문에 남편이 거기 도착했을 땐 집에 아무도 없었던 거라네. 하지만 오늘 밤에 이 사람이 별장에 다시 가 봤는데도 역시 아무도 없다고 한다면, 그건 정말 이해하기 힘든 일이 되겠지. 자, 내 추론은 이런데 어떻게 생각하나?"

"지나친 억측이야."

"하지만 적어도 모든 사실이 이 안에 있는 건 맞네. 만약 이 안에 없는 새로운 사실을 알게 되더라도 충분히 다시 생각할 수는 있어. 아무튼 지금 현재로선 노베리에서 전보가 오기 전까지는 아무것도 할 게 없네."

하지만 오래 기다릴 것도 없었다. 전보가 도착한 것은 우리가 막 차를 마시고 났을 때였다. 전보의 내용은 이랬다.

〈별장에는 아직 사람이 살고 있음. 창가에서 그 얼굴이 또 보였음. 7시 기차로 와 주시기 바람. 도착까지 행동 안하고 있겠음.〉

그랜트 먼로는 기차역 플랫폼에서 우리를 기다리고 있었다. 역의 램프 불빛에 비친 그의 얼굴은 몹시 창백했으며, 불안으로 몸을 떨고 있었다.

"아직 있더군요, 홈즈 선생님."

그는 홈즈의 소매를 잡으며 말했다.

"여기로 올 때도 불이 켜져 있는 걸 봤습니다. 빨리 좀 해결되면 좋겠어요."

"당신은 어떻게 할 생각입니까?"

어두운 가로수 길을 걷기 시작했을 때 홈즈가 물었다.

"저는 집 안으로 들어가서 그 안에 있는 인간이 누군지 직접 보고 확인할 작정입니다. 두 분께서 증인이 되어 주십시오."

"부인께서 그렇게 만류하는데도 정말 기어이 알아내려고 결심을 하셨다고요?"

"네, 제 마음은 그렇게 결정을 했습니다."

"그렇군요. 그럼 올바른 판단을 내리신 걸로 믿겠습니다. 계속 의혹을 갖고 있는 것보다는 무슨 일이 됐건 진실을 아는 게 낫죠. 곧 그쪽으로 가는 게 좋겠습니다. 물론 법적으로는 두말 할 것도 없이 불법 행위이긴 하지만, 그래도 가치는 있는 일입니다."

시골이라 그런지 밤길이 몹시 어두웠다. 양쪽으로 울타리가 쳐 있고 수레바퀴 자국이 깊이 나 있는 좁은 샛길로 들어설 무렵 이슬비가 내리기 시작했다. 그랜트 먼로는 마음이 바쁜 듯 서둘러 앞장서 갔기 때문에 우리 두 사람은 그를 쫓아가느라 넘어질 뻔하면서 열심히 걸어갔다.

"저기가 저희 집 불빛입니다."

나무 사이로 어른거리는 불빛을 가리키며 그가 조용히 말했다.

"그리고 여기가 제가 말한 그 별장입니다."

먼로가 그렇게 말하고 있는 동안 우리가 샛길을 돌아서자 바로 옆에 별장이 보였다. 집은 컴컴한데 노란 불빛이 한 가닥 보이는 걸 보니 아마도 문이 잘 안 닫혀 있는 것 같고, 이층엔 창문 하나에만 불이 환하게 켜져 있었다. 올려다본 순간 블라인드 뒤로 검은 그림자가 움직이는 게 보였다.

"그 도깨비가 있습니다!"

그랜트 먼로가 낮게 소리쳤다.

"누군가 있는 게 보이시죠? 자, 저를 따라오세요. 이제 곧 모든 걸 알게 될 겁니다."

우리는 문으로 다가갔다. 그때 갑자기, 새어 나오는 램프 불빛 속에 한 여자가 서 있는 게 보였다. 전체적으로 매우 어두워 여자의 얼굴이 보이지는 않았지만 그녀는 두 팔을 벌리고 애원하는 동작을 하는 것 같았다.

"제발 좀 그만 둬, 잭. 소원이야!"

여자가 외치는 소리가 들렸다.

"오늘 밤에 당신이 올 것 같은 예감이 들었어. 잭, 제발 생각을 좀 돌려 줘. 다시 한번만 나를 믿어 줘. 그러면 후회하지 않을 거야."

"이젠 더 이상 당신을 믿을 수 없어, 에피!"

그는 아주 냉정하게 말했다.

"이거 놔! 난 꼭 들어가야 돼. 친구들과 함께 이 문제를 해결하고 말 거야."

먼로가 아내를 뿌리쳤을 때 우리도 그의 뒤를 따라갔다. 그가 현관문을 확 열자 안에서 한 중년 여자가 뛰어나와 그를 못 들어오게 막으려 했지만 그는 여자를 밀어젖혔다. 우리 세 사람은 후다닥 계단을 뛰어올라갔다. 그랜트 먼로는 불이 켜진 방 안으로 뛰어들었고, 우리도 뒤따라 들어갔다.

방은 아늑하게 꾸며져 있고 좋은 가구들도 놓여 있었으며, 테이블 위에 촛불 두 개가 켜 있고 맨틀피스 위에도 촛불 두 개가 켜져 있었다. 그리고 방 한구석엔 작은 소녀 하나가 책상 위에 엎드려 있었다. 우리가 들어가자 소녀는 얼굴을 돌려 버렸는데 빨간색 옷을 입고 손에는 흰색 장갑을 끼고 있었다. 그러다가 소녀가 문득 우리를 돌아다봤을 때, 나는 너무 놀란 나머지 외마디 소리를 지르고 말았다. 그 얼굴은 이상한 흙빛을 띠고 있고 표정이라곤 전혀 없었다. 하지만 수수께끼는 금방 풀렸다. 홈즈가 웃으면서 아이의 귀 뒤를 만지자 얼굴에서 가면이 떨어지며 흑인 소녀가 나타났던 것이다. 아이는 새하얀 이를 드러내며 놀라 어리둥절해 있는 우리의 얼굴을 보면서 재미있어 했다. 그제야 나는 아이의 표정을 보면서 이번엔 웃음을 터뜨리고 말았다. 하지만 그랜트 먼로는 자기의 목을 움켜쥐고는 굳어 버린 것처럼 서 있었다.

"아니! 이게 도대체 어떻게 된 일이지?"

잠시 후 먼로가 소리쳤다.

"내가 설명을 할게."

그의 아내가 방으로 들어오면서 담담하고 침착한 얼굴로 말했다.

"말 안 하려고 마음먹고 있었는데, 이제는 그럴 수도 없게 됐네. 지금부터 우리는 최선을 다해야만 할 것 같아. 전남편은 애틀랜타에서 죽었지만 아이는 살아 있었어."

"당신 아이가!"

아내는 가슴에서 커다란 은제 로켓을 꺼내며 말했다.

"이거 한 번도 내가 여는 걸 못 봤지?"

"그게 열리는 것인지도 난 몰랐지."

아내가 그걸 만지자 표면이 조개 껍데기처럼 열렸다. 안에는 한 남자의 사진이 들어 있었다. 사진 속의 남자는 무척 미남에 영리해 보였고, 틀림없는 흑인이었다.

"이 남자가 바로 애틀랜타에서 결혼한 존 히브론이지. 세상에서 이 남자보다 더 훌륭한 사람은 없었어. 나는 이 남자와 결혼하려고 백인과 인연까지 끊었지만 이 남자가 살아 있는 동안 단 한 순간도 후회한 적은 없었어. 그런데 하나밖에 없는 내 딸이 나를 닮지 않고 아버지를 닮은 건 불행한 일이었어. 물론 이런 결혼에서는 흔히 있는 일이지만 내 딸 루시의 피부색은 남편보다 훨씬 더 검어. 하지만 어쨌든 이 아이는 내 딸이고 내게는 너무나 소중한 아이지."

그때 아이가 와서 부인의 팔을 잡았다.

"내가 이 아이를 미국에 두고 왔던 이유는, 아이가 몸이 약했기 때문에 환경이 갑자기 바뀌면 건강에 안 좋을 것 같아서였어. 그래서 전에 우리 집에 있었던 충실한 스코틀랜드 출신 여자한테 아이를 맡겼던 거지. 내가 이 아이를 포기한다거나 그런 생각은 한 번도 한 적이 없었어. 하지만 잭, 어쨌든 우리가 인연으로 만나서 사랑에 빠지게 되었는데, 그러고 나서는 당신한테 이 아이에 대해 말하는 게 두려워지더라고. 오, 하느님, 용서해 주세요. 나는 당신한테 버림받을까 두려워 말할 용기가 없었던 거야. 당신과 아이 중에 어느 한

쪽을 선택해야 했을 때, 나는 그만 나약하게 내 딸을 떨쳐 버렸던 거지. 그러고는 지난 삼 년 동안 당신한테 내 아이가 있다는 걸 비밀로 하고 있었지만 유모한테서 그간 아이가 무사히 잘 있다는 소식을 듣고 있었어. 하지만 그래도 내 딸의 얼굴을 보고 싶은 소망이 끝내 나를 놓아 주지 않더군. 나는 속으로 나 자신과 무척 싸워 보기도 했지만 아무리 해도 가라앉지를 않더라고. 그래서 결국, 위험하다는 건 잘 알고 있었지만 이삼 주 동안이라도 아이를 불러오고 싶었지. 유모한테 백 파운드를 보내 주면서 이 별장에 대해 죽 설명을 해줬어. 나와는 아무런 관계가 없는 이웃 사람처럼 오도록 말이지. 그리고 창가에서 아이의 모습을 본 사람들이 이웃에 흑인 아이가 살고 있다는 소문을 퍼뜨리지 않도록 낮에는 아이를 집 안에만 있게 하고 얼굴이나 손을 가리라고 일러뒀어. 이렇게 너무 조심스럽게 하지 않았다면 오히려 더 나았을지도 모르지만, 당신한테 이 사실이 알려질까 봐 불안해서 사실 난 너무나 혼란스러웠지.

별장에 누가 이사를 왔다고 먼저 말한 것은 당신이었지. 나는 아침까지 기다려야 했지만 흥분이 돼서 좀처럼 잠이 오지 않았어. 그래서 결국 당신이 좀처럼 잠을 깨지 않는다는 걸 알고 있으니까, 밤에 슬쩍 빠져나왔지. 그런데 당신이 보고 있다는 걸 난 알고 있었어. 내 괴로움은 그때부터 시작됐지. 마침내 다음 날 당신한테 내 비밀을 들키고 말았지만 당신은 곧바로 캐물으려고 하지는 않더군. 하지만 사흘 후 당신이 현관으로 뛰어 들어왔을 때, 나는 유모와 아이를 뒷문으로 빠져나가게 했지. 그리고 지금 이렇게 당신은 결국 모든 걸 알게 되었어. 이제 어떻게 하면 좋을지 말해 줘. 우리, 아이와 나 말이야. 어떻게 하면 좋을까?"

여자는 아이를 끌어안고 남자의 대답을 기다렸다.

2분의 시간이 흘러갔다. 하지만 그 시간은 길기만 했다. 마침내 그랜트 먼로가 입을 열었다. 그건 생각만 해도 기분 좋은 대답이었다. 그는 소녀를 안아 올려 입을 맞추고는 한 손으로 아내의 손을 잡고 문 쪽으로 돌아섰다.

"집에 돌아가 좀 편하게 얘기해. 나는 별로 좋은 사람이 아니야, 에피. 그러나 당신이 생각하고 있는 것보다는 좋은 남자일 거야."

홈즈와 나도 그들의 뒤를 따라 밖으로 나갔다. 얼마쯤 가자 홈즈가 내 소매를 잡아끌면서 말했다.

"우리는 노베리보다는 런던 쪽에 볼일이 있을 것 같네."

홈즈는 이 사건에 대해 더 이상 아무 말도 안 했지만 그날 밤 늦게 촛불을 들고 침실로 가면서 말했다.

"왓슨, 내가 내 능력을 너무 믿거나 사건에 대해 충분한 노력을 하지 않는다고 생각되면, 내 귀에 대고 '노베리' 라고 말해 주게. 그러면 대단히 고맙겠네."

다섯 개의 오렌지 씨앗

1882년부터 1890년까지 셜록 홈즈가 다뤘던 사건에 대한 나의 기록을 보면 재미있고 특이한 사건들이 워낙 많아, 그중에서 어떤 것을 골라내고 버릴지 결정한다는 게 결코 쉬운 일이 아니다. 그중에는 이미 언론을 통해 세상에 널리 알려진 사건들도 있고, 또 내 친구 홈즈가 그 특유의 뛰어난 재능을 발휘할 필요도 없이 금방 해결되어 이 책의 목적에 맞지 않는 듯한 사건들도 더러 섞여 있다. 그 밖에도 어떤 것들은 그의 천재적인 추리력으로도 풀리지가 않아 마침내 미로에 빠져 버린 것들이라 자연히 이야기도 흐지부지 기록되어 있으며, 또 어떤 것들은 부분적으로만 해결되는 바람에 홈즈가 가장 존중하는 순수한 논리적 설명을 할 수가 없고 억측이나 추측밖에는 할 수가 없다.

위의 첫 부류에 속하는 사건들 중에서 이번 이야기는 다시 한번 짚고 넘어가지 않을 수 없다. 왜냐하면 그때 당시에도 몇 군데는 도저히 설명되지 않는 부분이 있어서 영원히 수수께끼로 남는 게 아닌가 하는 생각이 들었고, 또 내용이 무척 특이하고 결과도 완전히 의외였으므로 여기에 다시 기록해 두고 싶다는 생각이 들었기 때문이다.

1887년엔 특히 여러 가지 흥미 있는 사건에 계속 부딪치는 바람에 나는 그것들을 따로 메모해 두었었다. 그해 열두 달 동안에 일어난 사건들을 제목으로 다시 살펴보면, 파라돌의 방에서 벌어진 기이한 사건, 가구 도매상 지하실에 수상한 본거지를 둔 아마추어 거지 클럽, 세 개의 돛대를 단 영국 범선 소피 앤더슨 호의 행방불명 사건, 아파 섬의 글라이스 페터슨 가족의 괴이한 사건, 캠파우엘 지역에서 일어난 독살 사건 등이 있었다.

위의 사건들 가운데 특히 첫 번째 사건은, 아직도 그걸 기억하고 있는 사람들이 있을 것으로 생각하지만, 셜록 홈즈가 그야말로 기가 막히게 중요한 단서를 잡아냄으로써 사건 해결에 결정적인 기여를 한 것으로 유명했다. 무슨 내용이냐 하면, 홈즈가 죽은 사람의 시계 태엽을 감아 보고 나서 그것이 두 시간 전에 감겨진 것이었다는 걸 알아내고는, 결과적으로 피해자가 잠자러 들어간 이후 아직 두 시간 이상 경과하지 않았다는 것을 추리해낼 수 있었던 것이다. 아무튼 나는 위 사건들 전체에 대해서 언젠가 시간이 나면 다시 기록할 생각인데, 지금 여기서 얘기하고자 하는 사건은 그 어느 것보다도 이해하기가 어렵고 특이한 면이 있기 때문에 우선 선택하게 되었다.

이건 9월 말에 일어난 사건이었다. 가을 태풍이 그해 따라 유난히 심하게 맹위를 떨치고 있었다. 바람이 하루 종일 불어 닥치고 비도 억수같이 퍼부어 대는 바람에 창문들이 무서울 정도로 심하게 덜컹거렸다. 우리는 문명의 과도한 발전을 뽐내는 런던 한복판에 있었는데, 날씨 탓에 마음의 안정도 안 되고 일도 손에 잡히지 않고 있었다. 자연의 위력이 마치 우리 안에 갇힌 맹수처럼 문명의 창살을 뚫고 인간들을 향해 사납게 짖어 대는 것 같았다. 우리는 새삼 두려움을 느끼지 않을 수 없었다. 폭풍우는 저녁으로 기울어 가면서 더 심하게 몰아쳤고, 굴뚝 속에서 들리는 바람 소리는 계속 울부짖으며 멈출 줄을 몰랐다.

셜록 홈즈는 우울한 표정으로 난롯가에 붙어 앉아 여러 범죄 기록들을 비교하며 참조 메모를 붙이고 있었고, 나는 그 반대쪽에 앉아 클라크 러셀(1888-1911, 영국의 해양소설가)의 걸작 소설을 읽고 있었다. 소설 내용에 얼마나 푹 빠져 들었는지, 어느 순간엔 밖에서 들리는 폭풍우의 사나운 고함 소리가 책 속에서 들리는 것 같았고, 거센 빗줄기는 커다란 파도가 되어 부서지며 굉음을 내고 있었다. 내가 그때 베이커 거리에 있었던 이유는 아내가 4, 5일 간 친척 집에 다니러 가고 없는 사이 나도 예전엔 보금자리였던 홈즈의 집에 잠시 돌아와 있었기 때문이다.

"아니?"

문득 내가 홈즈를 보면서 말했다.

"이거 벨 소리 맞지 않나? 밤에 도대체 누가 온 걸까? 자네 친구가 왔을까?"

"내 친구라면 자네뿐일세."

홈즈가 시큰둥하니 대답했다.

"누구한테 놀러 오라고 한 적도 없고 말이야."

"그럼, 사건 의뢰인일까?"

"그렇다면 중대한 사건이겠구먼. 이렇게 폭풍우가 몰아치는 날에, 그것도 이런 시간에 찾아온다면 엄청 심각한 일이겠지. 그런데 이 집 주인의 친구인지도 모르잖나."

하지만 셜록 홈즈의 예상은 빗나갔다. 복도에서 발소리가 나더니 곧 누가 방문을 노크했다. 홈즈는 긴 팔을 뻗쳐 자기 옆에 있는 램프를 방문객이 앉는 의자 쪽으로 향하도록 돌려놓으며 "들어오십시오." 하고 말했다.

들어온 사람은 겨우 스물두 살쯤 되었을까 하는 젊은 남자로, 옷차림이 단정하고 태도도 반듯했으며 어딘지 세련되고 품위가 있어 보였다. 들고 있는 우산에서 물이 뚝뚝 떨어지고 레인코트도 젖어서 번들거리는 것을 보니 밖의 폭풍우가 얼마나 심한지 알 수 있었다. 그는 램프의 불빛을 보고는 머뭇거리며 주위를 둘러보았는데, 얼굴이 꽤 창백하고 눈은 걱정이 많은 듯 불안스럽게 움직였으며 마음속에는 큰 슬픔이 담겨 있는 것 같았다.

"정말 죄송합니다."

젊은이가 금테 코안경을 고쳐 쓰면서 말했다.

"큰 결례가 안 됐으면 좋겠습니다만, 편하게 쉬고 계실 시간에 이렇게 들이닥쳐서 정말 죄송합니다."

"우산과 레인코트를 이리 주세요."

홈즈가 말했다.

"여기다 걸어 두면 금방 마르니까요. 남서부 쪽에서 오셨군요."

"그렇습니다. 서섹스의 호샴에서 왔습니다."

"그 지방에서 나는 진흙과 백토가 당신의 구두 끝에 묻어 있군요."

"선생님의 의견을 좀 듣고 싶어서 왔습니다만……."

"네, 가능합니다."

"그리고 도움도 좀 부탁드리고 싶어서요."

"글쎄요, 얼른 될지 안 될지는 잘 모르겠네요."

"명성은 들어서 알고 있습니다, 홈즈 선생님. 턴커빌 클럽의 스캔들 사건 때 플렌더거스트 소령을 도와주셨던 일에 대해 말씀 들었습니다. 소령께서 직접 얘기해 주셨거든요."

"아, 그 사건이요? 소령이 트럼프 게임에서 속임수를 썼다고 억울한 누명을 뒤집어썼었죠."

"선생님이 해결하시지 못하는 사건은 없다고 소령님께서 말씀해 주셨습니다."

"그건 좀 과장된 말 같군요."

"실패하신 적이 없다고, 저는 들었습니다."

"아닙니다. 네 번 실패했어요……. 상대가 남자일 때 세 번, 여자일 때 한 번."

"그거야 성공하신 횟수에 비하면 아무것도 아니죠."

"뭐, 사실 거의 성공하고 있다고 할 수도 있습니다만……."

"그럼, 제 경우도 문제 없겠군요."

"자, 의자를 불 쪽으로 당기고, 무슨 사건 때문인지 자세히 설명해 보세요."
"사실 이게 평범한 내용은 아닙니다."
"여기에 오시는 분들 사건은 전부 다 그렇지요."
"하지만 우리 집안에서 계속 일어나고 있는 이 사건만큼 기괴하고 설명하기 어려운 건 선생님도 아직 못 보셨을 거라고 생각합니다."
"호기심이 가는데요."
홈즈가 귀를 기울였다.
"그럼 처음부터 순서대로 사건의 내용을 얘기해 보세요. 그렇게 하면 가장 중요하다고 생각되는 점을 내가 나중에 물을 수가 있으니까요."
젊은이는 의자를 당겨 앉으며 젖은 발을 불쪽으로 뻗었다. 그리고는 얘기를 시작했다.
"제 이름은 존 오픈쇼라고 합니다. 그런데 제가 생각하기에 이 무서운 사건은 저 자신과는 별로 관계가 없는 데서 생기고 있는 것 같습니다. 말하자면 조상 때부터 계속 일어나고 있는 사건이라는 겁니다. 그래서 자세한 상황을 이해하려면, 오래전으로 거슬러 올라가서 얘기를 해야만 합니다.
우선 말씀드릴 게, 할아버지한테는 아들이 둘 있었는데 첫째아들의 이름은 일라이어스, 둘째아들의 이름은 조제프였습니다. 바로 그 조제프가 제 아버지였구요. 제 아버지는 워리크셔의 코벤트리에서 작은 공장을 운영하셨는데 자전거가 발명되면서 그 기세를 타고 공장을 확장했습니다. 아버지가 내구성 타이어 특허권을 가지고 계셨기 때문에 나중에는 그걸 팔아서 상당한 자산을 보유하게 되셨죠. 아무튼 아버지는 은퇴 후에 편안한 생활을 하실 수 있을 만큼 성공하셨습니다.

삼촌 일라이어스는 젊었을 때 미국으로 건너가 플로리다에서 농장을 경영하셨는데, 그분도 꽤 성공하셨던 것 같습니다. 그러다가 남북전쟁이 일어나는 바람에 남군 쪽의 잭슨 장군 군대에 들어가 싸우셨고, 나중에는 후드 장군 휘하에서 대령으로 승진하셨습니다. 그런데 65년에 남군의 총사령관인 리 장군이 항복을 하니까 어쩔 수 없이 다시 농장으로 가서 삼사 년 간 사셨던 모양입니다. 그 후에는 1869년인가 70년쯤 다시 유럽으로 돌아와서 서섹스 지방의 호샴 근처에 자그마한 땅을 사서 거기서 사셨다고 합니다. 삼촌은 미국에서 엄청난 재산을 모았는데, 그분이 다시 영국으로 돌아온 이유는 흑인을 무척 싫어한 데다 그들에게 선거권을 주는 공화당의 정책이 마음에 들지 않았기 때문이라고 하더군요. 성격이 유난스럽고 거칠어서 화가 나면 마구 욕설을 퍼부으면서 난폭해졌다고 하는데, 거기다가 사람 자체를 굉장히 싫어했다고 합니다. 아무튼 여기 호샴 근처에서 몇 년째 살고 있는데, 그동안 시내에 한 번이라도 나갔는지 전혀 안 나갔는지 의심스러울 정돕니다. 집 주변에 정원과 손바닥만 한 밭이 있어서 거기서 자주 운동을 하시는 것 같은데, 몇 주일 동안이나 집에만 틀어박혀 있는 적도 많은 것 같습니다. 그분은 브랜디를 많이 마시고 담배도 골초 수준인데, 사람들을 일절 안 만나고, 하여튼 친구라는 게 아예 없는 것 같더라고요. 동생인 제 아버지한테도 전혀 연락을 안 하시니까요.

삼촌을 처음 봤을 때 제가 열두 살쯤 됐었는데 저를 아주 귀여워해주셨습니다. 정말 예외적이라고 할 정도로 말이죠. 그분이 영국으로 돌아오신 지 팔 년인가 구 년쯤 됐을 때, 그러니까 1878년이었던 같습니다. 삼촌이 제 아버지한테 부탁을 해서 저를 삼촌 집으로 데려가시고는 그분 나름대로 저한테 참 잘해 주셨습니다. 술을 안 드실 때는 저랑 같이 주사위 놀이나 체스 게임을 하셨고, 하인이나 집에 오는 장사꾼들에게 저를 대리인이라고 추켜세우기도 하셨습니다. 그러다가 제가 열여섯 살이 되니까 집안일을 감독하라고 하시더군요. 저한테 모든 열쇠를 주시면서 말이죠. 그래서 그분의 은둔 생활을 방해하지 않는 선에서 저는 제가 하고 싶은 일을 뭐든 할 수 있었습니다. 단 한 가지 이상한 예외만 빼고요. 삼촌은 지붕 밑에 있는 다락방을 창고로 쓰고 있었는데, 거기만 항상 자물쇠로 채워두고 저뿐 아니라 어느 누구도 절대 접근하지 못하도록 하셨던 겁니다. 저는 아직 어렸기 때문에 호기심이 나서 가끔 열쇠 구멍으로 그 방을 들여다보기도 했는데, 뭐 그런 곳에 있는 게 별건 아니었죠. 헌 트렁크들 하고 흔해 빠진 보통 물건들이 그냥 쌓여 있는 것 같더라고요.

그 후 1883년 3월, 어느 날 아침이었습니다. 외국 우표가 붙어 있는 편지 한 통이 '대령'의 이름으로 식탁 위에 놓여 있더군요. 삼촌네 집에서는 항상 현금으로 지불했고, 삼촌이 만나는 사람도 없었기 때문에 느닷없이 편지가 온 게 신기하다는 생각이 들었습니다. 삼촌이 그걸 보더니 '인도에서 왔군.' 하며 집어들었습니다. 그리고는 '폰디셸리에서 왔네. 무슨 일일까?' 하면서 봉투를 얼른 뜯더군요. 그러자 안에서 뭔가가 굴러 나와 툭툭 하며 접시 안으로 떨어졌습니다. 가만 보니까 말린 작은 오렌지 씨앗 다섯 개더군요. 저는 그걸 보고 웃음이 나왔는데, 삼촌의 얼굴을 본 순간 웃음이 싹 가시는 거였습니다. 입술이 축 늘어지고 눈도 튀어나올 것처럼 되더니 얼굴색이 잿빛이 되어 있지 뭡니까? 그리고 봉투를 쥔 채 손을 떨면서 가만히 어딘가를 쏘아보고 있더군요. 그러면서 'KKK!' 하고 목소리를 쥐어짜듯 외치며 이런 말을 하셨습니다. '아! 이제 내 죄를 달게 받을 날이 왔구나!' 그래서 제가 '왜 그러세요, 삼촌!' 하고 외쳤죠. 그랬더니 그는 '죽음이야.' 하고 말씀하시더군요. 그 말을 하시고는 식탁에서 벌떡 일어나 방으로 들어가시더니 꼼짝을 안 하시는 겁니다. 저는 무서워서 그냥 벌벌 떨기만 했죠. 봉투를 봤더니 봉투 안쪽 풀 바르는 자리 바로 위에 KKK가 빨간색 잉크로 거칠게 쓰여 있었습니다. 그리고 봉투 안에는 말린 오렌지 씨앗 다섯 개 말고는 아무것도 안 들어 있더군요. 그런데 뭣 때문에 삼촌은 그토록 무서운 공포를 느끼셨던 것일까? 저는 한참이나 그런 생각에 빠져 있었습니다. 그러다가 저도 이층으로 가려고 계단을 막 올라가는데, 삼촌이 마침 내려오고 있더군요. 그는 한 손에 다락방 열쇠인 것 같은 낡고 녹슨 열쇠 꾸러미를 들고, 다른 손엔 금고인 것 같은 작은 상자를 들고 있었습니다.

삼촌은 혼자 뭐라고 중얼거리고 있더군요. '멋대로 해 봐라. 나도 가만 있지 않을 테니까.' 그러면서 저를 보더니 말했습니다. '내 방에 불 좀 넣으라고 메리한테 말해라. 그리고 호샴의 포담 변호사한테 이리 와 달라고 연락해라.' 하고요. 저는 삼촌이 시키는 대로 한 다음에 포담 변호사가 오자 삼촌 방으로 함께 갔습니다. 방 안엔 불이 시뻘겋게 타고 있고 종이를 태웠는지 난로 바닥에 검은 재 덩어리가 흩어져 있었습니다. 그리고 난로 옆에 아까 본 금고 상자가 뚜껑이 열린 채 있었는데, 속이 텅 비어 있었습니다. 그런데 놀라운 건, 그 상자 뚜껑에 편지 봉투에서 본 것과 똑같은 KKK가 적혀 있었다는 겁니다.

삼촌이 저에게 말씀하시더군요. '존, 내 유언장의 증인이 돼 다오. 나는 이 토지와 재산 전부를 네 아버지에게 물려주려고 한다. 그러면 나중에 네가 상속받을 테니까. 이 토지를 무사히 소유할 수 있게 된다면 참 다행이겠는데, 만약 그게 안 되면…… 그냥 악마 같은 인간에게 줘 버려라. 나쁜 말은 하고 싶지가 않구나. 이익이 될지 손해가 될지 모를 재산을 내가 지금 물려주지 않으면 안 돼서 유감스러운데, 앞으로 일이 어떻게 변할지는 모르겠다. 자, 포담 씨가 설명하는 거기에 서명해라.' 하고요.

저는 시키는 대로 서명을 했고 변호사는 그 서류를 가지고 떠났습니다.

그런데 이 이상한 사건이 아무래도 희한해서 저도 물론 여러 가지를 생각해 봤지만 무슨 일인지 도대체 짐작조차 가지 않았습니다. 그냥 무서운 공포심만 계속 들더군요. 그러다가 공포심도 시간이 지나면서 누그러지고, 저는 그냥 별일 없이 지냈습니다. 하지만 삼촌은 점점 더 달라지셨죠. 술도 더 마시고, 다른 사람 만나는 것도 더 싫어하시고요. 거의 하루 종일 방에서 문을 걸어 잠그고 틀어박혀 계셨는데, 어쩌다 밖으로 나오면 술에 취해 대문 밖까지 뛰쳐나가서는 권총을 들고 온 정원을 돌아다니며 고함을 질러 대는 것이었습니다. '나는 아무것도 겁나지 않아. 악마가 오든 뭐가 오든 간에 양처럼 우리 안에 갇혀 있지는 않을 거니까.' 하면서 말이죠. 미친 사람처럼 날뛰다가 그 발작이 가라앉고 나면 또 허겁지겁 방으로 들어가서 문을 걸어 잠그고 두문불출 했습니다. 이미 마음속에 자리하고 있는 공포를 누를 수가 없었던 것 같습니다. 그것에 맞설 만한 힘이 빠져 버렸던 거죠. 저는 삼촌의 그런 얼굴을 본 적이 있습니다. 언젠가 날씨가 아주 추운 날이었는데, 삼촌 얼굴이 마치 세수를 막 하고 난 것처럼 얼굴에서 땀이 뚝뚝 떨어지는 것이었어요.

홈즈 선생님, 제 얘기가 지루하시겠지만 이 긴긴 이야기도 곧 끝나갑니다. 어느 날 밤이었어요. 삼촌은 그날도 잔뜩 취해서 막 소리를 지르다가 집 밖으로 나갔습니다. 그러더니 들어오시지 않았어요. 찾으러 밖에 나가 보니까 정원 끝에 있는 작은 연못에 빠져 엎드린 채 숨이 끊어져 있었습니다. 폭행을 당한 흔적도 없고, 연못 깊이가 이 피트밖에 안 돼 도무지 이유를 알 수가 없었는데, 배심단에서는 삼촌이 워낙 별난 성격이라는 점을 고려해 자살이라는 평결을 내렸습니다. 그런데 저는 누구보다도 죽음을 두려워했던 삼촌이 일부러 연못에 가서 자살을 하셨을 거라고는 도무지 믿어지지가 않았습니다. 하지만 사건은 그렇게 마무리가 됐고, 제 아버지는 토지와 은행에 있던 약 만사천 파운드의 예금을 상속받았습니다."

"잠깐만요."

홈즈가 입을 열었다.

"그런 이야기는 이제껏 한 번도 들어본 적이 없고, 굉장히 이상한 사건인 것 같은데요. 그런데 삼촌한테 편지가 온 게 정확히 언제입니까? 그리고 자살이라고 추정한 그 사건이 일어난 건 또 언젠가요?"

"편지가 온 건 1883년 3월 10일이고, 돌아가신 건 칠 주가 지난 5월 2일 밤이었습니다."

"알겠습니다. 계속 얘기하시죠."

"아버지는 호샴의 저택을 상속받고 나서 제 부탁대로 언제나 자물쇠로 잠겨 있던 그 다락방을 샅샅이 조사했습니다. 거기엔 금고 상자도 있었는데 내용물은 완전히 사라지고 없었죠. 다만 뚜껑 안쪽에 종이가 붙어 있는데, 그 종이 위에 KKK가 씌어 있고 종이 아래엔 '편지, 영수증, 첨부서류' 라고 씌어 있었습니다. 오픈쇼 대령이 불태워 버린 서류는 대충 짐작할 수 있습니다. 다락방에 중요한 것은 거의 없었는데 삼촌의 미국 생활과 관련이 있는 서류와 수첩들이 흩어진 채 잔뜩 쌓여 있었습니다. 그중에는 남북전쟁 때 것들도 있어서, 삼촌이 의무를 성실히 다하고 용감한 군인으로서 평판을 얻고 있었다는 것을 짐작할 수 있는 것들도 있었습니다. 또 남부 여러 주들이 재건될 무렵의 정치와 관련된 것들도 있었는데, 그건 전쟁이 끝난 다음 혼란한 시기에 정치 브로커들이 북부에서 내려왔기 때문에 그들에게 맞서 활동했던 것과 연관된 것들이었습니다.

아버지가 호샴 저택에서 살기 시작한 건 1884년 초였습니다. 그때부터 다음해 1월 초까지는 대체로 평온한 날들이 이어졌었죠. 그런데 새해 초, 1월 4일 아침이었는데, 함께 식탁에 앉아 있던 아버지가 갑자기 큰 비명을 지르는 것이었습니다. 그래서 보니까 아버지가 한 손에는 뜯어진 봉투를 들고 있고, 다른 손에는 말린 오렌지 씨앗 다섯 개를 손바닥 위에 올려놓고 있는 거예요. 아버지는 보통 때 제가 삼촌 얘기를 하면 농담으로 들으면서 그냥 웃어넘겼는데 똑같은 일이 자신에게 일어나니까 기분이 나빠지면서 약간의 두려움도 생겼던 것 같더군요. 그러면서 떨리는 목소리로 말했습니다.

'존, 이게 무슨 뜻일까?'

저도 가슴이 철렁 내려앉으면서 무서워지더군요.

'그게 KKK인데요.'

아버지는 봉투 안을 다시 살펴보셨습니다.

'음, 그렇군. 여기에 씌어 있어. 그런데 위에 씌어 있는 이건 뭐지?'

제가 봉투를 들여다보며 그걸 읽었습니다.

'서류를 해시계 위에 놓아라.'

그러자 아버지가 묻더군요.

'서류라는 게 뭘까? 또 해시계는 뭐지?'

'정원에 있는 해시계를 말하는 거겠죠. 그것 말고는 없는데요. 그

런데 서류는 삼촌이 불태워 버린 그걸 말하는 거 같은데요.'

제가 대답했습니다.

아버지는 충격을 받았는지 쓰러질 것처럼 힘이 없어 보였습니다. 그러면서 말씀하시더군요.

'내 참! 여기는 문명국이다. 뭐 이런 말도 안되는 황당한 일이 다 있나. 편지가 도대체 어디서 온 거냐?'

'스코틀랜드의 단디에서 온 거네요.'

제가 소인을 보고 대답했죠.

'이런 괘씸한 장난을 하다니! 내가 해시계니 서류니 하고 무슨 관계가 있다고 이런 웃기는 장난을 치냐고! 일일이 신경 쓸 필요 없어.'

아버지가 고함을 치시더군요. 그래서 제가 말했습니다.

'저 같으면 경찰에 신고하겠습니다.'

'경찰에까지 알려서 놀림거리가 되란 소리냐? 난 그런 거 싫다.'

'그럼, 제가 갈까요?'

'안 된다. 이런 하찮은 일로 떠드는 건 안 돼.'

아버지가 워낙 강하게 말씀하시는 바람에 더 이상 말해 봐야 소용이 없을 것 같았습니다. 하지만 저는 불길한 예감이 들어 어찌해야 좋을지 겁만 나더군요. 그렇게 이틀이 지나고 사흘째 되던 날에 아버지가 포츠다운 언덕에 있는 요새 사령관이신 프리보디 소령을 방문하러 가셨습니다. 그렇잖아도 저는 아버지가 집에 있지 않는 게 덜 위험하게 생각돼서 밖으로 나가셨으면 했습니다. 그런데 사실은 그게 실수였습니다. 아버지가 떠나고 이틀째 되던 날 소령한테서 전보가 왔는데, 빨리 그리로 오라는 내용이었습니다. 아버지가 그 근처에 있는 깊은 석회석 채굴광에서 추락해 머리가 깨지고 의식불명 상태로 되어 있었던 겁니다. 제가 그 현장에 도착했을 때 아버지는 결국 의식을 되찾지 못하고 그대로 돌아가셨습니다. 아마도 해거름에 갔다가 저녁 때 돌아오던 중에, 아버지가 그 지역 지리를 잘 모르는데다가 채굴 광산에 울타리가 쳐져 있지 않았기 때문에 사고를 당하셨던 것이라고, 배심원단이 아무런 의문도 없이 그냥 '사고사'라는 평결을 내렸습니다. 저는 당연히 아버지가 돌아가신 상황을 세세히 조사해 봤죠. 그런데 타살일 가능성은 전혀 발견되지 않더군요. 폭행을 당한 흔적도 없고, 발자국도 없고, 또 도둑 맞은 것도 없고, 부근에서 낯선 사람을 봤다는 증인도 없었습니다. 그런데도 저는 아무래도 불안하고 이상했습니다. 결국 저는 아버지 주위에 어떤 무서운 일이 그물처럼 둘러싸여 있었던 것이라고 확신하게 되었습니다.

집안에 이렇게 음산한 일이 생기고 나서 제가 상속인이 되었습니다. 그럼 왜 저택을 팔아 버리지 않았느냐고 물어보시겠죠? 저는 우리 집안에 닥친 이 저주가 삼촌이 개인적으로 얽혀 있는 어떤 사건 때문에 그랬던 것이니까 다른 곳으로 이사를 간다고 해서 그 위험이 없어지지는 않을 거라고 생각했기 때문입니다. 그리고 아버지가 사고를 당하신 건 1885년 2월이었으니까 2년 8개월쯤은 아무 일도 없이 무사히 지나갔었죠. 그 후 저도 호샴 저택에서 편안한 생활을 하고 있었고요. 그래서 이 정도면 이제 우리 집안에 내려졌던 저주도 삼촌과 아버지로 끝났다고 생각하게 되었습니다. 그런데 제가 너무 간단히 생각했던 것 같습니다. 어제 아침이었는데, 삼촌과 아버지한테 일어났던 똑같은 일이 저에게도 일어났던 겁니다."

젊은이는 조끼 주머니에서 구겨진 봉투 하나를 꺼내더니 테이블 위에다 그 안에 있는 것을 떨어뜨렸다. 말린 오렌지 씨앗 다섯 개였다.

"이것이 그 봉투입니다."

청년은 말을 이어갔다.

"소인은 런던 동부 구내로 돼 있습니다. 아버지가 받았던 편지와 똑같은 내용이고요. 종이 위쪽에 'KKK'라고 쓰여 있고, 그 아래쪽에 '서류를 해시계 위에 놓아라.' 라고 쓰여 있습니다."

"그래서 어떻게 했습니까?"

홈즈가 물었다.

"아무것도 안 했습니다."

"아무것도 안 했다고요?"

"사실은……."

그는 가늘고 하얀 손으로 얼굴을 감쌌다.

"어떻게 해야 할지 모르겠습니다. 마치 뱀에게 쫓기는 토끼 신세 같습니다. 저항해 봐야 소용없는 무자비한 악마의 손 안에 있는 것 같은 느낌이 들거든요. 아무리 조심하고 신중하게 대처한다 해도 살아날 것 같지가 않습니다."

"아니!"

셜록 홈즈가 외쳤다.

"빨리 행동 안하면 당신도 당할 텐데요! 자신을 구하는 건 빨리 움직이는 것뿐이에요. 지금 절망하고 있을 때가 아니라고요."

"경찰에는 신고했습니다."

"뭐라고 하던가요?"

"얘기를 죽 했더니 그냥 웃더라고요. 경감은 장난질하는 편지라고 생각하는 것 같았습니다. 그리고 삼촌과 아버지의 죽음은 배심원단의 말처럼 그냥 사고사라고 들더군요. 편지하고는 아무런 관계가 없다고 판단하는 것 같았습니다."

"정말 한심한 작자들이라니까!"

홈즈는 주먹을 허공에 대고 휘두르며 외쳤다.

"그래도 제 집을 감시하겠다면서 경관 한 사람을 보내줬습니다."

"지금도 그 경관이 같이 왔나요?"

"아니요. 집을 감시하는 임무라서……."

홈즈는 또다시 주먹을 들고 미치광이처럼 휘둘렀다.

"왜 당신 여기로 왔죠? 아니, 왜 곧바로 오지 않았죠?"

"선생님을 몰랐기 때문이죠. 사실 오늘에야 처음으로 플렌더거스트 소령에게 얘기를 털어놨더니, 선생님한테 가 보라고 말씀해 주시더군요."

"편지가 온 지 벌써 이틀이나 지났습니다. 좀 더 빨리 손을 써야 했었죠. 지금 보여주신 것 말고 다른 자료가 있나요? 아무거라도, 단서가 될 만한."

"하나 있습니다."

존 오픈쇼는 그렇게 말하며 재킷 주머니에서 색이 바랜 파란 종이를 꺼내 책상 위에 놓았다.

"삼촌이 서류를 불태우던 그날 재 안에 타다 남은 종잇조각이 있었는데, 이것과 똑같은 색깔이었습니다. 이 한 장이 방바닥에 떨어져 있기에 제가 주워 놓았었죠. 아마도 빠뜨리고 못 태웠던 것이 아닐까 싶습니다. 보시다시피 여기에도 '씨앗'이라고 적혀 있는데 나머지 글자들은 별로 의미가 없어 보입니다. 제가 보기엔 뭔가 비밀스런 일기의 한 부분이 아닐까 생각되는데요. 글씨는 삼촌이 쓰신 게 분명합니다."

홈즈가 램프를 움직여 들여다보자 나도 같이 보게 되었는데, 종이의 한쪽 끝이 톱니 자국처럼 되어 있어 노트에서 뜯어낸 것임을 알 수 있었다. 위쪽엔 1869년 3월이라고 되어 있는데, 그 아래엔 뭔가 수수께끼 같은 문장들이 적혀 있었다.

〈4일 허드슨 찾아옴. 논조 변하지 않음.

7일 파라모아의 매컬리와 세인트 어거스틴의 존 스웨인에게 씨앗 보냄.

9일 매컬리 갔음.

10일 존 스웨인 갔음.

12일 파라모아 방문. 일이 모두 잘 되어감.〉

"잘 봤어요."

홈즈가 종이를 다시 의뢰인에게 돌려주며 말했다.

"자, 이제 한시도 지체하면 안 됩니다. 이야기의 내용을 여기서 분석하고 있을 틈도 없어요. 당신은 지금 바로 돌아가서 행동을 취해야 합니다."

"뭘 하면 되겠습니까?"

"한 가지만 하면 됩니다. 그런데 빨리 해야 돼요. 우선 보여주신 그 종이를 아까 얘기한 그 금고 상자에 넣어 두세요. 그리고 종이에 이렇게 쓰세요. 다른 서류는 삼촌이 다 불태워 버렸기 때문에 이것 한 장밖에 남아 있지 않다. 그렇게 써 가지고 그 메모지를 금고 상자 안에 같이 넣으세요. 상대방이 납득할 수 있도록 잘 써야 합니다. 그러고 나서 그쪽이 요구하는 대로 해시계 위에다 그 상자를 내놓으세요. 알겠습니까?"

"네, 알겠습니다."

"지금은 복수를 하겠다든지 하는 그런 생각을 하면 안됩니다. 그건 어디까지나 법률의 도움으로 해야 하는 일이라고 생각하세요. 아무튼 지금 상대방은 이미 그물을 쳐 놓고 있기 때문에 우리도 그물을 치지 않으면 안 됩니다. 그 첫째로 해야 할 일은 우선 당신에게 가해질 수 있는 시급한 위험을 제거하는 것입니다. 수수께끼를 푼다거나 상대방 악마에게 복수를 한다거나 하는 건 그다음 일이죠."

"감사합니다."

젊은이가 일어나 옷을 입으며 말했다.

"선생님은 저한테 목숨을 건질 수 있는 희망을 주셨습니다. 시키신 대로 꼭 그렇게 하겠습니다."

"빨리 가서 하세요. 그리고 무엇보다 몸조심하세요. 당신한테 지금 무서운 위험이 다가오고 있는 건 확실하니까요. 그런데 어떻게 가시겠습니까?"

"워털루 역에서 기차로 가려고요."

"아직 아홉 시 전이라 사람들이 많을 테니까 별 문제는 없겠죠. 그래도 조심해야 합니다. 아무리 조심해도 지나치지 않을 거에요."

"제가 무기를 지니고 있습니다."

"그것도 좋은 방법이죠. 나는 내일부터 조사를 시작하겠습니다."

"그럼, 호샴으로 오시겠네요?"

"아니요. 그 문제의 본거지는 런던에 있습니다. 나는 여기서 그걸 조사하면 돼요."

"그럼 제가 이틀 내로 또 들르겠습니다. 상자를 해시계에 위에 내놓은 결과도 알려드릴 겸 해서요. 선생님의 충고는 꼭 지키겠습니다."

젊은이는 악수를 하고 곧 떠났다. 밖에서는 여전히 바람이 불어대고 사나운 비가 창문을 때리고 있었다. 좀처럼 이해하기 힘든 이묘한 이야기는 마치 사납게 울부짖는 폭풍우에 시달리다가 떠밀려가는 해초처럼 우리에게 갑자기 들이닥쳤다가 다시 비바람에 날아가 버린 것처럼 느껴졌다.

셜록 홈즈는 활활 타고 있는 불길만 조용히 쳐다보고 있었다. 그리고 파이프에 불을 붙이더니 소파에 깊숙이 몸을 기대며 천천히 피어오르는 담배 연기를 바라보았다. 그가 말했다.

"왓슨, 우리가 수많은 사건을 겪어 봤지만 이렇게 이상한 이야기는 정말 처음인 것 같아."

"그러게 말이네. 〈네 사람의 서명〉과 비슷한 사건인 것 같은데."

"하긴, 그것도 참 특이한 사건이었지. 그래도 내 생각엔 이 존 오픈쇼라는 청년이 그때 쇼트 가족보다 더 무서운 위험에 닥쳐 있는 것 같네."

"아니, 그렇다면?"

내가 물었다.

"자네는 벌써 그 위험이 어느 정도인지 알고 있다는 건가?"

"어떤 위험인지는 알고 있지."

"그럼, 어떤 사건인가? KKK가 도대체 누구고, 왜 저 불행한 가족을 괴롭히는 걸까?"

셜록 홈즈는 눈을 감고 팔꿈치를 의자 팔걸이에 올리더니 두 손바닥 끝을 마주 댔다.

"실력 있는 탐정이라면 말일세, 많은 의미를 담고 있는 하나의 사실이 제시되면 처음부터 거기까지 일련의 사건을 전부 헤아려 살펴볼 줄 알아야 하고, 그뿐만 아니라 그것이 앞으로 어떻게 전개되어 나갈지 그 결과까지도 꿰뚫어 볼 수가 있다네. 퀴비네가 뼈 한 개를 관찰해서 그 동물의 전체 상을 그려 낼 수 있었듯이, 연속된 사건에서 하나의 공통분모를 찾아낼 수 있는 관찰자는 그 앞뒤로 이어지는 사건도 당연히 정확하게 추리할 수 있을 걸세. 아직 결론이 어떻게 날지 내가 완전히 파악한 것은 아니지만, 어쩌면 추리만으로도 결론을 알아낼 수 있을지 모른다네. 우리가 모든 감각을 동원해서 찾아내려고 해도 완전히 실패로 끝나는 미해결 사건들이 있는데, 그런 것도 오히려 방 안에 앉아서 해결할 수가 있거든. 그런데 이 기술을 고도로 발휘하려면 알 수 있을 만한 모든 사실을 전부 다 활용할 수 있는 힘을 가져야 한다네. 자네도 곧 알게 되겠지만 그러자면 우선 온갖 지식을 머리 속에 갖고 있어야 하는데, 요즘처럼 많이 배우고 백과사전의 도움을 받고 있는 시대에도 그런 조건을 갖추기는 보통 어려운 게 아니지. 그래도 자기 일에 꼭 필요한 범위 안에서 온갖 지식을 머릿속에 담아 두는 게 절대로 불가능한 일은 아니야. 나도 오랫동안 그런 노력을 해 왔지. 언젠가 우리가 처음 알게 됐을 때, 자네가 내 지식의 한계를 아주 정확하게 판단한 적이 있었지."

"그런 적이 있었네."

내가 웃으며 말했다.

"재미있는 성적표가 작성되었었지. 아마도 철학, 천문학, 정치 분야는 빵점이었던 것 같아. 그리고 박물학은 미지수였고, 지리학은 런던 주변 오십 마일 이내에서 옷에 묻은 진흙이나 흙먼지에 관해 꽤 잘 알고 있었지. 화학은 일부만 잘 알고, 해부학은 체계가 없었고 말이야. 그런데 특이한 사건에 대한 자료나 범죄 기록에 대해서는 타의 추종을 불허했지. 그리고 또 뭐가 있었나? 그래, 바이올린 연주를 잘 하고, 전투나 검술에 대해서도 잘 알고 있고, 법률 지식도 많지. 그리고 코카인과 담배 중독이기도 하고 말이야. 아무튼 내가 분석하기로는 이랬지."

홈즈는 마지막 대목에서 허허 하고 웃었다.

"그러니까 말이야. 그때도 얘기했다시피 두뇌라는 작은 다락방에는 꼭 필요한 도구만 넣어 두고 나머지는 필요할 때만 꺼내 쓸 수 있는 서재라는 이름의 창고에 넣어 두면 되는 걸세. 그런데 아까 들은 사건의 경우에는 우리가 가지고 있는 지식 전부를 꺼낼 필요가 있어. 그래서 미안하지만 거기 책장에서 미국 백과사전 K자 부분 좀 꺼내 주게나. 고맙네. 자, 그럼 이제 내 상황 판단에 의하면 앞으로 어떤 일이 벌어질지 사전을 한번 참조해 보기로 하세. 우선 오픈쇼 대령이 미국을 떠나 영국으로 돌아온 건 뭔가 반드시 그럴 만한 이유가 있었으리라는 당연한 추정에서 출발할 걸세. 인간은 그 나이쯤 되면 습관을 바꾸는 게 아주 어려운데, 대령은 날씨도 좋은 플로리다를 떠나 영국 촌구석으로 들어가서 고독한 생활에 묻혀 버렸거든. 그리고 가뜩이나 사람들 만나는 것도 극도로 싫어했다고 하지. 이런 점들을 보면 대령이 누군가를 혹은 무슨 일인가를 두려워하고 있었다는 걸 느낄 수가 있네. 그러니까 그가 미국을 떠난 건 어떤 사람이나 또는 어떤 일을 두려워했기 때문이라는 유력한 가정이 성립될 수 있지. 그럼 그가 무엇을 두려워했었나 하는 문제에 대해서는 그와 그 상속인들이 받은 무서운 편지에서 추측해 볼 수밖에는 방법이 없네. 자네 혹시 편지 세 통의 소인 장소에 대해 주목해 봤나?"

"맨 첫 번째 것은 인도의 폰디셀리에서 온 거고, 두 번째 편지는 스코틀랜드의 단디에서 온 거고, 세 번째 것은 런던이었지."

"런던 동부였지. 발신지들에서 뭔가 생각나는 거 없나?"

"전부 다 항구네. 그럼, 발신인들이 배를 탔다는 거구만."

"좋아. 그럼 이제 단서가 하나 생긴 거네. 발신인이 배에 타고 있는 남자라는 점은 의심할 여지도 없이 확실하지. 그다음엔 다른 각도에서 생각해 보세. 폰디셸리에서 편지를 부쳤을 때는 그 편지가 도착하고 나서 비극이 일어나기까지 칠 주 간의 시간이 있었네. 그런데 단디에서 부쳤을 때는 겨우 사 일 후였어. 자네, 여기서 뭔가 느끼는 거 없나?"

"여행 거리에 대해서 말인가?"

"하지만 편지도 똑같은 거리에서 왔다네."

"그렇게 말하니까 더 모르겠는데."

"그 또는 그들이 타고 있는 배가 범선이라는 것은 추정이 가능해. 그들은 사명을 갖고 출발하기 전에 이상한 경고나 암호를 보냈던 거지. 단디에서 편지를 보내왔을 때는 그 참극이 일어나기까지 시간이 아주 짧았네. 폰디셸리의 경우도 그들이 만약 배에 타고 있었다면 편지가 도착하는 것과 거의 동시에 나타났을 거야. 하지만 실제로는 칠 주나 걸렸거든. 그 칠 주는 바로 편지를 싣고 갔던 우편선과 발신인이 타고 있었던 범선의 속도 차이를 의미하는 것 같네."

"그럴지도 모르지."

"아니, 거의 확실하다네. 그러니까 이번 경우는 사태가 급박하게 돌아갈 걸세. 내가 오픈쇼 청년한테 조심하라고 당부했던 것도 그래서라네. 두 번의 비극은 다 발신인이 편지를 부친 곳에서 이쪽으로 여행 올 만큼의 날짜 여유를 두고 그 뒤 바로 일어났다네. 하지만 이번 경우는 런던에서 부쳤으니까 한시도 지체할 수가 없는 거지."

"그럼 큰일이네!"

내가 외쳤다.

"도대체 뭣 때문에 이렇게 잔인한 복수를 하는 걸까?"

"그건 분명히 오픈쇼 대령이 가지고 있던 서류가 배에 타고 있었던 사람들에게, 그게 한 사람인지 여러 사람인지는 모르지만, 생사를 좌우할 정도로 중요한 것이었기 때문일 거야. 나는 아무리 생각해 봐도 여러 사람이 했을 것 같네. 혼자서는 그렇게 배심원단을 감쪽같이 속일 만큼 교묘하게 두 번씩이나 살인을 저지를 수가 없지. 아마도 서너 명은 될 것 같고, 전부 다 경험이 많고 담력도 엄청 센 놈들인 게 분명하네. 그러니까 놈들은 자기들이 찾는 서류가 누구한테 있건 간에 반드시 뺏을 작정을 했던 거야. 여기까지 풀어 보면 이제 KKK라는 게 개인의 이니셜이 아니라 어떤 단체의 상징적인 이니셜이라는 걸 자네도 알 수 있겠지?"

"어떤 단체라고?"

"자네 혹시……."

셜록 홈즈는 몸을 앞으로 당기더니 소곤거리는 투로 말했다.

"쿠 클럭스 클랜에 대해 들어본 적 있나?"

"없는데……."

홈즈는 무릎 위에 놓여 있는 사전을 펼쳤다.

"여기를 보게."

그는 곧 찾아낸 것을 읽기 시작했다.

"〈쿠 클럭스 클랜. 총의 방아쇠를 당길 때 나는 소리와 비슷한 이름을 붙인 비밀 결사대의 이름. 이 비밀 결사대는 남북전쟁이 끝난 후 남부 여러 주들의 전역 군인들이 만든 것으로서, 그 세력이 전국으로 확대되자 각 지역에 지사를 설립하게 되었으며, 특히 테네시 주, 루이지애나 주, 남부 캐롤라이나 주, 조지아 주, 플로리다 주에서 맹위를 떨쳤다. 이 결사대의 행동 목표는 주로 정치적 성격을 띠어, 흑인 유권자에 대한 테러를 행하거나 결사대의 정치적 견해에 반대하는 자를 살해하며 국외로 추방하는 일을 주 임무로 했다. 결사대가 폭행을 실행할 때는 여러 가지 기발한 방법을 사용하지만 일반적으로는 잘 알려진 방법, 즉 어떤 지방에서는 떡갈나무의 작은 나뭇가지를 보내고, 또 어떤 지방에서는 멜론이나 오렌지 씨앗을 목표 인물에게 보내면서 그것을 경고의 신호로 삼았다. 이 경고를 받은 자는 자신의 견해를 포기한다는 뜻을 공개적으로 알리거나 아니면 국외로 도망쳐야만 한다. 만약 그걸 거부하고 도전할 때는 반드시 죽음의 방문을 받게 되는데, 그 방법은 기발하고도 예측하기 어려운 것이었다. 조직의 결속력이 강하고 실행도 조직적으로 하기 때문에, 경고에도 불구하고 죽음을 면했거나 그들의 범행이 밝혀진 기록은 없다고 한다. 이 결사대는 미국 정부와 남부 지역의 선량한 사람들의 노력에도 불구하고 수년 동안 전성기를 누리다가, 뜻밖에도 1869년 돌연 해체했다. 그러나 그 뒤에도 비슷한 종류의 단체가 산발적으로 생겨나고 있다.〉

이걸 보면, 결사대가 갑자기 해체된 게 오픈쇼 대령이 미국에서 서류를 가지고 영국으로 온 것하고 시기가 딱 들어맞거든. 그러니까 결국은 원인과 그 결과가 나타난 것으로 보면 될 것 같네. 그렇다면 대령이 죽은 후에도 가족을 집요하게 추적하는 게 이상할 것도 없는 거지. 대령이 불태워 버렸다는 기록은 분명히 남부의 지도자들에 관한 것일 테니까, 그것을 찾기 전까지는 두 다리 뻗고 잠 못 잘 인간들이 많다는 것 아니겠나?"

홈즈는 사전을 바닥에 내려놓으면서 말했다.

"그럼 아까 본 그 종잇조각이……."

"우리가 상상하는 그런 것일 거야. 'ABC에 씨앗을 보냈다'고 쓰여 있었지만 아마도 그건 결사대가 경고를 보냈다는 뜻인 것 같네. 그 다음에 A와 B가 갔다고 쓰여 있는 건 아마도 국외로 도망갔다는 뜻인 것 같고, 마지막에 C가 방문되었다고 쓰여 있는 건 틀림없이 불길한 일을 암시하는 것 같네. 왓슨, 우리가 어쩌면 그 암흑의 세계에 조금이나마 메스를 집어넣게 될지도 모르겠군. 그리고 존 오픈쇼는 내가 시키는 대로 하지 않으면 살아날 수 없을 거야. 자, 그럼 이제 오늘 밤에는 더 이상 할 얘기도 없으니까, 거기 바이올린 좀 집어주게. 이 지독한 날씨와 날씨보다 더 지독한 인간 세상의 일을 삼십 분이라도 좀 잊어버리게 말일세."

다음 날 아침은 날씨가 맑아져, 햇빛이 엷은 안개 사이로 부드럽게 쏟아지고 있었다. 내가 식당으로 갔을 때 셜록 홈즈는 벌써 아침 식사를 하고 있었다.

"먼저 먹고 있네. 오늘은 오픈쇼 청년의 사건 때문에 굉장히 바쁠 것 같아서 말이야."

"어떻게 할 건가?"

내가 물었다.

"글쎄, 그건 첫 조사 결과가 어떻게 나올지에 달렸겠지. 결국은 호샴에 가게 될 것 같네."

"호샴에 먼저 가는 건 아니고?"

"아니, 런던에서 시작하려고. 거기 벨을 누르게나. 하녀가 자네 커피를 가져올 걸세."

커피를 기다리는 동안 나는 테이블 위에 아직 접힌 채 그대로 있는 신문을 집어 대충 훑어보았다. 문득 어떤 제목이 눈에 들어왔는데 온몸이 얼어붙는 것 같았다.

"홈즈!"

내가 소리쳤다.

"벌써 늦었어!"

"뭐라고?"

홈즈는 커피 잔을 내려놓으며 말했다.

"안 그래도 그런 일이 생기지 않을까 걱정하고 있었지. 어떻게 당했는데?"

그의 목소리는 조용했지만 깊은 충격을 받은 말투였다.

"오픈쇼라는 이름과 '워털루 다리 근처의 참극'이라고 제목이 나와 있는데, 내가 읽어 보겠네.

〈어젯밤 9시부터 10시 사이, 쿡 경관은 워털루 다리 근처에서 복무하던 중 도움을 요청하는 비명 소리와 물이 튀는 소리를 들었다. 마침 지나가던 사람들 몇 명이 쿡 경관을 도와 함께 구조작업을 했지만 때마침 몰아치던 폭풍우와 어둠 때문에 구조는 전혀 불가능했다. 그러나 경보를 보내 수상 경찰이 출동해서 시체 인양에 성공했다. 신원은 양복 주머니에 들어 있던 봉투를 통해 밝혀졌는데, 호샴 시 근처에 사는 존 오픈쇼라는 청년 신사라고 판명되었다. 그는 워털루 역에서 막차를 타려고 서둘러 가다가 시야가 너무 어두운 탓에 길을 잘못 들어 강 선창에서 발을 헛디딘 것으로 추정된다. 시체에 폭행의 흔적은 없어 뜻밖의 재난이라고 생각되지만, 위와 같이 위험한 선창이 강가에 자리 잡고 있는 것에 대해서는 당국의 주의를 환기시키기에 충분한 사건이다.〉"

우리는 잠시 말문이 막혀 꼼짝도 안 하고 있었다. 가만 보니 홈즈는 이제껏 내가 본 적이 없을 정도로 충격을 받은 것 같았다. 한참 후 그가 겨우 입을 열었다.

"내 자존심도 상했군. 물론 그거야 별거 아니지만 아무튼 땅바닥에 떨어지고 말았어. 이렇게 되면 나도 이제는 가만히 있을 수가 없지. 내가 목숨이 붙어 있는 한 이놈의 갱단을 반드시 잡고 말겠어. 세상에! 돌아가는 길에 그렇게 당하다니!"

홈즈는 소파에서 벌떡 일어나더니 창백한 얼굴로 흥분해 어쩔 줄 몰라 하며 신경질적으로 양손을 잡았다 놓았다 했다. 그러고는 방 안에서 왔다갔다 하기 시작했다.

"잔악한 악마들 같으니라고!"

그는 흥분을 누르지 못하고 소리쳤다.

"도대체 어떻게 해서 그 장소로 유인을 했을까? 강 선창 쪽은 역으로 가는 길이 아니잖나. 아무리 폭풍우가 치고 난리를 해도 다리 위에는 사람들이 많으니까 거기서 살인을 할 수는 없었던 거지. 왓슨, 마지막으로 어느 쪽이 이기나 지켜보게. 나는 나가봐야겠네."

"경찰에 가려고?"

"아니, 내가 경찰을 자청하고 나서는 걸세. 내가 그물을 친 뒤엔 경찰이 파리 정도는 잡겠지만 더 이상 뭘 기대하고 앉아 있겠나?"

나는 그날 하루 종일 본업인 진료 때문에 바빠서 밤이 되어서야 베이커 거리로 돌아갈 수 있었다. 셜록 홈즈는 그때까지도 돌아오지 않았다. 그는 열 시가 다 돼서 잔뜩 피곤한 얼굴로 들어왔는데, 오자마자 주방으로 가더니 물을 벌컥벌컥 마시고는 빵을 걸신 들린 사람처럼 먹어 댔다.

"자네, 배고팠나?"

내가 물었다.

"배고파 죽을 뻔했어. 먹는 걸 잊어버리고 있었거든. 아침부터 아무것도 안 먹었으니까."

"아무것도 안 먹었다고?"

"물 한 모금도 안 먹었네. 먹을 새도 없었지."

"일은 잘 됐나?"

"그렇다네."

"그럼, 단서를 잡은 건가?"

"놈들은 지금 내 손아귀에 들어 있지. 오픈쇼 청년의 원수를 갚는 건 이제 시간 문제야. 자 왓슨, 이번에는 우리가 놈들한테 악마의 경고장을 보내주자고. 어때 멋진 생각 아닌가?"

"아니 뭐라고?"

홈즈는 찬장에서 오렌지를 꺼내 껍질을 까더니 그 속에서 씨를 발라냈다. 그리고 씨 다섯 개를 주워 봉투 안에 넣고, 봉투 안쪽에 'JO의 대리인, SH(존 오픈쇼의 대리인, 셜록 홈즈)' 라고 썼다. 그는 봉투를 붙이고 나서 겉면에 '미국 조지아 주 사바나 항구, 돛대 세 개짜리 범선 론 스타 호의 선장 제임스 칼푼 귀하' 라고 수신자 이름을 썼다.

"배가 항구로 들어가면 이 편지가 기다리고 있는 거지."

홈즈는 그렇게 말하며 웃었다.

"놈이 이걸 보면 밤에 잠도 안 올걸. 오픈쇼에게 협박했던 것과 마찬가지로 이 편지가 곧 피할 수 없는 운명의 예고가 될 테니까 말일세."

"칼푼 선장이란 자는 어떤 놈인가?"

"일당의 우두머리지. 다른 놈들도 해치우겠지만 우선 우두머리부터 잡아야 돼."

"어떻게 알아냈나?"

홈즈는 주머니에서 큰 종이 한 장을 꺼내 보여주었는데, 거기엔 날짜마다 이름이 가득 적혀 있었다.

"오늘 하루 종일 로이드 선박 등록부와 신문기사들을 조사했다네. 그래서 1883년 1월부터 3월 사이에 폰디셸리에 기항한 배들의 그다음 동정에 대해 살펴봤지. 그 두 달 동안 들어온 선박 중에 톤수가 큰 게 서른여섯 척이나 되더군. 그중에서 론 스타라는 배가 내 눈에 띄더라고. 그게 런던에서 출항했다고 기록되어 있었지만 사실 그 이름은 미국 어떤 주의 별명이거든."

"텍사스겠지."

"그것까지는 기억이 안 나고, 지금도 확실치 않은데, 어쨌든 미국 배가 틀림없다고 생각했지."

"그래서 어떻게 했나?"

"그다음엔 단디 항구의 기록을 조사했더니 론 스타가 1885년 1월에 기항했다고 나와 있더군. 그러니 혐의가 아니라 확신으로 바뀐 거지. 그리고 마지막으로 지금 런던 항구에 정박 중인 배들을 조사해 보았네."

"그랬더니?"

"론 스타가 지난주에 들어왔더군. 나는 곧 템즈 강의 앨버트 독으로 달려갔지. 그랬더니 오늘 아침 썰물 때 사바나 항구로 출항했다는 걸세. 그래서 글레이브 젠드에 전보를 쳐서 문의했더니 좀 전에 그곳을 통과했다고 하는군. 지금은 동풍이 불고 있으니까 아마도 굿윈의 얕은 곳을 지나 와이트 섬 부근을 지나고 있을 것 같네."

"그럼 이제부터 어떻게 할 텐가?"

"뭐 이제 붙잡은 거나 마찬가지지. 내가 조사한 바로는 선원들 중에 미국인은 선장과 항해사 두 명뿐이었어. 그 밖에는 모두 핀란드와 독일 사람들이었지. 그런데 그 미국인 세 명이 어젯밤에 같이 상륙했다는 거야. 배에 짐들을 실어 준 부두의 인부가 말해 주더군. 자, 그렇다면 그 배가 사바나 항구에 닿을 무렵엔 이 편지가 수신자에게 이미 도착해 있을 거고, 그쪽 경찰에는 사바나 항구에서 미국인 세 명을 살인 혐의로 체포해 달라는 연락이 해저전선을 통해 가 있을 걸세."

하지만 인간이 세운 계획은 아무리 최선을 다한 것이라 할지라도 어딘가에 허점이 있는 법. 존 오픈쇼 살해의 공범자들은 오렌지의 씨앗을 받지 못했던 것이다. 따라서 그들 못지않은 치밀함과 결단력으로 무장된 한 탐정이 자신들의 뒤를 추적하고 있다는 걸 그들은 영원히 모르고 말았다.

그해 가을의 폭풍은 유난히도 길고 격렬했다. 우리는 사바나 항구에서 론 스타의 소식이 오기를 오랫동안 목마르게 기다렸지만 결국 아무 소식도 듣지 못했다. 그 뒤 어쩌다 듣게 된 소식이 하나 있는데,

대서양의 아득한 저편 어딘가에서 부서진 보트의 선미재 하나가 파도 사이에 떠돌고 있었으며, 거기엔 'LS(론 스타의 머리 글자)' 라는 글자가 새겨져 있었다고 한다. 하지만 그것은 곧, 그로부터 영원히 론 스타의 운명에 대해서는 아무것도 모르게 되었다는 뜻이다.

구부러진
남자

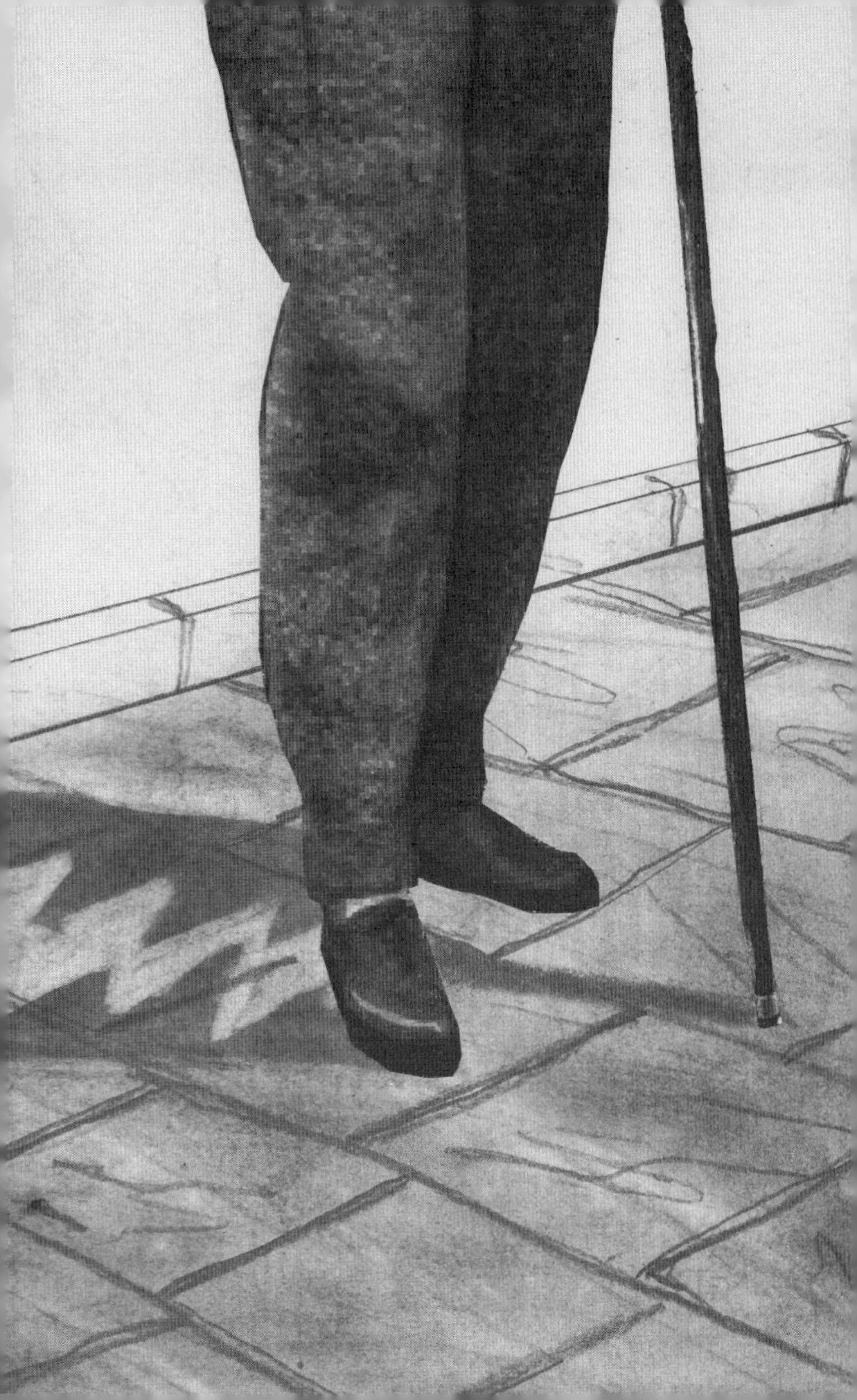

결혼하고 몇 달 뒤 어느 여름날 밤이었다. 나는 난롯가에 앉아 파이프로 마지막 담배를 피우고 나서 소설책을 펼쳐 들었다. 하지만 하루 종일 녹초가 되도록 일을 했더니 금방 꾸벅꾸벅 졸기 시작했다. 아내는 이미 침실로 가고 없었고, 좀 전엔 현관에서도 문단속하는 소리가 들린 것으로 봐서 고용인들도 모두 자러 들어간 것 같았다. 나도 자러 가려고 일어나 파이프의 재를 털고 있는데, 그때 문득 벨 소리가 울려 왔다.

나는 벽시계를 쳐다보았다. 열두 시 십오 분 전이었다. 이렇게 늦은 시각에 방문객이 올 리는 없다. 그렇다면 환자가 분명한데, 어쩌면 밤을 새우게 될지도 모르겠군. 나는 속으로 생각하며, 잔뜩 찌푸린 얼굴로 현관으로 나가 문을 열었다. 그런데 거기 서 있는 사람은 놀랍게도 셜록 홈즈였다.

"여보게 왓슨, 아직은 괜찮을 시간이라고 생각했는데."

그가 대뜸 말했다.

"어! 자네구먼. 아무튼 들어오게."

"깜짝 놀라고 있구먼. 그럴 만도 하지. 한편으론 안심한 눈치이기도 하고. 아니! 그런데 자네 아직도 옛날처럼 아케디어 담배를 피우고 있구먼. 옷에 묻어 있는 솜 같은 재를 보니까 틀림없는데. 자네가 오랫동안 군복을 입었다는 것도 금방 알 수 있지. 왜냐하면 소맷부리에다 손수건을 쑤셔 넣는 그 버릇을 고치지 않는 한, 자네가 군의관 출신이라는 건 금방 알 수 있거든. 그런데 오늘 밤에 나 좀 재워 줄 수 있나?"

"좋지."

"손님방이 하나 있다고 했는데, 지금으로선 남자 손님도 없는 것 같으니 말이야. 모자걸이를 보면 알 수 있지."

"맞아. 자네가 여기서 자겠다면 환영이지."

"고맙군. 그럼 이 모자걸이를 좀 쓰겠네. 근데 자네 집에 요즘 일꾼들이 왔었군. 쯧쯧. 그건 좋지 않은 일이 있다는 증거인데. 배수관이 고장 났나?"

"아니, 가스관에 문제가 있어서."

"그렇군. 여기 불빛이 비치는 데 보니까 리놀륨 위에 구두 자국이 두 군데나 나 있어서 말이야. 아니, 식사는 워털루에서 하고 왔어. 담배라면 기꺼이 반갑겠지만."

내가 담배를 건네자 그는 내 맞은편에 앉아 잠시 아무 말도 없이 담배 연기를 내뿜고 있었다. 이런 시각에 아주 중대한 일이 아니라면 그가 나를 찾아올 리가 없다는 것을 잘 알고 있기 때문에, 나는 홈즈가 먼저 말을 꺼낼 때까지 잠자코 기다렸다.

"자네 요즘 일이 많은가 보군."

그가 예민한 눈빛으로 나를 쳐다보며 말했다.

"어, 그래. 오늘은 정말 바빴지. 그런데 바보 같은 질문인지 모르지만 어떻게 그걸 알았나?"

홈즈는 싱긋 웃었다.

"내가 자네 버릇을 잘 알고 있잖나, 왓슨."

그가 말했다.

"자네는 왕진을 갈 때 거리가 가까우면 걷지만 멀 때는 마차를 타잖나. 자네 장화를 보니까, 오늘 신었던 흔적은 있는데 전혀 더러워지지는 않아서 자네가 요즘 마차를 탈 정도로 바쁘다는 걸 알 수 있었던 거지."

"맞았어!"

나는 감탄의 소리를 질렀다.

"이거야 기본이지. 이런 정도는 그냥 예를 든 것에 불과한데, 추리가가 흔히 옆 사람들을 놀라게 할 수 있는 건, 충분히 추리할 수 있는 작은 단서들이 바로 옆에 있는데도 그 사람들은 그걸 못 보기 때문이거든. 그런 경우가 대부분이라서 그렇다네. 왓슨, 자네가 사건 기록을 쓸 때도 어떤 효과를 살리기 위해서 이런 식으로 얘기할 수 있지 않겠나? 이를테면 문제의 요점 일부를 독자에게는 절대로 알리지 않고 자네가 쥐고 있으면서 겉으로만 독자의 마음을 헛갈리게 하는 거지. 독자들이 그걸 못 보도록 말일세. 그런데 내가 지금 그 독자의 처지에 있다네. 무슨 말이냐 하면, 인간의 두뇌를 정말로 괴롭히는 가장 희한한 사건 중 하나라고 할 수 있는 것에 내가 지금 부딪혀 있거든. 몇 가지 단서를 잡고 있기는 한데 추리가 완성되기까지는 바로 한두 가지가 부족하기 때문이지. 그걸 못 보고 있는 거라네. 하지만 꼭 찾고 말 거야, 왓슨. 찾고 말 거야!"

홈즈의 눈이 반짝거리며 푹 꺼진 얼굴에도 혈색이 돌았다. 극히 짧은 순간이었지만 그의 강렬하고 열정적인 천성을 가리고 있던 베일이 살짝 걷혀진 듯했다. 그러나 그때뿐이었다. 다시 쳐다봤을 때 그의 얼굴은 마치 아메리카 인디언처럼 감정을 알 수 없는 무표정한 — 그래서 사람들은 그들의 얼굴을 인간이라기보다 오히려 기계처럼 느끼는지도 모르지만 — 모습이 되어 있었다.

"사건은 흥미롭게 돼 가고 있다네. 대단히 흥미롭다고 할 수 있지. 대충 조사해 봤지만 해결의 전망은 밝은 편이네. 그래서 지금 마지막 단계에 들어가는데, 자네의 도움이 좀 필요해서 말이야."

"기꺼이 돕겠네."

"내일 올더쇼트까지 갈 수 있겠나?"

"그러지. 환자는 잭슨한테 맡기면 되니까."

"잘됐군. 워털루 역에서 열한 시 십 분에 출발할까 하는데."

"그 정도면 준비할 시간도 충분하군."

"그럼, 자네가 지금 졸리지만 않다면 이제부터 해야 할 일에 대해 대강 설명을 해주겠네."

"자네가 오기 전에는 졸고 있었는데 지금은 잠이 다 달아나 버렸지."

"무슨 일이냐 하면, 내가 사건의 요점만 간단히 줄여서 말해 보겠네. 자네도 신문 기사에서 이 사건에 대해 읽었는지도 몰라. 내가 지금 조사하고 있는 건 올더쇼트의 로얄 마로우즈 연대의 버클레이 대령 살해 사건이라네."

"전혀 듣지 못했는데."

"하긴 아직까지 그 지역 외에서는 크게 떠들썩하지 않으니까. 게다가 사건이 일어난 지 아직 이틀밖에 안 지났거든. 간추려 보면 대충 이렇다네.

자네도 알다시피 로얄 마로우즈 연대는 영국 육군 중에서도 가장 이름이 잘 알려진 아일랜드 연대 가운데 하나인데, 크리미아 전쟁과 인도 반란에서 큰 공을 세우고 그 후로부터도 계속 이름을 떨쳐 왔다네. 월요일 밤까지 제임스 버클레이가 연대장으로 있었지. 그는 졸병부터 시작해 올라간 사람인데, 인도 반란 때 활약했던 용맹함이 인정되어서 장교로 발탁되었다네. 그리고 결국 자신이 보병으로 시작했던 그 연대의 총 책임자 자리까지 올라가게 됐던 거지.

버클레이 대령은 중사였을 때 결혼을 했는데, 그의 아내는 같은 부대에서 군기 상사를 지냈던 사람의 딸로 미혼 시절 성이 낸시 뒤보이라고 한다네. 그래서 그 젊은 부부가 새로운 사교 생활을 시작하게 됐을 때 처음에는 상당히 쉽지 않았을 거라는 걸 상상할 수가 있겠지. 그러나 두 사람은 비교적 빠르게 그 환경에 적응해 갔던 것 같네. 제임스 버클레이가 항상 다른 장교들에게 좋은 평을 받았던 것처럼 그의 부인도 다른 장교들의 부인들 사이에서 큰 인기를 누렸다고 하더군. 게다가 그녀는 굉장히 미인이었기 때문에 결혼한 지 삼십 년이나 지난 지금도 남들의 시선을 끌 만한 미모를 아직 간직하고 있다고 하네.

버클레이 대령의 결혼생활은 아주 행복했던 것 같아. 머피 소령의 말에 의하면, 내가 들었던 사실은 주로 이 사람을 통해서이긴 하지만, 그들 부부 사이에 불화 같은 게 있었다는 걸 한 번도 들은 적이 없다고 하더군. 아주 장담을 했다네. 그 사람이 보기엔, 아내 쪽보다도 대령 쪽의 애정이 아주 깊었던 것 같다고 했네. 가령 그 대령은 아내와 하루만 떨어져 있어도 아주 안절부절못했다고 하더군. 반면 아내는 애정도 깊고 침착하기도 했지만 남편만큼 열렬하게 애정을 나타내지는 않았던 모양이야. 어쨌든 그들은 연대 내에서 다른 부부들 사이에 모범으로 알려져 있었지. 그렇기 때문에 그 두 사람의 관계에서 비극을 상상하는 건 도대체 있을 수 없는 일이었다네.

그런데 버클레이 대령의 성격에 묘한 점이 몇 가지 있었던 같아. 그는 남자답고 활발한 군인이었지만 가끔은 난폭하고 지나치게 집착하는 면을 폭발시키는 기질도 있었던 같네. 그러니까 그런 본성을 가지고 있었는데, 그걸 아내한테 표현한 적은 한 번도 없었던 거지. 그리고 머피 소령 외에도 내가 만나 봤던 다섯 명의 장교 중 세 명이 똑같은 얘기를 하는데, 이따금 대령의 얼굴에 우울한 그림자가 아주 강하게 나타났다고 하더군. 머피 소령의 말에 의하면, 장교들과 함께 식탁에 앉아 웃고 떠들고 농담을 주고받고 하다가도 갑자기 대령의 얼굴에서 미소가 싹 사라지는 일이 종종 있다는 거야. 마치 보이지 않는 어떤 손이 그의 입술에서 미소를 쓸어내 버리는 것처럼 말이지. 그리고는 며칠이나 계속해 심한 우울증에 빠져 지낸다는 거네. 또 묘한 점 한 가지는, 다른 장교들의 눈에도 띄었다고 하는데, 그에게 미신적인 데가 있었다고 하더군. 어떤 점이냐 하면 그는 혼자 서 있는 걸 싫어했다고 하네. 특히 해가 저물고 난 다음에 말이야. 참 특이하지 않나? 굉장히 남자다운 기질 속에 이렇게 어린아이 같은 면이 있다는 게 말이지. 이런 점이 여러 가지 해석이나 오해를 낳고 있다네.

로얄 마로우즈 연대 제1대대는 수년 전부터 올더쇼트에 주둔하고 있는데, 결혼한 장교들은 외부에 거주할 수 있기 때문에 대령은 근래 몇 년 동안 병영에서 반 마일쯤 떨어진 동네에 살고 있네. 라신이라고 부르는 별장 형식의 집에 말일세. 집 주변은 전부 정원으로 꾸며져 있는데, 찻길이 서쪽 방향으로 30야드도 채 안 되는 곳에 있지. 그 집에 사는 사람은 마부와 하녀 두 명, 그리고 주인 부부, 그렇게 다섯 사람이 전부였다네. 버클레이 부부에게는 아이가 없었고, 찾아오는 손님도 거의 없었다고 하는군.

그런데 마침내 월요일 밤 아홉 시부터 열 시 사이에 라신에서 사건이 일어났지. 버클레이 부인은 로마 가톨릭 교회 소속 신자이기 때문에 와트 거리의 교회와 연합으로 설립되는 세인트 조지 협회를 위해 적극적인 도움을 주고 있었는데, 그 협회는 필요 없는 옷 등 생활용품들을 어려운 사람들에게 나눠 주려는 목적으로 설립될 참이었다네. 그날 밤 여덟 시부터 협회의 모임이 있었기 때문에, 부인은 약속에 늦지 않으려고 서둘러 저녁 식사를 끝냈지. 그리고 집을 나서면서 그녀는 뭔가 다른 일에 대해 남편에게 얘기를 하면서 늦지 않게 돌아오겠다는 말을 했다는 거야. 그걸 마부가 들었다는군. 그런 다음 그녀는 이웃에 사는 젊은 여자 모리슨 양을 불러 함께 모임에 갔다네. 협회의 모임은 사십 분 만에 끝났고, 부인은 모리슨 양을 그 집 문 앞에 내려준 다음 곧바로 집으로 돌아왔지. 그때가 아홉 시 십오 분이었다네.

라신에는 거실로 사용하는 방이 하나 있는데 도로 쪽으로 창문이 나 있고 커다란 유리문이 있어서 잔디밭으로 곧장 나갈 수가 있다네. 잔디밭은 폭이 30야드쯤 되고, 나지막한 담 위에 쇠막대기가 설치돼 있는데 큰길과는 좀 떨어져 있지. 버클레이 부인은 집으로 돌아온 뒤 그 방으로 들어간 거야. 그 방은 밤에 사용하는 일이 거의 없기 때문에 블라인드가 내려져 있지 않았지만, 부인은 직접 불을 켜고 벨을 울려서 하녀 제인 스튜어트에게 차를 가져오도록 했네. 그런데 그건 평소에 부인이 하는 습관이 전혀 아니었다네. 대령은 그때 식당에 있었는데 아내가 돌아온 소리를 듣고는 그녀가 있는 그 방으로 갔지. 홀을 지나 그 방으로 가는 것을 마부가 봤다고 했네. 그때가 대령의 살아 있는 모습을 본 마지막 순간이었다네.

하녀가 차를 가지고 십 분 후에 문 앞으로 왔는데 방 안에서 주인 부부가 심하게 다투는 소리가 들리더라는 거야. 그래서 깜짝 놀라 노크를 했더니 대답도 없고, 손잡이를 돌려 봤더니 문도 안에서 잠겨 있었다는 거지. 당연히 그 하녀는 급히 되돌아가 주방에 있는 하녀한테 얘기를 했고, 두 여자는 마부를 데리고 함께 그 방으로 다시 갔다네. 방 안에서는 아직도 부부가 싸우고 있어서 이 세 사람은 밖에서 가만히 귀를 기울여 들었다는구먼. 들리는 소리는 버클레이와 부인의 목소리뿐이었다고, 세 사람이 똑같은 말을 했네. 버클레이 대령의 목소리는 나직하고 띄엄띄엄 들려서 무슨 소린지 한 마디도 알아들을 수 없었지만, 반대로 부인의 목소리는 아주 크고 격렬해서 똑똑히 잘 들렸다는 거야. 부인이 '비겁자!' 라고 계속 외쳤다는 거네. '지금부터 뭘 할 수 있다는 거야? 내 인생을 되돌려 줘. 이제는 당신 같은 사람이랑 같은 공기를 마시기도 싫어. 비겁한 인간! 비겁한 인간 같으니!' 부인의 그런 말이 띄엄띄엄 들리더니, 갑자기 덜거덕 하는 소리가 나면서 대령이 무서운 비명을 지르더라는 거야. 그리고 이어서 부인의 째는 듯한 날카로운 비명 소리가 들렸다네. 뭔가 비극적인 일이 일어난 게 틀림없다고 생각해 마부는 문을 부수고 들어가려고 시도했지. 그러는 중에도 안에서는 계속 부인이 비명이 지르고 있었고 말이네. 하지만 마부는 문을 부수지도 못하고 하녀들은 공포에 떨며 안절부절못하고 있었지. 그때 갑자기 마부가 현관 밖으로 나가더니 바깥 쪽으로 나 있는 방의 창문을 향해 뛰어갔다네. 마침 창문이 하나 열려 있어서 ─ 여름이라 당연히 열려 있었지 ─ 그는 어렵지 않게 방 안으로 들어갈 수 있었네. 버클레이 부인은 비명을 지르다가 기절해 소파에 쓰러져 있고, 대령은 팔걸이의자 한쪽에 양팔을 걸친 채 난로 근처 구석진 바닥에 머리를 떨어뜨리고 자신이 흘린 흥건한 피 속에서 쓰러져 죽어 있더라는 거야.

어떻게 할 방법이 없으니까 마부는 우선 방문부터 열려고 했지. 그런데 그때 뜻밖의 묘한 문제에 부딪히게 됐네. 열쇠가 문 안쪽에 꽂혀 있지를 않았는데 방 안 어디에도 그게 안 보였던 거야. 그래서 할 수 없이 다시 창문을 통해 밖으로 나가 경찰서에 가서 알렸다네. 버클레이 부인은 의식을 잃은 채 그녀의 방으로 옮겨졌는데, 당연히 가장 큰 혐의를 받게 됐지. 그리고 대령의 시신은 소파에 눕혀 놓은 상태로 그 참극의 현장에 대한 세밀한 검증이 시작됐다네.

그 불운한 늙은 대령은 머리 뒤쪽에 치명상을 입었는데, 2인치 정도 길이의 거친 상처로 볼 때 그건 분명 어떤 흉기로 세게 맞은 것이 명백해 보였다네. 그리고 그 흉기가 무엇이었는지도 어렵지 않게 추정할 수 있었지. 대령의 시신 바로 옆에 떡갈나무로 만들어진 곤봉 같은 게 있었는데, 거기엔 이상한 조각이 새겨져 있고 뼈로 된 손잡이가 달려 있었다네. 아마도 대령은 여러 지역의 싸움터에서 돌아올 때마다 그럼 무기 같은 걸 가져와 수집하는 취미가 있었는데, 그 곤봉도 그중 하나일 거라고 경찰에서는 추측하고 있더군. 고용인들은 전부 다 처음 보는 물건이라고 했지만, 그 집에는 희한한 것들이 많이 있기 때문에 그중에 있는 곤봉을 못 봤을 가능성은 충분히 있다는 거였네. 경찰은 그 물건 외에 다른 그럴듯한 것은 그 방에서 발견하지 못했네.

그런데 또 희한한 사실은 열쇠가 발견되지 않았다는 것이네. 버클레이 부인의 몸에서도 대령의 몸에서도 나오지 않았고 방 안을 다 뒤져도 나오지 않았다네. 결국 올더쇼트에서 기술자를 불러 문을 열어야만 했지.

왓슨, 여기까지가 내가 화요일 아침에 머피 소령한테서 의뢰를 받고, 경찰의 수사를 도와달라고 해서 올더쇼트에 갔을 때의 상황이 라네. 여기까지만 들어도 자네는 흥미 있는 사건이라고 생각하겠지만, 직접 조사를 해보니까 겉으로 보기보다 훨씬 더 묘한 점이 있더구먼.

방을 조사하기 전에 고용인들을 심문했는데, 방금 얘기한 사실 외에 다른 것은 더 끌어내지 못했네. 그런데 딱 한 가지, 하녀 제인 스튜어트가 꽤 흥미로운 사실을 얘기하더군. 맨 처음에 그녀가 싸움소리를 듣고 다른 사람들을 부르러 갔다는 얘기, 자네 기억하고 있겠지. 처음에 막 문 앞에 차를 들고 갔을 때는 주인 부부의 목소리가 낮아서 무슨 말인지 거의 알아들을 수 없었지만, 대충 느낌에 그들이 싸우는 것 같았다고 그녀가 말을 한 거야. 그래서 다시 물었더니, 부인이 '데이빗' 이라는 이름을 두 번 말했던 게 기억난다고 하지 않겠어. 이건 그들 사이에 갑작스런 싸움이 일어났던 원인을 알 수 있게 하는 실마리로 아주 중요한 단서가 됐다네. 대령의 이름은 알다시피 제임스 아닌가.

이 사건에서는 경찰이나 고용인들에게 아주 깊은 인상을 주는 점이 한 가지 있네. 그건 대령의 얼굴이 무섭게 일그러져 있었다는 거지. 그들의 말에 의하면, 그보다 더 무서운 표정은 도저히 있을 수 없을 만큼 불안과 공포로 심한 경련을 일으켰던 모습이었다고 했네. 살짝 보기만 했는데도 까무러친 사람이 몇 명이나 있었을 정도로 무시무시했던 모양이야. 대령은 자신의 운명을 깨달았을 때 극도의 공포에 사로잡혔던 것 같아. 자기 아내가 자기를 살해하려는 순간을 봤다면 말일세. 만약 그렇다면 경찰이 추정하는 것과 딱 들어맞는 것이 되겠지. 상처가 머리 뒤쪽에 있다는 것도, 말하자면 대령이 그 공포의 일격을 피하려다 얼굴을 돌려서 그렇게 된 것인지 모르니까 틀린 얘기는 아니네. 부인은 급성 뇌염 증상이 나타나 일시적인 발광 상태에 빠져 있었기 때문에 아무것도 알아낼 수가 없었다네.

경관한테 들은 얘기지만, 그날 밤에 버클레이 부인과 함께 협회 모임에 갔었던 모리슨 양은 부인이 그렇게 안 좋은 기분 상태로 돌아간 이유에 대해 전혀 모른다고 했다네.

자, 이 정도 사실을 모아 놓고 나는 파이프 담배를 몇 번이나 새로 채워서 피우면서 이들 사실들 가운데 핵심 부분과 곁가지 부분을 구별해 나눠 보려고 곰곰이 생각해 봤지. 이 사건에서 가장 눈에 띄고 의심이 가는 점은 방문 열쇠가 없어진 사실이라고 보네. 그건 의심할 여지가 없어. 온 방 안을 샅샅이 뒤졌는데도 열쇠는 나오지 않았어. 그렇다면 누가 가져갔다는 얘기가 되지. 그러나 그들 부부가 아닌 것은 확실해. 그럼 분명 다른 사람이 방에 들어왔다는 거야. 그렇지 않으면 얘기가 안 되니까. 그리고 그 다른 사람은 창문으로 들어올 수밖에 없었네. 방과 잔디밭을 세밀히 조사해 보면 이 수수께끼 인물의 흔적이 조금이라도 발견될지 모른다고 난 생각했지. 왓슨, 내가 하는 여러 가지 방법을 자네는 알고 있겠지. 그래서 나는 그 조사를 하는 데 내가 할 수 있는 모든 방법을 동원해서 적용해 봤다네. 결국 흔적을 발견할 수 있었지. 그런데 내가 기대했던 것과 전혀 다른 흔적이 나온 거야. 한 남자가 도로에서부터 와서 잔디밭을 지나 방으로 들어갔는데, 선명한 발자국이 다섯 개 찍혀 있었다네. 하나는 도로 위 낮은 담에 기어올라간 흔적으로 나 있고, 두 개는 잔디밭에 있었고, 나머지 두 개는 아주 희미하게 남아 있는데 창문 옆의 더러운 나무판자 위에 있었네. 잔디밭을 뛰어서 간 것 같았어. 발자국의 뒤쪽이 얕고 앞쪽이 깊은 걸로 봐서 말이야. 하지만 내가 놀랐던 것은 그 남자가 아니라네. 그가 데리고 갔던 것이지."

"데리고 간 거라니?"

홈즈는 주머니에서 크고 얇은 종이를 꺼내 무릎 위에 조심스럽게 펼쳤다.

"이게 뭐인 것 같나?"

그가 물었다.

종이 위에는 작은 동물의 발자국 같은 게 찍혀 있었다. 다섯 개의 발가락이 뚜렷하게 나 있고, 발톱이 긴데, 발자국 하나가 큰 스푼 정도 되는 크기였다.

"개로군."

내가 말했다.

"개가 커튼을 기어 올라간다는 얘기를 들은 적 있나? 나는 이 동물이 커튼을 기어 올라간 흔적을 분명히 봤네."

"그럼 원숭이인가?"

"아니야. 원숭이의 발자국이 아니야."

"그럼 대체 뭘까?"

“개도 고양이도 원숭이도 아니네. 우리가 잘 알고 있는 동물이 아니야. 나는 치수로 계산해서 이 동물을 대충 만들어 봤지. 여기 보게. 이 동물이 네 발로 서 있을 때의 자국일세. 이걸로 볼 때 앞발에서 뒷발까지는 25인치 정도 되네. 거기에다 목과 머리를 덧붙이면 전체 길이는 약 2피트 정도, 2피트보다 적지는 않은 동물이 되지. 꼬리가 있으면 좀 더 커지겠지만 말이야. 그런데 여기 또 하나의 치수를 보게. 이건 동물이 걷고 있는 자국인데, 걸음 폭을 알 수가 있지. 어떤 걸 봐도 3인치 정도밖에 안돼. 이걸 보면 긴 몸통에 짧은 발이 달린 동물이란 걸 알 수가 있네. 털 하나 남겨 놓지 않았지. 어쨌든 이 동물의 형태는 대략, 내가 지금 말한 것 같은 그런 모양새가 틀림없을 거야. 그리고 커튼을 기어 올라갈 수 있는 육식동물일 걸세.”

“어떻게 그걸 알지?”

“커튼을 기어 올라갔기 때문에. 카나리아 새장이 창문에 매달려 있었는데, 이놈이 그 새를 목표로 했던 것 같아.”

“그럼 그 동물은 도대체 어떤 거지?”

“그러게 말일세. 이름을 알면 해결이 훨씬 더 쉬워질 텐데 말이야. 아마도 족제비나 담비 족속일 것 같은데, 그런 족속들 중에서 이렇게 큰 건 본 적이 없거든.”

“그런데 이 동물이 살인 사건과 무슨 관계가 있나?”

“그것도 아직 확실치는 않네. 어쨌든 여러 가지 사실을 알 수 있었다는 건 분명해. 우선 한 남자가 길가 쪽에 서서 버클레이 부부의 말다툼을 지켜봤다는 걸 알았지. 창문이 열려 있었고, 커튼도 쳐 있지 않았고 그리고 불이 꺼져 있었기 때문이네. 그런 다음 그 남자는 알 수 없는 동물을 데리고 잔디밭을 뛰어 방으로 들어갔던 것 같아. 그 남자가 대령을 때려 죽였는지도 모르고, 아니면 대령이 그 남자를 본 순간 공포에 질려 기절하면서 난로 모퉁이에 머리를 부딪쳐 죽었는지도 모르네. 그것도 충분히 가능한 생각이야. 그리고 마지막으로 확실한 사실은 그 침입자가 도망갈 때 열쇠를 가지고 갔다는 점이지."

"그런데 자네가 발견한 것들 때문에 사건이 더 알 수 없는 쪽으로 흐르고 있는 것 같구먼."

"바로 그거야. 내가 발견한 것들 때문에 처음에 막연히 생각했던 것보다 훨씬 더 복잡한 사건이라는 게, 의심할 것도 없이 제시가 됐던 거라네. 그래서 나는 곰곰이 생각을 거듭해 보다가 결론적으로, 이 사건은 완전히 다른 방향에서 다시 접근해야 한다는 결정을 내렸다네. 그런데 왓슨, 이제 시간이 너무 늦은 것 같으니까 다음 얘기는 내일 올더쇼트로 가면서 하는 게 좋을 것 같네."

"그래, 고맙긴 한데 그렇다고 얘기하다가 중간에 끊는 것도 좀 그렇지."

"그럼 마저 얘기해 주겠네. 버클레이 부인이 일곱 시 반에 집에서 나갔을 때, 그때는 남편하고 감정이 나빴던 게 전혀 아니었다네. 나가면서 보통 때처럼 남편과 다정스럽게 몇 마디를 나누기도 했는데, 마부가 분명히 들었다고 했지. 그리고 내가 앞에서 얘기했던 것 같은데, 그 부인은 애정 같은 걸 유난스럽게 표현하는 성격이 아니었던 것 같아. 그런데 어쨌든 집에 돌아오자마자 평소엔 잘 가지 않는 방으로 들어가서 잔뜩 흥분된 상태로 하녀에게 차를 가져오라고 시켰고, 남편이 그 방으로 들어가니까 곧바로 격렬하게 비난을 퍼부었다는 건데, 이것 또한 확실한 사실이었네. 그렇다면 일곱 시 반부터 아홉 시 사이에 남편에게 그렇게 감정이 상했을 만한 어떤 일이 분명히 생겼다는 거지. 그 한 시간 삼십 분 동안 부인과 함께 있었던 사람은 모리슨 양이었고 말일세. 그러니까 모리슨 양이 아무것도 모른다고 말한 건 사실이 아니고 분명히 뭔가를 알고 있을 것 같네.

내가 맨 처음에 생각한 건 이 젊은 여성과 대령 사이에 무슨 관계가 있는데, 그걸 이 여성이 부인한테 고백했던 게 아닐까 하는 것이었네. 만약 그게 사실이라면 부인이 집에 돌아왔을 때 화가 나 있었던 것과 모리슨 양이 그 일에 대해 아무것도 모른다고 주장한 사실이 모두 그럴듯하게 맞아떨어지고 있지. 그런데 부인이 데이빗이라는 이름을 말했다는 것과 대령이 부인을 몹시 사랑했다는 것을 우리가 알고 있는 한, 방금 말한 가정은 성립이 안 되지. 제 삼자가 방 안에 침입했다는 것은 그 시점까지는 아무런 관계가 없는 일로 보이니까. 그 참사에 대해서는 아무것도 언급하지 않는 걸 전제로 할 때 말이네. 그렇다면 접근 방향을 다시 정해야 하는데, 그게 쉽지는 않았지만 아무튼 나는 대령과 모리슨 양 사이에 무슨 일이 있었을 거라는 생각을 버리는 쪽으로 기울어졌다네. 대신 버클레이 부인이 남편을 증오하도록, 그렇게 유도한 것은 무엇이었을까, 그 열쇠를 쥐고 있는 사람이 모리슨 양이라는 점에 대해서는 더욱 더 확신이 굳어졌네. 그래서 당연한 수순으로 나는 모리슨 양을 찾아가 그녀가 몇 가지 사실을 알고 있다는 걸 내가 확신한다는 설명을 해주면서, 만약 사건의 진상이 밝혀지지 않을 경우 친하게 지내는 버클레이 부인이 살인 용의자로 피고석에 앉게 될 것이라고 단언을 했지.

모리슨 양은 작고 가냘픈 몸집에 겁이 많아 보이는 눈과 금발을 하고 있는 아가씨인데, 언뜻 보기와는 달리 통찰력과 상식이 아주 풍부한 사람이더구먼. 그녀는 내 말을 듣고 잠시 생각하는 눈치더니 이윽고 단호한 결심을 한 것처럼 놀라운 이야기를 꺼내기 시작했다네. 자네를 위해 간략히 얘기하면 이런 내용이었네.

'저는 친구한테 이 일에 대해 절대로 얘기하지 않겠다는 약속을 했습니다. 약속은 약속이니까요. 하지만 그분이 그렇게 무서운 혐의를 받고 있으면서도 병 때문에 아무런 변명도 못하고 있는 것 같으니까, 그리고 제가 말을 함으로써 그분을 구할 수 있다면 차라리 약속을 어기는 게 나을 것 같습니다. 월요일 밤에 생긴 일에 대해 자세히 말씀드리죠.

아홉 시 이십오 분 전쯤, 우리는 와트 거리의 교회에서 돌아오고 있었어요. 도중에 허드슨 거리를 지나야 하는데, 그곳은 아주 조용하고 가로등도 왼쪽에 하나밖에 없는 동네죠. 그런데 그 가로등 근처까지 갔을 때, 등이 심하게 구부러진 한 남자가 상자 같은 것을 어깨에 메고 이쪽으로 걸어오고 있더군요. 장애인인 것 같았는데, 머리를 푹 숙이고 무릎은 심하게 구부리면서 걷고 있었습니다. 그는 우리 옆으로 스쳐 지나갈 때 얼굴을 들고 가로등 불빛 아래서 우리를 잠시 쳐다보았어요. 그러다 갑자기 멈춰 서더니 크게 고함을 지르는 거였어요. '아니, 이거 낸시 아니야!' 그 소리를 듣고 버클레이 부인의 얼굴이 새파랗게 되더니 그 자리에서 곧 쓰러질 것처럼 되더군요. 다행히 그 남자가 얼른 붙잡아서 위험은 모면했습니다. 제가 경찰을 부르려고 했더니 버클레이 부인이 뜻밖에도 그 사람한테 정중히 인사를 하면서 말을 하는 것이었어요.

「헨리, 난 당신이 삼십 년 전에 세상을 떠난 줄 알고 있었는데.」

부인의 목소리가 떨리고 있었어요.

「맞아, 내가 죽었었지.」

그 남자가 말했는데, 말투가 오싹할 정도로 무섭더군요. 얼굴도 아주 검고 무섭게 생긴 데다 눈빛도 번득거리고 있어서, 꿈에라도 나타날까 무서운 생각만 들었습니다. 얼굴은 그야말로 시들어 빠진 사과처럼 주름살투성이에 머리털과 수염은 희끗희끗했어요.

「모리슨 양, 먼저 들어가시겠어요? 이분과 좀 할 얘기가 있어서요. 걱정할 건 전혀 없어요.」

버클레이 부인이 저한테 양해를 구하며 말하더군요. 부인은 밝은 표정으로 말을 하려고 애쓰는 것 같았는데, 여전히 얼굴빛이 안 좋고 입술도 떨려서 그 말도 겨우 하는 것 같았어요.

그래서 저는 먼저 떠났고, 두 사람은 몇 분 더 얘기를 했습니다. 부인이 곧 눈빛을 번쩍거리면서 제 뒤를 쫓아오더군요. 그런데 뒤를 돌아보니까 그 남자가 가로등 밑에 서서 엄청 화가 난 사람처럼 두 주먹을 허공에 들고 있는 모습이 보였습니다. 제 집까지 오는 동안 부인은 한마디도 안 하더군요. 그리고는 저와 헤어질 때 제 손을 붙잡고는 그 일에 대해 절대로 아무에게도 말하지 말아 달라고 부탁을 했습니다. 이런 말을 하면서요. 「내가 옛날에 알던 사람인데 몰락을 했거든요.」 저는 물론 그러겠다고 약속을 했습니다. 그 뒤로는 부인을 한 번도 못 만났죠. 제가 알고 있는 건 전부 다 말씀드렸는데 그동안 경찰에 얘기하지 않았던 건 친한 친구가 그런 처지에 있는 걸 몰랐기 때문입니다. 무엇이든 전부 밝혀지면 그건 다 부인을 위한 것이 될 거라고 믿었던 거죠.'

이것이 전부였는데, 이 이야기를 듣고 내가 어둠 속에서 빛을 찾은 것 같았다는 건 자네도 충분히 이해가 될 거야. 그때까지도 흐릿하기만 했던 온갖 맥락들이 이걸로 완전히 질서가 잡혔을 뿐 아니라, 아직은 분명치 않지만 그래도 전체적으로 연결고리가 생기면서 머리에 어렴풋이 그려지더군. 그다음에 내가 한 일은 버클레이 부인을 그렇게 놀라게 만든 그 남자를 찾아내는 것이었지. 아직 올더쇼트에 살고 있다면 그리 어려운 일은 아니야. 그 도시에 군인 외의 사람들은 별로 많지 않은데다 장애인은 더구나 눈에 띄게 될 테니 말이야. 나는 그 일에 꼬박 하루를 보내고 밤이 되어서야, 그러니까 오늘 밤이지만, 그 남자를 찾아냈다네. 그의 이름은 헨리 우드인데, 두 여자가 그를 만났던 바로 그 거리에서 하숙을 하고 있더군. 그곳으로 온 지 오 일밖에 안 됐다네. 나는 선거인 관리원으로 변장을 하고 갔다가 하숙집 주인한테서 아주 재미있는 이야기를 들었네. 헨리 우드는 마술사로 살고 있는데, 주로 밤에 술집들을 돌아다니면서 쇼를 하는 식이라고 하더군. 그런데 상자 속에 뭔가를 넣어서 들고 다니는데 하숙집 주인은 그걸 본 적이 없지만 무슨 동물인 건 분명하다면서 아주 무서워하는 반응을 보였네. 주인 말로는 그 동물을 마술할 때 이용하는 것 같다고 하더군. 그러면서 그렇게나 구부러진 몸으로 그가 살 수 있다는 게 이상하다며, 가끔 이상한 외국어를 중얼거리고, 또 이틀 동안 그의 침실에서 신음하며 우는 소리가 들렸다고 얘기해 주었네. 그리고 집세는 잘 줬는데, 그가 보증금으로 맡긴 돈이 가짜 플로린 비슷했다는 얘기도 하더군. 주인이 그걸 나한테 보여줘서 가만히 봤더니 인도의 루피 은화였다네.

자, 왓슨, 여기까지 얘기를 했으니까 우리가 지금 처해 있는 상황과 자네의 도움이 왜 필요한지 그 이유를 전부 알 수 있겠지? 이 남자가 두 여자와 헤어지고 난 후 버클레이 부인의 뒤를 쫓아갔는데 창문 너머로 두 부부가 싸우고 있는 장면이 보여서 방 안으로 뛰어들어갔고, 그때 마침 상자에 들어 있던 동물이 빠져나왔다는 것, 이 사실은 그야말로 명백해 보이지 않나? 아무튼 여기까지는 분명하다네. 그러니 방 안에서 무슨 일이 일어났는지, 그걸 정확히 알고 있는 사람은 이 남자밖에 없겠지."

"그래서 그에게 물어보겠다는 것이군."

"그렇지. 다만 증인이 있어야 하네."

"그러니까 내가 증인이 되는 셈이군."

"바로 그걸 부탁하고 싶은 거네. 그가 진상을 밝히면 좋은데 거부한다면 체포 영장을 청구할 수밖에 없어."

"그런데 그가 거기에 있을까?"

"만약의 경우를 대비하고 있으니까 문제는 없네. 베이커 거리의 내 감시원 중 한 명이 그쪽으로 가 있는데, 그 남자가 어디를 가든 완전히 붙어 다녀서 절대로 놓치지는 않을 거야. 내일 허드슨 거리에서 그를 만나게 될 거네. 자, 그럼 더 이상 자네의 잠을 방해하면 안 되겠지. 나야말로 범죄를 저지르는 것이 될 테니까."

우리가 그 비극의 현장에 도착한 것은 점심 때쯤이었는데, 홈즈는 곧바로 허드슨 거리로 가자고 했다. 그는 좀처럼 감정을 얼굴에 나타내지 않는 재주가 있지만, 그날은 내가 봐도 계속 흥분을 억누르지 못하고 있는 것이 역력했다. 나는 늘 그와 함께 수사를 할 때마다 반쯤은 모험적이고 또 반쯤은 지적인 쾌감을 느끼는 터라 그날도 가슴을 두근거리며 기대하고 있었다.

"여기가 허드슨 거리네."

수수한 이층식 벽돌집들이 늘어선 거리로 꺾어 들어갔을 때 홈즈가 말했다.

"저기, 심프슨이 보고하러 이쪽으로 오고 있구먼."

"집에 있습니다, 홈즈 선생님."

자그마한 소년 하나가 뛰어와서 큰 소리로 말했다.

"좋아, 잘했어."

소년의 머리를 쓰다듬으며 홈즈가 말했다.

"따라오게 왓슨, 저 집이야."

홈즈는 그 집에 도착해 명함을 내밀며 중요한 일 때문에 왔다고 말했다. 그리고 잠시 후 우리는 그 문제의 남자와 마주 앉게 되었다. 여름인데도 방 안에 난로가 켜 있어서 마치 화덕 안에 있는 것처럼 더웠다.

남자는 몸을 완전히 구부린 채 의자에 웅크리고 앉아 있어서, 한 눈에 봐도 불구자라는 걸 알 수 있었다. 우리를 쳐다보는 그의 얼굴은 마르고 거무죽죽하긴 했지만 젊은 시절엔 사람들의 시선을 제법 끄는 잘생긴 얼굴이었음이 분명했다. 그는 황달이 있는 건지 누르스름한 눈으로 우리를 수상하다는 듯 쳐다보더니, 아무 말도 없이 손짓으로 앞에 있는 의자 두 개를 가리켰다.

"헨리 우드 씨죠? 인도에서 돌아오셨죠?"

홈즈가 다정한 투로 말을 꺼냈다.

"버클레이 대령이 죽은 사건 때문에 찾아왔습니다."

"제가 뭔가를 알고 있다는 말씀인가요?"

"그걸 확인하고 싶은 겁니다. 만약 진상이 밝혀지지 않으면, 잘 아시겠지만 오랜 친구이신 버클레이 부인이 살인 용의자로 재판에 회부될 것입니다."

남자는 어딘지 움찔하는 것 같았다.

"누구신지 모르지만,"

그는 또박또박 힘을 주면서 말했다.

"어떻게 그걸 아셨습니까? 지금 한 말을 정말이라고 맹세하시겠어요?"

"정말일 것도 거짓말일 것도 없어요. 부인이 의식을 되찾으면 체포하기로 돼 있으니까요."

"아니, 당신도 경찰이신가요?"

"아닙니다."

"그럼 여기는 왜 오셨죠?"

"정의를 옹호하는 것도 모두의 의무니까요."

"맹세하건데 그녀는 결백합니다."

"그럼 당신이 범인이로군요?"

"아니요. 나도 아닙니다."

"그럼 제임스 버클레이 대령은 누구한테 살해된 겁니까?"

"정당한 섭리에 의해 죽은 것입니다. 분명히 아셔야 할 것 한 가지는, 만약 내가 그놈을 죽였다 하더라도 그놈이 나한테서 받아야 할 응보로는 그것 가지고도 모자란다는 것입니다. 솔직히 나는 그를 죽이고 싶은 심정이었어요. 그런데 그자의 양심의 가책이 스스로를 때려눕히더군요. 그렇지 않았다면 내가 그놈을 죽인 살인자로 몰리게 됐겠죠. 진상을 말하라고요? 좋습니다. 말 못할 것도 없죠. 나는 한 점 부끄러운 것도 없으니까요.

사실을 얘기하죠. 보시다시피 내가 지금은 이렇게 등이 낙타같이 휘고 갈비뼈도 완전히 구부러지고 말았지만, 헨리 우드 하사라고 하면 당시 제117보병 대대에서는 제일 멋쟁이로 통했었죠. 그 무렵엔 부대가 인도에 주둔하고 있었는데 바티라는 지역이었어요. 버클레이는 같은 중대 소속 중사였는데, 연대 내에서 가장 아름다웠던 아가씨가 바로 군기 상사의 딸이었던 낸시 뒤보아였습니다. 그렇게 아름다운 아가씨는 이 세상에서 본 적이 없었어요. 두 남자가 이 아가씨를 좋아했는데 그녀는 단 한 사람을 사랑했었죠. 불 앞에 웅크리고 있는 이 가련한 몸뚱이를 보고 웃을지 모르지만, 그녀가 나를 사랑한 것은 내가 잘생겼기 때문이었어요.

하지만 그녀의 아버지는 버클레이와 결혼시키기로 결정해 버렸습니다. 나는 교양을 갖춘 사람도 아니고 다소 경솔한 젊은이였지만 버클레이는 교육도 받았고 장교로 승진도 예정되어 있었으니까요. 그러나 낸시는 한결같이 나를 사랑하고 있었기 때문에 난 머지않아 그녀와 결혼하려고 생각하고 있었어요. 그러던 무렵에 인도에서 반란이 일어나는 바람에 온 나라가 엉망진창이 되고 말았죠.

우리 연대도 포병 일 개 중대 가운데 절반 가량이 다른 비전투원들과 여자들과 함께 바티에 갇히는 신세가 됐습니다. 만 명 정도의 반란군이 우리를 포위하고 쥐덫에 갇힌 쥐를 노리는 테리어처럼 날뛰고 있었죠. 이 주일 만에 물이 떨어져서 그때쯤 오지 쪽으로 진군하고 있었던 중대와 연락이 가능한지를 살펴봐야 했습니다. 여자들이 많이 있었기 때문에 그들과 함께 포위를 뚫고 탈출하는 건 도저히 불가능해서, 나는 혼자 탈출해 닐 장군에게 가서 비상사태를 알리는 임무를 자원했죠. 그러고 나서 누구보다도 그곳 지리에 밝은 버클레이 중사한테 의논을 하러 갔더니 반란군을 피해서 갈 수 있는 길을 가르쳐 주더군요. 그래서 난 밤 열 시에 출발을 했어요. 천 명이나 되는 목숨을 구하는 일이 내 사명이었지만 성벽을 미끄러져 내려가는 순간 내 가슴속에는 솔직히 단 한 사람의 목숨에 대한 생각밖엔 없었습니다.

나는 물이 거의 없는 수로를 따라 내려갔어요. 그곳으로 가면 적들의 눈을 피할 수 있을 것 같았으니까요. 그런데 결국 수로의 모퉁이를 돌아선 순간, 어둠 속에 숨어서 나를 기다리고 있던 여섯 명의 보초들한테 붙잡히고 말았죠. 나는 곧바로 타격을 받아 의식을 잃고 손과 발이 묶이게 됐어요. 그러나 몸에 가해지는 타격은 마음에 가해지는 상처에 비하면 아무것도 아니었습니다. 그들의 말을 정확히 알아들을 수는 없었지만 가만히 귀를 기울여 들어보니까, 나의 적은 정작 나한테 길을 가르쳐 준 그 남자라는 걸 알게 됐던 겁니다. 그가 토착민에게 알려 나를 적군의 손에 팔아넘겼던 거죠.

그러니 더 이상 무슨 말을 하겠어요. 제임스 버클레이가 얼마나 비열한 짓을 한 놈인지 이제 아셨겠죠. 바티는 닐 장군이 손을 써서 그다음 날 포위가 풀렸지만 나는 반란군들에게 잡혀 있었기 때문에 오랫동안 백인 얼굴은 구경도 못하는 곳에서 갖은 고초를 당했습니다. 고문을 피하려고 탈출을 시도했다가 다시 붙잡혀서 또다시 고문을 당했죠. 얼마나 심했는지 이 몰골을 보면 아시겠죠. 그러다가 반란군 중에서 어떤 사람이 네팔로 도망칠 때 나를 데리고 갔습니다.

그래서 다질링을 거쳐 오지 쪽으로 가고 있었는데 그만 그 지역 토착민들이 나를 데리고 가던 반란군을 죽이는 바람에 난 한동안 그 토착민들 속에서 노예처럼 살아야 했어요. 그러다가 도망을 쳤던 겁니다. 남쪽으로는 갈 수가 없었기 때문에 북쪽으로 가다가 결국 아프간으로 들어가게 됐죠. 거기서 몇 년 간 방랑생활을 하다가 간신히 펀잡 지방으로 돌아왔는데 뭐 할 게 있어야죠. 그래서 옛날에 배웠던 기술을 써먹으면서 토착민들 속에 섞여 겨우 연명을 하고 있었습니다.

이 비참한 불구의 몸으로 영국에 돌아와서 도대체 뭘 할 수 있겠어요. 옛날 전우들을 만난다 해도 무슨 소용이 있겠어요. 복수하고 싶은 마음은 너무나도 간절했지만 그것조차도 내 몸을 움직이게 하지는 못하더군요. 지팡이에 겨우 의지해 침팬지처럼 걷는 이 불구의 몸을 낸시와 옛 동료들 눈앞에 보이느니 차라리 헨리 우드는 꿋꿋이 선 채 죽어 버렸다고 믿게 하고 싶었습니다. 모두 내가 죽었다는 것을 조금도 의심하지 않았고, 나 또한 영원히 그렇게 믿도록 내버려 두고 싶었죠. 버클레이와 낸시가 결혼했다는 것도 알고 있었고 버클레이가 연대 안에서 승승장구했다는 소식도 들었지만, 언젠가 그놈을 만나겠다는 생각은 해 본 적이 없었어요.

하지만 사람은 나이가 들면 고향이 그리워지는 법인가 봅니다. 오랫동안 잉글랜드의 푸른 들판과 나무들을 꿈에 그려 보곤 했어요. 그러다가 결국 죽기 전에 한 번은 꼭 봐야겠다고 결심을 했죠. 그리고는 영국까지 오는 데 필요한 돈을 모아 가지고 군부대가 있는 마을로 찾아왔던 겁니다. 왜냐하면 군인들은 내가 특성도 알고 다룰 줄도 아니까 생활을 꾸려 갈 만한 일은 찾을 수 있을 거라고 생각했으니까요."

“정말 흥미로운 이야기군요.”

셜록 홈즈가 말했다.

“당신이 버클레이 부인과 마주쳤을 때 서로를 알아봤다는 얘기를 들었습니다. 그런 뒤 당신은 부인의 뒤를 쫓아갔고, 창문 너머로 부부가 싸우는 걸 봤던 거죠. 그때 부인은 남편이 당신한테 했던 짓을 심하게 비난했을 거고, 그걸 보고 있던 당신은 끓어오르는 감정을 참다 못해 잔디밭을 뛰어가 그 방으로 들어갔던 거죠…….”

“네, 정확히 그랬었죠. 하지만 그놈은 나를 보자마자 완전히 공포에 휩싸인 얼굴이 되더니 그대로 뒤로 넘어지면서 난로 귀퉁이에 머리를 부딪치게 됐죠. 그런데 넘어지기도 전에 그놈은 이미 죽어 있었어요. 여기 난로 위에 쓰여 있는 성경 구절처럼 그의 얼굴에 뚜렷하게 새겨져 있는 죽음이 그 순간 보였으니까요. 내 존재를 본 것만으로도 죄 많은 그의 심장에 총알이 박혔던 겁니다.”

“그런 다음엔?”

“그리고는 낸시가 기절을 했기 때문에 나는 문을 열어 사람을 부르려고 그녀의 손에 있는 열쇠를 집어 들었습니다. 그런데 순간, 그럴 게 아니라 그냥 도망가는 게 좋겠다는 생각이 들었던 거죠. 상황으로 볼 때 나한테 혐의가 씌워질 것 같았고 관련이 있다는 게 나오면 내 비밀도 다 드러나게 되니까요. 나는 너무 당황해서 열쇠를 주머니에 얼른 넣고는 커튼에 기어 올라가 있던 테디를 붙잡으려 하다가 그만 지팡이를 떨어뜨리고 말았어요. 그리고는 테디를 상자에 집어넣고 그대로 도망쳤던 겁니다.”

"테디가 뭐죠?"

남자는 몸을 굽혀 구석에 놓여 있던 상자의 앞 뚜껑을 끌어 올렸다. 거기서 불쑥 불그스레한 색깔의 귀여운 동물이 튀어나왔는데, 몸이 가늘고 날씬하면서 담비와 비슷하게 생긴 발을 가지고 있었고, 어떤 동물에서도 본 적이 없는 희한한 빨간 눈을 가지고 있었다.

"몽구스구나!"

내가 외쳤다.

"그렇습니다. 그렇게 부르기도 하고, 이크뉴몽이라고 부르기도 합니다."

남자가 말했다.

"나는 뱀잡이 족제비라고 부르고 있는데, 테디가 번개처럼 빨라서 코브라도 잡을 수 있기 때문이죠. 사실 코브라도 이빨 뽑은 것을 한 마리 가지고 있는데, 테디가 매일 밤 술집에서 그놈을 붙잡아 손님들을 기분 좋게 만들어 주고 있답니다. 자, 아직도 뭔가 더 알고 싶은 게 있습니까?"

"버클레이 부인이 혐의를 받게 된다면 그때 다시 귀찮은 일을 부탁하게 될 것 같습니다."

"그런 일이 생기면 당연히 출두하겠습니다."

"하지만 그런 일이 안 생긴다면 죽은 사람의 추문까지 들춰낼 필요는 없겠죠. 그는 자신이 저지른 악랄한 짓 때문에 삼십 년 간이나 양심의 가책을 받아 왔으니 말이죠. 당신은 최소한 그걸 확인은 했습니다. 잠깐만요, 저기 길가에 머피 소령이 지나가고 있네요. 어제 이후로 무슨 일이 있었는지 가서 물어봐야겠어요. 우드 씨, 그럼 이만 가겠습니다."

우리는 소령이 모퉁이를 돌아가기 전에 따라잡았다.

"아, 홈즈 씨. 이 사건은 결국 아무것도 아닌 것으로 결론이 났습니다."

"뭐가 어떻게 된 건데요?"

"검시가 지금 끝났는데, 사인은 명백한 뇌졸중으로 결론이 났습니다. 그러니까 아주 단순한 사건이었죠."

"허허, 겉으로만 시끄러웠네요."

홈즈가 싱긋 웃으며 말했다.

"자 가세, 왓슨. 이제 올더쇼트엔 우리가 볼일이 더 없는 것 같네."

"한 가지 모르는 게 있어, 홈즈."

역으로 가면서 내가 말했다.

"남편의 이름은 제임스이고 아까 그 남자의 이름은 헨리인데, 왜 데이빗이라는 이름이 나왔을까?"

"왓슨, 만약 내가 자네가 즐겨 묘사하는 그런 이상적인 추리가라면, 그 말 한마디로 모든 걸 파악했어야 할 거야. 그건 바로 비난의 말이었다네."

"비난의 말?"

"그렇다네. 자네도 알다시피, 데이빗(David, 다윗 왕)은 여러 번 잘못을 저질렀는데, 그중 한 번은 제임스 버클레이 중사와 똑같은 짓을 했다네. 성경에 나오는 우리야와 밧세바의 이야기, 자네도 알고 있지? 내 성경 지식은 약간 곰팡이가 슬었지만, 이 이야기는 '사무엘 상'*인가 하인가에 나와 있을 거야."

* 구약성서 〈사무엘 하〉 제 11장 – 12장 : 이스라엘의 다윗(David) 왕은 자신의 부하인 우리야의 아내 밧세바의 아름다움에 현혹되어 그녀를 간음하고 우리야를 최전선으로 보내 전사하게 만들었다.

머스그레이브 집안의 의식서

내 친구 셜록 홈즈의 성격 중에서 유독 특별하게 느껴지는 점은 어느 인간에게서도 보기 어려울 만큼 그 사고방식이 매우 정연하고 체계적이라는 것이다. 또한 태도가 차분하고 매우 단정함에도 불구하고 워낙 개성이 특이해, 그와 함께 있을 때 사람의 마음을 그 정도로 이상하게 만들어 버리고 절도가 없는 남자도 무척 드물다는 점이다. 하기야 그런 점을 거론하자면 나도 그렇게 예의 있는 남자라고는 할 수 없다. 천성적으로 세심함도 없는 기질에다 아프카니스탄에서 참전을 하며 거친 생활을 한 탓에 의사로서는 부적당할 정도로 깔끔하지 못한 인간이 되어 버렸다.

그러나 나는 어느 정도 경우를 지키고 있다. 하지만 석탄 그릇에 시가를 넣어 둔다든지, 페르시아 산 슬리퍼 속에 담배를 감춰 둔다든지, 아직 답장 안 보낸 편지를 맨틀피스 한가운데에 나이프로 꽂아둔다든지 하는 남자를 보면, 나 정도는 엄청 깔끔한 사람이라는 것을 자랑하고 싶을 지경이 된다. 이게 다가 아니다. 평소 내 지론으로 권총 쏘는 연습 같은 건 분명히 야외에서 하는 오락이라고 생각하는데, 홈즈는 기분이 영 이상하거나 할 때면 팔걸이의자에 걸터앉아 쉽게 발사할 수 있는 장치가 붙어 있는 권총을 들고 맞은편 벽에

다 줄기차게 쏘아 대면서 여왕의 VR이라는 사인을 만들어 내곤 했다. 그런다고 해서 방 안의 분위기가 특별히 더 나아질 것도 없는데 말이다.

우리가 살고 있는 집 안엔 항상 온갖 약품과 범죄의 증거품 같은 것들이 널려 있는데, 그러다 보니까 가끔은 그것들이 다른 데에 섞여 들어갔다가 엉뚱하게 버터 접시에서 나온다거나 또는 전혀 있어서는 안되는 곳에서 불쑥 튀어나오기도 했다. 특히 서류 뭉치가 가장 골치였다. 홈즈는 서류 정리하는 걸 아주 싫어했는데, 그중에서도 문제인 건 이미 끝난 사건에 관한 서류들이었다. 그가 마지못해 서류들을 정리하느라 신경을 쓰는 것은 일 년에 겨우 한두 번뿐이었다. 그 이유는 내가 두서없이 기록한 이 회고록의 어딘가에서도 말했던 것처럼, 그는 자신의 이름이 지금까지 떠들썩할 정도로 칭송되는 희귀한 사건들을 열정적으로 매달려 해결하고 나면 급격히 김이 빠져 버리는 상태가 되어서 서류 따위들은 쳐다보기도 싫어지기 때문이다. 그럴 때면 한동안은 그냥 뒹굴면서 바이올린을 켜거나 책을 읽거나 하면서 지내며 소파에서 식탁으로 가는 일 외에는 거의 외출도 하지 않았다. 그러다 보니 서류 더미는 매달 엄청나게 쌓여만 가고, 급기야는 방의 네 구석이 발 디딜 틈도 없을 정도로 가득 채워지고 마는 것이다. 하지만 그 서류들은 홈즈 자신이 아니고는 누구도 태워 버린다거나 치워 버릴 수도 없는 것이다.

그러다 마침내 어느 겨울날 밤에 난롯가에 앉아 있다가 내가 작심을 하고는 이제 비망록에 발췌한 것을 붙이는 작업도 끝났으니까

방을 좀 살기 편하게 두세 시간 정도 시간 들여 치우면 어떻겠느냐고 말을 꺼내 보았다. 내 요구가 너무나 당연하다는 걸 그도 깨달았는지 거절은 못하고 망막한 얼굴로 침실로 들어가더니, 잠시 후 커다란 양철 상자를 하나 끌고 나왔다. 그러고는 방 한복판에 그걸 놓고 의자도 가져와 앉아서는 상자의 뚜껑을 열었다. 안에는 빨간색 끈으로 분류해서 묶은 서류 뭉치가 삼분의 일쯤 들어 있었다.

"이 안에 사건이 꽤 있다네, 왓슨."

홈즈가 장난스런 눈으로 나를 쳐다보며 말했다.

"자네가 만약 이 상자 안에 있는 사건들이 뭔지를 안다면 여기에다 다른 것을 더 채울 게 아니라 오히려 몇 개 꺼내 달라고 할걸."

"그게 그럼 옛날에 적어 놓은 기록인가? 나도 옛날 사건들을 기록해 둬야지 하고 항상 생각했었는데."

"그렇지. 이건 전부 다 나의 전기 작가인 자네가 나를 유명하게 만들기 전에 있었던 사건들이네. 모두 성공했다고는 할 수 없어. 그래도 이중엔 아주 재밌는 사건들이 더러 있지. 이건 타르턴 살인 사건, 이건 포도주 상인인 뱀베리 사건, 이건 러시아 노부인의 모험 사건, 이건 알루미늄 목발 사건, 그리고 이건 안짱다리 리콜레티와 그의 천박한 아내 사건이지. 전부 다 여기에 있군. 그리고 이것은…… 그렇지, 이건 꽤나 정성을 들였던 건데."

홈즈는 상자 깊숙이 팔을 집어넣어 아이들 장난감처럼 생긴, 밀어서 여닫는 뚜껑이 달려 있는 조그만 나무 상자를 꺼냈다. 그 상자 안에는 구겨진 종이 쪽지와 오래된 놋쇠 열쇠, 그리고 나무못과 동그란 모양의 녹슨 쇠붙이 세 개가 들어 있었다.

"그런데 왓슨, 이걸 어떻게 생각하나?"

홈즈는 내 표정을 보며 싱긋 웃으면서 말했다.

"별 괴상한 게 다 있구먼."

"좀 괴상하긴 하지만 사실 이것과 관련된 이야기가 더 괴상하다네. 자네가 이 이야기를 들으면 아마도 꽤나 놀랄걸."

"이 물건들에 얽힌 이야기가 있다고?"

"있다기보다 이것들이 바로 이야기 그 자체지."

"무슨 뜻이야?"

셜록 홈즈는 그 물건들을 모두 끄집어내 테이블 위에 늘어놓았다. 그리고 다시 의자에 자세를 바로잡고 앉더니 어딘지 만족한 듯한 눈초리로 나를 쳐다보았다.

"이건 머스그레이브 집안의 의식에 대한 에피소드를 추억하기 위해서 남겨 둔 물건이라네."

그러고 보니 홈즈가 그 사건에 대해 몇 번인가 말한 것을 들은 적이 있었는데 자세한 내용을 들은 적은 없었다.

"자세히 좀 얘기해 보게."

내가 말했다.

"이대로 정리는 관두고?"

그가 장난스럽게 말했다.

"그러고 보니까 자네도 그리 깔끔한 건 아니구먼. 어쨌든 자네가 이 사건을 기록에 첨가해 주면 좋겠네. 이 사건은 이 나라의, 아니 어느 나라에서도 마찬가지지만, 범죄 역사에 있어서 아주 유례가 없는 것으로 기록되는 특이점이 있다네.

자네, 내가 얘기해 준 글로리아 스콧 호 사건이라든지 불행한 노인과의 대화 같은 것들, 전부 다 기억하고 있겠지. 이 사건들 때문에 사실 내가 탐정이라는 것에 관심을 갖게 되었고, 지금 이렇게 평생의 직업이 된 거라네. 지금은 내 이름이 세상에 널리 알려져 있어서 일반인에게나 경찰에게나 어려운 사건이 생기면 마지막 해결사로 인정을 받고 있지만, 자네가 처음 나를 만나고 나서 〈주홍색 연구〉를 발표했던 그 무렵만 해도 사실 수입이란 게 별로 신통치 않았다네. 그래도 일거리는 꽤 많았지. 하지만 사건을 맡을 때마다 처음 한동안은 얼마나 괴로웠는지, 또 일이 풀릴 때까지 얼마나 고생을 해야 했는지 자네는 충분히 모를 걸세.

런던에 막 올라왔을 무렵, 나는 몬타규 거리의 대영박물관 뒷골목에 셋방을 얻어 거기서 일거리를 찾고 있었네. 그때는 시간이 남아돌아서 오히려 힘들었지. 그래서 보통 때는 손도 못 댈 어려운 과학 연구 같은 걸 하면서 시간을 때울 때가 많았다네. 가끔 사건 의뢰를 받곤 했지만 그건 옛날 동창들이 어쩌다가 소개해 준 것들이었지. 왜냐하면 대학 생활 마지막 무렵쯤에 나의 추리 능력이라든지 해결 방법 같은 것들이 친구들 사이에서 꽤 화젯거리가 됐었거든. 어쨌든 내가 세 번째로 맡은 사건이 바로 이 머스그레이브 집안의 의식서 문제였지. 현재의 이 지위를 향해 내가 그때 첫발을 내디뎠던 그 괴상한 사건은 당시 예상 외로 큰 관심을 불러일으켰는데, 그건 중대한 사태가 거기에 연관되어 있다는 게 알려졌기 때문이었네.

레지날드 머스그레이브는 나와 같은 학교에서 기숙사 생활을 했기 때문에 조금은 아는 사이였는데, 그는 학생들 사이에서 별로 인기가 없었다네. 그는 교만함을 드러냈는데, 그건 내가 볼 때 모든 일에 있어서 천성적으로 자신감이 없기 때문에 그걸 숨기기 위한 의도적인 작전이었던 거지. 겉으로 봐서는 매우 귀족적인 분위기가 나는 남자로, 날씬하고 코가 반듯하며 눈이 크고 어딘지 우울해 보이는 인상을 하고 있었네. 실제로는 아주 점잖은 편이었어. 그의 집안은 사실 영국에서 손꼽히는 명문가인데, 16세기 무렵에 노든 머스그레이브 집안에서 갈라져 나와 서부 서섹스에 정착을 했지. 거기에 있는 헐스톤이라는 건물은 그 주에서 제일 오래된 건물로 알려져 있다네.

태어난 고향의 냄새가 어느 정도 그에게 눌러 붙어 있는지, 그의 창백하고 날카로운 얼굴과 머리를 움직이는 버릇 같은 것을 보면 나는 꼭 잿빛 거리와 세로로 칸막이 된 창문, 그리고 봉건시대의 낡은 유물 같은 것들이 떠오르곤 했네. 가끔 우리는 무심코 어떤 이야기를 열심히 하곤 했는데 그는 그때마다 나의 관찰력과 추리 방법에 깊은 흥미를 나타내곤 했지.

졸업 후 사 년 동안은 그를 전혀 만나지 않았는데 어느 날 그가 몬타규 거리의 내 방으로 찾아왔더군. 달라진 점은 거의 없었는데 젊은 사람답게 유행에 맞는 멋진 차림을 하고 말일세. 사실 그는 옛날에도 항상 멋을 부리긴 했지만 말이야. 아무튼 언제나 그랬듯이 차분하고 예의 바른 태도로 찾아왔더라고.

'그동안 어떻게 지내셨나요, 머스그레이브 씨?'

서로 악수를 하면서 내가 물었지.

'내 부친이 돌아가신 소식은 들었겠죠?'

그가 묻더군.

'이 년 전쯤에 돌아가셨죠. 그 후로 내가 헐스톤의 영지를 관리해야 하고 또 지역구 의원이기도 해서 아주 바쁘게 지내고 있어요. 그런데 당신은 전에 우리를 깜짝 놀라게 했던 그 능력을 실제로 활용하고 계시다고 들었는데요.'

'네, 머리로 겨우 밥벌이 하고 있는 정도죠.'

'어쨌든 아주 반가운 소식입니다. 왜냐하면 나는 지금 당신의 조언이 절실히 필요하거든요. 헐스톤에서 아주 이상한 일이 있었어요. 경찰도 아직 그 문제를 해결하지 못하고 있는데, 정말 도저히 이해할 수 없을 정도로 이상한 일이지요.'

내가 얼마나 열심히 듣고 있었는지, 왓슨, 자네는 아마 상상도 못할 걸세. 오랫동안 아무 일도 없다가 기다리고 기다렸던 기회가 바로 눈앞에 다가왔으니 왜 안 그랬겠나. 마음 저 속에서부터 나는 다른 사람은 실패하더라도 나는 반드시 이 일을 성공해 보이겠다, 지금이야말로 나 자신을 시험할 기회가 온 거야, 하면서 단단히 각오를 했다네.

'네, 자세한 이야기를 바로 해주시죠.'

나는 조심스럽게 외쳤다네.

레지날드 머스그레이브는 나와 마주 보고 앉아 내가 권한 담배에 불을 붙이더군.

'아마 알고 계시리라 생각하는데,'

그가 말을 시작했지.

'나는 아직 독신이지만 헐스톤을 관리하자면 많은 고용인이 필요한 형편입니다. 그 저택은 마구잡이로 늘려서 지었기 때문에 유지를 하려면 사람 손이 엄청 가야 하거든요. 사냥터도 있어서 꿩 사냥철에는 손님이 많이 오기 때문에 일손이 부족하면 곤란해집니다. 하인이 전부 여덟 명에 요리사와 집사가 각각 한 명씩, 그리고 시중 드는 사람 두 명과 급사가 한 명 있어요. 또 정원과 마구간에도 따로 일꾼이 있고요.

고용인들 중에서 가장 오래된 사람은 집사 브런턴입니다. 원래 학교 선생이었는데 젊은 나이에 실직해 있을 때 아버지가 고용했었죠. 그는 정력도 좋고 성실해서 어느덧 집안에 없어서는 안 될 사람이 되었어요. 건장한 체격에 이마가 넓은 호남 형인데 우리 집에 온 지 이십 년이나 됐지만 아직 마흔 살이 안 됐어요. 얼굴도 남자답게 생기고 좋은 재능도 가지고 있는 사람이죠. 여러 나라 말을 할 줄 알고 거의 모든 악기를 연주할 수 있고요. 그런데 집사라는 직업을 왜 그렇게 오랫동안 견디고 있었는지 그게 좀 이상하긴 하지만, 아마도 이게 마음이 편하다거나 아니면 다른 직업으로 바꿀 만한 용기가 없어서 그랬겠죠. 하여튼 그 집사에 대해 우리 집에 오는 모든 손님들이 말하기를 매우 인상적인 사람이라고 합니다.

하지만 이 사람에겐 결점이 하나 있었어요. 무척 바람둥인데, 상상해 보세요. 한적한 시골 동네에서 이 친구가 바람 피우려고 맘먹으면 왜 못 하겠어요. 식은 죽 먹기였겠죠.

그에게 아내가 있었을 때는 별일이 없었는데, 홀아비가 되고 나서부터 말썽이 끊이질 않고 일어나네요. 그러다가 몇 달 전에는 이제 좀 정착을 하려나 싶었죠. 왜냐하면 그가 하녀 레이첼 하우웰즈와 약혼을 했거든요. 그런데 그만 곧 그녀를 차 버리고 사냥터 관리인의 딸인 자네트 트레젤리스와 사귀는 거예요. 레이첼은 아주 좋은 아가씨인데 격정적인 기질의 웨일스 사람이라 척추뇌막염을 앓다가 지금은 완전히 쇠약해져, 지금이라기보다 어제까지는, 피폐한 몰골로 집 주변을 배회하는 신세가 되어 버렸지요. 그게 헐스톤의 첫 번째 비극인데, 또 하나의 비극이 생기는 바람에 그 일에 마음을 쓸 수가 없게 되었어요. 그 두 번째 비극은 다름 아닌 집사 브런턴의 파면 추방과 함께 일어났죠.

일의 발단은 이렇게 됐어요. 앞에서도 말했듯이 브런턴 집사는 아주 영리한 남자인데, 그 영리함 때문에 몸이 망가진 겁니다. 왜냐하면 자신과 전혀 관계가 없는 일에도 끝없는 호기심을 기울였던 거죠. 나는 우연한 일 때문에 그것을 알게 됐지만 그가 어디까지 깊이 개입되어 있는지는 전혀 생각도 못하고 있었어요.

아까도 말했지만 헐스톤 저택은 아무렇게나 늘려 지은 것입니다. 지난주 어느 날 밤이었는데, 정확히 말하면 목요일 밤이었죠, 저녁 식사가 끝난 후 무심코 우유도 안 넣은 진한 커피를 마셨다가 그만 잠을 이루지 못하고 말았어요. 새벽 두 시까지 잠이 안 와 뒤척이다가 도저히 안되겠다 싶어 일어나 소설이라도 읽으려고 촛불을 켰어요. 그런데 책을 당구실에 두고 왔기 때문에 가운을 걸치고 가지러 갔었죠.

당구실로 가려면 계단을 내려가서 서재와 총기실로 통하는 복도의 막다른 곳을 가로질러 가야 되는데, 복도 쪽을 언뜻 보니까 열려 있는 서재의 문에서 불빛이 새어 나오고 있는 거예요. 생각해 보세요. 내가 얼마나 놀랐겠어요. 서재는 내가 자러 가기 전에 직접 램프를 끄고 문을 닫아 두었거든요. 난 우선 도둑이 든 건가 생각했는데, 그것도 지나친 생각은 아니겠죠. 헐스톤 저택의 복도 벽에는 옛날 무기 기념품들이 장식돼 있어요. 나는 거기서 전투용 도끼를 하나 빼 들고 촛불은 등 뒤에 감춘 채 조심스럽게 복도를 걸어가 열려 있는 문으로 안을 들여다보았어요.

서재에 있는 사람은 집사 브런턴이더군요. 그는 정장 차림으로 소파에 앉아 지도인 것 같은 종이 한 장을 무릎에 펼쳐 놓고는 이마를 만지작거리며 깊은 생각에 잠겨 있는 모습이었어요. 나는 너무나 놀라 말도 못하고 가만히 서서 그를 한참 동안 지켜보았어요. 테이블 끝에 놓여 있는 작은 촛불이 희미하긴 했지만, 그래도 그가 양복을 입고 있다는 것은 알아볼 수 있었죠.

그는 갑자기 소파에서 일어나 옆에 있는 서랍 달린 큰 책상으로 가더니 열쇠로 서랍을 열어 거기서 또 한 장의 종이를 꺼내더군요.

그러고는 다시 자리로 돌아가 테이블 위에다 펼쳐 놓고는 열심히 들여다보기 시작했어요.

우리 집에 있는 서류를 너무나도 자연스럽게 뒤지고 살펴보는 그의 태도를 보자 나는 그만 화가 치밀어 더 이상 참을 수가 없었어요. 그래서 기척을 하며 발걸음 소리를 냈죠. 브런턴은 얼굴을 들고 내가 문 앞에 서있는 것을 보더니 벌떡 일어났는데, 얼굴이 거의 공포에 질려 있더군요. 그러더니 처음에 보고 었었던 지도 같은 종이를 재빨리 주머니 속에 쑤셔 넣는 거예요. 그래서 내가 말했죠.

「그래, 자네를 신뢰하고 있었는데, 이런 식으로 보답을 하고 있군. 오늘 바로 이 집에서 나가 주기 바라네.」

내가 너무나 매몰차게 말을 했더니 그는 완전히 기가 죽어 한 마디도 못하고 고개를 푹 숙이고는 방을 나가 버렸어요. 그래서 방 안으로 들어가 촛불 아래서 가만히 봤더니 브런턴이 서랍에서 꺼낸 서류가 뭔지 알겠더군요. 그건 뜻밖에도 그리 중요한 게 아니고 옛 관례로 쓰였던 머스그레이브 집안의 의식서라고 불리는 문답체의 기록이었어요. 그건 우리 가문에서 특이하게 내려왔던 일종의 의식서인데, 머스그레이브 집안 사람이라면 누구나 성년이 될 때 그 의식을 받곤 했었죠. 그러나 그건 집안 내부의 일이니 만큼 별로 흥미로운 것은 아니었어요. 굳이 관심을 가질 만한 사람이 있다면 고고학자나 있을까요? 우리 집안의 문장이라든지 이 의식서가 그들에게는 어느 정도 흥미 있는 서류가 될지 모르지만 현실적으로는 전혀 쓸모가 없는 물건이지요.'

'나중에 서류에 대해 얘기해 주시는 게 좋겠군요.'

내가 레지날드 머스그레이브에게 말했네.

'정말로 필요하다면 말씀드리죠.'

그는 조금 망설이면서 대답을 하더군. 그리고는 계속 이야기를 했지.

'그런 다음 나는 브런턴이 놓아 두고 간 열쇠로 서랍을 잠그고 방을 나가려고 했어요. 그때 그가 다시 돌아와 내 눈앞에 서 있는 겁니다. 나는 또다시 깜짝 놀랐죠. 그가 말하더군요.

「머스그레이브 님.」

그는 감정을 억제하려 애쓰며 기어들어가는 목소리로 말했어요.

「저를 해고하신 명령에 견딜 수가 없습니다. 저는 지금까지 제 지위에 긍지를 갖고 살아 왔습니다. 그러나 파면되어 추방을 당한다면 저에겐 죽음이나 마찬가집니다. 만약 정말로 제가 절망의 나락에 떨어지는 일이 생긴다면, 주인님께 제 목숨에 대한 원한이 걸리게 될 겁니다. 이 일 때문에 저를 해고하시겠다면 제가 말씀드리고 한 달 후에 나가는 것으로 해주시면 좋겠습니다. 부탁드립니다. 저 스스로 그만두는 것으로 하고 싶은 겁니다. 머스그레이브 님, 그렇게 하면 저는 견딜 수 있을 것 같습니다. 하지만 저를 알고 있는 사람들 앞에서 제가 추방당하는 건 견딜 수가 없습니다.」

「자네한테 별로 동정을 베풀고 싶지 않네, 브런턴.」

나는 그렇게 대답을 했죠.

「자네가 한 짓은 부끄러워해야 할 일이니까. 그러나 오랜 세월을 일해 왔으니까 자네 문제를 떠들지는 않겠네. 그리고 한 달은 너무 길고 일주일 후에 나가는 걸로 하지. 나가는 이유는 마음대로 붙이게.」

「겨우 일주일이라고요?」

그는 또다시 절망적인 목소리로 말하더군요.

「이 주일⋯⋯ 정 그렇다면 이 주일로 해주십시오.」

「일주일이네.」

나는 강조해 말했어요.

「일주일도 아주 관대한 조치를 받은 거라고 생각하기 바라네.」

그는 고개를 푹 숙이고 힘없이 가 버리더군요. 나는 그 방의 불을 끄고 다시 침실로 돌아갔죠.

그 후 이틀 동안 브런턴은 자기 일을 아주 열심히 했습니다. 나는 그날 일에 대해서는 아무 말도 안 하고 그가 파면되는 문제를 어떤 식으로 숨기는지 호기심을 갖고 지켜보고 있었습니다. 그런데 삼 일째 되는 날 아침에, 보통은 아침 식사 후에 그날 할 일에 대해 지시를 받으려고 나한테 오는데 그날은 나타나지를 않더군요. 그런데 식당을 나가다가 하녀 레이첼 하우웰즈와 마주치게 됐습니다. 그녀는 이제 겨우 병이 나아가고 있어서 아직까지는 일을 하면 안되는 상태라 내가 만류를 했죠.

「누워 있어야 돼. 몸이 좀 더 나아지면 그때 일을 하도록 해.」

그런데 레이첼은 이상한 표정만 짓고 있었어요. 나는 그녀가 정신이 어떻게 된 거 아닌가 하는 생각이 들기 시작했죠.

「이제 많이 좋아졌어요, 주인님.」

그녀가 입을 열었습니다.

「의사한테 가서 진찰을 받아 보고, 그러고 나서 일하도록 해. 지금은 아직 일할 때가 아니야. 아래층에 가서 브런턴한테 내가 찾는다고 전하렴.」

「집사는 가 버렸습니다.」

「가 버렸다고! 어디로?」

「아주 가 버렸습니다. 아무도 본 사람이 없어요. 그의 방에도 없대요. 네, 가 버렸어요…… 가 버렸어요!」

그녀는 계속 미친 사람처럼 소리치면서 쓰러질 듯이 벽에 기대더군요. 난 그녀가 갑자기 히스테리 발작을 일으키는 걸 보고 놀라서 벨을 눌렀습니다. 다른 하인들이 달려와 그녀를 방으로 옮겼지만 그녀는 계속 울부짖었어요. 그래서 브런턴에 대해 조사를 해 봤습니다. 그가 사라진 것은 분명합니다. 그의 침실도 보니까 잠을 잔 흔적이 없더군요. 전날 밤 각자 자기 방으로 들어간 후부터 지금까지 아무도 그를 본 사람이 없다고 합니다. 그런데 현관문과 창문은 전부 아침까지 자물쇠가 채워져 있었기 때문에 어떻게 그가 집을 나간 건지 도대체 알 수가 없거든요. 그의 물건들은 전부 다 방에 그대로 있고요. 옷, 회중시계, 돈까지 전부 다. 하지만 그가 항상 입고 있던 검정색 옷이 안 보이고 슬리퍼도 안 보입니다. 그런데 장화는 남아 있고요. 그가 밤중에 어디론가 나갔다면 지금쯤 어떻게 되어 있는 걸까요?

집 안을 다 찾아봤지요. 지하실부터 다락방까지 전부 다 찾아봤는데도 실종된 집사는 발견되지 않았습니다. 재산을 다 남겨 두고 간다는 게 나는 도저히 믿어지지가 않습니다. 그는 도대체 어디에 있는 걸까요? 지방 경찰이 왔지만 전혀 효과가 없었어요. 그 전날 밤에 비가 왔기 때문에 집 주변 잔디밭과 샛길도 조사를 해봤지만 아무런 흔적도 나오지 않았어요. 이런 지경에 또 다른 사건까지 겹쳐서 지금 집사가 행방불명된 일은 뒷전이 되고 말았습니다.

레이첼 하우웰즈가 이틀 동안 거의 중태에 빠져 헛소리를 하고 발작을 일으키는 바람에 간호사까지 고용해서 밤낮으로 지키게 했습니다. 그러다가 브런턴이 사라진 후 사흘째 되는 날 아침에 간호사는 환자가 자고 있는 것을 보고는 옆에 앉아서 졸기 시작했어요. 그러다가 새벽녘에 잠을 깨서 보니까 침대는 비어 있고, 창문도 열려 있고, 환자의 모습은 온데간데가 없어진 겁니다. 나는 그 소식을 듣고는 바로 일어나 시중꾼 두 사람과 함께 사라진 레이첼을 찾으러 나갔습니다. 그녀가 간 방향은 쉽게 알 수 있었습니다. 그녀의 발자국이 창문에서 시작되어 잔디밭을 가로지르고 연못가 쪽으로 이어지고 있는 것을 바로 확인할 수가 있었기 때문입니다. 그런데 발자국이 집 밖으로 나가는 자갈길 바로 옆의 연못가에서 끊어져 있더군요. 그 연못의 깊이가 2.5피트나 되는데 불쌍하게도 정신이 이상해진 여자의 발자국이 거기서 끊어진 것을 봤을 때 우리의 심정이 어땠겠습니까? 쉽게 상상하실 수 있겠죠?

우리는 즉시 투망을 가져와서 시체 인양을 시도했습니다. 그러나 시체는 전혀 나오지 않았습니다. 대신 뜻밖의 물건을 건져 냈는데, 리넨으로 된 자루였어요. 안을 열어 보니까 오래되어 녹슨 쇠붙이 몇 개와 돌멩이, 그리고 유리 조각이 들어 있더군요. 이상한 이런 물건만 연못에서 나왔고, 우리는 지금까지 레이첼 하우웰즈의 운명이 어떻게 되었는지 리처드 브런턴의 행방이 어떻게 된 것인지 도대체 아무것도 모르고 있습니다. 주 경찰도 속수무책이라 해서 제가 이렇게 마지막 희망을 갖고 찾아온 겁니다.'

왓슨, 내가 얼마나 열심히 그 이상한 사건에 귀를 기울였는지 아마도 자네가 상상하는 그 이상이었을 거네. 나는 그 전체를 연결시키면서 거기서 일관되게 공통적인 실마리가 뭘까를 찾으려고 애를 썼지.

자, 들어보게. 집사가 없어졌고, 하녀도 없어졌고, 하녀는 집사를 사랑했지만 나중엔 그를 증오하게 되었고, 그녀는 웨일스 혈통을 타고났기 때문에 정열적인 기질을 갖고 있고, 집사가 사라진 후 발작적인 증세를 보였고, 이상한 물건이 들어 있는 자루를 연못 속에 던져 버렸다. 이렇게 된 거지. 이 사항들은 전부 다 참고해야 할 내용이긴 하지만 이중 어느 것 하나도 사건의 핵심과는 연결이 안 되고 있네. 그렇다면 이 사건들의 출발점은 어딜까? 바로 그곳이 이 모든 뒤얽혀 있는 줄거리의 종점이 아닐까 싶네.

'그 서류를 보지 않으면 안 될 것 같군요, 머스그레이브 씨.'

내가 의뢰인에게 말했네.

'그 집사는 해고당할 위험이 있는데도 그 서류를 찾아야 한다고

믿었으니까요.'

'사실 우리 집안의 의식서라는 것은 우스꽝스러운 것이지요.'

그가 대답을 하더군.

'하지만 어쨌든 오래된 물건이라는 점에서는 가치가 있다고 생각합니다. 보시고 싶으면 여기 사본을 가지고 왔으니까, 보십시오.'

그는 내가 지금 가지고 있는 바로 이 종이를 보여주었다네. 왓슨, 이건 머스그레이브 집안의 사람이라면 누구나 성년이 될 때 통과해야 하는 이상한 문답이라네. 자, 내가 이 질문과 대답을 원문 그대로 읽어 보겠네.

〈그건 누구의 것인가?

떠나간 사람의 것입니다.

그걸 얻는 건 누구인가?

나중에 찾아올 사람입니다.

몇 월인가?

처음부터 여섯 번째입니다.

태양은 어디에 있는가?

떡갈나무 위에.

그림자는 어디에 있는가?

느릅나무 아래에.

어떻게 재는가?

북쪽으로 열 걸음, 또 열 걸음, 동쪽으로 다섯 걸음, 또 다섯 걸음, 남쪽으로 두 걸음, 또 두 걸음, 서쪽으로 한 걸음, 또 한 걸음, 그런 다음 아래로.

그러기 위해 우린 무엇을 바쳐야 하는가?

우리의 모든 것을.

무엇 때문에 그걸 바치는가?

신의를 위해서.〉

'원문에는 날짜가 안 쓰여 있지만 17세기 중엽의 철자로 쓰여 있습니다. 하지만 이 사건의 수수께끼를 푸는 데는 별로 도움이 안 되겠죠?'

머스그레이브가 말했네.

'하지만 수수께끼를 또 하나 제공하긴 하네요. 처음 것보다 훨씬 더 흥미있는 수수께끼를 말이죠. 이 수수께끼가 풀리면 앞의 수수께끼도 풀릴지 모르겠어요, 머스그레이브 씨. 그런데 이건 제 생각인데, 그 집사가 아주 영리한 사람이라 이 집의 십 대에 걸친 주인들보다도 더 날카로운 통찰력을 가지고 있는 것 같은데요.'

내가 그렇게 말했지.

'저는 당신의 말이 도무지 이해가 안 됩니다. 제가 보기엔 이 문서가 그렇게 가치 있는 거라고는 생각되지 않으니까요.'

'아니요. 제가 볼 땐 아주 진정한 가치가 있습니다. 브런턴도 그렇게 봤던 것 같고요. 그는 그 서류를 머스그레이브 씨한테 들키기 전에도 이미 봤을 겁니다.'

'아마도 그랬을 것 같아요. 그걸 특별히 애써 숨겨 둘 생각도 안 했으니까요.'

'제 생각에 그는 만약의 경우를 대비해 그걸 잘 기억해 두려고 몇 번 봤을 것 같습니다. 당신의 이야기에 의하면 그가 뭔가 지도 같은 걸 가지고 이 서류와 대조해 보고 있다가 당신을 보고는 얼른 주머니에 집어넣었다고 했죠?'

'그렇습니다. 우리 집안의 오랜 의식서 따위에 그는 도대체 무슨 관심을 가지고 있었던 걸까요? 그리고 이 우스꽝스러운 문답은 무엇을 의미하고 있는 걸까요?'

'그것을 푸는 건 별로 어려운 일이 아니겠죠? 괜찮으시면 지금 바로 첫차로 서섹스로 가시죠. 현장에서 좀 더 자세히 사건을 조사해 보고 싶습니다.'

그래서 그 날 오후에 우리는 헐스톤으로 갔다네. 자네도 아마 그 유명한 옛날 건물을 사진이나 책을 통해 봤을 테니까 구구절절 설명하지는 않겠네. 그건 L자형 건물로 긴 날개 쪽이 새로 덧붙여진 건물이고 짧은 날개 쪽이 원래 있던 건물인데, 그 옛날 것을 참고로 해서 새로 덧붙인 것이지. 그 건물 한가운데에 있는 큰 돌 위에 1607년이라고 연대가 새겨져 있는데, 전문가들 사이에서는 석조 부분이 그것보다 훨씬 더 오래된 것이라는 의견이 있다네. 원래 있던 건물의 벽이 엄청 두껍고 창문이 작다 보니까 조상 대대로 내려오면서 사용하는 데 불편을 느껴, 그래서 새 날개 쪽을 덧붙여 짓기로 했던 것 같네. 옛날 건물 쪽은 현재 창고나 저장고로 사용되고 있지. 그리고 집을 둘러싸고 있는 정원에 고목들이 무성하게 들어서 있고, 의뢰자가 말한 연못은 가로수길 바로 옆으로 저택에서부터 180미터쯤 떨어진 곳에 있더군.

왓슨, 난 이미 세 개의 수수께끼가 별개의 것이 아니라 단 하나로 연결돼 있는 수수께끼라는 걸 확신하고 있었고, 집사 브런턴과 하녀 레이첼 하우웰즈에 관한 비밀을 푸는 단서를 얻을 수 있을 거라고 확신하고 있었다네. 다만 내가 머스그레이브 집안의 의식서를 제대로만 잘 판독할 수 있다면 말일세. 그래서 나는 온 신경을 거기에 집중했지. 왜 그 집사는 옛날 의식서에 그렇게 큰 관심을 가졌던 것일까? 내가 보기엔 옛날 지방 호족들은 그 의식서를 대충 그냥 봐왔지만 집사 자신에게는 뭔가 이익이 될 만한 것이 분명히 거기에 있을 거라는 걸 알아차렸기 때문인 것 같네. 그렇다면 그건 뭘까? 그리고 그의 운명에 어떤 영향을 주었을까?

분명히 알 수 있는 건, 의식서를 읽어 보면 그 측정의 실마리가 문서의 다른 부분에서 계속 말하고 있는 하나의 지점을 가리키고 있다는 거야. 그래서 그 지점을 알게 되면 옛날 머스그레이브 집안 사람들이 왜 이렇게 괴상한 방법으로 오래 기억해 두지 않으면 안 된다고 생각했던 것일까 하는 비밀을 아는 데 있어 일단 걸림돌은 제거되는 셈이지. 우선 두 가지의 암시가 있네. 떡갈나무와 느릅나무 말이야. 떡갈나무에 대해서는 문제가 없었지. 그런데 마찻길의 왼쪽, 그러니까 저택의 정면에 떡갈나무보다 훨씬 더 큰 나무가 웅장하게 서 있었던 거지. 그건 내가 이제까지 한 번도 본 적이 없는 나무였다네.

'저 나무는 의식서가 처음 쓰였을 때부터 저기에 있었겠군요?'

마차가 그 앞을 지나갈 때 내가 물었다네.

'노르만 정복 때부터 있었던 것 같습니다. 나무 둘레가 7미터가 되거든요.'

그가 대답하더군.

자, 그래서 내 결론 중 하나는 확보가 되었다네.

'느릅나무는 어디에 있죠?'

내가 또 물었지.

'저쪽에 아주 오래된 고목이 하나 있었는데, 이십 년쯤 전에 벼락을 맞아 버렸어요.'

'정확히 어디에 있었는지 알고 계십니까?'

'그럼요.'

'그럼, 거기 말고는 느릅나무가 없습니까?'

'고목으로는 없지만 너도밤나무는 많이 있죠.'

'느릅나무가 있었던 곳을 보고 싶은데요.'

우리는 이륜마차를 타고 갔었는데 사건 의뢰자는 나를 우선 집 안으로 안내하지 않고 곧바로 지금의 잔디밭에 서 있었던 느릅나무의 그루터기가 있는 곳으로 데리고 가더군. 그건 대충 봐서 떡갈나무와 집 사이의 중간쯤에 있었지. 내 조사는 그런대로 순조롭게 진행되어 갔다네.

'느릅나무의 높이가 얼마나 됐었는지는 모르시겠죠?'

내가 또 물어봤다네.

'높이도 알고 있습니다. 19.5미터였어요.'

'아니, 어떻게 알고 계십니까?'

나는 너무나 놀라서 물었지.

'제 옛날 가정교사가 삼각법을 가르칠 때 언제나 높이를 재야 한다고 했었거든요. 그래서 어렸을 때 집 안에 있는 나무와 건물의 높이를 전부 다 재어 봤었죠.'

그건 정말 예상하지 못했던 행운이었다네. 수사 자료는 내가 원했던 것보다 더 빨리 확보되어 갔지.

'혹시 말이죠, 그 집사가 나무 높이를 물은 적이 있었습니까?'

레지널드 머스그레이브가 놀라며 내 얼굴을 쳐다보더군.

'그러고 보니 생각나는데요, 브런턴이 몇 달 전에 마부랑 말다툼을 했다면서 나무의 높이에 대해 물은 적이 있습니다.'

왓슨, 그건 정말 너무나 뜻밖의 정보였다네. 나의 목표가 하나하나 들어맞고 있었으니까 말이야. 그때 태양을 올려다봤지. 벌써 한낮이었기 때문에 한 시간쯤만 지나면 떡갈나무 고목 바로 위로 태양이 지나갈 것 같더군. 그렇게 되면 의식서에 있는 하나의 조건이 채워지게 되네. 그리고 느릅나무의 그림자라는 것은 아마도 그 그림자보다 훨씬 앞쪽을 가리키는 것일 거라고 생각했네. 그렇지 않다면 나무의 가지가 목표로 되어 있었을 테니까 말일세. 나는 거기서 태양이 떡갈나무 바로 위에 머물 때 느릅나무의 끝이 어디에 떨어지는가를 조사해야만 했지."

"그건 굉장히 어려웠을 텐데, 홈즈. 느릅나무는 이미 그곳에 없었으니까 말이야."

"그렇지. 하지만 브런턴이 할 수 있었다면 나도 못할 것은 없다고 생각했지. 그리고 실제로 어렵지도 않았어. 나는 머스그레이브와 함께 그의 서재로 가서 이 나무 막대기를 직접 깎아 만들어서 여기에다 이 긴 실을 붙들어 매고 일 미터 간격으로 매듭을 지었지. 그리고 1.8미터짜리 조립식 낚싯대 하나를 가지고 머스그레이브와 함께 느릅나무가 있었던 곳으로 갔다네. 태양이 마침 떡갈나무 바로 위에 머물고 있었지. 나는 그 낚시대를 반듯하게 세우고 그림자의 방향에 표시를 한 다음 그걸 재봤지. 길이가 2.7미터였네.

그럼 이제 계산은 간단했지. 1.8미터의 장대로 2.7미터의 그림자가 생긴다면 29미터의 나무로는 96피트의 그림자가 생기는 걸세. 그런 식으로 장대의 그림자를 계속 확대해 가면 나무의 그림자가 얼마인지 나오는 거지. 거리를 재 봤더니 대략 저택의 벽 근처가 되더군. 그래서 나는 그 지점에 나무 막대기를 박아 놓았다네. 그런데 그 나무 막대기에서 5센티미터도 채 안 떨어진 곳에 조그맣게 파인 구멍이 있더군. 그걸 발견했을 때 내 기분이 얼마나 좋았는지, 왓슨, 자네는 쉽게 상상할 수 있을 거네. 그건 브런턴이 측정을 했다는 표시고 내가 그의 자취를 제대로 쫓고 있다는 의미였지.

그 지점에서부터 나는 우선 자석으로 방향을 확인한 다음 걸음으로 재기 시작했네. 두 발로 열 걸음씩 나가니까 저택의 벽과 평행하는 곳에 이르더군. 그 지점에 또 막대기로 표시를 해 놓고 조심스럽게 동쪽으로 다섯 걸음, 남쪽으로 두 걸음씩을 걸어가니까 오래된 건물의 현관에 닿는 거야. 거기서 서쪽으로 다시 두 걸음을 가니까, 거기가 바로 의식서에 나와 있는 그 장소더군.

그런데 왓슨, 그 순간처럼 등이 서늘한 실망을 느낀 적도 없었을 거네. 나는 잠시 내 계산에 큰 착오가 있는 것으로 생각했지. 왜냐하면 그때 마침 넘어가려는 태양이 통로의 바닥을 훤히 비추고 있었는데, 오랫동안 밟아서 닳아 빠진 잿빛 돌이 정확히 딱 들어맞고 있어서 몇 년 간 움직인 적이 전혀 없었다는 것을 알 수 있었기 때문이라네. 브런턴도 그건 손을 대지 않았어. 나는 바닥을 두들겨 보았지만 어디나 일정한 소리가 나고 갈라진 틈이나 깨진 흔적도 없었네. 다행히 그때쯤엔 머스그레이브가 내 행동의 의미를 깨닫기 시작해 나보다 더 흥분하면서 의식서를 꺼내 멈칫거리던 내 생각을 흔들었다네.

'그런 다음 아래로입니다.'

머스그레이브가 외치더군.

'당신은 지금 〈그런 다음 아래로〉를 잊고 계시는군요.'

난 그게 아래를 파라는 것으로 생각하고 있었는데 내 생각이 틀렸다는 걸 물론 곧 알게 됐지.

'그럼 이 아래에 지하실이 있다는 겁니까?'

나도 따라 외쳤다네.

'그렇습니다. 이 건물과 마찬가지로 오래되었죠. 이 문을 통해서 내려갈 수 있습니다.'

우리는 돌층계를 돌아서 내려갔네. 머스그레이브는 성냥을 켜서 구석에 놓여 있는 램프에 불을 붙였지. 그리고 곧이어 우리는 찾고 있었던 장소에 마침내 도착했는데, 더 놀라운 건 최근에 그 장소에 간 사람이 우리 둘만이 아니었다는 사실이네.

그곳은 창고로 쓰이고 있었는데, 바닥에 놓여 있던 장작들이 양쪽으로 치워지고 한가운데가 비어 있더군. 그리고 한가운데에 큰 돌이 하나 놓여 있고 중앙에 녹슨 쇠고리가 하나 달려 있는데, 그 쇠고리에 바둑판 무늬의 두꺼운 머플러가 매어져 있었다네.

'아니! 이건 브런턴의 머플러 같은데요. 그가 두르고 있는 걸 본 적이 있거든요. 분명합니다. 이놈이 여기서 뭘 하고 있었을까?'

머스그레이브가 외치더군.

내 제안으로 경찰관 두 명을 불러 입회시키기로 했기 때문에 그때는 그들도 같이 있었지. 나는 머플러를 잡아당겨 돌을 들어 보려고 했는데 꿈쩍도 안 하더군. 그래서 경찰관 한 명의 도움을 받아 겨우 옆으로 밀어 놓았는데 그 밑에 보니까 시커먼 구멍이 뚫려 있는 거야. 머스그레이브가 램프를 가져와 구멍 안에다 대고 비춰 줘서 다함께 그 안을 들여다봤지.

그곳은 깊이 2.1미터, 넓이 1.2평방미터쯤 돼 보이는 작은 방이었네. 한쪽에 놋쇠가 둘러진 튼튼해 보이는 나무 상자가 열린 채로 있었는데, 이상한 모양의 열쇠가 그대로 꽂힌 채 있더군. 상자 위에는 먼지가 잔뜩 쌓여 있고 습기가 차서 곰팡이도 슬어 있고 말이야. 그리고 동그란 쇠붙이 같은 게 몇 개 상자 바닥에 흩어져 있었지. 그건 아마도 옛날 화폐인 것 같더군. 그리고 상자 안에는 아무것도 없었다네.

그러나 그때 우리는 그 낡은 상자 따위는 생각할 겨를도 없었다네. 우리의 시선은 곧바로 그 옆에 웅크리고 있는 것에 못 박히고 말았으니까 말일세. 검은색 옷을 입은 한 남자의 모습이었는데, 이마를 상자 끝에다 대고 두 팔은 상자 양쪽으로 늘어뜨린 채 웅크리고 있었지. 그런 자세였기 때문에 얼굴로 피가 몰려서 거무스름해 있었던 터라 누구인지 알아볼 수조차 없었다네. 그 시체를 끌어올렸을 때에야 키와 옷차림, 머리 등으로 봐서 그게 확실히 실종된 집사라는 것을 알 수 있었지. 죽은 지 며칠이 지났지만 왜 그토록 무서운 최후를 맞이했는지 알 수 있는 상처나 맞은 흉터 같은 것은 몸 어디에도 없었네. 시체를 지하실에서 끌어낸 다음, 나는 사건에 처음 손을 댔을 때와 거의 다름없는 불가해한 문제에 또다시 직면해 있다는 걸 깨달았다네.

고백하지만 왓슨, 그 시점 바로 전까지만 해도 나는 그 조사에 어느 정도 낙담을 하고 있었네. 의식서에 나타나 있는 장소를 발견했을 때는 사건이 거의 다 해결된 걸로 생각했었는데, 그때는 머스그레이브 집안 사람들이 그토록 비밀스럽게 숨긴 것이 무엇이었는지 전혀 알 수가 없다는 생각만 들더군. 어쨌든 브런턴의 실종 수수께끼는 풀렸지만, 이제부터는 왜 그가 이런 운명에 빠지게 되었는지, 하녀는 이 사건에서 어떤 역할을 하고 있었는지 그런 것을 알아내야만 했지. 그래서 나는 방 한구석에 놓여 있는 통에 걸터앉아 모든 것을 다시 생각하기 시작했다네.

왓슨, 그런 경우 내가 하는 방법을 자네는 잘 알고 있겠지만, 나는 우선 집사의 영리함을 계산한 다음 나 자신을 그의 입장에다 놓고 나라면 어떤 식으로 했을까를 상상해 보았다네. 브런턴은 워낙 영리해서 그런 경우 어려울 것도 없었지. 그는 뭔가 귀중한 것이 숨겨져 있다는 걸 알고 있었고, 그 장소까지 찾아냈으니까 말일세. 그런데 그 장소를 덮고 있는 돌이 너무 무거워 누군가의 도움 없이 혼자서는 해결할 수가 없었지. 그렇다면 그다음엔 어떻게 했을까? 아무리 믿을 만한 사람이 있다고 해도 도움을 구할 경우 문을 열지 않으면 안 되고 또 남한테 의심받을 위험도 다분히 있겠지. 그래도 어쨌든 도움을 청한다면 저택 안에 있는 사람이 낫다고 그는 판단했던 것 같네. 하지만 누구한테 부탁을 할까? 레이첼 하우웰즈는 그에게 마음을 줬던 사람이지. 남자라는 것은 여자한테 아무리 심한 짓을 해도 여자한테 차이는 일은 없다고 자기 착각에 빠져 있는 동물이네. 브런턴은 조금 달콤한 말로 레이첼을 달래며 화해를 시도했고 결국 그녀에게서 협조하겠다는 약속을 받아 냈을 거야. 그래서 둘이 함께 밤에 지하실로 가서 돌을 들어 올릴 계획이었지. 여기까지는 마치 실제로 봤던 것처럼 그들의 행동을 그려 볼 수 있었네.

하지만 두 사람이라고 해도 한쪽이 여자이기 때문에 그 무거운 돌을 들어 올리는 일은 만만치가 않은 거지. 아까 건장한 경관과 내가 함께 했는데도 결코 쉽지 않았거든. 그렇다면 그들은 어떤 방법으로 했을까? 아마도 내가 그 입장에 있었다면 그런 방법으로 했을 것 같네. 나는 바닥에 흩어져 있는 장작들을 유심히 살펴봤다네. 그랬더니 내가 기대했던 것이 마침 나오더군. 1미터 정도 되는 장작개비 하나가 끝이 눌러져 있고 다른 몇 개는 아주 무거운 것으로 찍힌 것처럼 완전히 납작해져 있더군. 그들이 돌을 들어 올릴 때 분명히 그 장작들을 틈새에 끼워 넣었을 거야. 그래서 조금씩 조금씩 움직이다가 마침내 한 사람이 기어 들어갈 만큼의 구멍이 생겼던 거지. 자, 여기까지는 나의 추정도 무리는 없네.

그런데 이제부터가 문제일세. 이 한밤중의 드라마를 어떻게 꾸며야 좋을까? 구멍 속에 들어갈 수 있는 건 한 사람뿐인데 그게 브런턴인 것은 확실하네. 여자는 분명 위에서 기다리고 있었을 거야. 브런턴은 내려가서 상자를 열고 아마도 그 속에 있는 것을 꺼냈겠지. 아마도 라고 말하는 건, 지금 그 내용물이 발견되지 않고 있으니까 말일세. 그런 다음엔 무슨 일이 일어났을까?

정열적인 기질인 레이첼이 자신의 마음을 짓밟은 남자가 — 어쩌면 우리가 상상하는 그 이상으로 짓밟았는지도 모르네 — 바로 지금 자신의 손아귀에 들어 있다는 것을 알았을 때, 그 순간 복수의 불길이 온 영혼으로 불타오를 수 있다는 것은 충분히 가능한 일 아닐까? 그래서 그녀가 장작개비를 차 버려 돌 뚜껑을 닫히게 했던 것일까? 아니면 끼워 놓았던 장작이 우연히 튕겨 나가면서 돌 뚜껑이 다시 원위치로 돼 버렸던 것일까? 그래서 그곳이 브런턴의 무덤이 되었던 것일까? 레이첼에게는 집사에 대해 침묵했다는 죄밖에 없다고 할 수 있을까? 하여간 어느 쪽이든 나는 그 여자가 보물을 움켜쥐고 돌계단을 미친 듯이 뛰어올라갈 때, 뒤에서 그녀를 부르는 희미한 비명소리와 돌 뚜껑을 죽어라 두들기는 소리가 그녀의 귓가에 남아 사라지지 않는, 그런 광경이 훤히 보이는 것 같았네.

다음 날 아침에 레이첼의 얼굴색이 이상하면서 히스테리를 일으켰던 비밀은 바로 그것 때문이었지. 그런데 상자 속에는 무엇이 들어 있었을까? 그녀는 그것을 어떻게 했을까? 그건 아마도 머스그레이브가 연못에서 건져 낸 그 쇠붙이나 돌멩이였을 거야. 그녀는 그것을 바로 연못에 던져 버림으로써 범죄의 증거를 없애려고 했겠지.

그 문제를 풀어보려고 나는 이십 분 정도 깊이 생각해 봤네. 머스그레이브도 완전히 넋이 나간 얼굴로 램프를 들고 구멍 안을 들여다보더군.

'이건 찰스 1세 때의 화폐인데요.'

그가 상자에 남아 있던 쇠붙이 두세 개를 내밀면서 말했네.

'의식서에 나와 있는 연대 추정이 틀리지 않군요.'

'찰스 1세에 관해서는 다른 일도 알 수 있을지 모릅니다.'

나는 갑자기 의식서의 첫 두 질문에 대한 의미를 어렴풋이 알 것 같아서 말했다네.

'연못에서 건져낸 그 물건들을 좀 볼까요?'

함께 서재로 올라가서 그는 물건들을 내 앞에 늘어놓았네. 그것을 보고 나는 머스그레이브가 그 물건들을 별로 중요하게 여기지 않는다는 것을 알았지. 쇠붙이는 거의 새까맣게 돼 있고 돌멩이는 광택도 없이 이상한 색깔이었기 때문일세. 그런데 쇠붙이 하나를 들고 옷소매로 대충 닦아 손바닥에 올려놓고 어둡게 만들어 보니까 반짝이는 빛이 나더군. 쇠붙이는 이중 고리 모양을 하고 있었는데 찌그러져서 둥근 모양이 아니었던 거야.

'잊으면 안 되는 일이지만,'

내가 말했지.

'왕당파는 왕이 죽은 후에 영국에서 계속 저항했는데 나중에 망명할 때 아주 귀중한 물건들을 훗날 좀 더 평화로울 때 되찾으려고 여기다 숨겨 뒀던 모양이네요.'

'저의 조상인 랄프 머스그레이브 경은 유명한 왕당파였는데 나중에 찰스 2세가 망명해 있을 때 바로 그의 측근으로 계셨죠.'

'아, 그렇습니까!'

나는 거의 외치다시피 말했다네.

'이제 제가 필요한 마지막 실마리를 찾은 것 같습니다. 당신에게 축하드리고 싶군요. 좀 비극적이긴 하지만 아주 큰 가치가 있고, 또 역사적 유물로서는 더 큰 가치가 있는 물건의 주인이 됐으니까 말이죠.'

'이게 도대체 무엇인데요?'

그는 너무나 놀라며 숨까지 헐떡이면서 물었다.

'이건 다름 아닌 고대 영국의 왕관입니다.'

'왕관이라고요!'

'네, 그렇습니다. 의식서의 문장을 떠올려 보세요. 뭐라고 쓰여 있었죠? 〈그건 누구의 것인가〉 〈떠나간 사람의 것입니다〉 이것은 찰스 1세가 처형된 다음의 일입니다. 그리고 〈그걸 얻는 건 누구인가〉 〈훗날 찾아올 사람의 것입니다〉 라고 쓰여 있었죠? 이건 찰스 2세를 가리키고 있습니다. 2세의 출현은 이미 예지되어 있었던 거죠. 이 쭈그러져 볼품없는 왕관이 저 스튜어트 왕조 시대에 대대로 머리를 장식했다는 사실은 의심의 여지가 없는 일입니다.'

'그런데 그게 왜 연못 속에 있었을까요?'

'아, 그 질문엔 약간의 시간이 필요합니다.'

그렇게 말한 다음 나는 그동안의 추리와 증명을 하게 된 과정을 대충 설명해 주었네. 이야기가 다 끝나기도 전에 어둠이 내려앉아 달이 밝게 떠올라 있었지.

'그럼 찰스 2세가 돌아왔을 때, 왜 그는 왕관을 되찾지 않았을까요?'

유물을 리넨 자루에 다시 넣으면서 머스그레이브가 묻더군.

'아, 그건 우리가 풀 수 없는 문제일 겁니다. 비밀을 간직하고 있었던 머스그레이브 조상들이 그동안 세상을 떠나면서 의식서에 대한 의미도 설명하지 않고 단서만 남겨 놓았으니까요. 하지만 그건 대대로 전해져 오다가 어느 날 한 남자의 손에 들어가게 됐는데, 그 남자가 그 비밀을 알아내기는 했지만 모험을 하다가 그만 목숨을 잃고 만 거죠.'

왓슨, 이것이 머스그레이브 집안의 의식서 사건일세. 지금도 그 왕관은 헐스톤에 있다네. 물론 그것을 되찾기까지 법률적인 문제가 복잡해 많은 돈이 들어가기는 했지만 말이야. 내 이름을 말하면 아마도 기꺼이 그걸 보여줄 걸세. 레이첼에 관해서는 그 뒤로 아무 소식도 못 들었지만, 어쩌면 영국을 떠나 바다 건너 먼 나라로 갔을지도 모르네. 죄의 추억을 간직하고 말일세."

세박공의 집

셜록 홈즈와 함께 다룬 사건 중에서도 '세 박공의 집 사건' 만큼이나 유난스럽고 극적인 사건도 없었던 것 같다. 나는 며칠 간 홈즈를 만나지 못했기 때문에 그동안 새로운 사건 의뢰가 들어온 것도 모르고 있었다. 그날 아침 홈즈는 평소보다 기분이 좋아 보였고, 그래서 말도 많이 했던 것 같다. 그는 나더러 자기 맞은편 의자에 앉으라고 하며 본인은 난로 옆에 있는 낡아 빠진 의자에 앉았다. 그리고는 파이프를 피우며 담배 연기를 훅 내뿜었다.

그때 방문객이 들어왔다. 그런데 마치 미친 황소가 날뛰는 듯했다. 내가 이렇게 말하면 독자 여러분은 그 뒤 어떤 일이 벌어졌을지 상상할 수 있을 것이다.

문이 활짝 열리더니 체구가 거대한 흑인 하나가 방으로 뛰다시피 들어섰다. 얼핏 보면 그의 모습은 꽤나 재미있게 보였을 것이다. 회색빛 체크 무늬 양복에 분홍색 넥타이를 매고 있는 게 어딘지 좀 야하기도 하고 우습기도 했던 것이다. 그러나 그의 인상은 다소 무서운 데가 있었다. 납작한 코가 얼굴 한가운데 자리 잡고 있고, 얼굴은 앞으로 튀어나올 듯 내밀고 있으며, 눈빛은 음흉하니 악의가 내비쳤기 때문이다. 그는 우리를 번갈아 쳐다보았다. 그리고는 물었다.

"어떤 분이 홈즈 선생이시죠?"

홈즈는 할 수 없이 미소를 지으며 파이프를 물었다. 방문객은 느닷없이 발소리를 죽이며 탁자 옆에 앉아 있는 홈즈 쪽으로 바싹 다가섰다.

"당신인가요?"

그리고는 불쾌한 어조로 말했다.

"홈즈 선생, 남의 일에 쓸데없이 끼어들지 마시오. 남의 일에 괜한 참견 말고 그냥 좀 내버려 두라고요. 알겠어요, 홈즈 선생?"

"계속 얘기해 보시오. 재미있구먼."

홈즈가 태연히 말했다.

"뭐라고, 재미있다고요!"

그 음흉한 인간이 덤벼들 듯 소리쳤다.

"내가 한 번 맛을 보여 주면 다시는 그런 말 못할 텐데. 전에도 내가 몇 번 이런 일이 생길 때마다 맛을 보여 줬더니 꼼짝들 못하더라고. 이것 봐요, 홈즈 씨!"

그는 우락부락한 돌덩이 같은 주먹을 홈즈의 코 앞에 대고 흔들었다. 그러나 홈즈는 재미있다는 듯 주먹을 빤히 쳐다보기만 했다.

"그 주먹은 원래부터 그렇게 생겼소? 아니면 커 가면서 그렇게 변한 것이오?"

그리고는 얼음처럼 냉정한 표정을 지었다. 홈즈의 그 표정은 내가 포커 게임을 할 때 일부러 자주 취하는 그 표정과 흡사했다. 그때 방문객의 태도가 갑자기 누그러졌다. 그리고는 말했다.

"한 가지만 충고하죠. 해로 거리에 잘 아는 친구가 하나 있는데, 이렇게 말하면 무슨 뜻인지 알겠지만, 당신이 방해만 안 하면 그도 당신을 해치지 않을 거요. 알겠어요? 당신은 그를 방해할 권리가 없고, 그러면 나도 이렇게 당신을 찾아올 일이 없는 거지. 하지만 당신이 그 일에 간섭하는 이상 나도 가만 있지는 않을 거요. 알겠어요?"

"안 그래도 당신을 한번 만나고 싶었는데……. 근데 당신 몸에서 냄새가 나서 앉으라는 말은 못하겠소. 당신 혹시 권투 선수 스티브 딕시 아니오?"

"맞아요. 나를 알아보는 걸 보니 당신도 내 주먹 맛을 보고 싶은 모양인데."

"절대 그런 일은 없을 거요."

홈즈는 그의 야만스런 주둥이를 쳐다보며 침착하게 말했다.

"홀번 술집 앞에서 퍼킨즈라는 청년을 죽인 것도 당신이죠?"

흑인이 움찔 하고 뒤로 물러서더니 얼굴빛이 어두워졌다.

"지금 무슨 소리 하는 거죠? 내가 퍼킨즈를 죽였다고요? 홈즈 씨, 그때 난 버밍검에 있는 권투 도장에서 연습을 하고 있었소."

"그래요? 그런 얘기는 경찰서에 가서나 하시지, 스티브. 나는 당신과 바니 스톡데일이 거기 있는 걸 봤거든."

"세상에 맙소사! 홈즈 씨, 저기……."

"자 이제 그만 나가시오. 언제든 적당한 때에 난 당신을 경찰에 넘길 거니까."

"홈즈 씨, 내가 이렇게 온 걸 나쁘게만 생각지 말아 주세요."

"누가 당신을 여기로 보냈는지 말만 하면……."

"홈즈 씨, 그건 비밀도 아니에요. 아까 선생께서 얘기한 바로 그 사람이죠."

"그럼, 그에겐 또 누가 명령을 내린 거지?"

"그건 모르겠어요. 난 바니한테서만 들었으니까요. '스티브, 홈즈를 찾아가서 해로 사건에 끼어들면 죽이겠다고 하게.' 하고 말했거든요. 난 이것밖에 아는 게 없어요."

홈즈가 다른 말을 더 물어볼 틈도 없이 그 흑인은 들어올 때처럼 도망치듯 확 방을 나가 버렸다. 홈즈는 파이프의 재를 털면서 조용히 웃음을 머금었다.

"왓슨, 저놈이 순순히 물러나는구먼. 자네가 포커를 할 때 짓는 그 전략적인 표정을 내가 유심히 관찰했었는데, 사실 저놈은 그냥 시키니까 온 것뿐이야. 체격은 장사지만 멍청하고 어리석은 놈이지. 자네도 봤다시피 금방 겁을 먹고 도망가잖아. 근데 저놈이 스펜서 존이라는 갱단의 조직원인데 얼마 전에 일어난 잔인한 사건에 연루돼 있어. 내가 사실 시간이 나면 그 사건을 해결하려고 마음먹고 있었거든. 그 조직의 보스가 바니라는 인간인데 아주 잔인한 놈이지. 전문으로 하는 일이 주로 폭행, 협박, 뭐 그런 종류의 일이니까. 내가 알고 싶은 건, 그 사건 뒤에 누가 개입돼 있느냐 하는 것일세."

"그런데 그놈들이 왜 자네를 협박하는 거지?"

"해로 윌드 사건 때문이야. 그 사건을 좀 조사해 봐야겠어. 나를 협박하는 걸 보니까 분명히 뭐가 있어."

"무슨 얘기야?"

"아까 그 흑인이 와서 소동을 일으키기 전에 실은 자네한테 이 얘기를 해주려고 했었다네. 매벌리 부인이라는 사람한테서 편지가 왔는데, 여기 있으니 읽어 보게. 그리고 나가서 전보를 한 장 치고 나랑 같이 떠나세."

〈셜록 홈즈 선생님께

지금 제가 살고 있는 이 집과 관련해서 이상한 일들이 계속 일어나고 있습니다. 그래서 선생님의 도움을 부탁드리고자 하니, 내일 아무 때나 편하신 시간에 제 집으로 와 주시면 고맙겠습니다. 제 집은 윌드 역에서 멀지 않은 곳에 있습니다. 기억이 나시는지 모르겠지만 제 남편인 모티머 매벌리도 전에 한 번 선생님의 도움을 받은 적이 있었습니다.

메리 매벌리〉

"주소는 해로 윌드의 세 박공 집으로 돼 있구먼."

"아까 그 흑인이 말한 곳이야. 왓슨, 자네 지금 시간 되면 곧바로 떠나도록 하세."

홈즈가 다급히 말했다.

우리는 기차를 타고 얼마 가서 내린 뒤 다시 마차를 타고 한적한 녹지대를 달려갔다. 잠시 후 벽돌과 목재로 지어진 한 건물이 보였다. 이층에 보니까 창 위에 자그마한 조형물 세 개가 튀어나와 있었다. 그것으로 이 집이 세 박공 집이라는 명칭을 어느 정도나마 이해시켜 주는 것 같았다. 집 뒤로는 소나무 숲이 빽빽이 나 있어 꽤나 음산해 보였고, 전체 분위기도 어딘지 어둡고 삭막해 보였다. 그런데 막상 집 안은 잘 정돈되어 있었다. 나이 든 부인이 우리를 맞아들였는데 세련되고 교양도 있어 보였다. 홈즈가 말했다.

"남편께서 몇 년 전에 작은 일로 우리 도움을 요청하신 거 기억하고 있습니다."

그러자 부인이 말했다.

"선생께서는 아마도 제 아들 더글라스를 더 잘 알고 계실 텐데요."

홈즈가 관심 있게 부인을 쳐다보았다.

"아, 그렇습니까? 그를 좀 알고는 있습니다. 온 런던에 알려진 유명 인사 아닙니까? 아주 멋진 사람이죠. 지금 어디에 있나요?"

"홈즈 씨, 그 아이는 죽었습니다. 로마에서 대사관에 근무하다가 지난달에 폐렴으로 세상을 떠났지요."

"죄송합니다. 그가 죽다니! 믿어지지 않습니다. 그렇게 정열적인 사람을 본 적이 없는데……. 마치 온몸의 세포 하나하나가 뛰듯이 활발했었죠."

"사실 너무 격렬하게 살았지요. 그래서 건강을 해쳤던 것 같습니다. 우리 아들이 얼마나 쾌활했었는지 홈즈 선생도 기억하시겠지만, 그러던 애가 갑자기 우울증에 빠지면서 이상하게 변해 가더군요. 알고 봤더니 일 때문만이 아니라, 글쎄 실연을 당했던 겁니다. 그렇게 한 달여 지나면서 그 아이는 완전히 냉소적인 다른 사람이 되고 말았죠."

"연애 문제가 있었다고요? 여자와?"

"네, 그랬습니다. 하지만 홈즈 선생님, 제가 선생을 부른 이유는 그 아이 일 때문이 아닙니다."

"무엇이든 왓슨과 제가 최선을 다해 부인을 도와드리겠습니다."

"제가 편지에 썼던 것처럼 이상한 일이 연이어 일어나고 있어서요. 한적한 동네에서 조용히 은퇴생활을 하려고 이곳으로 이사를 온 지 일 년이 넘었습니다. 그런데 삼 일 전에 어떤 사람이 부동산 사무실을 한다면서 우리 집을 찾아왔더군요. 그러면서 이 집이 그의 고객에게 딱 맞는 집이라며, 값은 얼마든지 줄 테니 팔 생각이 없느냐고 묻는 겁니다. 별 이상한 사람 다 있다고 생각을 했지요. 그 사무실에는 이런 집들이 여러 채 매물로 나와 있는데, 왜 하필이면 내놓지도 않은 이 집을 찾아와 서 그랬을까 하고요.

그런데 그 사람의 제안에 마음이 끌리더군요. 그래서 이 집 매입가보다 오백 파운드를 올려서 값을 얘기했습니다. 그랬더니 그는 곧바로 좋다고 하면서, 그의 고객이 가구도 모두 함께 구입하고 싶어하니 그것들도 값을 얘기해 보라고 하는 겁니다. 여기 있는 가구 중 몇 개는 전에 살던 집에서 가져온 것인데 한번 보세요. 꽤 고급품이거든요. 그래서 저는 당연히 값을 비싸게 불렀죠. 근데 그것도 금방 좋다고 하더군요. 저는 그동안 여행을 무척 하고 싶었습니다. 그러던 차에 이런 유리한 거래가 생겨서 저는 마지막 삶의 소원이 이루어지겠구나 하고 생각을 했습니다.

그리고 바로 어제 그 사람이 매매계약서를 가지고 왔습니다. 다행히 저는 그 계약서를 해로에 살고 있는 제 변호사에게 보여줄 수가 있었어요. 그런데 변호사가 이렇게 말하는 거예요. '참 이상한 문서네요. 여기에 서명을 하시면 법적으로 이 집에 있는 물건을 하나도 밖으로 가지고 나갈 수 없는데, 알고 계십니까? 개인 물품들도 전부 포함해서 말이죠.' 그래서 저녁에 그 부동산업자가 오자 저는 그런 사실을 알리면서 저로서는 개인 물품은 빼고 가구만 팔고 싶다는 뜻을 밝혔습니다. 그러자 부동산업자는 '안 됩니다. 모든 것을 다 파셔야 합니다.' 하고 말하는 거예요.

'그럼 내 옷이랑 보석도 가져갈 수 없다는 거예요?'

'아니요. 그런 개인 물건은 가져가실 수 있습니다. 그러나 나머지 모두는 조사를 해서 허락된 물건 외에는 아무것도 밖으로 가져가실 수 없습니다. 제 고객은 자유로운 사람이긴 하지만 변덕이 좀 있고 사는 방식도 남다른 점이 있습니다. 집을 살 때도 모든 걸 다 사든지, 아니면 아예 안 사든지 둘 중 하나입니다.'

'그럼 할 수 없군요.'

하고 저는 말했습니다. 모든 게 수상해 보였으니까요."

그때 이상한 소리가 들렸다. 홈즈는 손을 흔들며 조용히 하라는 신호를 했다. 그러더니 방문을 확 열어 젖히고 나가 바싹 마른 체구의 여자 하나를 잡아채듯 하며 데리고 들어왔다. 여자는 꼴사납게도 닭장 속에서 끌려 나오는 병아리처럼 발버둥을 쳤다. 그리고는 외쳤다.

"이 손 좀 놓으세요! 왜 이러는 거예요?"

"수잔, 무슨 일이야?"

"네 마님, 손님들이 점심 식사를 하고 가실 건지 마님께 여쭤 보려고 막 이리 오는 길인데 이분이 저를 이렇게 잡아채지 뭡니까."

"당신이 오 분 동안이나 거기 서서 내는 소리를 내가 듣고 있었는데 부인이 하시는 얘기가 하도 재밌어서 중간에 나가지 않았던 것뿐이오. 그 소리 그만 내요, 수잔. 염탐하는 거 내가 다 아는데 당신 숨소리가 너무 거칠군요."

수잔은 어이없고 놀란 얼굴로 홈즈를 쳐다보았다.

"당신이 도대체 누군데 무슨 권리로 저를 이렇게 움켜잡는 거예요?"

"한 가지 물어보고 싶은 게 있습니다, 매벌리 부인. 혹시 저에게 도움을 요청했다는 얘기를 누구에게 하신 적이 있습니까?"

"아니요. 아무에게도 말하지 않았습니다."

"그럼 누가 편지를 부쳤습니까?"

"수잔에게 시켰습니다."

"그럼 확실해졌습니다. 자, 수잔, 누구에게 이 일을 알렸나요? 편지나 사람을 시켜서 말이오."

"그런 적 없습니다. 저는 사람을 보낸 적 없어요."

"수잔, 아시겠지만 천식을 앓게 되면 오래 살지 못해요. 그리고 거짓말을 하면 건강에 좋지 않아요. 누구한테 말했어요?"

그때 매벌리 부인이 외쳤다.

"수잔! 너 나를 속이고 있었구나. 지금 생각나는데 네가 울타리에서 어떤 남자와 얘기하는 걸 내가 본 적이 있어!"

"그건 제 개인적인 일 때문이었어요."

수잔이 풀이 죽어 대답했다.

그때 홈즈가 끼어들었다.

"그럼, 내가 말해 볼까요? 그 남자 이름이 바니 스톡데일이죠?"

"아시면서 왜 묻는 거예요?"

"확실치 않았거든. 이제 모든 게 환해졌어. 수잔, 내가 십 파운드를 줄 테니 바니 뒤에 누가 개입되어 있는지 말해 봐요."

"그 개입되어 있는 사람은 십 파운드의 백 배인 천 파운드를 주기로 약속했어요."

"그래? 돈이 굉장히 많은 남자군. 아닌가? 웃는 걸 보니까 남자가 아니고 돈 많은 여잔가? 어쨌든 그럼, 그 사람 이름을 말해 주고 십 파운드 더 받으면 되겠네."

"그걸 말하느니 지옥에 가는 게 낫죠."

"수잔, 무슨 말이 그따위야!"

"이 집을 나가겠어요. 당신들한테 그만 당하고 싶네요. 짐은 내일 찾으러 올게요."

그녀는 당황해서 화를 내면서 밖으로 뛰쳐나갔다.

"잘 가요, 수잔. 진정제는 꼭 먹고요."

홈즈는 그렇게 외치며 갑자기 표정이 어두워지더니 말을 이었다.

"그 일당들이 일을 시작한 겁니다. 얼마나 민첩하게 하는지 잘 들어 보세요. 부인의 편지는 어제 오후 열 시 소인이 찍혀 있었습니다. 수잔은 곧바로 이 소식을 바니한테 전했고, 바니는 그의 보스한테 달려가서 지시를 받았습니다. 보스가 남잔지 여잔지 모르겠지만, 수잔이 웃었던 걸 보면 여자인 것 같습니다, 그가 이 계획을 다 짠 거죠. 그리고는 흑인 권투 선수 스티브를 불러들였어요. 그가 나를 협박하러 온 시간은 그다음 날 오전 열한 시였고요. 이런 식으로 일이 재빨리 진행됐던 겁니다."

"그들이 바라는 게 도대체 뭘까요?"

"바로 그게 문제입니다. 이 집 전주인은 누구였습니까?"

"퍼거슨이라는 사람인데 선장으로 은퇴를 했습니다."

"그 사람에 관해 무슨 특별한 얘기 들은 거 있습니까?"

"아니요."

"혹시 그가 땅속에 무엇을 숨겨 두었나 하는 의심을 해볼 수도 있지만 요즘 사람들은 다 귀중품을 은행에 맡겨 두지, 어떤 바보가 땅에다 묻겠습니까? 그래도 항상 상식을 깨는 사람들이 있으니까 모르는 일이죠. 사실 그런 일도 없으면 세상이 얼마나 덤덤하겠어요. 저도 처음엔 땅속에 무슨 보물이라도 묻어 둬서 그런 건가 하는 추측을 했습니다. 그런데 그럴 경우, 부인의 가구들은 뭣 때문에 사고 싶어 하는 걸까요? 혹시 집 안에 라파엘로 그림이나 셰익스피어 초판본 같은 진귀한 물건이 어디에 숨겨져 있는 건 아닐까요?"

"아닙니다. 더비의 차 세트보다 더 귀한 물건 여기에 없습니다."

"그리고 왜 그들은 뭣 때문에 그러는 건지 솔직히 말하지 않는 거죠? 그럼 만약 그 차 세트 때문이라면 부인의 집 전체를 살 게 아니라 그 물건만 사려고 할 겁니다. 제 생각에는 부인께서 깨닫지 못하고 있는 어떤 진귀한 물건을 갖고 계시는 것 같은데, 만약 부인이 그걸 아시게 되면 그쪽에서 사려고 해도 부인이 그걸 팔려고 하지 않을 겁니다."

그쯤에서 내가 한마디 거들었다.

"나도 그렇게 생각하네."

"왓슨도 내 생각과 같으니, 분명히 그럴 것 같은데요."

"그럼 홈즈 선생님, 어떻게 하면 좋을까요?"

"하나하나 분석해 가면서 그 물건이 뭔지 찾아봅시다. 이 집에서 일 년 간 사셨다고 했지요?"

"거의 이 년이 됐습니다."

"길수록 더 좋습니다. 그동안 부인의 물건을 탐낸 사람은 없었습니까? 며칠 전에 왔었다는 그 부동산업자 말고 말이죠. 왓슨, 뭐 짚이는 거 없나?"

"한 가지 있네. 이 집에 이사온 후로 새로 산 물건이 있으면 그걸 먼저 조사해 봐야 할 것 같네."

내가 말했다. 그러자 홈즈가 물었다.

"매벌리 부인, 요즘 새로 산 물건이 있습니까?

"아니요. 올해는 새로 산 물건이 하나도 없습니다."

"참 이상하네. 그럼 정확한 자료를 얻을 때까지 조사 범위를 더 넓혀야겠습니다. 부인의 고문 변호사는 유능한 사람입니까?"

"네, 수트로 씨라고, 아주 유능한 분이시죠."

"아까 뛰쳐나간 그 하인 말고 다른 하인은 없습니까?"

"여자애가 하나 있습니다."

"그럼 수트로 씨한테 하루 이틀 정도 이 집에서 함께 있어 달라고 부탁해 보십시오. 부인을 보호해 줄 사람이 필요할 것 같아서요."

"누구 때문에 보호가 필요한가요?"

"그걸 어떻게 알겠습니까? 이렇게 베일에 싸여 있는데요. 만약 제가 그들이 원하는 게 무엇인지 알아낼 수 없다면 다른 각도에서 추리를 해서라도 이 사건의 범인을 꼭 찾아내겠습니다. 혹시 부동산 업자가 사무실 주소를 주지 않았습니까?"

"이름과 직업만 적힌 명함을 주고 갔는데요. 헤인즈 존슨, 경매인 겸 감정인이라고 쓰여 있군요."

"주소가 없어서 그가 어떤 인물인지 알 수가 없군요. 당당한 사업자라면 사무실 주소를 숨기지 않을 텐데요. 자 부인, 다른 일이 또 생기면 제게 연락을 해주십시오. 제가 이 사건을 맡게 되었으니 저를 믿고 계시기 바랍니다."

거실을 지나면서 홈즈의 눈은 구석에 쌓여 있는 트렁크와 상자들 쪽으로 자연스레 옮겨 갔다. 무엇이든 무심히 지나치는 일이 없는 홈즈의 예리한 시선이 그걸 놓칠 리 없었다. 그 물건들에는 전부 꼬리표가 붙어 있었다.

"밀라노, 르세른, 전부 이탈리아에서 온 거군."

"이 짐들은 아직 안 풀어 보셨습니까? 언제 도착했지요?"

"지난주에 왔습니다."

"왜 이 짐들에 대해서는 아까 아무 말씀도 안 하셨습니까? 문제의 열쇠는 아무래도 여기에 있는 것 같은데요. 이 속에 귀한 물건이 없을 거라고 어떻게 확신하십니까?"

"그럴 리가 없습니다, 홈즈 선생님. 불쌍한 더글라스는 월급과 약간의 연금 외에는 다른 수입이 없었습니다. 그런데 어떻게 비싼 물건을 살 수 있었겠습니까?"

홈즈는 잠시 생각에 잠겼다.

"자, 지금 시간을 지체할 게 아니라 짐을 빨리 이층 부인 방으로 옮기고 그 안에 있는 물건들을 자세히 살펴보십시오. 그리고 제가 내일 다시 올 테니까요, 그때 자세히 얘기를 해주시면 되겠습니다."

세 박공 집은 근처 어딘가에서 누가 감시를 하고 있는 것이 분명했다. 우리가 길 끝에 있는 녹지대 울타리를 지나가고 있을 때 흑인 권투 선수가 나무 그늘 아래 서 있는 모습이 보였다. 그는 우리가 그쪽으로 다가가자 잔뜩 찌푸리고 위협적인 표정으로 세 박공 집을 쳐다보고 있었다. 홈즈는 주머니에 손을 넣었다.

"홈즈 선생님, 권총을 찾고 계시나 보죠?"

"아닐세. 향수병을 찾고 있네, 스티브."

"나를 놀리지 않는 게 좋을 거예요, 홈즈 선생님."

"자네를 놀리는 게 아닐세, 스티브. 아까 내가 경고했던 말은 잊지 않았겠지?"

"그럼요, 홈즈 선생님. 생각이야 어쨌거나 퍼킨즈 살인사건에 대해서는 더 이상 저를 관련시키지 말아 주세요. 제가 홈즈 선생님을 도와드릴 수 있다면 그렇게 하겠습니다."

"그래 좋네. 그럼 배후에 있는 인물이 누군지만 말해 주게."

"홈즈 선생님, 제발 저를 좀 살려 주세요. 그건 아까도 말씀드렸다시피 저는 보스 바니한테서 지시를 받은 거 말고는 아무것도 모른다고 하지 않았습니까?"

"그럼 내 말을 잘 듣게, 스티브. 저 집 안에 있는 모든 것, 즉 부인과 모든 물건들은 내가 보호하고 있네. 알겠나?"

"알겠습니다, 홈즈 선생님. 명심하겠습니다."

숲 쪽에서 걸어 나오며 홈즈가 말했다.

"저놈을 좀 놀래 주려고 그랬지. 만약 저놈이 배후 인물을 알고 있다면 저놈은 자기 보스를 배신했을 거야. 그나마 스펜서 존 갱단이 이 일에 개입돼 있다는 사실을 알게 된 것이 다행이지. 스티브는 그 일당 중 하나거든. 왓슨, 랑데일 파이크의 도움이 필요하니까 지금 그를 만나야겠네. 그를 만나고 나면 어느 정도 윤곽이 잡힐 것 같아."

홈즈가 그렇게 떠나고 나서 그날은 더 이상 그를 만나지 못했다. 하지만 그가 어떤 활동을 하고 있을지는 대충 짐작이 갔다. 랑데일 파이크는 사교계의 온갖 소문에 관한 백과사전 같은 사람이었다. 좀 이상하게 생긴 얼굴에 항상 피곤해 보이는 그는 아침에 눈만 뜨면 세인트 제임스 거리에 있는 클럽으로 가서 하루 종일 창가에 자리 잡고 앉아 런던의 모든 가십 뉴스들을 듣고 또 전하는 일을 했다. 그는 대중의 입맛에 맞는 호기심을 자극하는 기사들을 삼류 신문들에 제공해 주며 그걸로 수입을 얻고 있었다. 런던 생활의 이런저런 내막을 들여다보면 거기엔 언제나 추잡한 얘기들과 소문들이 도사리고 있었다. 랑데일 파이크는 말하자면 자동 다이얼처럼 그 소식들을 정확하게 돌려서 표면으로 띄워 놓는 역할을 했다. 홈즈는 그런 랑데일에게 이따금 은밀하게 정보를 제공해 주며 그 또한 필요한 정보를 얻기도 했다.

다음 날 아침 나는 홈즈를 그의 서재에서 만났는데, 표정으로 봐서는 모든 것이 잘 풀린 것 같았다. 그런데 갑자기 뜻밖의 소식이 당도했다. 전보 한 통이 온 것이다.

〈빨리 와주시기 바랍니다. 어젯밤 의뢰인의 집에 도둑이 들었습니다. 경찰이 와 있습니다. 수트로〉

홈즈가 휘파람을 불며 말했다.

"예상보다 빨리 드러나게 됐군. 왓슨, 이 사건 뒤에 굉장한 인물이 숨어 있다네. 그런데 알고 보니까 별로 놀랄 일도 아니더라고. 수트로 씨가 부인의 변호사인 건 맞아. 그런데 내가 실수를 했어. 그 사람이 믿을 만한 사람이 못 되는 것 같거든. 어젯밤에 자네한테 그 집을 지키라고 했어야 했는데. 어쨌든 빨리 해로 윌드로 떠나세."

세 박공의 집은 정돈되어 있던 전날 모습과는 완전히 달랐다. 정원 문 앞에 사람들이 서성거리고 있었고, 경관 두 명이 창문 언저리와 제라늄 꽃밭을 살펴보고 있었다. 우리가 거실로 들어서자 회색 머리의 나이 든 신사 한 사람이 우리에게 다가와 자신을 변호사라고 소개했고, 또 한 사람이 있었는데 그는 홈즈를 잘 아는 얼굴빛이 불그레한 경감이었다.

"홈즈 선생님, 여기서 이렇게 만나니까 좀 두려운데요. 그러나 이

번 사건은 단순히 도둑이 든 것으로 보이니까 우리 경찰이 해결할 수 있을 것 같습니다."

"이번 사건이 그렇게 단순한 것은 아닙니다. 경감께서는 그냥 좀도둑의 짓이라고 생각하시나 본데요."

"네, 분명히 그렇게 보입니다. 우리는 도둑들이 누군지, 어디서 그놈들을 잡을 수 있는지도 다 알고 있습니다. 바니 스톡데일과 그 거구 흑인 일당들이 한 짓이거든요. 그놈들이 이 주변에서 기웃거리고 있는 걸 봤다는 사람도 있습니다."

"와, 훌륭합니다! 그런데 그들이 무엇을 훔쳐 간 거죠?"

"많이 훔쳐 가진 못한 것 같습니다. 놈들이 매벌리 부인을 클로로포름으로 마취시키고는 이 집을…… 아! 마침 부인이 내려오시는군요."

부인이 창백한 얼굴로 하녀에게 기대 거실로 내려왔다.

"홈즈 선생님, 좋은 충고를 해주셨는데……."

그녀는 언짢은 듯하며 미소를 지었다.

"제가 그만 그 충고대로 하지 못했습니다. 수트로 씨께 부탁하기가 미안해서요. 그래서 그냥 저 혼자 밤을 보냈습니다."

"저는 오늘 아침에 이 소식을 들었습니다."

변호사가 말하자 부인이 몹시 후회스러운 목소리로 덧붙였다.

"홈즈 선생님이 수트로 씨와 함께 밤을 보내라고 충고해 주셨는데 그 말을 안 들었으니까 제가 벌을 받아도 할 수 없게 됐죠 뭐."

홈즈가 위로의 말을 했다.

"아주 안 좋아 보이시는군요. 말씀하기도 힘들어 보이는데."

그때 경감이 커다란 노트를 툭툭 치며 말했다.

"여기에 다 적어 놨습니다. 그러나 부인께서 괜찮으시다면……."

"이젠 할 얘기도 별로 없습니다. 이건 의심할 것도 없이 그 못돼먹은 수잔이 그들과 같이 음모를 꾸며서 한 일이라는 게 분명해졌으니까요. 그들은 집 안의 모든 것을 알고 있었어요. 그들이 내 입에 클로로포름 마취제를 넣은 순간만 기억나고 그 후론 의식을 잃었기 때문에 아무것도 모릅니다. 시간이 얼마나 지났는지도 모르고요. 제가 깨어났을 때 보니까 한 사람이 옆에 있고 또 한 사람은 복도에 마구 흩어져 있는 내 아들의 짐 속에서 뭔가 덩어리를 끄집어내고 있었습니다. 저는 그들이 도망치기 전에 붙잡으려고 얼른 일어나서 그놈을 붙잡았어요."

"대단한 일을 하셨네요."

경감이 놀라며 말했다.

"저는 어쨌든 그를 잡고 늘어졌어요. 그가 뿌리치려 했을 때 또 한 사람이 와서 저를 마구 때렸습니다. 그 후론 아무 기억도 안 나고요. 그런데 하녀 마리가 집 안에서 큰 소리가 나자 창문을 열고 밖에다 외쳐 댔던 모양입니다. 그래서 경찰이 곧 왔는데 도둑들은 이미 도망을 치고 없었죠."

"훔쳐 간 물건이 무엇이었습니까?"

"귀중한 것은 아닙니다. 트렁크 속에 값비싼 물건은 없었으니까요."

"그럼 도둑들이 무슨 흔적이라도 남겨 놓지 않았나요?"

"도둑들과 막 엉켰을 때 내가 주웠던 종이 한 장이 있습니다. 꾸깃

꾸깃해져서 복도 위에 떨어져 있었어요. 내 아들의 글씨입니다."
그러자 경감이 끼어들어 말했다.
"도둑들이 떨어뜨린 것 같은데 별 건 아닌 것 같습니다."
"그럴까요? 간단히 생각할 문제는 아닌 것 같은데요. 종이 좀 보여주시겠어요?"
경감이 수첩 속에 넣어 둔 그 종이를 꺼내 보여주었다. 그러면서 당당하게 말했다.
"저는 하찮은 종이 한 장도 함부로 안 버립니다. 홈즈 선생님, 이십오 년 간의 경험을 통해 저도 배운 거지요. 범인의 지문이 어딘가에는 묻어 있으니까요."
홈즈는 종이를 받아 자세히 들여다보았다.
"경감님, 이게 뭐 같습니까?"
"이건 무슨 소설의 끝 부분인 것 같은데요."
"그렇죠. 소설의 끝 부분인 건 확실한데, 페이지 숫자를 보세요. 245페이지인데, 그럼 앞의 244페이지까지는 어디로 간 걸까요?"
"뭐, 도둑들이 가져갔겠죠. 아니, 훔치려면 비싼 거나 가져갈 것이지, 웬 책을!"
"글쎄 기껏해야 종이 따위를 훔치려고 집 안으로 침입했다는 게 이상하지 않습니까? 뭐 짚이는 거 없습니까, 경감님?"
"아마도 그냥 무조건 손에 먼저 잡히는 대로 물건을 움켜쥐었나 본데요. 놈들은 남의 물건을 훔치는 그 자체에 쾌락을 느끼고 있는 것 같습니다."

"그런데 왜 하필 내 아들 물건만 훔쳐갈까요?"

매벌리 부인이 물었다.

"아래층에 값비싼 물건이 안 보이니까 이층으로 올라간 것 같습니다. 제가 보기에는 그런데, 홈즈 선생께선 어떻게 생각하십니까?"

"좀 더 살펴봐야겠습니다. 왓슨, 저기 창고로 가세."

우리는 그쪽으로 따로 가서 종이에 쓰여 있는 것을 읽어 보았다. 첫 문장은 중간쯤에서 시작되고 있었다.

〈……마구 때려서 얼굴에서 피가 흘러내리고 있었다. 그러나 그건 마음에서 흘러내리는 피에 비하면 아무것도 아니었다. 사랑스러운 얼굴, 나의 생명까지 다 바쳐서 사랑했던 그 아름다운 얼굴이 그를 내려다보고 있었다. 그가 받은 고통과 굴욕을 생각하며 바라보는 그녀의 얼굴을 보면서 남자의 가슴은 참으로 찢어지는 듯했다. 그녀는 웃고 있었다. 오 신이시여! 그가 그녀를 쳐다보자 그녀는 악마 같은 잔인한 미소를 지었다. 그 순간 남자의 가슴에서 사랑은 사라지고 증오심이 솟구쳤다. 남자는 목적 없이는 살 수 없는 것. 내 여인의 사랑을 위해 살 수 없다면 그녀의 파멸을 위한 복수심으로 살리라.〉

"그런데 참 희한하군!"

홈즈가 웃으며 경감에게 종이를 돌려주었다.

"문장 중에 '그'가 갑자기 '나'로 바뀐 거 보셨습니까? 쓴 사람은 자신의 이야기를 쓰고 있었기 때문에 결정적 순간에 자신을 주인공과 혼동한 겁니다."

"그건 별로 중요한 문제가 아닌 것 같습니다."

경감은 수첩에 다시 종이를 끼워 넣으며 말했다.

"홈즈 선생님, 어떻게 하시겠습니까?"

"이렇게 유능하신 경감께서 사건을 수사하고 계신데 제가 무슨 할 말이 있겠습니까? 그런데 참 매벌리 부인, 여행을 하고 싶다고 말씀하셨죠?"

"네, 소원입니다, 홈즈 선생님."

"어디로 가고 싶으세요? 카이로? 마데이라? 리비에라?"

"여유만 있다면 세계 일주를 하고 싶습니다."

"아 그렇습니까? 세계 일주를? 그럼 안녕히 계십시오. 저녁에 다시 들르겠습니다."

우리가 창가로 지나가는데 경감이 웃으며 머리를 흔드는 게 보였다. 그는 이렇게 말하고 있는 것 같았다.

"하여튼 저 영리한 사람들은 일을 항상 극단적으로 생각한다니까."

"자 왓슨, 마지막 한 바퀴만 더 돌면 경주가 끝나겠네."

우리는 런던 한복판의 소용돌이 속으로 다시 들어갔다.

"일은 곧 해결될 걸세. 자네도 나와 같이 가야겠어. 이사도라 클레인 같은 여자와 거래를 하려면 자네 같은 증인이 옆에 있어 줘야 안심이 되니까 말일세."

우리는 마차를 타고 그로스베너 광장에 있는 어떤 집을 향해 달렸다. 홈즈는 아무 말도 없이 앉아 있더니 갑자기 몸을 일으켰다.

"왓슨, 자네도 모든 걸 알고 있지?"

"모르겠는데. 배후에서 조종하고 있는 인물이 지금 만나러 가는 여자라는 것을 빼고는……."

"바로 그거야. 그런데 이사도라 클레인이라는 이름을 듣고 자네 뭐 생각나는 거 없나? 굉장한 미인이거든. 그녀와 비교될 만한 여자가 없을 정도니까 말이야. 스페인 혈통인데, 16세기에 중남미를 정복한 권력가 집안의 사람일세. 그녀의 집안은 대대로 브라질의 페르남부코 항(현재의 레시페)을 통치하고 있다네. 나이 많은 독일의 설탕 사업가 클레인과 결혼을 했다가 지금은 과부가 됐지. 세상에서 가장 돈 많고 가장 미인인 과부로 말일세. 그녀에게 연인이 몇 명 있는데, 그 중 한 명이 더글러스 매벌리로 런던에서 가장 멋있는 신사로 손꼽히고 있지. 더글러스와의 관계는 소문이 자자했을 정도로 모험적이었던 모양이야. 더글러스는 전형적인 사교계 스타일이 아니라 헌신적이면서 자신도 역시 그만큼 받고자 하는 자존심 강하고 다부진 사람이었다네. 그런데 그 여인은 소설에 나오는 인물처럼 '무정한 여인' 같은 사람이었고 말이야. 그녀는 잠시 욕구가 충족되면 그걸로 끝나는 식이었던 거지. 그런데 만약 상대방이 그녀의 말을 듣지 않으면 그녀는 귀찮은 놈을 어떻게 떼어 버려야 하는지 그 방법을 알고 있다네."

"그러니까 그 이야기가 바로 자신의 이야기군."

"이제 제대로 알아맞췄네. 그런데 요즘 그녀가 아들 또래 되는 로먼드 공작과 결혼한다는 소문이 있더군. 그녀가 워낙 아름다워 나이도 들어 보이지 않는다고 하지만 그래도 대단한 스캔들 아니겠나? 아, 벌써 도착했군."

아름다운 그 저택은 런던 서부 끝자락에 위치해 있었다. 정확히 움직이는 하인이 우리의 명함을 받아 들고 들어갔다가 다시 나오면서, 주인 마님이 집에 안 계시다고 말했다.

"그녀가 올 때까지 기다리겠네."

홈즈가 유쾌한 목소리로 말했다. 그러자 기계 같은 하인이 우리를 가로막으며 다급하게 말했다.

"집에 안 계시다는 말씀은 만나시기 싫다는 뜻입니다."

"그래? 그렇다면 기다려도 소용없다는 말이네. 그럼 이걸 주인께 가서 전하게나."

홈즈는 수첩 한 장을 뜯어 몇 글자 적고는 접어서 하인에게 내밀었다.

"뭐라고 썼나?"

"그냥 간단하게 썼지. '그럼 경찰에 일을 맡길까요?' 라고 말이야. 기다려 보게. 곧 나올 걸세."

과연 효과가 금방 나타났다. 우리는 잠시 후 응접실로 안내되어 갔는데, 마치 아라비안나이트에 나오는 방처럼 화려하게 꾸며져 있었다. 좀 어두운 편이었지만 핑크색 전등 빛이 아늑한 분위기를 만들어 내고 있었다. 부인은 그곳에서 우리를 기다리고 있다가 의자에서 일어났다. 도도해 보이는 대단한 미인이 냉정한 표정으로 우리를 맞았다. 늘씬하고 위엄 있는 태도와 아름다운 몸매를 지닌 그녀는 스페인 사람들 특유의 감탄할 만한 눈으로 못마땅한 듯 우리를 노려보았다.
"무슨 일로 들이닥친 겁니까? 그리고 이 무례한 쪽지는 또 뭐죠?"
그녀가 종이를 들고 말했다.
"부인, 설명은 따로 필요 없을 것 같습니다. 저는 부인의 그 총명한 두뇌를 존경하고 있습니다만, 그 뛰어난 지략이 이번 일에서는 불행히도 실패를 했군요. 그건 부인께서도 인정하고 계시겠죠?"
"무슨 말씀을 하시는 거죠?"
"부인께서 고용한 폭력배들이 저를 협박하고 있는 걸 보니까 어떤 위험한 일을 꾸미고 있었던 게 확실합니다. 매벌리 사건을 수사하도록 저를 떠민 사람은 바로 부인입니다."
"무슨 말인지 통 알아들을 수가 없네요. 제가 폭력배들을 고용해서 무슨 일을 꾸몄다고요?"
홈즈는 피곤한 듯 얼굴을 돌렸다.
"아! 제가 부인의 그 총명한 두뇌를 너무 낮게 평가했나 봅니다. 그럼 안녕히 계십시오."
"잠깐! 어디로 가시는 거죠?"
"경시청으로요."
우리가 문 쪽으로 가고 있는데 그녀가 우리를 막고 서며 홈즈의 팔을 붙잡았다. 그리고는 좀 전과 완전히 반대의 태도로 돌변했다.
"좀 앉으세요. 다시 이야기합시다, 홈즈 선생님. 모든 것을 솔직히 다 말씀드리겠습니다. 선생님 같은 분은 여자의 직감이 얼마나 빠르다는 걸 아실 겁니다. 선생님을 친구처럼 생각하겠습니다."

"저는 부인의 말씀에 어떠한 보답도 약속할 수는 없습니다. 저는 법을 심판하러 온 게 아니라 힘없는 사람들의 정의를 대변하러 여기에 왔습니다. 그러니까 부인의 말씀을 다 들어보고 나서 제 생각을 말씀드리겠습니다."

"제가 선생님 같은 분을 위협한 건 어리석은 짓이었습니다."

"부인, 그것보다 더 어리석은 짓은 부인마저도 배신할 폭력배들과 손을 잡은 일입니다."

"그렇지는 않습니다. 제가 그렇게 단순한 사람은 아닙니다. 솔직하게 다 얘기하겠다고 제가 약속을 했으니까 말씀을 드리죠. 바니 스톡데일과 그의 아내 수잔 말고는 아무도 그들의 보스가 누군지 모르고 있습니다. 그리고 이런 일을 처음 한 것도 아닙니다."

그녀는 미소를 지으며 살짝 애교를 부리듯 고개를 흔들었다.

"알고 있습니다. 부인께서 그들을 고용해 본 적이 전에도 있으셨죠."

"그들은 침묵한 채 달리기만 하는 사냥개 같죠."

"그런 개들은 언젠가는 주인을 물게 됩니다. 이번에 도둑질한 자들은 곧 체포될 겁니다. 경찰이 뒤를 쫓기 시작했으니까요."

"그들은 어떤 벌이든 상관 안할 거예요. 저한테서 받은 보수가 크니까요. 저는 이 사건의 표면에 절대 나타나지 않을 겁니다."

"제가 부인을 이 사건에 끌고 들어가지 않는 한 그렇다는 얘기죠?"

"선생님은 그런 행동을 하실 분이 아닙니다. 한 여자의 비밀이 있기 때문입니다."

"그럼 그 원고를 주십시오!"

그녀는 슬며시 미소를 지으며 벽난로 쪽으로 다가갔다. 그리고는 부지깽이로 잿더미 속을 휘저었다.

"이걸 가져가시겠습니까?"

그녀가 물었다. 코웃음을 치는 것 같은 표정으로 서 있는 그녀의 모습은 장난스럽게 보이기도 했으나 너무나도 아름다운 것 또한 사실이었다. 홈즈가 다룬 범인 중에서도 그녀는 가장 단수가 높은 인물인 것 같았다. 그러나 홈즈는 이런 감상적인 일에는 이미 면역이 돼 있는 사람이었다. 그가 냉정하게 말했다.

"그 잿더미가 부인의 운명을 가를 겁니다. 부인, 너무 급하게 행동하셨군요. 지나친 행동을 하신 겁니다."

그녀는 부지깽이를 쾅 하고 던져 버렸다. 그리고는 소리쳤다.

"어쩜 그렇게도 냉정하세요! 모든 것을 다 알아야 하나요?"

"제가 대신 얘기해 드릴 수도 있습니다."

"홈즈 선생님, 제 눈을 똑바로 쳐다보세요. 한 여자의 일생일대 야심이 마지막 순간에 무너져야 합니까? 제 입장을 좀 생각해 보세요. 자신을 지키려 하는 여자가 왜 비난을 받아야 합니까?"

"애초부터 잘못은 당신에게 있습니다."

"네, 저도 그것은 시인하고 있어요. 더글러스는 좋은 사람이었지요. 하지만 그가 무리한 요구를 했습니다. 제게 결혼을 하자고 했어요. 돈도 없고 평민인 그가 결혼을 하자고……. 제가 아무리 말을 해도 그는 단념하지 않았습니다. 점점 더 요구가 집요해지더군요. 그는 제가 계속 자기를 사랑하는 줄로 알고 있었고, 또 자기만을 사랑하는 줄로 알고 있더라고요. 전 참을 수가 없었습니다. 그래서 마침내 그에게 솔직히 다 말하려고 마음먹었지요."

"폭력배를 불러 창밖에서 그를 때리게 했지요?"

"선생님은 모든 걸 다 알고 계시는군요. 네, 사실입니다. 바니와 그 부하들이 와서 그를 밖으로 쫓아냈습니다. 저도 더글러스를 너무 심하게 다룬 걸 후회했습니다. 그런데 그 뒤로 그가 무슨 짓을 했는지 아세요? 신사답지 못한 그런 행동을 하리라곤 상상도 못했어요. 그는 자신의 이야기를 책으로 썼습니다. 저는 악마, 자신은 양으로 말이지요. 물론 가명을 쓰긴 했지만 그 내용을 못 알아볼 런던 사람이 어디 있겠어요. 홈즈 선생님, 어떻게 생각하세요?"

"그를 탓할 수는 없습니다."

"마치 이탈리아의 공기가 그의 핏속까지 스며들어 고대의 잔인한 이탈리아 망령이 되살아난 것 같더군요. 그는 저를 괴롭히려고 편지와 함께 원고 사본을 보내왔습니다. 그의 편지에 의하면 사본이 두 개 있는데 하나는 저한테 보냈고, 다른 하나는 출판사에 보낼 거라고 했습니다."

"출판사에 아직 보내지 않았다는걸 어떻게 아셨지요?"

"저는 그의 출판업자가 누군지 알고 있었어요. 선생님도 아시다시피 이건 그의 첫 번째 소설이 아닙니다. 저는 그가 이탈리아에서 아무 연락도 받지 못했다는 사실을 알게 됐지요. 그런데 더글러스가 갑자기 죽었습니다. 그래도 세상에 사본이 하나 남아 있으니까 저는 안심을 할 수가 없었어요. 그 원고는 그의 유품 속에 들어 있을 것이고, 그 짐은 그의 어머니에게 보내질 거고요. 그래서 저는 폭력배들을 불렀습니다. 그중 하나를 그 집에 하녀로 들어가게 했지요. 처음엔 정직하게 일을 처리하려고 했습니다. 정말로 그랬어요. 그 집과 그 집에 있는 모든 물건을 다 사기로 한 겁니다. 집주인이 부르는 대로 값을 치르겠다고 말도 했습니다. 그러나 계획이 틀어지고 말았어요. 그래서 할 수 없이 다른 방법을 쓸 수밖에 없었습니다. 홈즈 선생님, 제가 더글러스에게 잘못한 것은 인정하고 있습니다. 하느님도 알고 계실 테지만, 제가 얼마나 후회하고 있는지 모릅니다. 제가 이제 어떻게 하면 좋겠습니까?"

"협상을 하는 게 좋을 것 같군요. 일등석으로 세계 일주를 하는 데 비용이 얼마나 들까요?"

홈즈가 묻자 부인이 놀란 얼굴로 쳐다보았다.

"오천 파운드쯤 들 것 같습니다."

"그렇겠죠. 그 정도면 좋습니다. 자 그럼, 수표에 서명을 하십시오. 그리고 그 수표를 매벌리 부인에게 보내세요. 제대로 잘 도착했는지 제가 조사를 할 겁니다. 매벌리 부인께서 해외 여행을 하고 싶어 하니까요. 그리고 참……."

홈즈는 집게손가락을 들고 흔들면서 말했다.

"한 가지 명심할 게 있습니다. 꼭 지키셔야 돼요! 부인의 아름다운 손을 위해서라도 칼부림 날 짓은 그만하시기 바랍니다."

에메랄드 왕관 사건

“홈즈.”

어느 날 아침, 나는 창가에 서서 밖을 내다보며 말했다.

“저기 미친 사람이 오고 있군. 저런 사람을 혼자 돌아다니게 놔두다니 가족들도 참 안됐지 뭔가.”

홈즈는 귀찮다는 동작으로 소파에서 느릿하게 일어나더니 실내복 주머니에 두 손을 집어넣은 채 내 어깨 너머로 밖을 내다보았다. 2월 아침의 날씨는 상쾌하고 맑게 개어 있었다. 어제 내린 눈이 아직도 땅에 수북이 남아 있어 겨울 햇빛에 반사되어 반짝거렸다. 베이커 거리는 꽤 넓은 편인데 길 한복판에는 자동차들이 지나가기 때문에 눈이 지저분해져 짙은 색으로 띠를 이루고 있지만 길 가장자리와 인도 쪽은 눈이 내렸을 때 그대로 하얀색으로 남아 있었다. 인도 쪽의 눈은 많이 치워졌지만 미끄러지기 쉬워 위험하기 때문에 보통 때에 비해서는 지나다니는 사람이 거의 없었다. 지하철 역에서 걸어오는 사람이라고는 단 한 사람뿐이었는데, 그는 아까부터 이상한 몸짓을 하고 있어서 내 관심을 끌었다.

그는 50대 나이로 보이는데 키가 크고 몸집도 좋으며 위엄 있어 보이는 인상을 하고 있었다. 옷차림도 그리 화려하지는 않지만 꽤 잘 차려 입은 편이었다. 검정색 프록코트에 산뜻한 색깔의 실크햇을 쓰고 갈색 각반을 단정하게 찼으며, 제법 멋지게 만든 짙은 회색 바지를 입고 있었다.

그러나 그의 행동은 옷차림이나 위엄 있는 외모와는 완전히 대조를 이룰 만큼 우스꽝스러운 데가 있었다. 그는 마구 달리다가 가끔 다리에 너무 부담이 되어 불편한지 그 자리에서 깡충거리며 뛰기도 했다. 그리고 달리는 동안 손을 위아래로 재빨리 움직이고 머리를 흔들기도 하며, 가끔 괴로운 듯이 잔뜩 얼굴을 찌푸리기도 했다.

"저 남자는 도대체 왜 저럴까?"

내가 물었다.

"집집마다 다니면서 문패를 보고 있으니 말이야."

"저 남자 분명히 여기로 올 거야."

홈즈가 두 손을 비비며 말했다.

"여기로 온다고?"

"그렇다니까. 아마도 나한테 전문가의 조언을 구하려고 올 걸세. 그런 낌새가 보이거든. 저기 봐. 내 말이 맞지?"

홈즈의 말대로 정말 그 남자는 숨을 헐떡이며 현관 앞까지 뛰어와서는 온 집이 울릴 정도로 크게 벨을 눌렀다.

잠시 후 우리 방으로 안내되어 들어온 그는 아직도 숨을 몰아쉬며 계속해서 손짓 몸짓을 해댔는데, 그의 눈에는 뭔지 모를 깊은 슬픔과 절망의 빛이 어른거리고 있었다. 그런 모습을 보자 우리도 금방 미소가 쏙 들어가고 전율과 연민의 감정이 솟구쳤다. 그는 한동안 아무 말도 못하고 기절할 지경인 사람처럼 몸을 비틀기도 하며 머리카락을 쥐어뜯고 있었다. 그러더니 갑자기 펄쩍 뛰어 벽으로 가서는 머리를 대고 쿵쿵 부딪쳐 대는 바람에 우리는 얼른 달려들어 그를 방 한가운데로 끌고 와야 했다.

셜록 홈즈는 그를 소파에 앉히고 본인도 의자를 끌어가 그 옆에 앉았다. 그리고는 그의 손을 잡아 살살 두드리면서 그가 잘 하는 온화한 말투로 그를 타이르며 얘기하기 시작했다.

"뭔가 하시고 싶은 얘기가 있는 거죠? 너무 급히 오시느라 힘드신 것 같은데, 좀 가라앉을 때까지 편하게 계세요. 그런 다음 얘기해 주시면 어떤 작은 문제라도 기꺼이 상담해 드리겠습니다."

남자는 한참이나 더 숨을 헐떡이며 마음속의 걱정과 싸우고 있었다. 그러더니 잠시 후 손수건을 꺼내 이마의 땀을 닦고는 입을 꼭 다문 채 우리를 돌아보았다.

"제가 미쳤다고 생각하시겠죠."

그가 말했다.

"아니, 무슨 걱정이 있는 것 같은데요."

홈즈가 대답했다.

"그렇습니다! 미쳐 버려도 이상하지 않을 만큼 정말 갑작스럽고 무서운 일이 닥쳤습니다. 저는 평생 부끄러운 일을 해본 적이 없는 사람이지만 설사 많은 사람들 앞에서 창피를 당했다고 해도 참고 견딜 수 있었을 겁니다. 그리고 개인적인 문제들은 누구나 다 가지고 있는 것이죠. 그런데 이 두 가지가 한꺼번에 생기면서 이렇게 무서운 재난으로 닥쳤으니 제가 이성을 잃지 않을 수 있겠습니까? 더구나 저 혼자만의 일이 아닙니다. 이 기가 막힌 사건에 대해 무슨 수를 쓰지 않으면 우리 나라에서 가장 고귀한 신분을 가진 분께도 폐를 끼치게 됩니다."

"마음을 좀 진정해 주십시오."

홈즈가 달래듯 말했다.

"그리고 당신에 대해서 우선 소개를 해주시고 당신에게 닥친 일이 뭔지 설명을 해주시죠."

"저는 말이죠."

손님이 대답을 했다.

"당신들도 혹시 들은 적이 있을지 모르겠는데요. 스레드니들 거리에 있는 홀더 앤 스티븐슨 은행의 알렉산더 홀더입니다."

런던 중심가에 있는 민간 은행 가운데 두 번째로 꼽히는 그 은행의 수석 은행장 이름은 전부터 익히 들어 알고 있었다. 그런데 도대체 어떤 사건 때문에 런던의 일류 시민이 이토록 가련한 사태에 빠지게 되었을까? 우리는 호기심이 솟구쳐서 그가 마음을 가라앉히고 상세한 이야기를 꺼낼 때까지 가만히 기다리고 있었다.

"사실은 지금 이러고 있을 때가 아닙니다. 한시라도 빨리 움직여야 하는데, 그래서 제가 경감한테서 당신 얘기를 듣자마자 이렇게 달려온 것입니다. 경감이 당신한테 가서 도움을 부탁하는 게 좋겠다고 말하더군요. 베이커 거리까지 지하철로 왔는데 거기서부터는 눈 때문에 마차도 빨리 달리지 못하니까 그냥 직접 달려서 왔거든요. 제가 평소에 운동이라곤 안하다 보니까 이렇게 숨이 많이 차는 군요. 이제 좀 기분이 나아진 것 같습니다. 그럼, 가능한 간단하게 그 일에 대해 소상히 얘기해 보도록 하겠습니다.

당신도 잘 아시겠지만 은행 경영을 성공적으로 해 나가려면 거래처와 예금자를 많이 늘려나가고, 동시에 또 자금 운용을 효율적으로 하기 위해 수익성이 높은 투자처를 찾아내야 하는 능력이 매우 중요한 것 아니겠습니까? 그중에서 우리가 하고 있는 가장 유리한 투자 방법 중 하나로 확실한 담보를 잡고 자금을 대출해 주는 형식이 있습니다. 그래서 요 몇 년 사이 이 사업을 크게 확장해 많은 부유층을 상대로 그림이나 장서, 금은품 등을 담보로 하는 고액 대출을 해왔던 겁니다.

그런데 어제 아침에 제 사무실에 앉아 있는데 직원이 명함을 하나 가지고 들어오더군요. 저는 그 이름을 보고 깜짝 놀랐습니다. 그분은 다름 아닌 ― 당신들한테, 아니 세계에서 일상적인 용어가 되다시피 하는 이름이라고 하는 게 맞겠지만 ― 영국에서 가장 높고 가장 고귀한 이름이었습니다. 저는 너무나 영광스럽고 몸 둘 바를 몰라서 그분이 사무실로 들어오시자 막 그 말을 하려고 했는데, 그분은 불편해하시면서 용건만 빨리 끝내고 싶다는 기색으로 곧바로 말씀을 하셨습니다.

'홀더 씨, 당신이 돈을 대출해 준다고 들었소.'

'맞습니다. 저희는 확실한 담보만 있다면 대출해 드리고 있습니다.'

내가 그렇게 대답을 했습니다.

'그렇다면 무리한 부탁일지 모르지만 오만 파운드가 급히 필요하오. 물론 큰 액수는 아니고 이 열 배 금액이라도 친구한테서 빌릴 수는 있지만 깨끗하게 거래하는 걸로 끝내고 싶고 내 손으로 직접 하고 싶어서 왔소. 당신도 잘 알겠지만, 나 같은 지위에 있는 사람이 남의 은혜를 입는 건 그리 현명한 일은 아니오.'

'실례지만 언제까지 해 드리면 되겠습니까?'

'다음 주 월요일에 큰돈이 들어올 것이니 대출금에다 당신들이 정하는 만큼의 이자를 붙여서 틀림없이 갚겠소. 그런데 중요한 점은, 그 돈을 지금 여기서 바로 주면 좋겠소.'

'더 이상 아무런 조건을 달지 않고 제 주머니에서 지금 바로 꺼내 드리면 저도 기쁘겠습니다.'

제가 설명을 하기 시작했습니다.

'하지만 제 능력을 벗어나는 금액입니다. 그리고 은행 명의로 대출을 해드리게 되면 공동 경영자에 대한 의무가 있기 때문에 어떤 분의 부탁이라도 서류상의 모든 절차를 밟지 않을 수가 없게 돼 있습니다.'

'나도 그렇게 하는 것이 좋소.'

그분은 이렇게 말씀하시면서 의자 옆에 내려놓았던 검은색 모로코 가죽으로 된 네모난 모양의 상자를 들어 올리셨습니다.

'이 에메랄드 왕관을 알고 있겠죠?'

'대영제국의 국보 중에서도 가장 귀한 것 중 하나라고 알고 있습니다.'

제가 그렇게 대답을 했죠.

'맞았소.'

그러면서 상자를 열어 보여주시는데 부드러운 벨벳으로 된 주머니 속에 그 왕관이 찬연한 모습으로 놓여 있더군요.

'커다란 에메랄드가 서른아홉 개 붙어 있고 이 순금도 대단히 값진 것이오. 이 왕관의 값어치는 아무리 적게 잡는다 해도 내가 요청한 금액의 두 배는 될 거요. 이것을 당신한테 담보로 맡길 것이오.'

나는 그 상자를 받아 들고는 너무나 당황해서 그 고귀한 분과 상자를 번갈아 바라보았습니다. 그러자 그분이 저한테 물으시더군요.

'이 물건의 가치를 혹시 의심하는 거요?'

'천만의 말씀입니다. 저는 다만……'

'이것을 받는 것이 맞는지 어떤지를 지금 의심하고 있군요. 그 문제에 대해서는 안심해도 좋소. 나흘 뒤에 틀림없이 찾아가겠다는 확신이 없다면 어떻게 이걸 맡기겠소. 그저 형식상 필요한 일을 하는 것뿐이오. 혹시 담보물로 부족한 것은 아니겠죠?'

'아닙니다. 너무 과합니다.'

'홀더 씨, 당신에 대해 여러 가지를 듣고 나서 신뢰가 생겼기 때문에 확실한 증거로 맡기는 것이오. 당신은 이런 일에 대해 쓸데없는 말을 안 하고 반드시 비밀을 지킬 것으로 믿고 있소. 그리고 특히 왕관을 잘 보관하기 위해 주의를 기울여 줄 것으로 믿고 있소. 너무나 당연한 소리지만, 만약 왕관에 조금이라도 손상이 가면 세상에 큰 소동이 일어날 것이오. 약간의 흠만 생겨도 전체가 분실된 것이나 마찬가지로 중대한 문제가 된단 말이오. 세상 어디에도 이것과 비교

될 만한 에메랄드는 없으니 바꿀 수는 없는 거요. 어쨌든 당신은 충분히 믿을 만한 사람이니까 맡겼다가 월요일 아침에는 내가 직접 찾으러 올 거요.'

손님은 그렇게 말하고는 빨리 끝내고 가고 싶어 하는 눈치였기 때문에 나는 더 이상 아무 말도 하지 않고 출납계를 불러 일천 파운드 지폐 오십 장을 드리도록 지시했습니다. 그러고 나서 손님이 떠난 후 저 혼자 사무실에 있는데 책상 위에 있는 그 귀중한 상자를 보고 있으니까 물건에 대한 책임이 너무나 무겁게 느껴져서 불안이 엄습해 오는 것이었습니다. 국가의 보물이니만큼 만에 하나 문제라도 생기면 엄청난 물의를 일으킬 것이라는 것은 불 보듯 뻔합니다. 저는 그 물건을 맡은 것을 벌써부터 후회하기 시작했습니다. 하지만 이제는 되돌릴 수도 없는 일이었기 때문에 저는 그걸 전용 금고에 넣고는 다시 일을 했습니다.

그런데 퇴근 무렵이 됐을 때 가만 생각해 보니까 그런 귀중품을 사무실에 두고 간다는 게 너무도 어리석은 짓이라는 생각이 들더군요. 은행의 금고가 털리는 사건들도 있는데 내 것이라고 해서 안전하다는 법이 있습니까. 만약 그런 일이라도 생기면 내 입장은 어떻게 될지……. 생각만 해도 너무 무서워 저는 그냥 며칠 동안 그걸 가지고 다니면서 내 몸에서 떼놓지 않아야겠다고 마음먹었습니다. 그렇게 결심을 하고는 상자를 들고 거리의 마차를 불러 스트래탐의 집으로 돌아갔습니다. 그리고 이층으로 들고 가서 거실 장롱에 넣고 자물쇠를 걸었는데, 그때까지 저는 정말 숨이 멎는 줄 알았습니다.

홈즈 씨, 이쯤에서 상황을 완전히 이해하시기 위해 우리 집에 있는 사람들에 대해서 간단히 설명을 해드리겠습니다. 마부와 하인과 집사는 집 밖에서 거주하고 있기 때문에 그 사람들은 전혀 의심할 필요가 없다고 생각합니다. 그리고 우리 집에서 오래전부터 일해 온 하녀 세 명은 완전히 믿을 수 있는 사람들입니다. 또 한 명의 하녀인 루시 파는 고용한지 몇 달밖에 안 됐지만 믿을 만한 추천장을 가지고 왔고 무척 성실하게 일하고 있습니다. 다만 매우 아름다운 아가씨라서 그녀를 보려고 가끔 남자들이 집 근처에서 서성거릴 때도 있습니다. 그 점이 흠이라고 할까요. 하지만 우리가 보기에는 전혀 문제가 없는 좋은 아가씨라고 생각합니다.

하인에 대해서는 대략 이렇습니다만 가족에 대해서는 몇 명 안 되기 때문에 길게 이야기할 것도 없습니다. 저는 상처를 했고 자식이라고는 아들인 아서 하나밖에 없습니다. 그런데 홈즈 씨, 아들은 저를 실망시키기만 하는 너무나도 한심스런 녀석입니다. 물론 잘못은 저에게 있겠죠. 제가 너무 애지중지 키웠다고 세상 사람들이 말하더군요. 그 말이 맞습니다. 아내가 죽었을 때, 저는 이제 그 아이밖에는 사랑할 사람이 없다고 생각했으니까요. 그 아이의 얼굴에서 잠시라도 미소가 사라지면 저는 견딜 수가 없었습니다. 그러다 보니까 아이가 원하는 대로 안 해준 적이 한 번도 없었습니다. 당연히 엄하게 키우는 것이 서로를 위해 좋았겠지만 저로서는 그게 최선이라고 믿었던 거죠.

저는 물론 아들한테 제 사업을 물려주려고 생각했지만 솔직히 그

녀석은 이 일을 할 수 있는 능력이 안 됩니다. 사실을 말하자면 난폭한 성격에다 제멋대로 굴어서 도저히 믿고 큰돈을 맡길 수가 없는 겁니다. 녀석이 젊었을 때 어떤 귀족 클럽에 들어갔다가 거기서 바로 사교성 좋고 돈을 물 쓰듯 하는 패거리와 친해졌습니다. 그러더니 결국 카드놀이에 빠지고 경마 같은 것에 돈을 마구 쓰다가 급기야는 도박 빚을 갚아야 한다면서 저한테 여러 번 돈을 빌려 가기도 했습니다. 본인도 몇 번이나 그런 위험한 환경에서 빠져나오려고 애를 써 보았지만 그때마다 친구인 조지 번웰 경의 매력에 끌려 주저앉고 말았죠.

사실 조지 번웰 경 정도의 남자가 아들에게 큰 영향을 끼쳤다고 해도 이상할 것은 없습니다. 가끔 우리 집에 놀러 오기도 했는데, 이렇게 말하고 있는 저 자신도 그의 매력적인 태도에는 저항하기 어려웠으니까요. 그는 아서보다 나이가 많은데, 처세술이 거의 완벽한데다 안 가 본 곳이 없고 안 해 본 것도 없는 모양이더군요. 게다가 언변도 뛰어나고 또 미남입니다. 하지만 그의 매력을 제외하고 가만히 냉정하게 생각해 보면 확실히 말투도 냉소적이고 얼핏 스치는 눈빛에서도 느껴지는데, 아무튼 신뢰라고는 조금도 안 가는 그런 인물임에 틀림없습니다. 그런데 저만 이렇게 생각하는 게 아니라 우리 집에 사는 메어리도 저랑 똑같은 생각을 가지고 있더라고요. 그 애는 여성 특유의 직감으로 다른 사람의 마음을 꿰뚫어 보는 그런 힘을 가지고 있거든요.

메어리에 대해 설명을 해야겠군요. 그 애는 저의 조카딸인데 오 년 전에 형이 메어리를 남겨 놓고 돌아가셨을 때 제가 그 애를 양녀로 삼아 친딸처럼 보살펴 왔습니다. 메어리는 우리 집안의 태양 같은 존재입니다. 아이가 따뜻하고 유순하고 아름다운데다가, 집안 일도 너무나 훌륭하게 잘 처리하고, 그러면서도 무척이나 여성스럽고 차분하면서 세심한 면이 있으니까요. 메어리는 저의 한쪽 팔이나 마찬가지입니다. 메어리가 없었다면 저는 어떻게 해야 할지 몰랐을 겁니다. 그런데 그 애가 저한테 거역한 게 딱 한 가지 있었습니다. 아들이 메어리를 깊이 사랑해서 두 번이나 청혼을 했는데, 그녀가 거절을 한 것이죠. 아들을 올바른 길로 되돌릴 수 있는 사람이 있다면 그건 메어리뿐이라고 저는 생각해 왔습니다. 그래서 만약 그들이 결혼을 했다면 아들의 삶도 완전히 달라졌을지 모르겠습니다. 하지만 이제는 이미 늦었습니다. 영원히 되돌릴 수 없는 일이 되고 말았으니까요.

홈즈 씨, 우리 집에 사는 사람들에 대해서는 이제 전부 다 설명을 했으니까 지금부터는 재난에 대한 얘기를 하겠습니다.

어젯밤에 저녁 식사를 마치고 응접실에서 커피를 마시면서 저는 아서와 메어리에게 그날 아침에 은행에서 있었던 일을 죽 얘기해 줬습니다. 특히 담보물로 맡은 그 보물이 지금 이 집 안에 보관되어 있다는 점 등, 그분의 이름만 밝히지 않고 전부 다 설명을 해주었죠. 그때 방문이 닫혀 있었는지 어떤지는 분명한 기억이 없습니다만, 루시 파가 커피를 가져온 후 이미 방을 나가고 없었던 건 확실합니다. 메어리와 아서는 제 말을 듣자마자 당장 호기심이 생기는지 그 귀한 왕관을 보고 싶어 하더군요. 그러나 저는 그런 짓은 안 하는 게 좋다고 생각했습니다.

'어디에 두셨는데요?'

아서가 호기심을 누르지 못하고 묻더군요.

'내 장롱에.'

'그럼 오늘 밤에 도둑이 안 들어야 할 텐데요.'

아서가 그렇게 말했습니다.

'자물쇠로 잠가 놓았지.'

'아, 그 장롱이요? 그건 어떤 열쇠도 다 맞거든요. 제가 어렸을 때 한번은 다락방 열쇠로도 그걸 열었던 적이 있으니까요.'

아들이 그런 식으로 엉뚱한 말을 하는 것은 늘 하는 짓이기 때문에 저는 별로 마음에 담아 두지 않았습니다. 하지만 어젯밤에는 아주 진지한 표정으로 제 침실까지 따라와서 말하더군요. 저를 제대로 쳐다보지도 못하면서 말이죠.

'아버지, 이백 파운드만 주실 수 있으세요?'

'안 된다!'

저는 단번에 짜증을 내며 말했습니다.

'돈 문제라면 너한테 아주 질렸다!'

'이제까지 인정을 베푸신 건 알고 있습니다. 하지만 이번엔 꼭 좀 주시면 좋겠습니다. 안 그러면 클럽에 두 번 다시 얼굴을 내밀 수가 없게 되거든요.'

'그렇다면 아주 잘된 일 아니냐?'

저는 큰소리로 말했습니다.

'네, 그건 맞는데요, 제가 체면도 제대로 못 세우고 클럽을 탈퇴하는 건 아버지도 원하시는 일이 아니지 않습니까?'

아서가 그렇게 애원하다시피 말했습니다.

'저는 그렇게 굴욕적으로 할 수가 없습니다. 그래서 이 돈을 어떻게든 구해야 되는데 만약 아버지가 못 주시겠다면 다른 방법을 찾을 수밖에 없습니다.'

이번 달에만 벌써 세 번째 요구였기 때문에 저는 정말 너무나 화가 치밀었습니다.

'안 된다. 한 푼도 줄 수 없다!'

제가 그렇게 소리를 쳤더니 그 애는 머리를 푹 숙이고 더 이상 아무 말도 없이 방을 나가더군요.

아들이 나간 다음에 저는 장롱을 열어 보물이 잘 있는지 확인하고는 다시 장롱에 넣고 자물쇠를 채웠습니다. 그리고는 집 안의 모든 문을 확인하러 나갔습니다. 평소에는 늘 메어리에게 맡기는 일이지만 어젯밤에는 제가 직접 하는 게 좋겠다고 생각했던 거죠. 계단을 내려가다 보니까 메어리가 현관 창가에 서 있다가 제가 오는 걸 보고는 창문을 닫고 빗장까지 걸더군요.

'아버지.'

메어리는 어딘지 약간 당황하는 기색으로 말했습니다.

'루시에게 오늘 밤 외출을 허락하셨나요?'

'아니, 그런 적 없는데.'

'방금 뒷문으로 들어오더군요. 누군가를 만나러 작은 문까지 갔

다 온 것이겠지만 별로 신중한 행동은 아닌 것 같으니까 못하게 하는 게 좋을 것 같네요.'

'그래, 알았다. 그래도 내일 아침에 네가 말하는 게 좋을 것 같구나. 문단속은 다 했니?'

'네, 걱정 마세요, 아버지.'

'그럼, 잘 자라.'

저는 메어리에게 말하고는 침실로 돌아가 곧 잠이 들었습니다.

홈즈 씨, 이렇게 사건에 조금이라도 관계될 만한 얘기는 전부 다 말씀드렸는데, 그런데도 미심쩍은 데가 있다면 얼마든지 질문해 주십시오."

"아니, 천만에요. 아주 명확하게 설명하셨습니다."

"그렇다면 이제부터는 하나하나 더 상세하게 얘기해 드리겠습니다. 저는 평소에 잠을 깊이 못 자는 편인데, 어젯밤에는 가뜩이나 마음이 어수선한 일이 있다 보니까 더 잠이 안 오더군요. 그러다가 간신히 잠이 들었던 것 같은데, 새벽 두 시쯤에 집 안에서 무슨 소리가 나서 다시 깨어났죠. 잠이 다 깼을 때는 이미 소리는 안 났지만 어딘가 창문이 슬며시 닫히는 소리였다는 느낌이 들었습니다. 저는 가만히 귀를 기울이며 기다리고 있었죠. 그러자 갑자기 옆방에서 누군가가 발소리를 조심하며 걷는 소리가 분명히 들려오지 뭡니까? 아주 온몸이 오싹해지더군요. 저는 공포에 떨면서 침대에서 살금살금 내려와 문틈으로 거실을 살펴봤습니다.

'아서!'

제가 고함을 질렀습니다.

'야, 이놈아! 도둑놈아! 너 왜 왕관을 만지니!'

가스등은 제가 어둡게 켜 둔 그대로 있었고 아서는 바지에 셔츠 차림으로 왕관을 손에 들고 그 가스등 옆에 서 있더군요. 놈은 막 왕관을 힘주어 비틀려고 하다가 제 고함 소리에 놀라 그만 떨어뜨리고 말았습니다. 그러고는 완전히 파랗게 질려 시체처럼 돼 있더군요. 저는 그걸 얼른 들어 올려 살펴봤습니다. 에메랄드 세 개가 없어지고 금으로 장식된 한쪽 귀퉁이가 떨어져 나가고 없었습니다.

'야, 이놈아!'

저는 흥분해 비명을 질렀습니다.

'네놈이 부쉈구나! 아버지의 명예를 이렇게 더럽히다니! 훔친 보석은 어디다 숨겨놨냐?'

'제가 훔쳤다고요?'

아들은 큰소리로 대꾸하더군요.

'그럼, 네놈이 훔쳤지. 이 도둑놈아!'

저는 아들의 어깨를 붙잡고 흔들어 대면서 절망적으로 소리쳤습니다.

'저는 아무것도 훔치지 않았어요. 왜 이러세요, 정말!'

아들이 계속 큰소리로 말했습니다.

'여기 세 개가 없어졌잖아! 어디에 숨겨 놨는지 빨리 말 못 해! 도둑으로도 모자라서 거짓말쟁이라는 말이 듣고 싶냐? 여기 귀퉁이를 떼어 내려는 걸 내가 못 봤을 것 같니?'

'정 그렇게까지 저한테 누명을 씌운다면, 저도 더 이상 참을 수가 없습니다. 아버지가 저를 모욕하시겠다면 이 일에 대해서는 더 이상 아무 말도 하지 않겠습니다. 아침이 되면 집을 떠나서 제 힘으로 살아가겠습니다.'

아들이 말하더군요.

'네가 갈 곳은 경찰서다!'

저는 분노와 슬픔이 끓어올라 거의 미친 사람처럼 소리를 쳤습니다.

'나는 이 일을 철저하게 조사하겠다.'

'저한테는 아무 말도 기대하지 마세요.'

아들이 그렇게 흥분해 말하는 것을 평소에는 본 적이 없었습니다.

'경찰을 불러서 조사를 하든지 말든지 마음대로 하세요.'

우리가 워낙 큰소리로 떠들었기 때문에 그때는 이미 온 집안 식구들이 다 깨어나 있었습니다. 그중 메어리가 가장 먼저 거실로 달려왔는데, 그녀는 아서와 왕관을 보고는 곧바로 사태의 심각성을 알아채고는 헉 하면서 비명을 지르더니 바닥에 쓰러지고 말았습니다. 저는 하녀를 시켜 당장 경찰을 불러와 조사를 맡겼습니다. 경감이 순경을 데리고 왔는데, 그때까지 팔짱을 끼고 가만히 있던 아들이 자기를 절도 혐의로 고발할 작정이냐고 묻더군요. 저는 부서진 왕관이 국가의 재산이기 때문에 이 사건은 이미 개인적인 일이 아니라 공적인 문제가 되었다고 대답했습니다. 저는 모든 것을 법률에 맡기려고 결심했습니다.

'어쨌든 저를 당장 체포하게 하지는 않으시겠죠. 제가 지금 오 분 동안만 밖으로 나갈 수 있다면 저뿐만 아니라 아버지를 위해서도 좋을 것으로…….'

아들이 말하더군요.

'뭐 도망이라도 치려고? 아니면 훔친 물건을 감추려고?'

제가 그렇게 물었죠.

그리고 제가 지금 엄청나게 곤란한 입장에 처해 있다는 걸 새삼스럽게 다시 느꼈기 때문에 아들에게 말했습니다. 이 일은 나 개인의 명예에만 관련되는 것이 아니라 매우 지위가 높은 분의 명예에 관련되며 그분에게 큰 위협이 될 것이라는 것, 그리고 또 그가 한 짓은 온 나라를 떠들썩하게 할 만한 큰 사건이 될 수도 있으니까 그 점을 알고 있어야 한다는 것, 이런 얘기를 간곡하게 했죠. 없어진 에메랄드 보석 세 개를 어떻게 했는지, 그것만 말해 줘도 이 모든 사태를 피할 수 있을지도 모르기 때문이었습니다.

'모든 걸 솔직히 털어놓는 게 어떻겠냐?'

제가 그렇게 달래 보았습니다.

'너는 현장에서 잡혔으니까 자백을 해도 죄가 더 무거워지는 건 아니다. 보석을 어디다 숨겼는지 솔직히 말해서 최소한 네가 할 수 있는 보상이라도 조금 해준다면 나는 모든 것을 용서하고 잊어버릴 생각이다. 자, 어떻게 할래?'

'그런 말은 용서받고 싶은 사람한테나 하시죠.'

아들은 그렇게 대답하면서 냉소 어린 얼굴을 돌려 버리더군요. 그래서 제가 무슨 말을 해도 그렇게 꽉 막힌 애의 마음을 열 수는 없다는 생각이 확실히 들었습니다. 그러니 제가 할 수 있는 방법은 하나밖에 없는 거죠. 결국 경감에게 아들을 넘겨주었습니다. 그때부터 바로 수사가 시작되더군요. 아들의 몸부터 방까지, 그리고 보석을 숨길 만한 장소는 하나도 빼지 않고 전부 다 샅샅이 뒤졌습니다. 그런데도 보석은 그림자도 보이지 않더군요. 제가 또다시 아들을 설득하고 달래고 위협도 해 보고 별 수를 다 써 봤습니다. 그래도 이 바보 같은 자식은 절대로 입을 안 열더군요.

결국 아들은 유치장으로 가고, 저는 도난 관련 수속을 했습니다. 그리고 그걸 끝내자마자 이렇게 급히 당신을 찾아온 것입니다. 홈즈 씨, 당신이 이 일을 잘 좀 해결해 주시면 고맙겠습니다. 경찰은 현재로선 아무런 희망이 없다고 분명히 말하더군요. 비용은 필요한 만큼 얼마든지 쓸 수 있습니다. 일천 파운드의 현상금도 이미 걸어 놓았어요. 이 일을 정말 어떻게 해야 좋을지! 명예와 보석과 아들을 하룻밤 사이에 다 잃어버렸으니 말이죠. 정말 미치겠어요! 어떻게 하면 좋을까요?"

그는 두 손으로 머리를 감싸고 몸을 흔들면서, 너무나 절망적인 나머지 아무 말도 할 수 없는 듯 신음소리만 내고 있었다.

셜록 홈즈는 눈썹을 치켜올리고 난롯불만 뚫어져라 바라보며 한참 동안 침묵하고 있었다.

"집에는 사람들이 많이 찾아옵니까?"

이윽고 홈즈가 물었다.

"우리 은행의 공동 경영자가 가끔 가족과 함께 오는 것 외에는, 이따금 아서의 친구들이 오는 것밖에는 없습니다. 조지 번웰 경이 근래에 두세 번 왔었죠. 그 외에는 특별히 없습니다."

"사교 모임으로 자주 외출하십니까?"

"아서는 자주 나갑니다만 저와 메어리는 늘 집에 있죠. 우리 둘은 그런 걸 좋아하지 않거든요."

"젊은 아가씨로서는 흔하지 않은 일이네요."

"워낙 조용한 성격이라서요. 그리고 이젠 그렇게 젊지도 않죠. 벌써 스물네 살이니까요."

"아까 들으니까 이 사건에 메어리 양이 큰 충격을 받은 모양이죠?"

"그거야! 저보다 더 놀랐을 겁니다."

"그게 아들의 짓이라고 두 분 다 확신하는 건가요?"

"왕관 상자를 들고 있는 걸 제가 두 눈으로 똑똑히 봤는데 확신하지 못할 게 뭐가 있습니까?"

"그렇다고는 해도, 그것만 가지고는 결정적인 증거라고 단정 지을 수 없습니다. 왕관의 나머지 부분은 괜찮은가요?"

"조금 비틀어져 있습니다."

"그럼 아들이 그걸 똑바로 고치려고 했는지도 모른다는 생각은 안 해 보셨습니까?"

"아, 대단히 친절하게 말씀하시는군요. 감사합니다. 저와 아들을 위해서 되도록 호의적으로 해석하시려고 하는데, 솔직히 그건 좀 무리

한 해석입니다. 도대체 그때 아들 녀석은 거기서 뭘 하고 있었을까요? 본인이 한 짓이 아니라면 왜 안 했다는 걸 설명하지 않았을까요?"

"맞습니다. 그러나 거꾸로 생각해서 만약 본인이 한 짓이라면 그럴듯한 거짓말을 꾸며 냈을 거라고는 생각되지 않습니까? 그러니까 아들이 가만히 있었던 건 두 가지로 해석할 수 있다고 봅니다. 그런데 이 사건에 이상한 점이 몇 가지 있는데요, 당신의 잠을 깨웠던 그 소리 말이죠, 경찰에서는 그것에 대해 뭐라고 합니까?"

"아서가 침실 문을 닫은 소리였을 거라고 하던데요."

"참 그럴듯한 말이군! 큰 범죄를 저지르려는 남자가 집안 식구들의 잠을 깨우려고 일부러 소리 내서 문을 닫았다는 말이네요. 그럼 그 보석이 발견되지 않은 것에 대해서는 뭐라고 하나요?"

"거실 바닥의 나무판자를 두들겨 보기도 하고 가구들을 바늘로 찔러 보기도 하면서 아직도 찾고 있긴 한데요……."

"집 밖에서도 찾아보았습니까?"

"네, 무척 노력은 했습니다. 정원도 샅샅이 다 뒤져 봤고요."

"그런데 홀더 씨, 이 사건은 말이죠, 당신과 경찰이 생각하는 것보다 훨씬 더 복잡하다는 것을 조금도 눈치채지 못하셨습니까? 당신은 간단한 사건이라고 생각하시는 것 같은데 저한테는 매우 복잡하고 미묘한 것으로 보이거든요. 당신의 설명대로 하자면 어떻게 되는지 한번 잘 들어 보세요. 그러니까 아들이 자신의 침실을 빠져나와서 대단한 위험에도 불구하고 당신의 거실로 들어가 장롱을 열고 그 왕관을 꺼낸 겁니다. 그리고는 어딘가로 가서 그 왕관의 한쪽 귀퉁이를 부순 다음 서른아홉 개의 보석 가운데 세 개를 아무한테도 들키지 않을 비밀스런 장소에 잘 숨겨 놓고, 나머지 서른여섯 개를 가지고 다시 큰 거실로 되돌아왔다는 얘기가 됩니다. 들킬 가능성이 매우 큰데도 말이죠. 도대체 이게 설명이 되는 소리라고 할 수 있겠습니까?"

"그렇지 않으면 달리 어떻게 생각할 수 있습니까?"

은행가는 절망스런 표정으로 되물었다.

"자신이 결백하다면 왜 변명을 안 하는 거죠?"

"그러니까 그 이유를 밝혀내야 하는 겁니다."

홈즈가 대답했다.

"홀더 씨, 지금 저희와 함께 스트래탐으로 가실 수 있습니까? 한 시간 정도 자세한 조사를 좀 해 봐야겠습니다. 몇 가지 의문점을 확인해 봐야 하니까요."

홈즈는 나에게 함께 가자고 청했고, 나 또한 옆에서 계속 이야기를 듣다 보니까 강한 호기심과 은행가에 대한 동정심이 생겨 빨리 가 보고 싶은 마음이 들었다. 나로서는 솔직히 말해 가련한 은행가가 본 대로 그 아들이 범행한 게 틀림없다고 생각하고 있었다. 그러나 홈즈는 은행가와 경찰의 생각과는 다른 판단을 하고 있는 것 같고, 그의 판단은 언제나 빗나가는 적이 없다는 걸 내가 알고 있기 때문에 한 가닥 희망을 가질 수가 있었다.

기차를 타고 남쪽 방향으로 가고 있는 동안 홈즈는 거의 아무 말도 없이 고개를 푹 숙이고 모자도 깊숙이 눌러 쓴 채 깊은 생각에 잠겨 있었다. 우리의 의뢰인은 홈즈가 아까 말한 한 줄기 희망적인 소리에 기운이 났는지 나에게 자신의 사업 이야기를 횡설수설 늘어놓았다. 잠시 후 우리는 기차에서 내려 얼마간 걷다가 은행가의 검소한 저택인 훼어뱅크에 도착했다.

훼어뱅크 저택은 넓고 반듯한 석조 건물인데 큰길에서 약간 들어간 곳에 위치해 있었다. 두 갈래의 마찻길이 눈 덮인 잔디밭을 끼고 큰 철문 두 개로 된 현관까지 이어졌다. 오른쪽에 있는 자그마한 나무문에서부터 촘촘히 쳐 있는 나무 울타리 사이로 나 있는 좁은 길은 주방으로 연결되어 있으며, 주로 장사꾼들이 드나드는 통로로 사용되었다. 그리고 왼쪽에 있는 작은 길은 마구간으로 연결되어 있는데, 그 길을 지나다니는 사람은 거의 없지만 그래도 저택을 벗어난 일반 도로에 속해 있었다.

은행가와 나는 현관 앞에 남아 있고 홈즈는 혼자서 집의 정면을 가로질러 주방으로 연결되는 오솔길로 내려갔다. 그리고는 정원 뒤쪽으로 가서 마구간으로 연결되는 작은 길로 들어서더니 집 주변을 계속해서 걸었다. 한참을 기다려도 그가 안 오기에 홀더 씨와 나는 식당으로 들어가 불 옆에 앉아서 그가 올 때까지 기다렸다.

잠시 후, 문이 열리더니 젊은 여인이 들어왔다. 보통보다 약간 큰 키에 늘씬한 몸매를 하고 있으며 머리카락과 눈썹이 짙고 얼굴색은 너무나 창백했다. 얼굴이 그렇게 시체처럼 창백하고 파랗게 질려 있는 모습은 본 적이 없을 정도였다. 입술에도 핏기라곤 없으며 눈은 울어서 그런지 빨갛게 부어 있었다. 그 여인이 조용히 방으로 들어

왔을 때 내가 받은 느낌은 아침에 은행가가 베이커 거리에 나타났을 때보다 훨씬 더 가련해 보였다는 것이다. 그녀가 무척이나 강인한 성품에 자제력도 뛰어난 사람으로 보였기 때문에 그 가련함은 더욱 인상적이었다. 그녀는 옆에 누가 있다는 걸 의식하지도 못하는 듯 곧바로 은행가에게 다가가더니 그의 머리를 감싸며 매우 여성스럽고 상냥한 태도로 포옹을 했다.

"아버지, 아서를 석방하도록 잘 얘기하셨죠?"

그녀가 말했다.

"아니다, 얘야. 이 사건은 철저히 조사를 해야 한단다."

"하지만 아서가 훔친 건 아닌데 그렇게 처벌을 하도록 내버려 두시면 분명히 후회하실 텐데요."

"훔치지 않았다면 왜 가만히 있을까?"

"그건 모르겠어요. 아버지한테 의심을 받은 것에 화가 나서 그런 거 아닐까요?"

"왕관을 손에 들고 있는 걸 내 눈으로 똑똑히 봤는데 어떻게 의심을 안 할 수가 있겠니?"

"그건 훔치려고 한 게 아니라 그냥 잠깐 보려고 그랬을 거예요. 아버지, 아서가 훔치지 않았다는 걸 제발 믿어 주세요. 그러니까 큰 문제로 만들지 마시고 이제 아무 말도 하지 않는 게 좋을 것 같아요. 아서가 감옥에 간다는 건 생각만 해도 무서워요."

"아니다. 보석을 찾아낼 때까지는 이대로 넘어갈 수 없다. 절대로 안 돼. 너는 아서를 위하고는 있지만 나한테 닥친 이 끔찍한 사태는 생각을 못하고 있구나. 지금 이 사건은 조용히 처리할 일이 아니란다. 그래서 더 철저히 조사해 보려고 런던에서 어떤 분을 모시고 왔단다."

"이분이세요?"

그녀는 뒤돌아 나를 쳐다보았다.

"아니, 이분의 친구시다. 혼자 둘러봐야 한다면서 지금 마구간으로 가는 작은 길에서 조사를 하고 계시는구나."

"마구간으로 가는 작은 길이라고요?"

그녀는 짙은 눈썹을 치켜올렸다.

"그런 곳에 뭐가 있다는 거예요? 아, 그분이 오신 것 같아요……. 제가 진실이라고 생각하는 것, 그러니까 사촌오빠 아서가 결백하다는 걸 꼭 밝혀 주실 수 있으시죠?"

"나도 아가씨의 생각에 전적으로 동감하고 있습니다. 그리고 아가씨의 도움을 빌어서 그걸 증명할 수도 있을 것 같군요."

홈즈는 구두에 묻은 눈을 털어 내기 위해 매트 쪽으로 다시 가면서 이렇게 대답했다.

"아가씨가 메어리 홀더 양이시죠? 몇 가지 묻고 싶은 게 있는데요."

"네, 뭐든 이 무서운 사건의 해결에 도움이 된다면 알려드리겠습니다."

"어젯밤에 아가씨는 아무 소리도 못 들었습니까?"

"네. 아버지가 큰소리를 지르실 때까지는 아무 소리도 못 들었어요. 고함 소리가 들리기에 잠이 깨서 내려왔죠."

"어젯밤에 아가씨가 창문과 문들을 닫으셨다고 들었습니다만, 창문은 전부 다 잘 닫았습니까?"

"네. 그랬습니다."

"오늘 아침까지도 전부 닫혀 있었나요?"

"네."

"하녀 가운데 애인 있는 사람이 있죠? 어젯밤에 그녀가 애인을 만나러 외출했었다고, 아가씨가 아버지께 말씀드렸다고 하던데요."

"네, 맞습니다. 게다가 그 하녀가 응접실로 차를 가져왔기 때문에 아버지가 왕관 얘기를 하실 때 들었는지도 모르겠어요."

"음, 그러니까 그녀가 애인한테 그 얘기를 하러 나가서 둘이 그 왕관을 훔칠 계획을 세웠는지도 모른다는 말씀이군요?"

"하지만 근거도 없는 그런 추측이 무슨 소용이 있습니까?"

홈즈의 말에 은행가가 조바심을 내며 소리쳤다.

"아서가 왕관을 가지고 있는 걸 제가 봤다고 말씀드리지 않았어요?"

"잠깐만, 홀더 씨, 이야기를 되돌려야겠습니다. 메어리 양, 그 하녀가 주방 뒷문으로 들어오는 걸 아가씨가 봤다고 하셨죠?"

"네. 주방 쪽 문을 확인하러 갔는데 그 애가 막 들어오고 있었어요. 바깥 어둠 속에 남자가 서 있는 것도 보였고요."

"아는 사람입니까?"

"네, 알고 있어요. 야채를 배달하러 오는 식료품 장수예요. 프랜시스 프로스퍼라는 사람이죠."

"그가 서 있던 곳은."

홈즈가 말했다.

"주방 쪽 문의 왼편, 그러니까 작은 길을 들어와서 출입구를 지나간 쪽이었죠?"

"네, 맞아요."

"그리고 한쪽 다리가 의족이죠?"

풍부한 표정을 담고 있는 젊은 여인의 검은 눈에 순간 공포심이 떠올랐다.

"어머, 무슨 점쟁이 같으시네요."

그녀가 놀라며 소리쳤다.

"어떻게 그런 것을 아세요?"

그녀는 웃음을 지었지만 홈즈의 예민하고 진지한 얼굴에는 아무런 표정도 없었다.

"이층을 좀 봐도 될까요?"

그가 물었다.

"그리고 집 바깥을 한번 더 조사해야 할 것 같습니다. 참, 이층으로 가기 전에 아래층 창문을 봐 두는 게 좋을 것 같네요."

그는 창문을 하나하나 다 살펴보았는데, 대부분 간단히 확인만 하다가 마구간 쪽 작은 길에 면해 있는 큰 창문 앞에서는 한동안 멈춰 서서 살펴보기도 했다. 그는 창문을 열어 문틀에다 확대 렌즈를 대고 세밀히 들여다보았다.

"이제 이층으로 갑시다."

홈즈는 몸을 일으키며 말했다.

은행가의 작은 거실은 아주 간단하게 꾸며져 있는데 회색 카펫이 깔려 있고 큰 장롱 하나와 거울이 있을 뿐이었다. 홈즈는 곧바로 장롱으로 다가가 자물쇠를 유심히 들여다보았다.

"어떤 열쇠로 열었을까요?"

그가 물었다.

"아들이 말한 그 다락방 열쇠입니다."

은행가가 대답했다.

"지금 그걸 가지고 계십니까?"

"저기 화장대 위에 있습니다."

셜록 홈즈는 열쇠를 가져와 장롱을 열었다.

"자물쇠가 소리가 안 나는군요."

그가 말했다.

"이 정도 소리에 잠이 안 깼다는 건 전혀 이상할 것도 없습니다. 아, 이게 그 왕관 상자군요. 잠깐 보겠습니다."

홈즈는 상자를 열어서 왕관을 꺼내 테이블 위에 올려놓았다. 과연 눈이 부실 정도로 멋진 귀금속 작품이었다. 서른여섯 개의 보석도 일찍이 본 적이 없는 진품이었다. 비틀어져 보석 세 개가 떨어져 나간 한쪽 귀퉁이는 금이 가 있었다.

"그런데 홀더 씨."

홈즈가 말했다.

"이 한쪽 귀퉁이는 없어진 한쪽 귀퉁이와 한 쌍이 되어 있는 셈입니다. 이리 오셔서 이걸 때 보지 않겠습니까?"

은행가는 두려워하며 뒷걸음질을 쳤다.

"말도 안되는 소리죠."

"그럼, 제가 해 보겠습니다."

홈즈는 잔뜩 힘을 줬지만 왕관은 꿈쩍도 하지 않았다.

"그런데 약간 휘어진 것 같은데요."

홈즈가 말했다.

"저는 손힘이 남들보다 훨씬 센 편인데, 그런데도 이걸 부수는 게 영 쉽지가 않네요. 보통 사람 힘으로는 도저히 안 될 것 같습니다. 그런데 홀더 씨, 제가 만약 이걸 부순다면 어떤 일이 일어날 것 같습니까? 권총을 쏜 것처럼 큰 소리가 날 겁니다. 그런데도 침실에서 기껏해야 몇 야드밖에 안 되는 곳에서 이런 일이 일어났는데 그 소리가 안 들렸단 말씀입니까?"

"어떻게 말해야 좋을지, 아니, 모르겠습니다. 전혀 아무 생각도 안 납니다."

"차츰 생각이 떠오를 겁니다. 그럼, 아가씨는 어떻게 생각하십니까?"

"솔직히 말씀드리면 저도 아버지처럼 뭐가 뭔지 전혀 모르겠어요."

"당신이 아들을 보셨을 때, 그가 구두나 슬리퍼 같은 걸 안 신고 있었죠?"

"네, 바지와 셔츠 차림이었는데 아무것도 안 신고 있었어요."

"감사합니다. 지금까지 조사한 걸로 보면 분명히 대단한 행운을 잡은 것 같으니까 이제 사건을 해결하지 못하면 그건 전적으로 우리의 실수밖엔 안되는 겁니다. 홀더 씨, 괜찮으시다면 한 번 더 집 주변을 조사해 봐도 되겠습니까?"

홈즈는 불필요한 발자국이 생기면 일에 방해만 된다고 말하고는 반드시 혼자 조사하고 싶다면서 밖으로 나갔다. 그리고는 한 시간 정도 조사를 하더니 신발이 눈투성이가 된 채 안으로 들어왔다. 그의 표정으로 봐서는 아무것도 알아챌 수가 없었다.

"홀더 씨, 이제 조사는 다 끝났습니다."

홈즈가 말했다.

"나머지는 집으로 가서 하는 것이 좋을 것 같군요."

"그런데 보석은요? 홈즈 씨, 보석은 어디에 있는 겁니까?"

"그건 모릅니다."

은행가는 두 손을 맞대고 문질렀다.

"보석을 못 찾는다고요?"

그가 소리쳤다.

"그리고 아들은 어떻게 되는 겁니까? 희망이 있을까요?"

"제 생각은 조금도 변함이 없습니다."

"그러면 어젯밤에 우리 집에서 일어난 범죄는 도대체 어떻게 된 건가요?"

"내일 아침 아홉 시에서 열 시 사이에 베이커 거리의 제 집으로 오시면 좀 더 확실한 것을 말씀드릴 수 있을 것 같습니다. 보석을 찾아내기만 하면 된다는 조건으로 백지수표를 위임하셨고 비용 문제도 제한이 없다고 말씀하신 것으로 기억합니다만……."

"네. 보석을 찾을 수만 있다면 전 재산이라도 드리겠습니다."

"좋습니다. 내일 아침까지 조사를 다 마치겠습니다. 그럼 이만 실례하겠습니다. 어쩌면 저녁에 한번 더 찾아뵐지도 모르겠습니다."

홈즈가 어떤 결론을 내렸는지 나는 어렴풋하게도 짐작할 수 없었지만 그는 이미 결정적인 생각을 굳히고 있었음이 분명했다. 돌아오는 도중에 나는 몇 번이나 그걸 알아내려고 홈즈에게 말을 시켜보았지만 그때마다 그가 다른 이야기로 피해 버리는 바람에 결국 단념할 수밖에 없었다.

우리가 집으로 돌아온 건 세 시가 채 안 됐을 때였다. 그는 자기 방으로 급히 들어가더니 얼마 안 돼 금방 불량한 건달 꼴을 하고는 다시 나왔다. 번들번들한 싸구려 양복 재킷에 깃을 세우고 목에는 빨간색 머플러를 두른 채, 다 떨어진 구두를 신고 있었다. 그건 부랑자들의 전형적인 모습이었다.

"이러면 되겠지?"

그는 벽난로 위의 거울을 보면서 말했다.

"왓슨, 자네가 같이 갈 수 있으면 좋겠지만 그건 아무래도 안 될 것 같네. 사실 내가 제대로 사건의 핵심을 짚고 있는지도 모르겠고, 여우한테 홀렸는지도 모르겠지만 어쨌든 결과는 곧 알게 될 거네. 두세 시간 후면 돌아올 거야."

그는 선반 위에 있는 고기 덩어리에서 고기를 좀 잘라내 둥글게 자른 빵 두 조각 사이에 끼워 넣어 간단한 샌드위치를 만든 다음, 그걸 주머니에 쑤셔 넣고는 도무지 어떤 모험을 하려는지 알 수 없는 채로 밖으로 나갔다.

한참 후, 내가 막 차를 마시고 났을 때 그가 돌아왔는데 기분이 좋은지 마냥 즐거운 표정으로 손에 들고 온 허름한 고무장화 한 짝을 덜렁덜렁 흔들어 댔다. 그러더니 그 장화를 방구석에 던져 버리고는 직접 차를 따라 마셨다.

"지나가는 길에 들른 거라네. 또 나가 봐야 돼."

그가 말했다.

"어디 가는데?"

"음, 웨스트 엔드 건너편에. 좀 늦게 돌아올지도 모르겠네. 많이 늦어지면 기다리지 말게나."

"그런데 어떻게 돼 가고 있는데?"

"뭐 그렇고 그런 거야. 지금으로서는 별로 꼬이는 건 없네. 아까 곧바로 스트래탐으로 갔는데 그 집에는 안 들렀어. 이건 분명 재미있는 사건인 것 같네. 이대로 놔둘 수는 없어. 참, 여기서 이런 차림으로 수다를 떨 게 아니라, 이 꼴불견 옷은 벗어 버리고 깔끔한 원래의 나 자신으로 돌아가야지."

그의 태도를 가만히 보아 하니 그렇게 즐거워하는 확실한 이유가 있는 게 틀림없었다. 눈빛이 반짝거리고 평소엔 창백하던 얼굴도 불그스레했다. 그는 이층으로 뛰어 올라가더니 잠시 후 현관문을 세게 닫고 다시 나가는 소리가 들렸다. 분명 자신 있는 태도인 게 느껴졌다.

밤 늦게까지 기다렸지만 예상대로 홈즈가 돌아오지 않아 나는 먼저 잠자리에 들었다. 그는 한번 수사에 열중하기 시작하면 며칠씩이나 계속 집에 들어오지 않을 때도 많기 때문에 늦게 들어오는 것쯤은 전혀 놀랄 일도 아니었다. 다음 날 아침, 식사를 하러 아래층으로 내려갔더니 홈즈는 언제 들어왔는지 벌써 말쑥한 옷차림으로 한 손엔 커피 잔을 들고 다른 손엔 신문을 든 채 생기 넘치는 얼굴로 앉아 있었다.

"미안하지만 먼저 시작했네, 왓슨."

그가 말했다.

"그 손님이 아침에 가능한 빨리 오겠다고 해서 말이야."

"아참, 벌써 아홉 시가 지났네."

내가 대답했다.

"이제 와도 이상할 건 없지. 아직 늦은 건 아니니까 말이야. 어, 마침 벨 소리가 울린 것 같은데."

들어온 사람은 바로 어제 봤던 그 은행가였다. 나는 사람이 그렇게 완전히 달라질 수 있다는 것에 큰 충격을 받았다. 크고 넓적했던 그의 얼굴은 하루 사이에 살이 빠져 몰라볼 정도가 되었으며 머리카락도 허옇게 변해 있었다. 그는 기진맥진한 모습으로 축 처져서 들어왔는데, 어제 아침에만 해도 그저 놀랍고 안됐다고만 느꼈지 이렇게 애처로움을 느낀 것까지는 아니었다. 그는 내가 권한 팔걸이의자에 털썩 주저앉았다.

"아이고, 내 팔자가 도대체 왜 이런 일을 당해야 하는지……. 이틀 전까지만 해도 저는 이 세상에서 아무런 걱정도 없는 가장 행복하고 운 좋은 남자였습니다. 그런데 지금은 너무나 슬프고 명예마저도 추락한 늙은이 꼴이 되고 말았으니……. 불행한 일은 잇달아 오는 것인가 봐요. 조카딸 메어리까지 저를 떠나 버렸으니 말입니다."

"떠나다니요?"

"그렇습니다. 오늘 아침에 가 보니까 침대에서 잔 흔적이 없이 방도 텅 비어 있더군요. 그리고 홀 테이블에 편지가 하나 놓여 있었습니다. 어젯밤에 제가 그 애한테 이런 말을 했었죠. 화를 낸 게 아니라 그냥 너무나 슬프다 보니까 했던 말일 뿐이었는데요, '만약 네가 아서와 결혼을 했다면 이런 일은 일어나지 않았을 거다.' 라고 말이죠. 물론 아주 천박한 말이었어요. 그 애가 쓴 편지에도 그 말이 적혀 있었으니까요. 자, 이겁니다. 제가 읽어드리죠.

〈사랑하는 삼촌

제가 그동안 폐를 끼쳐드렸고 저도 좀 더 다르게 행동했었더라면 이런 무서운 일은 결코 일어나지 않았을 거라고 지금 생각하고 있습니다. 그러니 삼촌 곁에서는 이제 두 번 다시 행복하게 살 수 없을 것 같아 영원히 작별해야 한다는 생각만 듭니다. 제 앞날에 대해서는 걱정하지 마세요. 그동안 준비해 온 게 있으니 절대로 저를 찾지 말아 주시기 바랍니다. 괜한 헛수고는 하지 마시고, 저를 위해서도 좋은 일이 아닙니다.

살아서도 죽어서도 삼촌을 사랑하는 메어리〉

이런 내용인데, 이게 도대체 무슨 뜻일까요? 홈즈 씨, 혹시 자살을 생각하는 것일까요?"

"천만에요. 그런 일은 없을 겁니다. 어쩌면 이게 가장 좋은 해결 방법인지도 모릅니다. 홀더 씨, 이제 이 사건도 결말에 다가가고 있습니다."

"네? 정말이요? 뭔가 알아낸 게 있군요! 홈즈 씨, 뭔가 분명 알아내신 거죠? 보석은 어디 있습니까?"

"그 보석 하나에 천 파운드면 비싸다고 생각하십니까?"

"만 파운드라도 내겠습니다."

"그렇게까지는 필요 없고요. 삼천 파운드면 충분합니다. 그리고 보수를 조금만 주시면 됩니다. 지금 수표 책 가지고 계신가요? 자, 여기 펜이 있습니다. 사천 파운드를 써 주시면 되겠습니다."

은행가는 황당하다는 표정으로 홈즈가 말한 액수를 수표에 써넣었다. 그걸 받자 홈즈는 책상으로 가더니 서랍을 열어 세 개의 보석이 붙어 있는 세모난 모양의 금 한 조각을 꺼내 테이블 위에 놓았다. 의뢰인은 너무나 놀라 소리를 지르며 그걸 집어 들었다.

"찾았네요!"

그는 숨이 가쁘게 외쳤다.

"난 살았다! 살았어!"

고통이 컸던 것만큼이나 그의 기쁨은 격렬할 정도였다. 그는 되찾은 보석을 가슴에 안고는 어쩔 줄 몰라 했다.

"그런데 당신이 치러야 할 빚이 또 하나 있습니다, 홀더 씨."

셜록 홈즈가 약간 엄숙한 투로 말했다.

"빚이라고요?"

은행가는 또 다시 펜을 잡았다.

"금액을 말씀해 주시면 지불해 드리겠습니다."

"아니, 저한테 있는 게 아니라 그 고귀한 청년에게 있습니다. 당신 아들 말이죠. 당신은 그에게 머리 숙여 사과하셔야 합니다. 이번 사건에서 아들이 한 태도는 아주 훌륭했습니다. 만약 저한테도 아들이 있다면, 그리고 그런 행동을 한다면 저는 무척이나 자랑스러워할 겁니다."

"그러니까 아서가 훔친 게 아니라고요?"

"어제도 제가 말씀드렸지만 그가 한 게 아니라고 분명히 다시 한 번 말씀드리겠습니다."

"정말입니까? 그러면 지금 바로 가서 아들한테 사실이 밝혀졌다고 얘기를 해야겠군요."

"그는 벌써 알고 있습니다. 제가 사건을 다 풀고 나서 아들을 만나 물어봤는데, 그래도 절대로 입을 안 열기에 제가 먼저 얘기를 꺼냈더니 제 말이 옳다고 인정하더군요. 그러고 나서 제가 궁금했던 몇 가지 의문점에 대해 설명도 해주었습니다. 하지만 당신이 지금 가지고 오신 소식을 그에게 알려주면 나머지에 대해서도 전부 다 입을 열겁니다."

"제발 좀 말씀해 주세요. 이건 정말 너무나 이상한 사건 아닌가요? 도대체 어떻게 된 겁니까?"

"그럼 말씀드리죠. 제가 어떻게 해서 그 해답에 도달했는지 하나하나 설명해 드리겠습니다. 우선 이 얘기부터 하지 않을 수가 없는데, 제가 가장 말하기 거북하고 어쩌면 당신도 가장 듣기 불편한 사실일 것 같습니다. 조지 번웰 경과 당신의 조카딸 메어리 양 말이죠. 두 사람은 이미 모종의 약속을 한 사이입니다. 그래서 두 사람이 이번에 함께 도망을 친 겁니다."

"우리 메어리가요? 도저히 있을 수 없는 일입니다!"

"유감스럽지만 그건 있을 수 있고 없고의 문제가 아닙니다. 실제로 일어난 일이니까요. 당신 집에 수시로 드나들었는데도 당신과 아들은 그 남자의 정체를 몰랐습니다. 영국에서 가장 위험한 놈 중 하나인데, 도박으로 신세를 망쳤는데도 도저히 거기서 헤어나지를 못하는 구제불능에다 양심이라곤 눈곱만큼도 없는 아주 악질이죠. 메어리 양은 그런 종류의 남자들에 대해 아무것도 모르니까 그놈이 늘 하던 짓으로 메어리 양을 유혹해 사랑의 맹세를 속삭였을 것이고, 그녀 또한 자신이 그를 감동시켰을 거라고 믿었을 겁니다. 그놈이 무슨 말을 어떻게 했는지는 악마만 알고 있겠지만, 어쨌든 조카딸은 그의 꼬임에 넘어가 밤마다 밀회를 했습니다."

"난 도저히 믿을 수 없고, 믿고 싶지도 않습니다."

은행가는 얼굴이 잿빛이 되다시피 하며 소리쳤다.

"이제 그날 밤 댁에서 일어난 일을 설명해 드리죠. 메어리 양은 당신이 침실로 갔다고 믿었기 때문에 몰래 아래층으로 내려와 마구간 쪽 작은 길이 보이는 그 창문을 통해 애인과 얘기를 나눴습니다. 그 남자의 발자국이 눈 위에 뚜렷이 찍혀 있는 걸 보니까 아마도 한참 동안 거기에 서 있었던 것 같더군요. 그녀는 애인한테 왕관 얘기를 했습니다. 남자는 그 말을 듣고 당연히 흑심이 생겨 그녀를 설득하기 시작했고, 결국은 그가 시키는 대로 하게 했습니다. 그녀가 당신을 사랑하고 있었다는 것은 전혀 의심이 안 들지만, 연인에 대한 애정 앞에서는 다른 모든 애정이 사라져 버리는 그런 성격의 여성들이 있는데, 그녀도 아마 그런 사람이었던 것 같습니다. 창문에서 남자와 얘기를 하며 계획을 짜고 있는데 당신이 내려오는 모습이 보이자 그녀는 얼른 창문을 닫고 하녀 얘기를 했던 겁니다. 하녀가 의족을 한 남자와 만나고 나서 주방 뒷문으로 들어온 얘기를 했던 건데, 그건 물론 사실이었습니다.

아서 군은 당신과 이야기를 마친 뒤 자려고 침실로 갔지만 클럽의 빚 때문에 걱정이 돼서 잠이 오지 않았습니다. 그런데 한밤중에 방 앞으로 누군가가 조용히 지나가는 발소리가 들려서 일어나 내다보았죠. 그런데 뜻밖에도 그건 사촌여동생이었어요. 그녀가 발소리를 죽이면서 복도를 걸어가서는 당신의 거실로 들어갔던 겁니다. 아서는 너무나 놀라 몸이 긴장됐지만 얼떨결에 근처에 있는 아무 옷이나 대충 입고는 그 놀라운 일이 어떻게 돼 가는지 확인해 보려고 어둠 속에 숨어서 기다리고 있었죠. 잠시 후 그녀가 방에서 나왔는데 그 귀중한 왕관을 들고 있는 모습이 복도의 램프 불빛 때문에 보였던 겁니다. 그녀는 곧 계단을 내려갔고, 그래서 아서도 공포에 떨면서 복도를 따라 뒤좇아 가다가 당신 방문 옆의 커튼 뒤로 숨었습니다. 거기서는 아래층 홀에서 일어나는 일이 잘 보이니까요. 아서는 사촌여동생이 조용히 창문을 열더니 어둠 속에 있는 사람에게 그 왕관을 건네주고는 다시 창문을 닫고 자신이 숨어 있는 커튼 앞을 지나 그녀의 방으로 황급히 가는 것을 보았습니다.

나중에 당신이 깨어나고 그녀가 다시 왔을 때는 아들이 그녀 앞에서 어떤 말을 한다고 해도 사랑하는 여인의 범죄를 폭로하는 무서운 결과를 초래할 수 있기 때문에 침묵했던 것입니다. 그러다가 그녀의 모습이 안 보이게 되자, 아들은 이 사건이 당신에게 치명적인 불행을 가져올 것이기 때문에 만사 제쳐두고 우선 왕관을 찾아야 한다고 생각했습니다. 그는 맨발로 계단을 달려 내려가 창문을 열고 밖으로 뛰어내렸어요. 그리고는 저쪽 달빛 아래 웬 남자의 그림자가 시커멓게 보이니까 그는 마구간 쪽으로 쏜살같이 달려갔습니다. 조지 번웰 경은 도망치려고 했다가 아서 군이 쫓아오는 바람에 붙잡혔죠. 그래서 두 사람이 각각 왕관의 한쪽 끝을 잡고는 서로 빼앗으려고 싸움이 벌어졌던 겁니다. 그렇게 잡고 늘어지는 동안 아서 군이 번웰을 한 대 쳐서 눈 위에 상처가 나게 했습니다. 그때 아서 군은 뭔가 딱 하는 소리를 듣고는 왕관이 자기 손에 있다는 걸 깨닫게 되었죠. 그는 그걸 들고 다시 얼른 되돌아와 창문을 닫고 당신 방까지 가게 되었습니다. 그런데 가만 보니까 보석 부분이 서로 싸우는 중에 비틀어져 있었던 겁니다. 그래서 그걸 똑바로 펴 보려고 막 만지고 있는데 당신이 나타났던 거죠."

"그게 도대체 있을 수 있는 일일까요?"

홀더 씨는 숨을 쉬기도 어려운 듯 말했다.

"아들은 당연히 당신이 고맙다는 말을 할 줄 알았는데, 반대로 대뜸 욕부터 하고 나서니까 당황해서 같이 화를 냈던 것입니다. 그리고 그 자리에서 사실을 밝히면 그녀의 죄를 폭로하는 것이 되기 때문에 참았던 거죠. 이제는 물론 사랑할 가치가 없는 여성이기는 하지만 말이죠. 그는 기사도 정신으로 그녀의 비밀을 지켜 준 것입니다."

"그러고 보니까 그때 메어리가 왜 그 왕관을 보고 비명을 지르면서 기절했는지 알겠습니다."

홀더 씨가 그렇게 소리쳤다.

"세상에! 저는 얼마나 어리석고 눈 뜬 장님인가요! 아들이 그때 오 분만 밖으로 나가게 해달라는 얘기도 했었죠. 아, 그랬었구나! 왕관을 들고 싸웠던 자리에 혹시 조각이 떨어져 있지 않을까 하고 보러 가려고 그랬을 겁니다. 세상에! 제가 얼마나 잔인하게 죄인으로 몰아붙였는지!"

홈즈는 다시 말을 이어갔다.

"댁으로 갔을 때, 우선 집 주위를 돌아보면서 혹시 눈 위에 단서가 될 만한 것이 남아 있지 않을까 하고 조사를 했습니다. 눈은 전날 밤부터 안 오고 있었고 얼어붙을 만큼 추웠기 때문에 발자국이 뚜렷이 남아 있을 수도 있었죠. 그래서 장사꾼들이 드나드는 길을 조사해 봤는데, 마구 밟혀 있어서 아무것도 알아볼 수가 없더군요. 그런데 집 쪽으로 들어가 봤더니 주방 쪽에서 한 여자와 남자가 마주 보고 서서 얘기한 발자국이 있었어요. 남자의 한쪽 발이 둥근 모양으로 생긴 것을 보고는 나무로 된 의족이라는 걸 알았습니다. 게다가 그 밀회 때 누군가가 끼어들어 방해를 했더군요. 왜냐하면 여자 발자국의 앞쪽이 깊고 굽이 얕게 나있는 걸 보면 그녀가 급히 주방으로 되돌아갔다는 것을 알 수 있기 때문이죠. 의족을 한 남자는 한참 동안 기다리고 있다가 얼마 후 가 버렸고요. 그들은 당신이 얘기했던 그 하녀와 애인이 맞더군요. 그런 다음 저는 정원을 돌아봤는데 발견된 거라고는 온통 난잡하게 얽혀 있는 발자국뿐이었습니다. 그건 분명 경관의 발자국이 맞을 겁니다. 그런데 마구간의 작은 길로 가 보니까 거기 눈길 위에 길고도 복잡한 사연이 그대로 쓰여 있더군요.

장화를 신은 남자가 한 차례 왕복을 한 흔적이 발자국으로 남아 있고, 더구나 기뻤던 건 맨발의 남자도 한 차례 왕복한 발자국이 그대로 남아 있었다는 거죠. 그때 당신이 했던 이야기가 생각나서 맨발 자국은 분명 아들의 것이라고 확신을 했습니다. 장화 자국을 보니까 갈 때나 올 때나 걷고 있었는데, 맨발 쪽은 아주 급히 달렸고 가끔 장화 위에 겹쳐져 있는 것으로 봐서 장화 쪽을 뒤쫓은 것이 틀림없다는 것을 알 수 있었습니다. 발자국을 죽 더듬어 가보니까 현관 창문 아래까지 나 있었는데, 장화를 신은 남자는 거기서 한참 동안 기다렸는지 왔다갔다 서성대면서 눈이 많이 짓밟혀 있었습니다. 저는 거기서 다시 반대 방향으로 더듬어 가면서 마구간의 작은 길을 백 야드쯤 갔습니다. 거기서 장화를 신은 남자가 돌아서서 누구와 몸싸움을 했는지 눈이 마구 짓밟혀 있었고, 가뜩이나 피도 몇 방울 떨어져 있어서 제 확신이 틀림없다는 것을 입증해 준 셈이 되었죠. 그 발자국은 작은 길을 따라 도망치고 있었는데 거기에도 핏방울이 떨어져 있는 걸 보고는 그 남자 쪽이 상처를 입었다는 걸 알았습니다. 저는 계속 그 작은 길을 따라가 봤는데, 끝까지 가니까 큰길이 나오고 거기는 이미 길바닥의 눈이 다 치워지고 없어서 단서도 더 이상 찾을 수가 없었습니다.

하지만 집 안으로 들어가서 당신도 보셨다시피 현관 창문 쪽의 창턱 주위를 확대경으로 들여다봤더니 누군가가 그곳을 뛰어넘어 간 흔적이 남아 있더군요. 젖은 발로 들어오게 되면 밟은 자국이 유난히 뚜렷하게 남게 되거든요. 여기까지 알고 나니까 전날 밤에 일어난 일이 자연스럽게 한 가지 가설로 형태를 갖추게 되었습니다. 이렇게 된 거죠. 한 남자가 창문 밖에서 기다리고 있었고, 누군가가 그에게 왕관을 전달했고, 그 상황을 아들이 보고 있었다. 그리고 아들이 왕관을 넘겨 받은 놈을 추적했고, 몸싸움이 벌어졌고, 두 사람이 서로 왕관을 빼앗으려고 하다가 두 사람의 힘이 합쳐지는 바람에 왕관의 한쪽이 떨어지고 말았다. 아들은 전리품을 안고 집 안으로 돌아왔지만 떨어져 나간 왕관의 조각이 상대방에게 남아 있었다. 자, 여기까지는 확실했습니다. 그다음 문제는 상대방 남자가 누굴까, 그리고 그 남자한테 왕관을 전달했던 사람은 누굴까, 하는 거죠.

저는 오래전부터 저 자신만의 이론을 가지고 있는데, 우선 가능하지 않은 일은 전부 다 제거를 하고 남은 것을 가지고 다시 생각해보는 방식이죠. 그렇게 되면 그 남은 것 중에 해답이 있게 되는데, 그게 아무리 있을 것 같지 않은 일이라도 결국엔 거기에 진실이 있다는 겁니다. 자, 그럼 당신이 왕관을 꺼냈을 가능성은 없습니다. 그러면 남는 사람은 누굴까요? 메어리 양과 하녀들뿐입니다. 그런데 하녀들 가운데 범인이 있다면 아들이 굳이 그 죄를 대신 뒤집어쓰려고 했을까요? 그런 일은 도저히 상상할 수 없습니다. 하지만 범인이 만약 메어리 양이라면 아들이 사촌여동생을 사랑하고 있으니까 그녀의 비밀을 지켜 주려고 했을 수도 있고, 그건 충분히 가능한 얘기가 됩니다. 더구나 그 비밀이 명예롭지 못한 일이니까 말이죠. 그 외에도 그녀가 창가에 서 있는 걸 당신이 보셨다고 했고, 메어리 양이 왕관을 보고는 그 자리에서 기절했다는 얘기도 있었습니다. 결국 이 모든 것을 종합해서 생각해 봤을 때 제 추측은 확신으로 변하더군요.

그렇다면 그녀의 공범자는 도대체 누구일까요? 물론 애인이 틀림없습니다. 당신에 대한 그녀의 애정과 감사의 마음을 뒤로 물리치게 할 만한 사람은 애인밖에 없을 겁니다. 당신과 그녀는 사교 생활도 특별히 하지 않고 있으니 교제 범위도 제한되어 있습니다. 그런데 그 좁은 교제 범위 안에 바로 조지 번웰 경이 있지 않습니까? 이 남자가 여성들 사이에서 안 좋은 평을 얻고 있다는 건 전부터 들어 왔습니다. 그 장화 발자국의 주인공이자 사라진 보석을 가지고 도망친 남자는 조지 번웰이 틀림없습니다. 그는 아서 군에게 들켰다는 것을 알고는 있지만 아서 군은 집안의 입장 때문에 절대로 한마디도 안 할 거라고 믿으면서 자신은 안전하다고 생각했을 겁니다.

그런데 그다음에 제가 어떤 수단을 썼는지 당신이 짐작하셨을지 모르겠습니다만, 저는 부랑자 차림으로 변장을 하고 조지 번웰 경의 집으로 갔습니다. 그리고는 하인을 설득해 주인이 어젯밤에 머리를 다쳐 돌아왔다는 걸 확인할 수 있었죠. 그런 다음 하인에게 육 실링을 주고는 조지 번웰 경이 신었던 장화를 손에 넣었습니다. 그걸 가지고 다시 스트래탐으로 가서 눈 위에 있던 발자국에 대고 확인을 했더니 일치하더군요."

"어제 저녁 때 그 오솔길에서 초라한 차림의 부랑자를 봤는데요."

홀더 씨가 말했다.

"바로 저였습니다. 범인을 확인했기 때문에 곧바로 떠났죠. 그리고는 서둘러 집으로 가서 우선 옷부터 갈아입었습니다. 그런데 그 다음부터 일이 훨씬 어려워졌습니다. 스캔들이 일어나는 것을 막으려면 고소 사건은 절대로 피해야 하니까요. 게다가 상대가 교활한 악질인 만큼 이쪽이 꼼짝 못할 약점을 들고 나올 게 뻔했습니다. 저는 그를 찾아가서 만났습니다. 처음엔 당연히 모든 걸 부인하더군요. 그래서 제가 사건의 전말을 하나하나 다 설명을 했더니, 갑자기 벽에서 칼이 들어 있는 지팡이를 내리더니 저를 위협하는 것이었습니다. 저도 역시 상대가 어떤 놈이라는 것쯤은 너무나 잘 알고 있었기 때문에 대비를 하고 있었죠. 제가 먼저 그놈 머리에 권총을 갖다 댔습니다. 그랬더니 말귀를 알아먹고 수그러들더군요. 그래서 그가 가지고 있는 보석 한 개에 천 파운드를 쳐 주겠다고 조건을 제시했죠. 그는 너무나 놀라고 원통해 하며 소리를 지르더군요. 그러면서 털어놓더군요. '세 개를 육백 파운드에 팔았거든요.' 하고요. 저는 절대로 고소는 하지 않겠다는 약속 하에 팔아넘긴 곳을 알아냈습니다. 그리고 그곳으로 찾아가 가격을 흥정한 끝에 간신히 한 개에 천 파운드로 사들였습니다. 그리고는 아들을 만나 모든 일이 잘 해결됐다는 것을 알려주었죠. 그 드라마틱한 하루가 끝나고 잠자리에 들면서 시간을 보니까 새벽 두 시더군요."

"영국 전역에서 엄청난 스캔들이 일어날 뻔했는데 그걸 구하셨군요."

홀더 씨는 비로소 자리에서 일어나며 말했다.

"뭐라고 감사의 말씀을 드려야 할지 모르겠습니다만, 당신의 은혜는 평생 깊이 간직하고 있겠습니다. 당신의 능력은 명성보다 훨씬 크군요. 저는 그럼 아들한테 가서 저의 어리석었던 처사를 사과하겠습니다. 메어리에 대해서는 제 가슴을 도려내는 것처럼 아프군요. 당신의 능력으로도 그 애가 어디에 있는지는 모르시겠죠!"

"확실히 말할 수 있는 건 조지 번웰 경이 있는 곳이면 어디나 틀림없이 같이 있을 거라는 겁니다. 그리고 그녀의 죄가 무엇이든 간에 그에 마땅한 대가가 머지않아 그들에게 내려질 것이라는 것도 분명합니다."

홈즈가 대답했다.

은성호 사건

"왓슨, 내가 가야 할 것 같네."

어느 날 아침, 식탁에 같이 앉아 있다가 홈즈가 말했다.

"간다고? 어디로?"

"다트무어 킹즈 파이랜드에 말일세."

놀랄 일도 아니었다. 영국 전체가 온통 그 괴상한 사건의 소문으로 떠들썩하고 있는데, 그가 아직 관여를 안 하고 있다는 사실이 오히려 이상했으니까 말이다.

내 친구 홈즈는 하루 종일 목을 길게 빼고 이마를 잔뜩 찌푸린 채 방 안을 왔다갔다하며 가장 독한 흑담배를 파이프에 계속 갈아 채우면서 내가 무슨 말을 해도 듣는 시늉도 안 했다. 그리고 온갖 신문이 인쇄되어 나오기가 바쁘게 배달돼 와도 그저 잠깐 훑어보기만 할 뿐 그대로 방구석에 던져 버리곤 했다. 하지만 그가 아무 말도 없이 그냥 있는 것 같아도 분명 무슨 생각에 빠져 있다는 걸 나는 누구보다도 잘 알고 있었다.

현재로서는 그가 자신의 추리 능력으로 도전할 만한 사건이라곤 딱 하나밖에 없었다. 그건 웨섹스 컵 경마대회의 유력한 우승 후보로 알려진 말이 실종되면서 그 말의 조련사가 피살된, 바로 그 사건이었다. 그래서 마침내 그가 그 사건 현장에 가겠다는 말을 꺼냈을 때, 그건 당연히 내가 예상했었던 일이고 또한 바라는 일이기도 했기 때문에 전혀 놀랍지 않았다.

"그런데 혹시 방해가 안 된다면 나도 같이 가고 싶네만."

"자네가 가 준다면 나도 좋지. 이 사건이 말이야, 아주 묘하게 특이한 점이 있는 것 같으니까 자네가 괜히 시간 낭비하는 일은 없을 것 같네. 지금 파딩턴 역으로 가면 바로 기차가 있을 거니까 출발하세. 자세한 이야기는 가면서 하기로 하고. 저기 미안하지만 자네 쌍안경 좀 가지고 와 주게. 그게 성능이 아주 좋으니까 말일세."

한 시간이 조금 지나 우리는 엑서터(영국 서남부 데번셔에 있는 지방)를 향해 달리는 기차의 일등석 좌석에 앉아 있었다. 셜록 홈즈는 파딩턴 역에서 산 한 무더기의 신문들을 죄다 훑어보고 있었는데, 원래도 윤곽이 뚜렷하고 예리한 그의 얼굴은 귀덮개가 달린 여행 모자를 쓰고 있어서 한결 더 인상적으로 보였다. 레딩을 훨씬 지나고 있을 때, 그는 그제야 신문 독파를 끝내고 마지막 한 장을 좌석 아래에 던져 넣더니 나를 쳐다보며 시가 케이스를 내밀었다.

"속도를 잘 유지하면서 달리고 있는 것 같군."

창밖을 내다보다가 시계를 들여다보며 홈즈가 말했다.

"지금이 시속 86킬로미터니까."

"40미터 표지판을 못 봤는데."

"나도 못 봤어. 그런데 이 철로의 전봇대는 55미터 간격으로 서 있으니까 계산은 아주 간단하지. 왓슨, 자네 혹시 존 스트레이커 살해

사건과 은성호 실종 사건에 대해 조사해봤나?"

"〈텔레그라프〉와 〈크로니클〉에 실린 기사들은 이미 봤지."

"이 사건은 내가 보기에, 이제 더 이상 새로운 증거는 필요 없고 이미 있는 정보들을 세세하게 분류해 내는 데 추리력이 절실히 필요한 일인 것 같네. 아주 특이하고 빈틈이 없는 데다 더구나 수많은 사람들의 잇속과도 직결돼 있는 문제다 보니까 온갖 추측과 억측이 난무하고 있는 거지. 평론가나 신문 기자들이 떠드는 주장들 중에서 제대로 된 사실들, 그러니까 어느 면으로 보나 부정할 수 없는 진실의 알맹이를 가려낸다는 게 어디 쉬운 일이겠나. 하지만 이렇게 많은 정보들이 있으니까 거기서 여러 가지 추론을 끌어내서 사건의 열쇠가 될 만한 특이사항을 찾아내는 게 우리의 역할이 아니겠나? 화요일 저녁에 말 주인 로스 대령과 그레고리 경감 두 사람한테서 한꺼번에 사건을 의뢰하고 싶다는 전보를 받았다네."

"뭐? 화요일 저녁이라고?"

나는 소리쳤다.

"벌써 목요일 아침이야. 왜 어제 안 갔는데?"

"내 추측이 빗나갔던 거야. 왓슨, 자네가 쓴 회상록을 통해서만 나를 알고 있는 사람들은 믿을 수 없어 하겠지만 사실 이런 일은 의외로 꽤 있지 않나? 영국에서 제일 유명한 말이, 그것도 다트무어 북부처럼 인구가 적은 곳에서 이렇게 오랫동안 발견되지 않는다는 건 도저히 있을 수 없는 일이야. 그래서 사실 어제는 말이 발견되었다거나 존 스트레이커를 죽인 범인은 그 말을 훔친 도둑이었다는,

뭐 그런 기사가 나오기를 하루 종일 기다리느라 안 갔던 거지. 그런데 그렇게 하루가 지나가 버리고 오늘 아침이 됐는데도 사건은 조금도 진척이 안 되고 있는 것 같기에 이제 내가 나설 때가 됐다고 생각을 한 것일세. 피츠로이 심프슨인가 하는 젊은이가 붙잡혔다는 소식만 있었잖나. 그래도 내가 어제 하루 종일 쓸데없이 시간만 보냈다고는 생각지 않네."

"그럼, 사건의 윤곽이 잡혔다는 건가?"

"최소한 중요한 사실은 파악을 했지. 이제부터 그 얘기를 해주겠네. 문제를 명백히 하기 위해서는 다른 사람한테 얘기해 보는 게 제일 나은 방법이거든. 그리고 우리가 가야 할 상황을 자네한테 얘기해 둬야만 도움이 필요할 때 자네가 도울 수가 있겠지."

나는 좌석의 쿠션에 등을 기대고 앉아 시가를 피웠고, 홈즈는 몸을 앞으로 내밀고 앉아 중요한 점을 말할 때마다 기다란 집게손가락으로 왼쪽 손바닥을 쿡쿡 찔러 가며 이 여행의 원인이 된 사건에 대해 얘기를 하기 시작했다.

"은성호는 아이소노미 계통의 말인데 그 유명한 조상에 결코 뒤지지 않는 훌륭한 기록을 보유하고 있다네. 지금 은성호가 다섯 살이지만 경기에 나갈 때마다 매번 상금을 탔으니까 로스 대령은 정말 운이 좋은 주인이었지. 이번 사건이 일어나기 전에도 웨섹스 컵 대회의 우승 후보 중 하나였는데, 도박 시세가 삼대 일이었다고 하더군. 그럼에도 불구하고 은성호는 경마 대회에서 가장 큰 인기를 차지해 왔고 한 번도 기대를 저버린 적이 없었기 때문에 배당은 약간 적어도 항상 많은 돈이 그 말에게 걸려 있었지. 그래서 다음 화요일 대회 때 은성호가 나갈 수 없도록 한 일은 분명히 많은 사람들에게 중대한 이해관계가 얽혀 있을 걸세.

물론 그 사실을 대령의 조련사 마구간이 있는 킹즈 파이랜드 지역에서는 모두 다 알고 있었지. 그 명마를 보호하기 위해 온갖 조치가 취해졌고 말이야. 조련사인 존 스트레이커는 기수 출신인데, 지금은 체중이 지나치게 많이 나가지만 그 전에는 로스 대령의 기수를 맡아 오면서 오 년 간 일했고 그다음엔 조련사로 칠 년 간 일했다고 하더군. 그는 항상 열심히 정직하게 일한 사람이었다네. 마구간이라고 해봐야 말이 전부 네 필밖에 없는 자그마한 것이었지. 스트레이커 밑에는 젊은이들이 세 명 있었는데, 그중 한 명이 매일 밤 마구간에서 불침번을 서고 나머지 두 명은 마구간의 이층에서 잠을 잤던 모양이네. 세 명 다 아주 유순한 사람들이었어. 존 스트레이커는 결혼을 한 몸이라 마구간에서 200미터쯤 떨어진 곳에 있는 작은 집에 살고 있었네. 아이는 없고 하녀가 한 사람 있어서 편하게 살고 있었지. 그 동네는 아주 한적한 곳이지만 거기서 북쪽으로 800미터쯤 가면 별장들이 죽 늘어서 있는 곳이 있다네. 타비스톡의 어떤 건축가가 지은 별장들인데 다트무어의 공기가 좋으니까 그게 필요한 환자들이나 그 밖의 다른 사람들을 위해 세웠다고 하는군. 타비스톡이란 곳은 서쪽으로 한 3킬로미터쯤 떨어진 곳에 있는 마을이지. 이 킹즈 파이랜드도 타비스톡만큼 떨어진 거리에 있는데, 황무지 반대쪽에는 킹즈 파이랜드보다 규모가 더 큰 케이플턴이라는 조련장이 있다네. 거기는 백워터 경의 소유지인데 사일러스 브라운이라는 사람이 관리하고 있다더군. 그 외의 지역은 전부 다 황무지뿐이라 유랑 생활하는 집시들밖에는 아무도 안 살지. 자, 여기까지가 월요일 밤 사건이 일어났을 당시의 상황이라네.

그날 밤에도 그 세 사람은 여느 때와 마찬가지로 말을 운동시킨 다음 물을 먹이고, 아홉 시 무렵에 마구간을 잠갔다네. 세 명의 젊은이 중 두 명은 조련사의 집까지 걸어가서 주방에서 저녁을 먹었고, 네드 헌터라는 젊은이만 남아서 마구간을 지키고 있었다는군. 그리고 아홉 시가 조금 지나 에디스 백스터라는 하녀가 네드 헌터의 저녁 식사로 양고기 카레 요리를 만들어 마구간으로 가져왔다고 하네. 마실 건 안 가져왔다고 하는군. 왜냐하면 마구간에 수도가 있었고, 또 불침번 서는 마부는 물 외엔 아무것도 마시면 안 되는 규칙이 있기 때문이라네. 밤이라 아무래도 굉장히 컴컴했고 마구간까지 황량한 곳을 한참 동안 걸어가야 하기 때문에 하녀는 램프까지 들고 가야 했다는군.

에디스 백스터가 마구간 앞으로 20미터쯤까지 다가갔을 때 어둠 속에서 웬 남자가 갑자기 나타나 '거기 멈춰 서!' 하고 말을 하더라는 거야. 그러더니 남자가 서서히 걸어 다가왔는데, 램프의 둥그스름한 노란 불빛에 비쳐서 보니까 회색 스코치 천의 옷을 입고 나사 모자를 쓴 한 신사였다는군. 그는 각반을 차고 혹처럼 튀어나온 손잡이가 달린 지팡이를 들고 있었다는 거야. 에디스는 당연히 너무나 놀랐는데, 유독 더 놀랐던 건 그 남자의 얼굴빛이 극도로 창백했고 태도도 엄청 짜증스런 모습을 보였다는 점이라네. 나이는 삼십대 초반으로 보였다고 하는군.

'여기가 어디죠?'

남자가 대뜸 그렇게 묻더라는 거야.

'이 황무지 들판에서 잘 뻔 했는데, 우연히 당신의 램프를 봤네요.'

라면서 말이야.

그래, 에디스가 대답을 해줬다는군.

'여기는 킹즈 파이랜드 마구간 옆인데요.'

'아이고, 일이 꼬이네! 그놈이 운이 좋았구나.'

남자가 그렇게 외치더라는 거야.

'마부가 매일 밤에 혼자 당번을 서는 모양이죠? 당신이 저녁 식사를 가져가는 걸 보니 말이죠. 그런데 아가씨, 새 옷을 한 벌 장만할 만한 이야기가 있는데 설마 일언지하에 거절하지는 않겠죠?'

별안간 그런 이야기를 하면서 남자가 접고 또 접은 흰색 종이를 호주머니에서 꺼내더라는 거야. 그리고는 그걸 에디스한테 건네면서 이런 말을 했다는군.

'이걸 오늘 밤에 마부한테 좀 전해 주세요. 그러면 당신은 최고급 드레스를 살 수 있게 될 겁니다.'

에디스는 남자가 너무 집요하게 구는 것 같으니까 무서워서 얼른 그 옆을 비켜나 식사를 넣어 주는 마구간의 창문 쪽으로 달려갔다네. 창문은 이미 열려 있고 네드 헌터는 작은 테이블 앞에 앉아 있더라는 거야. 그래서 에디스가 그에게 방금 있었던 일을 얘기해 주었는데, 그러는 동안 그 낯선 남자가 또다시 거기까지 다가와서는 창문 안쪽을 흘끔흘끔 쳐다보면서 이런 말을 했다는군.

'좋은 밤이네요. 당신한테 좀 하고 싶은 이야기가 있는데……'

그때 남자가 종이 꾸러미를 손에 들고 있었는데 종이 끝 부분이 언뜻 보였다고 에디스가 나중에 증언을 했지. 아무튼 웬 낯선 남자가 마구간을 기웃거리면서 이상한 얘기를 하니까 네드 헌터가 물었다네.

'무슨 일인데요?'

'당신의 주머니도 얼마간은 채워질 수 있는 일인데'

그는 좀 뜸을 들이다가 이런 말을 하더라는 거야.

'여기에 웨섹스 컵 경마대회에 나갈 말이 두 필 있는 걸로 알고 있어요. 은성과 밤색 말이죠. 그래서 말인데요, 그 확실한 예상을 좀 가르쳐 주시겠어요? 절대로 손해를 끼치지는 않을 겁니다. 중량 핸디를 붙인 레이스의 경우, 밤색 말이 1킬로미터에서 은성에게 90미터쯤 유리하기 때문에 마주들은 전부 다 밤색 말에 걸었다고 하는데, 그게 사실인가요?'

'아니, 당신 염탐하러 온 거 아니야!'

마부인 네드 헌터가 크게 호통을 치면서 말했다네.

'킹즈 파이랜드에서 당신 같은 사람을 어떻게 손봐 주는지 내가 한번 해볼까?'

네드 헌터는 벌떡 일어나더니 마구간에 개를 풀어 놓으려고 밖으로 나갔다네. 에디스는 집 쪽으로 뛰어갔는데, 뛰면서 뒤를 돌아다봤더니 그 남자가 창문으로 몸을 반쯤 들이밀고 있더라는 거야. 하지만 네드 헌터가 일 분쯤 뒤에 개를 데리고 다시 달려왔을 때는 벌써 사라지고 없었다는군. 그래서 마구간 근처를 다 찾아봤는데도 아무런 흔적도 없었다는 거야."

"잠깐만!"

내가 그 대목에서 질문을 했다.

"마부가 개를 데리고 나왔을 때 문을 안 잠갔나?"

"훌륭한 질문이야, 왓슨. 정말 훌륭해!"

홈즈는 마치 혼자서 중얼거리듯 말했다.

"그 집이 얼마나 중요한지를 절대적으로 느꼈기 때문에 어제 다트무어에 특별 전보를 쳐서 물어봤었지. 그랬더니 마부가 나올 때 문을 잠갔다는 거야. 그리고 창문도 사람이 들어갈 수 있을 정도로 크지는 않다고 하는군.

헌터는 동료가 돌아오기를 기다렸다가 조련사한테 그 상황을 보고하라고 다시 보냈다네. 스트레이커는 그 얘기를 듣고 기분이 아주 안 좋았는데 그게 무슨 의미인지는 잘 몰랐던 것 같아. 그냥 막연히 불안을 느꼈던 건지, 그의 아내가 밤 한 시에 잠에서 깼을 때 보니까 그가 옷을 입고 있었다는 거야. 그래서 아내가 왜 그러냐고 물었더니, 말 때문에 걱정이 돼서 잠이 안 와 말이 무사한지 확인하러 마구간에 가 봐야겠다고 했다는군. 하지만 밖에 비가 와서 창문을 때리고 요란하니까 그의 아내가 못 나가게 말렸다는데, 스트레이커는 결국 그 말을 듣지 않고 커다란 비옷을 걸치고 나가 버렸다네.

스트레이커의 아내가 다음 날 아침 일곱 시에 잠에서 깨서 보니까 남편이 아직 안 돌아와 있었다는 거야. 그래서 얼른 옷을 주워 입고 하녀와 함께 마구간으로 가 봤더니 문이 활짝 열려 있고 헌터는 의자에 웅크린 채 혼수 상태에 빠져 있었다는군. 은성호가 있는 마구간은 텅 비어 있고, 조련사인 존 스트레이커의 모습도 온데간데가 없고 말이야.

스트레이커의 아내는 마구간 이층 창고 방으로 정신없이 뛰어 올라가 아직 자고 있던 두 젊은이를 마구 흔들어 깨웠지. 두 사람은 워낙 곯아떨어져 자는 바람에 밤새 아무 소리도 듣지 못했다고 했네. 그런데 헌터는 무슨 약으로 마취되었던 게 틀림없었어. 그래서 여자 두 명과 남자 두 명, 그렇게 네 사람은 헌터를 그냥 깨어날 때까지 내버려 두고, 왜냐하면 깨워 봤자 말도 제대로 못할 것 같으니까, 스트레이커와 은성호를 찾으러 뛰어나갔다는 거야. 그들은 조련사가 아침 일찍부터 무슨 이유가 있어서 말을 운동시키려고 데리고 나갔을 거라는 희망을 아직 가지고 있었다네. 그래서 마구간 가까이에 있는 언덕에 올라가 봤는데, 너른 황야가 쫙 펼쳐져 보이는데도 은성호는 그림자조차 보이지 않았다는군. 그러다 보니까 아무래도 뭔가 심상치 않은 일이 벌어진 것 같은 느낌이 오더라는 거야.

결국 그들은 마구간에서 400미터 정도 떨어진 곳의 바늘금작화 덤불 위에 스트레이커의 비옷이 걸려 있는 걸 발견했지. 그리고 그 바로 앞에 움푹 파인 곳이 있었는데, 그곳에서 불운한 조련사의 시체가 발견되었다네. 무거운 흉기로 머리를 맞았는지 두개골이 깨져 있고 허벅지도 날카로운 흉기로 길게 찢어진 상처가 나 있었다고 하네. 스트레이커가 가해자들에게 저항했던 건 분명한 것 같아. 왜냐하면 그의 오른손에는 작은 칼이 쥐어져 있었는데 칼자루까지 피가 묻어 있었고 왼손에는 빨강색과 검정색이 섞인 실크 넥타이가 쥐어져 있었는데 그건 전날 밤에 마구간에 왔었던 그 낯선 남자가 매고 있었던 거라고, 하녀 에디스가 증언을 했거든.

헌터도 나중에 혼수 상태에서 깨어난 후에 그 넥타이의 주인에 대해 똑같은 증언을 했기 때문에 확실하게 된 셈이지. 그리고 헌터는 그 남자가 창 밖에 서 있는 동안 양고기 카레 요리에 수면제를 넣어 자신을 잠들게 했던 것이라고 강력하게 주장했다네.

그 움푹 파인 곳의 진흙바닥에 실종된 말의 발자국이 수없이 나 있었는데, 그건 분명 거기서 심한 싸움이 일어났었다는 것을 말해 주는 거 아니겠나. 하지만 말의 모습은 보이지 않고 그날 아침 이후로 행방불명된 상태네. 말을 찾는 데 큰 상금이 걸려 있어서 다트무어 지방의 집시들이 눈에 불을 켜고 있을 게 뻔한데도 아직까지 아무 소식도 없구먼. 마지막으로 알아낸 건 그때 헌터가 먹다 남긴 저녁 식사를 분석했는데 거기서 아편 가루가 꽤 많이 나왔다는 사실이지. 다른 사람들도 그날 밤에 조련사 집에서 똑같은 음식을 먹었는데, 그들은 아무 이상이 없었다네.

여기까지가 사건의 핵심 부분인데 어떠한 억측이나 과장도 다 빼고 말한 거라네. 자, 그럼 이제부터는 경찰이 이 사건을 어떻게 다루고 있는지 그 요점을 간단히 말해 주겠네.

이 사건을 담당하고 있는 그레고리 경감은 아주 유능하긴 한데, 상상력만 좀 더 발휘할 줄 알면 이 분야에서 굉장히 출세할 수 있는 사람이라네. 그는 현장에 도착하자마자 혐의가 보이는 그 남자를 발견하고는 바로 그 자리에서 구속을 했지. 그 남자는 그 부근에서 꽤 알려져 있는 인물이라 찾는 데 별로 어렵지는 않았다고 하더군. 피츠로이 심프슨이라는 이름인데, 집안도 괜찮고 교육도 어느 정도 받은 멀쩡한 인간이지. 경마로 재산을 다 잃어버리고 지금은 런던의 한 스포츠 클럽에서 그럭저럭 품위 유지는 할 정도의 물주 노릇을 하면서 살고 있다는군. 그의 도박 장부를 조사해 봤더니 은성호의 강력한 라이벌 말에다 오천 파운드나 걸고 있었네.

아무튼 그는 체포되자마자 자백을 했는데, 킹즈 파이랜드에 있는 말 두 필과 경마대회에서 두 번째로 인기가 높은 데스버라에 관해 정보를 얻으려고 그때 다트무어에 갔던 거라고 말했다는 거야. 데스버라는 케이플턴 마구간에서 사일러스 브라운이 관리하고 있는 말이지. 심프슨은 그날 밤에 자신이 했던 행동에 대해 전부 인정은 했지만 그게 무슨 악의가 있어서 그런 것은 아니고 다만 직접 정보를 얻고 싶어서 그랬던 것뿐이라고 말했다네. 그에게 넥타이를 들이댔더니 얼굴색이 싹 변하면서, 왜 그게 피해자의 손에 쥐어져 있었는지에 대해서는 단 한 마디도 하지 못하더라는 거야. 옷이 젖어 있었다는데 그건 그날 밤에 폭풍우가 쳤는데도 그가 밖에 있었다는 얘기가 되고 말이야. 게다가 그의 지팡이 끝 부분이 둥그런 모양의 야자나무 만들어져 있는데, 그 속에 납이 들어 있어서 무겁기 때문에 그걸로 여러 번 쳤을 경우 스트레이커를 죽일 수도 있었다는 거지.

그런데 더 놀라운 것은 심프슨 본인에게는 아무런 상처 하나가 없었다는 점일세. 스트레이커의 손에 쥐어져 있었던 그 칼의 상태로 봤을 때, 분명 그를 공격한 사람들 가운데 적어도 한 명은 부상을 당했을 텐데 말이야. 하여간 사건이 대충 이렇게 된 것 같네. 왓슨, 무슨 단서가 잡힐 만한 생각은 혹시 없나? 큰 도움이 될 것 같은데……."

홈즈는 언제나 그 특유의 명쾌한 말투로 설명을 하기 때문에 나는 열심히 귀를 기울여 들었다. 사실 나도 어느 정도는 알고 있었지만 그중에서 어떤 점이 더 중대한 것인지, 그리고 그 내용들이 서로 어떻게 관련되어 있는지에 대해서는 잘 모르고 있었다.

"혹시 이런 일이 가능할까?"

나는 한 가지 의견을 말해 보았다.

"스트레이커의 허벅지 상처 말이야. 그가 머리에 타격을 당한 다음 저항을 하다가 스스로 찔렀던 건 아닐까?"

"충분히 가능하지. 그것이 사실일지도 모르네."

홈즈가 대답했다.

"그런데 만약 그렇다면 심프슨을 범인으로 볼 수 있는 유력한 증거가 하나 없어지는 셈이 되지."

"하여튼 경찰은 도대체 어떤 가설을 세우고 있는 걸까? 전혀 모르겠는데."

내가 말했다.

"우리가 어떤 가설을 세우든 간에 경찰의 입장과는 많이 다를 게 틀림없네."

홈즈가 대답했다.

"경찰의 가설은 이럴 것 같아. 피츠로이 심프슨이 네드 헌터에게 약을 먹인 다음 어찌어찌해서 열쇠를 찾아 마구간 문을 열고 말을 유괴하려는 명백한 목적으로 마구간에서 끌어냈다. 고삐가 없어진 건 심프슨이 말에 올라탔기 때문이다. 그리고 마구간을 나가 황무지 쪽으로 몰고 가던 도중 조련사를 만났거나, 아니면 뒤쫓아온 조련사에게 붙잡혔다. 거기서 싸움이 벌어졌고 심프슨은 무거운 지팡이로 조련사의 머리를 때려 깨지게 했다. 스트레이커가 호신용 칼을 휘둘렀지만 심프슨은 작은 상처 하나도 입지 않았다. 그리고 심프슨이 말을 훔쳐 어딘가 은밀한 장소로 끌고 갔거나 아니면 격투하는 사이에 말이 달아나 지금쯤 황무지 어딘가에서 헤매고 있을 것이다. 뭐, 경찰은 대충 이런 식으로 보고 있을 가능성이 크지. 하지만 이건 아무리 생각해도 납득이 가는 해석이라고 할 수가 없네. 그렇다고 해서 다른 해석은 더 믿을 수도 없어. 어쨌든 현장에 도착하는 대로 조사에 들어갈 작정이지만, 그때까지는 이 상황에서 어떻게 첫 실마리를 잡아야 할지 도대체 아무런 감도 안 오니 말이야."

타비스톡의 작은 마을에 도착했을 때는 벌써 해가 지고 있었다. 그곳은 광막한 다트무어 지방의 한가운데에 있는 마을로, 방패의 중앙 돌기처럼 약간 솟아 있는 지역이었다. 남자 두 명이 역까지 마중을 나와 있었다. 한 사람은 키가 크고 피부가 흰 편이며 사자 같은 머리털과 턱수염을 하고 있고, 또 한 사람은 자그마한 키에 동작이 날렵하고 프록코트에 각반을 두른 단정한 차림이었다. 그는 짧은 턱수염을 잘 손질해 다듬은 얼굴에 모노클(한쪽 눈에만 대고 보는 안경)을 끼고 있었다. 키가 큰 사람은 요즘 영국 경찰에서 이름을 날리기 시작한 그레고리 경감이었고, 다른 한 사람은 경마업계에서 유명한 로스 대령이었다.

"홈즈 씨, 이렇게 와 주셔서 정말 기쁩니다."

대령이 먼저 환영을 하며 말했다.

"여기 경감님께서 여러 모로 최선을 다해 주셨습니다. 저는 안타깝게 죽은 스트레이커를 대신해 복수도 하고 말도 되찾기 위해 가능한 모든 수단을 다 동원하고 싶습니다."

"그 후에 뭔가 새로운 발견은 없었습니까?"

홈즈가 물었다.

"유감이지만 거의 진전이 없습니다."

경감이 대답했다.

"밖에 마차를 준비해 놓았습니다. 더 어두워지기 전에 현장을 빨리 보고 싶으실 테니까 설명은 가면서 마차 안에서 드리기로 하죠."

곧바로 우리는 푹신한 사륜마차에 올라 타 데번셔 지방의 색다른 풍경을 감상하며 고풍스러운 거리를 달리기 시작했다. 그레고리 경감은 사건의 줄거리를 머릿속에 쫙 꿰고는 계속해서 설명을 이어갔으며 홈즈는 이따금 질문을 하거나 감탄사를 던지곤 했다. 로스 대령은 팔짱을 끼고 모자를 깊이 눌러 쓴 채 몸을 뒤로 젖히고 있었고 나는 경찰과 탐정 간의 대화를 흥미 있게 듣고 있었다. 그레고리 경감은 자신의 견해를 줄곧 늘어놓고 있었는데, 아니나 다를까 그건 홈즈가 기차 안에서 나에게 얘기해 주었던 예상과 거의 똑같은 것이었다.

"피츠로이 심프슨은 모든 상황이 아주 불리한 셈이죠."

경감이 말했다.

"저는 그가 범인이라고 믿고 있습니다. 하지만 아직은 상황으로 드러난 것만 증거가 있기 때문에 새로운 사실이 나타나면 언제라도 뒤집혀질 수 있다는 것은 전제하고 있습니다."

"스트레이커가 쥐고 있던 칼에 대해서는 어떻게 생각하십니까?"

홈즈가 물었다.

"넘어질 때 그 스스로 상처를 냈을 것으로 저는 보고 있습니다."

"왓슨도 아까 그런 의견을 말했습니다만 만약 그렇다면 심프슨에게 유리한 증거가 되는 셈이군요."

"그렇습니다. 심프슨은 칼도 가지고 있지 않았고 상처 하나도 입지 않았어요. 그건 분명 그를 유리하게 만드는 증거죠. 하지만 은성호가 실종된 건 그에게 굉장히 불리한 조건이 되고 있고, 게다가 그는 마부에게 약을 먹인 혐의가 있고 폭풍우가 왔을 때 집 밖에 있었던 것도 의심할 여지가 없습니다. 그리고 지팡이를 흉기로 사용했을 가능성이 있고 그의 넥타이도 피해자의 손에 쥐어져 있었습니다. 이 정도로 증거가 갖추어지면 배심원들을 납득시키기는 건 충분하다고 생각합니다."

"하지만 능란한 변호사한테 걸리면 그 정도는 금방 깨지고 말 겁니다."

홈즈는 고개를 갸웃거리며 말했다.

"그런데 심프슨은 왜 마구간에서 말을 끌어내야만 했을까요? 그가 만약 말을 해치려는 목적이 있었다면 그건 마구간 안에서도 할 수 있지 않았을까요? 그리고 그의 소지품 중에 열쇠는 발견되었나요? 아편 가루를 판 사람은 어디에서 팔았고 누구입니까? 무엇보다도 먼저 심프슨이 이 지역에 대해 모르는데 어떻게 말을, 그것도 그 유명한 말을 어딘가에 숨길 수 있을까요? 심프슨은 하녀 에디스를 통해 마부한테 건네주려고 했던 그 종이쪽지에 대해서는 뭐라고 하던가요?"

"십 파운드짜리 지폐를 건네려고 했답니다. 그의 지갑 속에서 한 장이 발견되었죠. 그런데 당신이 주장하는 이론은 별로 유력하지가 못하군요. 심프슨은 이 지역에 대해 어두운 자가 아니니까 말입니다. 여름철에 두 번 타비스톡에 머문 적이 있었거든요. 아편은 아마도 런던에서 가져왔을 테고요. 열쇠는 잘 썼으니까 그냥 버렸을 겁니다. 말은 황무지의 어디 움푹한 곳이나 폐광 같은 데에 있을지도 모르겠어요."

"그가 넥타이에 대해서는 뭐라고 했습니까?"

"자기 것은 맞는데 잃어버린 거라고 하더군요. 그런데 심프슨이 말을 마구간에서 끌어낸 것으로 보이는 새로운 사실 하나가 나타났습니다."

홈즈는 귀를 가까이 댔다.

"월요일 밤에 범행이 일어난 그 장소에서 일 마일쯤 떨어진 곳에서 여러 집시들이 야영을 했던 흔적이 발견됐습니다. 집시들은 화요일에 그곳을 떠났던 거죠. 따라서 심프슨과 집시들이 미리 약속을 했던 거라면 심프슨이 스트레이커에게 잡혔을 때쯤엔 이미 말을 집시들한테 건넨 다음일 테니까, 말은 지금 집시들에게 있다고 생각됩니다."

"물론 불가능한 일은 아니죠."

"지금 집시들의 행방을 좇느라 황무지를 수색 중입니다. 그리고 타비스톡을 중심으로 사방 15킬로미터 내에 있는 마구간들과 오두막들을 전부 다 조사했습니다."

"바로 이 근처에 조련사 마구간이 또 하나 있다고 했죠?"

"그렇습니다. 이것도 그냥 지나쳐서는 안 되는 것 가운데 하나입니다. 거기에 있는 경주마 데스버라는 두 번째로 인기가 높은 말이기 때문에 그 말의 소유주는 은성호의 실종 사건과 어떤 이해관계가 있다고 할 수 있죠. 조련사인 사일러스 브라운은 이번 경마대회에 큰돈을 걸고 있다는 소문이 있는데다 스트레이커와도 사이가 좋지 않았습니다. 그런데 마구간을 조사해 봤더니 사건에 결부될 만한 증거는 따로 없더군요."

"심프슨과 관련될 만한 것도 없었나요?"

"전혀 없었습니다."

홈즈는 좌석에 등을 기댔고 두 사람의 대화는 그렇게 끝났다. 잠시 후 마차는 별장 같은 집 앞에 멈춰 섰는데, 그 집은 도로에 면해 있고 추녀가 달린 아담한 붉은색 벽돌 건물이었다. 멀리 조련장 건너편으로 회색 지붕을 한 별채가 하나 보였으며, 거기가 마구간인 것 같았다. 사방을 둘러보아도 메마른 식물들로 뒤덮인 칙칙한 색깔의 황무지만 굽이굽이 언덕을 이루면서 펼쳐져 있고, 지평선까지 뻗어 있는 그곳에서 눈을 가로막는 것이라고는 타비스톡 교회의 뾰족한 첨탑과 서쪽 방향에 줄지어 서 있는 케이플턴의 마구간 건물들밖에는 없었다.

우리는 모두 마차에서 내렸는데 홈즈는 아직도 시선을 하늘로 향한 채 좌석에 등을 기댄 그대로 무슨 생각에 빠져 있는지 내릴 줄을 몰랐다. 내가 그의 팔을 잡았을 때에야 그는 정신을 차리고 마차에서 내렸다.

"내참, 실례했습니다."

홈즈가 로스 대령을 쳐다보며 말했다.

"대낮에 꿈을 꾸고 있었는지, 원……."

그렇게 말하면서도 홈즈의 눈빛엔 뭔가 명쾌한 빛이 번쩍이고 있었으며, 솟구치는 감정을 억누르고 있는 것 같은 기색이 엿보였다. 그의 기질을 잘 알고 있는 내가 보기엔 그가 무슨 단서를 잡은 게 틀림없는데 어떤 점에서 단서를 얻어냈는지는 짐작이 가지 않았다.

"홈즈 씨, 곧바로 범행 현장으로 가시겠습니까?"

그레고리 경감이 물었다.

"아니요. 잠깐 여기서 몇 가지 물어보고 싶은 것이 있습니다. 스트레이커의 시신은 이곳으로 옮겨 놓았겠죠?"

"네, 이층에 안치되어 있습니다. 내일 검시가 있거든요."

"스트레이커가 댁에서 오랫동안 일했었죠, 로스 대령님?"

"네, 아주 성실하게 일했습니다."

"경감님, 스트레이커의 옷 주머니에 뭐가 들어 있었는지 조사는 하셨겠죠?"

"네, 그 소지품들은 그가 사용했던 방에 갖다 놨으니까 보시고 싶으면 가시죠."

"물론입니다."

우리는 모두 현관의 홀을 지나 그 방으로 가서 테이블 가에 둘러앉았다. 경감은 네모난 작은 양철 상자를 열쇠로 열고 그 안의 물건들을 꺼내 테이블 위에 늘어놓았다. 밀초 성냥 한 갑, 2인치 가량 되는 동물기름으로 만든 초, A D P 라고 새겨진 담배 파이프, 길게 썬 담뱃잎 반 온스 정도를 담은 물개가죽 쌈지, 금줄이 달린 금시계, 소브린(1파운드) 금화 다섯 개, 알루미늄 필통, 종이쪽지 몇 개, 그리고 손잡이가 상아로 돼 있으며 가늘고 날카로우면서 잘 휘어지지 않는 칼이 하나 있었는데, 거기엔 '런던 와이스 회사' 라는 상표가 찍혀 있었다.

"아주 특이한 칼인데."

홈즈가 칼을 집어들어 찬찬히 살펴보면서 말했다.

"핏자국이 묻어 있는 걸 보니까 피해자가 쥐고 있었던 것 같은데, 왓슨, 이 칼은 아무래도 자네 분야인 것 같네."

"이건 의사들이 백내장 메스라고 부르는 걸세."

"내 생각이 맞았군. 무척 정교한 걸 보니까 아주 미세하고 복잡한 수술을 할 때 쓰이는 칼인 것 같아. 그런데 싸움이 일어난 곳에 나간 남자가 이런 칼을 가지고 있었다는 게 이상하네. 접어서 주머니에 넣을 수 있는 것도 아닌데."

"칼을 집어넣는 코르크 케이스가 시신 옆에 떨어져 있었어요."

경감이 말했다.

"그의 아내 말로는, 그 칼이 며칠 전부터 화장대 위에 있었는데 스트레이커가 갑자기 나가면서 그걸 가지고 갔다고 합니다. 무기로는 약하지만 주변에 보이는 것 중에는 그게 가장 좋을 것 같으니까 얼른 집었겠죠."

"그럴지도 모르겠네요. 이 쪽지는 뭡니까?"

"세 장은 건초 가게의 계산서인데 지불이 다 끝난 것으로 돼 있고요, 한 장은 로스 대령이 건넨 지시 사항입니다. 나머지 한 장은 런던 본드 거리에 있는 마담 레슈리에의 양장점에서 윌리엄 다비셔 앞으로 발행한 삼십칠 파운드 십오 실링짜리 계산서입니다. 스트레이커 부인의 말로는 다비셔라는 사람이 남편의 친구인데, 가끔 이곳으로 그에게 오는 편지가 배달돼 왔다고 하더군요."

"다비셔 부인은 꽤 사치스러운 여자인 것 같네요."

홈즈는 계산서를 들여다보며 말했다.

"옷 한 벌에 이십이 기니면 엄청난 값이죠. 그럼, 이제 여기는 더 조사할 게 없을 것 같으니까 범죄 현장으로 가 봅시다."

모두 거실에서 나가자 복도에서 기다리고 있던 스트레이커 부인이 다가오며 경감의 팔을 붙잡았다. 안색이 몹시 창백하고 초조해 보였으며 사건으로 인한 공포의 그림자가 역력히 남아 있었다.

"저기…… 붙잡혔나요?"

부인은 숨 쉬기도 어려운 듯 말했다.

"아니요. 아직 못 잡았습니다, 부인. 하지만 런던에서 홈즈 씨가 이렇게 도와주시러 오셨으니까 최선을 다해 보겠습니다."

"전에 한 번 플리머스에서 원유회 때 뵌 걸로 압니다만, 부인."

홈즈가 그녀를 보며 말했다.

"아니요. 다른 사람으로 착각을 하신 것 같네요."

"아, 그렇습니까? 저는 확실히 만나 뵌 걸로 기억을 하는데, 왜냐하면 그때 회색 실크 옷에 타조 털이 달린 옷차림을 하고 계셨거든요."

"저는 그런 옷을 입은 적이 없어요."

부인이 대답했다.

"아, 그러면 제가 착각한 게 틀림없군요."

홈즈는 그렇게 사과하고는 경감을 따라 밖으로 나갔다. 우리는 얼마간 황무지를 걸어 스트레이커의 시신이 발견된 장소에 도착했다. 움푹 파인 그곳 옆으로 스트레이커의 외투가 걸려 있었다는 바늘금작화 덤불이 있었다.

"그날 밤에 바람은 없었군요?"

홈즈가 말했다.

"네, 바람은 없었지만 비가 억수로 내렸죠."

"그렇다면 외투가 바람에 날아가 저기 바늘금작화 위로 걸린 게 아니라 누군가가 갖다 놓은 거네요."

"네, 분명히 저 관목 위에 놓여 있었어요."

"참 재미있는 일이네요. 그리고 땅이 엄청 짓밟혀 있는데, 월요일 밤 이후로 여러 사람이 이곳을 걸어다녔습니까?"

"여기에다 이렇게 거적을 깔고 모두들 그 위로 다니기로 했었죠."

"그거 아주 잘 하셨습니다."

"이 가방 속에다 스트레이커가 신고 있었던 신발 한 짝 하고 피츠로이 심프슨의 신발 한 짝 그리고 은성호의 발굽쇠 하나를 가져 왔습니다."

"허허! 정말 잘 하셨습니다, 경감님."

홈즈는 경감이 내민 가방을 받아 움푹 파인 곳으로 내려가더니 거적을 그곳으로 끌어당겨 내렸다. 그리고 거적 위에 배를 대고 엎드린 다음 두 손으로 턱을 괴고는 바닥의 짓밟힌 진흙을 유심히 살펴보았다.

"아니! 이게 뭐지?"

그가 갑자기 외쳤다.

반쯤 타다 남은 밀초 성냥개비 하나가 진흙으로 범벅이 된 채 떨어져 있었는데, 얼른 보면 그냥 작은 나뭇조각 같았다.

"왜 그게 안 보였지."

경감은 당황하는 기색으로 말했다.

"이렇게 진흙에 파묻혀 있으니까 안 보였던 거죠. 나는 이것을 찾아내려고 마음먹었기 때문에 눈에 띈 겁니다."

"아니! 그걸 찾아내려고 처음부터 생각했었다고요?"

"그렇습니다. 있을 거라고 생각했죠."

홈즈는 가방에서 구두를 꺼내 진흙 위의 발자국에 대고 맞춰 보았다. 그리고 움푹한 곳의 가장자리로 기어 올라가 관목들 사이를 살펴보았다.

"이제 더는 다른 흔적이 없을 겁니다."

경감이 말했다.

"사방 100미터 안에는 제가 철저히 조사를 했거든요."

"네."

홈즈는 몸을 일으키며 말했다.

"경감님이 조사를 하셨다니까 더 이상 수색은 안 하겠습니다. 대신 내일 다시 올 때 이 부근을 잘 알 수 있도록 지금 더 어두워지기 전에 여기 황무지를 좀 산책해 보고 싶습니다. 그리고 이 말굽쇠는 행운의 부적으로 내가 주머니에 넣어 두겠습니다."

로스 대령은 홈즈가 마치 이 잡듯이 꼼꼼히 확인해 가는 조사 방식이 못마땅한지 약간 짜증스러워하는 눈치를 내보이며 시계를 들여다보았다.

"경감님은 저랑 같이 가시죠. 몇 가지 말씀드리고 싶은 게 있어서요. 그리고 은성호를 이번 출전에서 빼는 것이 사람들에 대한 의무가 아닐까 하는 생각이 드는데요."

"그럴 필요는 절대로 없습니다."

홈즈가 끼어들어 단호하게 말했다.

"제가 보증할 테니까 그냥 놔 두십시오."

홈즈의 말에 대령이 가볍게 허리를 굽히며 말했다.

"아, 그렇습니까? 굉장히 기분 좋은데요. 그럼 스트레이커의 집에서 기다리고 있을 테니까 산책 끝나는 대로 그리로 오십시오. 함께 마차로 타비스톡에 가면 되니까요."

대령과 경감이 떠난 후 홈즈와 나는 황무지를 천천히 걷기 시작했다. 태양이 케이플턴 마구간 저편으로 지고 있었다. 완만한 구릉을 이루며 앞에 펼쳐져 있는 평원은 금빛으로 물들어 있고, 말라서 죽은 덤불들과 가시나무들은 저녁 햇빛을 받아 불그스레한 색깔을 띠면서 마치 불에 타고 있는 것처럼 보였다. 그러나 깊은 생각에 빠져 있는 내 친구에게는 이 찬란한 광경도 한낱 메마른 풍경에 지나지 않았다.

"방법은 이렇게 되네, 왓슨."

한참 후에 그가 입을 열었다.

"누가 존 스트레이커를 죽였느냐 하는 문제는 잠시 접어 두고, 말이 어떻게 되었는가를 우선적으로 생각해 보기로 하세. 그런데 말이 격투가 벌어지는 동안이든 또는 그 후든 달아난 걸로 생각한다면 도대체 어디로 갔을까? 말은 군집성이 강한 동물이라서 혼자라도 그냥 내버려 두면 스스로 본능에 이끌려 킹즈 파이랜드로 돌아가거나 했을 거야. 무턱대고 이 황무지를 헤매고 있지는 않을 거란 얘기지. 만약 헤매고 있었다면 그동안 누군가의 눈에 띄었을 게 틀림없어. 그리고 집시들이 그 말을 유괴할 이유가 있을까? 집시들은 경찰에게 시달림을 받는 걸 싫어하기 때문에 무슨 사건이 났다는 소문만 들려도 오히려 당장 그 지역을 떠나고 만다네. 게다가 이런 유명한 말은 팔려고 해도 팔 수가 없어. 그러니까 말을 끌고 가는 건 위험한 일이 될 뿐이지. 아무런 도움도 안돼."

"그럼, 말이 어디에 있을까?"

"내 생각엔 킹즈 파이랜드로 돌아갔거나 케이플턴으로 갔을 것 같네. 그런데 킹즈 파이랜드에는 없으니까 분명히 케이플턴으로 갔을 거야. 이걸 우선 앞으로 행동하는 데 가정으로 삼고 일이 어떻게 진행되어 가는지 보기로 하세. 이 근처는 경감도 말했듯이 황무지 중에서도 땅이 아주 단단하고 메말라 있는 곳이야. 그리고 케이플턴 쪽으로 갈수록 낮아지는데, 저기만 해도 꽤 넓게 움푹 파인 곳이 있지. 월요일 밤엔 저 움푹한 곳이 분명히 아주 질퍽거렸을 거야. 만약 우리의 가정이 옳다면, 말은 틀림없이 저기를 지나갔을 테니까 말발굽 자국이 반드시 남아 있을 거네."

우리는 얘기를 하면서도 계속 걷고 있었는데, 이삼 분 후쯤엔 문제의 그 움푹한 곳에 도착해 있었다. 홈즈의 요구대로 나는 움푹한 곳의 오른쪽 가장자리로 내려갔고 홈즈는 왼쪽으로 내려갔는데, 오십 발짝도 가기 전에 홈즈가 외치는 소리가 들렸다. 뒤돌아보니까 그가 오라는 손짓을 하고 있었다. 말발굽 자국이 질척거리는 땅 위에 선명히 찍혀 있는 게 보였다. 홈즈는 주머니에서 말굽쇠를 꺼내 거기에 대고 맞춰 보았다. 정확히 들어맞았다.

"이만하면 상상력의 가치를 알겠지."

홈즈가 말했다.

"그레고리에게는 이 능력이 부족한 걸세. 우리는 우선 무엇이 생길 수 있는가를 상상하고 그 가정을 바탕으로 해서 행동했는데, 결국 가정이 옳았다는 것을 확인한 셈이지. 자, 이제 나가세."

우리는 다시 물렁물렁한 저지대를 지나 메마르고 단단한 풀밭을 400미터쯤 걸어갔다. 그곳에 다시 비탈진 곳이 있었고, 그리고 말발굽 자국도 찾아냈다. 그런 다음 800미터 정도까지는 아무것도 보이지 않았고, 케이플턴에 가까이 이르렀을 때 또 그것을 발견했다. 처음 발견한 건 홈즈였는데, 그는 자랑스러운 표정으로 손가락질을 해 보였다. 말발굽 자국 옆에 남자의 발자국이 나란히 찍혀 있었던 것이다.

"이제까지는 말발굽 자국밖엔 없었는데!"

내가 큰소리로 말했다.

"그렇지. 지금까지는 말발굽 자국뿐이었지. 그런데 이게 뭐지?"

자국으로 봐서는 사람과 말의 발자국 모두가 갑자기 방향을 바꿔 킹즈 파이랜드 쪽으로 향하고 있었다. 홈즈가 휘파람을 불었다. 우리는 그 발자국을 따라 걷기 시작했다. 홈즈의 눈은 발자국만 따라가고 있었다. 나도 열심히 따라가다가 문득 옆쪽을 쳐다봤더니 놀랍게도 약간 떨어진 곳에 같은 발자국이 또다시 케이플턴 쪽으로 향하고 있는 게 보였다.

"잘했네, 왓슨! 덕분에 헛걸음을 안 해도 되니 말일세. 그 발자국을 따라가 보세."

그런데 많이 걷지 않아도 되었다. 발자국은 케이플턴 마구간의 문으로 연결되는 아스팔트 도로 입구에서 끊겨 있었기 때문이다. 마구간으로 다가가자 마부 한 사람이 뛰어나왔다.

"여기는 아무나 오는 곳이 아니오."

그 마부가 소리쳤다.

"뭐 좀 물어볼 게 있어서요……."

홈즈가 엄지손가락과 집게손가락을 조끼 주머니에 넣으면서 말했다.

"사일러스 브라운 씨를 만나 보고 싶은데, 내일 아침 다섯 시에 찾아오면 너무 빠를까요?"

"아니, 괜찮습니다. 그때는 반드시 만나실 수 있습니다. 주인님은 항상 제일 먼저 일어나시거든요. 아, 주인님이 나오시네요. 그럼 직접 물어보시는 게 좋을 것 같습니다. 아니, 안 됩니다! 당신에게 돈을 받았다는 걸 주인님이 아는 날엔 제 목이 달아나니까요. 또 볼 일이 있으시면 나중에……."

셜록 홈즈가 주머니에서 꺼낸 반 크라운짜리 은화를 다시 집어넣고 있는데, 나이가 좀 든 남자가 험상궂은 얼굴로 사냥용 채찍을 휘두르며 씩씩거리면서 문에서 나오고 있었다.

"무슨 일이야, 도슨?"

그 남자가 소리쳤다.

"쓸데없는 소리 말고 가서 일이나 해! 일 하라고! 그런데 당신들은 무슨 일로 오셨죠?"

"주인 되시나요? 십 분쯤 얘기를 하고 싶은데요."

홈즈는 무척 차분한 목소리로 말했다.

"볼일 없는 사람들과는 얘기할 시간 없는데요. 여기는 아무나 오는 곳이 아니란 말이오. 돌아가시오. 가지 않으면 개를 풀어 놓을 테니까."

홈즈는 몸을 앞으로 구부려 조련사인 사일러스 브라운의 귀에 대고 무슨 말인가를 속삭였다. 상대가 별안간 멈칫 하더니 얼굴이 새빨갛게 변해 갔다.

"거짓말이오!"

그가 고함을 질렀다.

"그건 터무니없는 거짓말이오!"

"좋아요! 그럼 여기서 시원하게 얘기를 할까요, 아니면 안으로 들어가서 얘기할까요?"

"괜찮으시면 안으로 들어오십시오."

"네, 좋으실 대로 하시죠."

홈즈는 한쪽 눈을 찡긋하며 말했다.

"왓슨, 이삼 분만 여기서 기다리게."

그들이 나오기까지 이십 분은 족히 걸렸다. 홈즈와 조련사가 나왔을 때는 황무지에도 붉은빛이 완전히 사라지고 잿빛으로 물들고 있었다. 그 짧은 시간 동안 사일러스 브라운은 완전히 다른 사람이 되어 있었는데, 나는 일찍이 그런 것을 본 적이 없었다. 얼굴은 잿빛이 되어 있고 이마에는 구슬땀이 맺혀 있으며 두 손을 부들부들 떨고 있었는데, 그가 들고 있는 사냥 채찍이 마치 바람 속의 작은 나뭇가지처럼 보였다. 교만하고 난폭한 조금 전의 태도는 눈 씻고 봐도 찾을 수가 없고, 주인 앞에 서 있는 개처럼 홈즈 옆에 얌전히 서 있을 뿐이었다.

"네, 지시대로 하겠습니다. 꼭 할 겁니다."

조련사가 말했다.

"차질 없도록 잘 하시오."

홈즈는 브라운을 예리하게 쳐다보며 말했다. 조련사는 홈즈의 눈빛에서 위협을 느끼는지 다시금 두려운 태도를 내보였다.

"네, 네, 절대 차질 없도록 하겠습니다. 꼭 출전시키겠습니다. 그리고 그건 처음부터 바꿀까요, 아니면……."

홈즈는 잠시 생각하는가 싶더니 갑자기 웃기 시작했다.

"아니, 그럴 필요는 없어요. 그건 나중에 내가 다시 편지로 알려줄게요. 이젠 장난을 쳐선 안 돼요. 그러다간……."

"아니요. 그건 아니고…… 믿어 주세요."

"그날은 완전히 당신 것처럼 소중하게 다뤄 줘야 합니다. 안 그러면 곤란해지니까."

"네, 염려 마십시오."

"좋아요, 믿어 보겠소. 그럼 내일 편지를 보낼 테니까."

홈즈는 조련사가 떨리는 손으로 악수를 청하는데도 모른 척하고 얼른 몸을 돌려 버렸다. 우리는 킹즈 파이랜드를 향해 떠났다.

"저 사일러스 브라운이란 놈 말이야, 거만하고 음흉하고 하여튼 못된 것만 다 갖추고 있는 저런 놈은 내 생전 처음 봤구먼."

돌아가는 길에 홈즈가 말했다.

"그러니까 저놈이 말을 갖고 있단 말이지?"

"처음에는 자꾸만 딴소리를 하면서 나를 속이려고 해서 내가 그날 아침에 그놈이 한 행동을 정확하게 말해 줬더니 내가 보고 있었던 줄로 알더라니까 글쎄. 우리가 확인한 발자국 가운데 이상하게 네모난 모양의 발부리 자국이 있었던 것하고, 저놈 구두가 바로 그 모양이었다는 것, 자네는 물론 알아차렸겠지. 그리고 또 남의 밑에서 일하고 있는 녀석이 이렇게 엄청난 짓을 감히 하다니, 말도 안되는 소리지. 그래서 내가 이런 얘기를 해주었네.

그는 늘 하는 습관대로 아침에 제일 먼저 일어나 밖을 내다봤는데, 황무지에 웬 낯선 말 한 마리가 저만치서 보였다. 그래서 나가 봤더니 말의 이마가 흰색이었는데 – 은성호라는 이름도 이마의 흰색 무늬에서 비롯된 것이지만 – 가만 생각해 보니까 자신이 큰돈을 걸고 있는 말의 유일한 강적이 그 말이란 걸 깨달았다. 그는 그 유명한 말이 지금 자기 손아귀에 있다는 걸 알고는 깜짝 놀랐지만, 처음에는 그래도 킹즈 파이랜드에 그 말을 데려다 줄 생각이었다. 하지만 별안간 나쁜 마음이 들면서 경기가 끝날 때까지 숨겨 두어야겠다는 생각을 하게 됐고, 그래서 결국 케이플턴으로 데리고 가 숨겼다. 여기까지 내가 얘기를 해주었네. 내가 이렇게 자세한 점까지 족집게로 집어 내듯 말해 주니까 녀석이 결국 두 손을 들더구먼. 그러면서 어떻게 하면 처벌을 면할 수 있겠느냐고, 줄곧 그 말만 하지 뭔가."

"그런데 그 마구간도 조사를 받았을 거 아닌가?"

"아니야. 그놈만큼 요령이 좋으면 어떻게 해서든 말을 빼돌릴 방법도 있겠지."

"하지만 브라운에게 그 말을 맡겨 놓는 게 자네는 걱정도 안 되나? 말에게 상처라도 입히면 어떻게 하려고? 아무튼 그놈한테는 그게 이익이 될 테니까 말이야."

"걱정 안 해도 되네. 브라운은 그 말을 보물처럼 소중히 다룰 거야. 처벌을 조금이라도 경감시키려면 말을 무사히 돌려주는 것밖엔 방법이 없다는 걸 본인이 잘 알고 있으니까."

"로스 대령한테서 느껴지는 걸로 봐서는 아무래도 웬만큼 봐줄 것 같지는 않던데."

"이건 로스 대령이 결정할 일이 아니라네. 나는 내 방식대로 할 생각이니까 어느 정도로 얘기해 줄지도 내가 정해야겠지. 공무원이 아니라 이런 건 편하군. 왓슨, 자네가 눈치챘는지 모르겠는데, 로스 대령이 나를 대하는 태도 말이야. 좀 거만한 것 같아. 그래서 그 사람을 좀 놀려 주고 싶네. 그 사람한테는 말에 대해 아무 말도 하지 말게."

"알았네. 자네가 말하기 전까진 가만히 있지 뭐."

"물론 이건 존 스트레이커를 누가 죽였는가 하는 문제에 비해서는 아주 사소한 문제지."

"그럼 이제부터는 그 문제에 집중할 작정이군."

"천만에. 그건 아니고, 이제 우리는 밤기차로 런던으로 돌아갈 거네."

홈즈의 그 말에 나는 너무 놀라 자빠질 뻔했다. 데번셔에 온 지 두세 시간밖에 안 된데다, 시작부터 이 정도로 놀라운 성과를 거두고 있는 수사를 중단하고 간다는 게 나로서는 도저히 이해할 수 없는 일이었기 때문이다. 그래서 나 나름대로 몇 가지를 그에게 물어봤지만 더 이상은 무슨 말인지 알아낼 수가 없었다. 그러는 동안 우리는 벌써 스트레이커의 집에 도착해 있었다. 대령과 경감은 거실에서 우리를 기다리고 있었다.

"왓슨과 저는 오늘 밤 급행 열차로 런던으로 돌아가겠습니다."

들어가자마자 홈즈가 말했다.

"당신들 덕분에 다트무어의 독특한 공기를 잠시 호흡할 수 있었습니다."

그레고리 경감은 눈을 크게 뜨고 놀란 표정을 지었으며 대령은 말문이 막혔는지 입술만 삐죽거렸다.

"스트레이커의 살해범이 잡히지 않으니까 수사를 포기하시는 거군요."

대령이 말했다.

홈즈는 어깨를 들썩여 보인 후 말했다.

"엄청나게 곤란한 것만은 사실입니다. 하지만 어쨌든 간에 화요일 경마대회에 당신 말이 출전하는 것만은 분명하니까, 기수나 빨리 찾아보시죠. 나는 존 스트레이커의 사진이나 한 장 빌려가겠습니다."

경감은 주머니의 봉투에서 사진 한 장을 꺼내 홈즈에게 건넸다.

"아, 경감님은 내가 필요한 것을 항상 이렇게 미리 준비해 놓고 계시니 정말 고맙습니다. 그럼 잠깐만 여기서 기다리고 계십시오. 나는 하녀한테 가서 몇 가지 질문을 하고 오겠습니다."

"런던에서까지 일부러 탐정을 불렀는데 이렇게 기대가 무너지다니."

홈즈가 거실을 나가자 로스 대령이 노골적으로 불만을 터뜨렸다.

"저 사람이 온 후로 수사가 진척된 게 하나도 없잖습니까?"

"아니, 당신 말이 대회에 나가는 것만큼은 그가 해결을 했잖소."

듣다 못해 내가 한마디 했다.

"하긴 그러네요."

대령은 어깨를 움츠리며 말했다.

"그래도 그것보다는 하루 빨리 말을 찾고 싶네요."

내가 홈즈를 위해 막 반박을 하려고 하는데 그가 돌아왔다.

"여러분, 내가 할 일은 모두 끝났습니다. 그럼 이제 타비시톡으로 돌아갈까요?"

우리가 마차에 올라타는 동안 마부가 문을 잡고 있었다. 그때 갑자기 무슨 생각이 떠올랐는지 홈즈가 몸을 앞으로 내밀면서 마부의 소매를 잡아당겼다.

"저기 말 울타리 안에 양들도 좀 있네요. 저건 누가 키우는 거죠?"

홈즈가 묻자 마부가 대답했다.

"아, 그거 제가 키우는 겁니다."

"요즘 양들한테 무슨 이상한 일은 없었나요?"

"아 네, 큰일은 아닌데, 양 세 마리가 절룩거리고 있거든요."

홈즈는 회심의 미소를 지으며 두 손을 대고 비벼 댔다.

"왓슨, 광맥을 찾았네. 광맥을 찾았어."

내 팔을 움켜잡으면서 홈즈가 속삭였다.

"그레고리 경감님, 양들한테 이상한 전염병이 생긴 것 같으니까 조심하세요. 자, 출발합시다!"

로스 대령은 여전히 내 친구의 능력을 무시하고 있는 태도가 엿보였지만, 경감의 얼굴에는 뭔가를 알아챈 듯한 눈치가 역력히 드러나고 있었다.

"당신은 그걸 중대한 문제로 보시는 거죠?"

경감이 물었다.

"네, 아주 중대하죠."

"그럼 제가 신경 써야 할 다른 문제는 없습니까?"

"그날 밤에 개가 이상한 행동을 보였겠죠."

"아니요. 개는 그날 밤에 아무 짓도 안 했는데요."

"그게 바로 이상하다는 겁니다."

셜록 홈즈가 대답했다.

그로부터 나흘 후, 홈즈와 나는 웨섹스 컵 경마대회를 보기 위해 또다시 윈체스터로 가는 기차를 탔다. 로스 대령은 약속한 대로 역 앞에서 기다리고 있었다. 우리는 네 마리의 말이 끄는 대령의 마차를 타고 교외에 있는 경마장으로 향했다. 대령은 시무룩한 표정으로 별 말도 없이 부정적인 태도였다.

"제 말은 전혀 안 보이는데요."

대령이 말했다.

"보면 금방 알아보시겠죠?"

홈즈가 물었다.

여전히 어두운 얼굴로 대령이 대답했다.

"이십 년이나 경마를 해왔습니다만 그런 질문은 처음 받는데요. 흰색 이마와 오른쪽 앞다리의 반점을 보면 어린애라도 그게 은성이라는 걸 금방 알 수 있죠."

"내기는 어떻게 돼 가고 있습니까?"

"글쎄, 그 점이 좀 이상한데요. 어제 같으면 15대 1도 됐을 텐데, 성적이 점점 안 좋아져서 지금은 3대 1도 어려울 것 같은데요."

"음! 뭔가 알고 있는 놈이 분명히 있어."

홈즈가 중얼거리듯 말했다.

마차가 장내에 들어가 스탠드 앞에 멈춰 섰을 때, 나는 출전 게시판을 올려다봤다. 거기엔 아래와 같이 쓰여 있었다.

〈웨섹스 컵 대회

각 말마다 50소브린, 1착에 부상으로 1천 소브린, 4, 5살 된

말 출전.

2착에 300파운드, 3착에 200파운드, 3코스(2.6킬로미터)

1. 히스 뉴턴 씨의 니그로 호(빨간 모자, 황갈색 옷)

2. 워들로 대령의 권투가 호(분홍 모자, 청흑색 소매)

3. 백워터 경의 데스버라 호(노란 모자, 노란색 소매)

4. 로스 대령의 은성 호(검은 모자, 빨간색 옷)

5. 발모럴 공작의 아이리스 호(황흑색 줄무늬)

6. 싱글포드 경의 라스파 호(자주색 모자, 검정색 소매)〉

"우리는 또 다른 말도 출전을 취소시키고 당신 얘기에만 전부 기대를 걸고 있습니다."

대령이 말했다. 그리고는 곧바로 소리를 질렀다.

"뭐라고? 아니, 도대체 무슨 소리야? 은성이 우승 후보라고?"

그때 관중석에서 고래고래 소리를 질러 댔다.

"5대 4로 은성! 5대 4로 은성! 15대 5로 데스버라! 은성이 빠지면 5대 4!"

"전부 여섯 필이 달리고 있군요."

"전부 여섯 필이라고? 그럼, 우리 말도 달리는 겁니까?"

대령은 흥분해서 크게 소리쳤다.

"그런데 왜 은성이 안 보이지? 우리 색깔의 기수도 안 보이잖아요?"

"아직 다섯 필만 지나갔으니까요. 이번에 나오는 게 틀림없습니다."

내가 이렇게 말하고 있을 때, 늠름한 모습의 갈색 말이 막 계량소에서 뛰어나오고 있었다. 그 말은 로스 대령의 색깔인 검은 모자와 빨간색 옷을 입은 기수를 등에 태우고 우리 앞으로 달려 지나갔다.

"저건 내 말이 아니야!"

대령이 외쳐댔다.

"이마에 흰색 별이 없잖아요, 홈즈 씨? 당신 도대체 무슨 짓을 한 겁니까?"

"잠깐만요! 저 말이 어떻게 달리는지 한번 봅시다."

내 친구는 조금도 흥분하지 않고 그렇게 말하면서 내 쌍안경을 집어 들어 눈에 대고는 한동안 뚫어지게 쳐다보았다. 그러더니 갑자기 소리를 질렀다.

"와, 멋지다! 스타트가 훌륭해! 저기 봐, 왔다, 코너를 돌아오고 있어!"

대령의 마차 위에서는 말이 직진 코스로 들어오고 있는 광경이 아주 잘 보였다. 여섯 마리의 말은 한 장의 카펫으로도 가릴 수 있을 만큼 바짝 붙어 있었는데, 한순간 케이플턴의 노란색 데스버라가 선두로 박차고 나왔다. 그러다가 우리 앞을 지나갈 무렵에는 데스버라가 힘이 빠지면서 속력이 줄어들었고, 대신 대령의 말이 선두로 나서면서 다른 말들을 따돌리고 넉넉히 결승점을 지났다. 발모럴 공작의 아이리스는 훨씬 뒤처져 3등으로 들어왔다.

"어쨌든 내가 승리한 거다!"

대령은 한쪽 눈을 문지르며 숨차게 외쳐 댔다.

"그런데 솔직히 말해서 뭐가 뭔지 도무지 모르겠네요, 홈즈 씨. 이제 그만 좀 설명해 주시면 좋겠습니다."

"그러죠. 전부 다 얘기해 드리겠습니다, 대령. 모두 저쪽으로 가서 말을 보기로 합시다. 네, 저기 있네요."

말 주인과 그의 동행인만 출입할 수 있는 계량소로 들어가면서 홈즈가 말을 이었다.

"자, 이 말의 얼굴과 발을 알콜로 씻어내 주면 은성의 본래 모습을 보게 될 겁니다."

"아니, 세상에, 이럴 수가!"

"어떤 사악한 놈이 숨겨 둔 걸 내가 찾아냈죠. 그리고 내 멋대로 이렇게 출전시킨 겁니다."

"정말 놀라운 능력이십니다. 말 상태도 좋은 것 같은데요. 오히려 지금까지 본 중에 가장 좋은 상태인 것 같습니다. 솔직히 당신의 능력을 의심했는데, 뭐라고 죄송한 말씀을 드려야 할지 모르겠습니다. 너무나도 소중한 말을 찾아 주셨는데, 이젠 스트레이커의 살해범만 찾아주시면 저는 정말 너무나 고맙겠습니다."

"그것도 찾아 놨지요."

홈즈는 아무런 표정도 없이 말했다. 대령과 나는 깜짝 놀라며 그의 얼굴만 멍하니 쳐다보았다.

"잡았다고요! 그자가 어디에 있는데요?"

"여기에 있습니다."

"여기에? 어디 말입니까?"

"지금 바로 저와 함께 있지요."

순간 대령이 당황하며 말했다.

"홈즈 씨, 제가 당신의 은혜를 입은 것은 충분히 알고 있습니다. 하지만 농담이 지나치시군요. 저에게 뒤집어씌우는 겁니까?"

셜록 홈즈는 웃으며 말했다.

"당신을 범인으로 생각하는 건 절대 아닙니다, 대령. 범인은 바로 당신 뒤에 서 있습니다!"

홈즈는 대령의 뒤쪽으로 가더니 명마 은성호의 매끈한 목에 손을 가져다 댔다.

"아니, 말이!"

"그렇습니다. 살해범은 바로 이 말입니다. 정당방위였지요. 이 말의 죄를 가볍게 하기 위해 미리 말씀드린 겁니다. 존 스트레이커는 당신이 믿는 만큼 그런 사람은 못 됐어요. 그런데 벨리 울리고 있군요. 나는 다음 레이스에 돈을 걸었기 때문에 좀 따야겠습니다. 자세한 설명은 나중에 한숨 돌리고 나서 천천히 해드리기로 하죠."

그날 밤 우리는 침대차에 자리를 잡고 앉아 런던으로 돌아가고 있었다. 하지만 그 여행은 밤 내내 얘기를 하느라 전혀 지루할 새가 없었다. 그건 로스 대령도 나와 똑같이 느꼈을 것 같았다. 홈즈는 그 월요일 밤 다트무어의 마구간에서 벌어진 사건과 그가 수사를 했던 내용들에 대해 하나하나 모든 줄거리를 들려주었다.

"사실 신문 보도에 나온 걸 가지고 내가 세웠던 가설들은 전부 잘못돼 있었습니다. 신문 기사에도 제대로 암시가 되어 있긴 했지만 여러 가지 다른 사항 때문에 본래의 의미가 가려져 있었던 거죠. 나는 피츠로이 심프슨이 진범이라고 확신하고 데번셔로 갔던 겁니다. 물론 증거가 불충하기는 했지만 말이죠.

내가 양고기 카레 요리가 갖는 극히 중요한 의미에 대해 생각이 미쳤던 건, 스트레이커의 집 앞에 도착해 마차 안에 있었을 때였어요. 그때 다른 분들이 다 내렸는데도 내가 혼자 멍하니 앉아 있었던 것 기억나시죠? 난 그때 새삼 깜짝 놀라고 있었는데, 그렇게 명료한 단서들이 있는데도 왜 그걸 무심히 흘려보아 넘겼을까 하는 생각이 들었기 때문이었습니다."

"무슨 말씀을 하고 계신 건지, 저로서는 아직도 뭐가 뭔지 솔직히 모르겠습니다."

대령이 말했다.

"그러니까 그게 내 추리 과정에서 첫 번째 실마리가 되었다는 얘깁니다. 아편 가루의 맛을 못 느끼는 건 절대 아닙니다. 맛이 고약하지는 않지만 아편이라는 걸 금방 알 수 있거든요. 보통은 그게 요리에 들어가면 당장 알아차릴 수 있을 정도죠. 그러니까 카레는 바로 그 맛을 감춰 주는 좋은 수단이 됐던 겁니다. 그런데 전혀 낯선 인물인 피츠로이 심프슨이 그날 밤에 조련사 가족들로 하여금 카레 요리를 먹도록 만든다는 것은 아무리 생각해 봐도 있을 수 없는 일이죠. 그렇다고 해서 아편의 맛을 없애 주는 요리가 나왔을 때 때마침 심프슨이 아편 가루를 가지고 그곳에 와 있었다는 것도 너무나 억지 생각이라고밖에는 할 수가 없는 거죠. 그런 일은 있을 수 없지요.

따라서 심프슨은 이 사건에서 제외시켰습니다. 그렇게 되면 이제 우리의 목표는 그날 밤의 요리로 양고기 카레를 선택할 수 있었던 두 사람, 즉 스트레이커 부부에게로 모아집니다. 똑같은 음식을 먹었어도 다른 사람들한테는 아무 문제가 없었다면, 그건 아편이 마구간지기의 음식에만 들어갔다는 얘기가 됩니다. 그럼 하녀에게 들키지 않고 그 접시에 아편을 넣을 수 있는 사람은 둘 중 누구일까요?

이 문제를 풀기 전에 나는 개가 짖지 않았다는 사실에 생각이 미쳤습니다. 그건 보통 중요한 일이 아니거든요. 추리 하나가 제대로 서면 거기엔 다시 몇 개의 추리가 반드시 따르게 됩니다. 심프슨 때문에 나는 마구간 옆에 개가 있다는 걸 알게 됐는데, 누군가가 마구간에 들어가서 말을 끌어내는데도 그 개가 짖지를 않았다는 말씀이죠. 적어도 이층에서 자고 있는 마부 두 사람이 잠을 깰 만큼은 짖지 않았다는 얘기가 됩니다. 그렇다면 말을 끌어낸 자는 분명히 개가 잘 알고 있는 사람이었다는 거죠.

그래서 나는 밤중에 마구간에 가서 은성호를 끌어낸 인물은 존 스트레이커라고 확신하게 되었습니다. 그런데 도대체 무슨 이유 때문이었을까요? 그건 말하나마나 나쁜 목적이었던 거죠. 그런 게 아니라면 뭣 때문에 자신의 마부에게 약을 먹였겠습니까? 그런데도 여전히 '왜' 라는 문제에 부딪혔을 땐 나도 당혹스럽더군요. 조련사가 도박업자를 통해 자기 말이 아닌 다른 말에다 걸고, 그리고는 자기 말이 이기지 못하도록 꾀를 써서 큰돈을 버는 일들은 얼마든지 많이 있습니다. 기수한테 일부러 고삐를 당기라고 시키기도 하고요. 아니면 더 확실하고 교활한 방법을 쓰기도 하는데, 이번 경우엔 어떤 수법을 썼을까요? 나는 스트레이커의 주머니에서 나온 물건을 보고 결론을 얻을 수 있을 거라고 생각했습니다.

과연 내 생각이 맞더군요. 스트레이커의 손에 쥐어져 있었던 이상한 칼을 모두 기억하고 계시겠지만, 그건 아무리 봐도 보통 흔히 호신용으로 갖고자 하는 그런 칼은 아닙니다. 왓슨도 말했지만, 그건 외과에서도 가장 정밀한 수술을 할 때 사용하는 칼이죠. 스트레이커는 그날 밤에, 그야말로 정밀한 작업을 하려고 그 칼을 준비했던 겁니다. 아무런 흔적도 남기지 않고 말의 뒷다리 무릎 쪽에 작은 상처를 내는 일이 충분히 가능할 수 있다는 것을, 대령 당신은 아실 거라고 생각합니다. 경마에 대해 워낙 경험이 많으니까요. 말이 그런 상처를 입게 되면 가벼운 절름발이 증세를 나타내는데, 사람들은 보통 훈련 중에 근육이 뒤틀렸거나 아니면 가벼운 류머티즘에 걸린 것으로만 생각할 뿐 어떤 부정이 있어서 그런 거라고는 결코 생각하지 못합니다."

"세상에! 그런 악랄한 게 있나! 괘씸한 놈!"

대령은 치를 떨며 말했다.

"자, 그럼 존 스트레이커가 왜 말을 황무지로 끌고 갔는지 아시겠죠? 말처럼 혈기왕성한 동물은 칼끝으로 살짝만 건드려도 날뛰고 난리를 할 테니까 아무리 깊은 잠에 곯아 떨어져도 깨지 않을 수가 없습니다. 그래서 마구간에서 떨어진 넓은 장소가 필요했던 겁니다."

"내가 장님이었군!"

대령이 소리쳤다.

"그래서 초와 성냥을 가져갔던 거야."

"그렇습니다. 그런데 그의 소지품을 보고 저는 범행의 방법뿐 아니라 그 동기까지도 알 수가 있었습니다. 대령, 당신은 세상살이에 노련한 분이니까 잘 아시겠지만, 사람은 보통 남의 계산서를 주머니에 넣고 다니지는 않지요. 자기 계산서만 처리하는 것도 벅차니까요. 저는 그걸 보고 곧바로 스트레이커가 이중 생활을 하고 있고 딴 살림을 차리고 있다는 것을 직감했습니다. 계산서를 보니까 사치스러운 여자와 관련이 되어 있더군요. 당신이 고용인에게 아무리 월급을 많이 준다고 해도 그들이 자기 아내에게 이십 기니짜리 옷을 사 줄 수 있을까요? 그만한 신분은 아니라고 생각합니다. 스트레이커 부인에게 그 얘기는 안 하고 옷에 대해 슬쩍 물어봤더니, 자기한테 배달돼 온 옷이 아니라고 하더군요. 그래서 그 양장점의 주소를 적어 놓았죠. 그런 다음 스트레이커의 사진을 가지고 그 양장점에 가면 다비셔라는 수수께끼 같은 인물의 정체를 알 수 있을 거라고 생각했습니다.

그다음은 아주 간단합니다. 스트레이커는 말을 끌어낸 다음 램프불을 켜도 사람들 눈에 안 띄는 움푹한 곳으로 내려갔습니다. 잠깐, 그 얘기를 더 하기 전에, 심프슨이 도망치다가 넥타이를 떨어뜨렸다는 것을 말씀드리겠습니다. 스트레이커는 어디엔가 쓸 생각으로 그걸 주워 놓았습니다. 아마도 말의 발을 묶는 데 사용하려고 했겠죠. 그는 움푹한 곳에 들어가서는 곧 말의 뒤로 가서 성냥불을 그었는데, 갑자기 불빛이 번쩍이니까 말이 놀라면서 동물의 본능으로 뒷발을 찼던 겁니다. 자기 몸에 뭔가 위협이 가해지는 걸 느꼈기 때문이겠죠. 그때 말의 뒷발이 올라가면서 말굽쇠가 스트레이커의 이마에 정면으로 부딪쳤던 모양입니다. 비가 오고 있었는데도 스트레이커는 세밀한 작업을 하기 위해 재킷을 벗고 있었기 때문에, 넘어질 때 쥐고 있던 칼로 자기 허벅지를 베었던 것입니다. 자, 이제 모든 것을 분명히 설명했습니다."

"놀랍습니다!"

대령이 큰소리로 말했다.

"정말 놀라워요. 마치 그 장소에 계셨던 것 같습니다!"

"내가 마지막 단정을 내린 것은 솔직히 말해서 엄청 대담한 짓이었어요. 스트레이커처럼 약삭빠른 남자가 말의 힘줄에 상처를 내려는 그 복잡미묘한 작업을 한 번도 연습하지 않고 무모하게 덤빌 리가 없다는 생각이 떠올랐던 겁니다. 그럼, 무엇으로 연습 삼아 해 봤을까요? 내 시선은 바로 양 떼에 가서 멈췄습니다. 그래서 마부한테 물어봤더니 내 추측이 옳았더군요. 나 스스로도 너무나 놀랐죠."

"덕분에 모든 것이 확실해졌습니다, 홈즈 씨."

"런던에 가서 양장점을 찾아갔더니 스트레이커는 그 가게에서 다비셔라는 이름의 아주 큰 단골이더군요. 그에게는 물론 화려한 옷을 갖고 싶어 하는 사치스러운 아내가 있고 말이죠. 스트레이커는 빗에 허덕이다가 결국 파렴치한 짓을 저지르게 되었는데, 그 여자가 큰 이유가 되었다는 건 두 말할 필요도 없겠죠."

"다 알겠습니다만 아직도 한 가지 모르는 게 남아 있습니다."

대령이 말했다.

"말은 어디에 있었습니까?"

"말이요? 말은 그때 어디론가 도망쳤었는데, 근처의 어떤 사람이 데려다가 돌보고 있었죠. 그 점은 이해를 해주셔야 합니다. 아, 여기는 클라팜으로 가는 기차를 갈아타는 역인 것 같은데요. 이제 빅토리아 역까지는 십 분도 안 남았습니다. 대령, 우리 집으로 가서 시가라도 피우지 않겠습니까? 더 묻고 싶으신 게 있으면 뭐든 기꺼이 대답해 드릴 테니까 말이죠."

은퇴한 물감 제조업자

그날은 유독 셜록 홈즈가 몹시 우울하고 사색에 잠겨 있는 모습이었다. 무슨 일이든 빈틈이 없고 현실적인 사고방식을 가지고 있는 그가 이처럼 심각한 표정을 짓고 있는 것을 보면 틀림없이 무슨 일이 있었던 것 같았다.

"자네, 그 사람 봤나?"

홈즈가 물었다.

"방금 나간 그 노인 말이야?"

"그래."

"문에서 마주쳤네."

"자네가 보기엔 그 사람 어떻던가?"

"뭔가 걱정이 많은 듯 무기력하고 쇠약해 보이던데."

"잘 봤네, 왓슨. 그는 지금 슬픔에 싸여 있고 무기력하다네. 사실 인생이란 것이 결국은 슬픔에 차 있는 무기력한 것이 아닐까 하는 생각이 들어. 그 노인의 이야기는 모든 인간의 인생사를 대변해 주고 있다는 느낌이 드는구먼. 각자 다 나름대로 인생의 목표를 세워서 그걸 이루려고 안간힘을 쓰면서 살고 있잖은가. 그래서 결국 어찌어찌 하여 간신히 그걸 손에 움켜잡았다고 하세. 그런데 결국 우리 손에 남는 것은 뭔가? 덧없는 환영뿐 아닌가? 아니 환영보다도 더 비참한 고통밖에 남는 게 없다네."

"그 사람, 자네 의뢰인인가?"

"그렇다고 할 수 있지. 사실 그는 경시청에서 보내서 온 거라네. 의사도 가끔은 불치병 환자를 돌팔이 의사한테 넘기듯이 경찰이 그를 나한테 떠넘긴 거지. 경찰 입장에서 어떻게 손을 쓸 수가 없는 상황인가 보네. 그 사람도 앞으로는 더 이상 불행해질 것도 없고 말이야."

"무슨 일인데?"

홈즈는 탁자 위에 놓여 있는 구겨진 명함을 집어 들었다.

"조시아 엠버리, 물감 제조 회사인 브릭펄 앤드 엠버리의 말단 직원이었다고 이야기하더군. 왓슨, 자네도 그림물감 상자에서 그 회사 상표를 본 적이 있을 걸세. 어쨌든 이 사람은 돈을 많이 모아서 예순한 살에 은퇴한 뒤 루이셤에다 집을 한 채 마련했다네. 그리고 이젠 일도 그만둔 만큼 좀 쉬려고 마음 먹고 있었지. 주위 사람들은 모두 다 그의 노후가 아무 걱정이 없을 거라고 생각했다네."

"물론 그렇게 생각하겠지."

홈즈는 봉투 뒷면에 대충 쓰여 있는 글씨를 흘끗 보았다.

"왓슨, 조시아 엠버리는 1896년에 은퇴해서 일 년 뒤인 1897년에 스무 살이나 더 어린 여자와 결혼을 했다네. 사진을 보니까 여자가 굉장한 미인이군. 이 노인의 앞날은 그야말로 활짝 펼쳐져 있었지. 많은 재산과 젊은 아내, 그리고 여유로운 시간 등 모든 것이 다 갖춰져 있었으니까. 하지만 이 년 후, 그의 인생은 다 무너져 버렸다네. 자네도 봤다시피 완전히 비참한 늙은이로 변해 있지 않나."

"무슨 일이 일어난 건가?"

"그야말로 고루한 이야기라네. 배신한 친구와 바람 난 아내, 상상이 가지 않나? 엠버리에게 취미라곤 단 한 가지 있는데, 그게 체스라고 하는군. 그런데 다행히 같은 동네에 사는 젊은 의사가 체스를 좋아했다는 거야. 그 사람 이름이 레이 어네스트 박사라고, 여기 적혀 있구먼. 어네스트가 이 영감 집에 자주 와서 체스를 두었기 때문에 엠버리의 부인과도 자연히 친해진 거지. 그런데 자네도 봤다시피, 이 불쌍한 노인이 속마음은 어떤지 몰라도 외모는 못생긴 편이잖아. 그렇게 시간이 흐르다가 지난주에 그 두 사람이 함께 어디론가 사라져 버렸다는군. 게다가 더 절망적인 건, 그 못된 여자가 남편이 평생 모은 돈을 몽땅 훔쳐서 도망간 거야. 그러니 우리가 그녀를 찾아내야 하네. 물론 돈도 함께 말이지. 우리한테는 참 한심한 이야기지만 조시아 엠버리에게는 지금 너무나 절망적인 사건이니까 말일세."

"그럼 어떻게 해야 할까?"

"왓슨, 자네가 나 대신 일 좀 해 줘야겠네. 부탁일세. 나는 지금 이 사건 말고도 콥틱 교의 주교 사건으로 정신이 없거든. 오늘 그 사건의 위기가 절정에 달할 것 같아서 말이야. 그래서 내가 루이셤에 갈 틈이 없으니까 자네가 그곳에 가서 살펴보고 와야겠네. 엠버리 씨는 내가 직접 가야 된다고 사정을 했지만 내 형편이 지금 안된다고 설명을 해줬으니까 자네가 올 줄 알고 기다리고 있을 거네."

"그렇다면 할 수 없지. 그런데 내가 가서 제대로 일을 할 수 있을지 그게 걱정스럽군. 하지만 최선을 다해 보겠네."

그래서 어느 여름 날 오후, 나는 루이셤으로 가게 되었다. 내가 우연히 끼어들게 된 이 사건이 일주일 뒤에 영국 전체를 발칵 뒤집어 놓을 큰 사건이 될 줄은 상상도 못한 채 말이다. 내가 일을 마치고 베이커 거리로 돌아온 것은 저녁이 끝날 무렵이었다. 홈즈는 소파에 몸을 깊숙이 파묻고 앉아 담배 연기를 계속 뿜어 대고 있었다. 그는 몹시 피곤해 보이는 얼굴로 이야기를 듣기도 귀찮은 듯 눈을 아래로 내리깔고 있었다. 그러나 내 얘기를 듣다가 의문이 생기자 갑자기 눈썹을 치켜뜨고는 잿빛 눈을 번쩍거리며 나를 뚫어지게 쳐다보았다. 그가 나를 쳐다보지 않았다면 나는 그가 졸고 있는 걸로 생각했을 것이다.

"사람들이 조시아 엠버리의 집을 정박소라고 부르던데. 홈즈, 자네도 흥미를 가질 법하더구먼. 그 사람 집에 가 보니까 마치 완전히 몰락해 무너진 가난한 귀족의 살림살이 같더라고. 자네도 그런 썰렁한 동네를 봤을 것 같은데 거리도 그냥 흔한 벽돌들로 돼 있고 풍경도 지루한 촌동네지. 그 거리 한가운데 오른쪽으로, 그래도 좀 고풍스럽고 쾌적한 곳이 있는데 거기에 그의 집이 있더라고. 담에는 뜨거운 햇볕 때문에 타들어간 덩굴 가지들이 잔뜩 들러붙어 있고 이끼도 많이 끼어 있더군. 그런 종류의 담은……."

"왓슨, 자네 지금 시를 읊는 건가?"

홈즈가 비꼬듯이 말했다.

"그냥 높은 벽돌담이라고 하면 되겠구먼."

"그렇지. 어쨌든 마침 길가에서 어떤 사람이 담배를 피우며 서 있더라고. 그 사람한테 물어보지 않았더라면 그 집을 못 찾을 뻔했다니까. 그런데 그 사람이 어땠느냐 하면, 키가 크고 피부가 가무잡잡하고 수염도 덥수룩하게 난 게 꼭 군인 타입이었지. 그는 내가 물으니까 고개를 끄덕이면서 대답했는데, 나중에 생각해 보니까 그자가 나를 의심스러운 눈으로 쳐다봤던 것 같더라고. 아무튼 그 집에 도착해 정원을 들어서는데 엠버리 씨가 나오더구먼. 아침에 언뜻 그를 봤을 때도 좀 이상하게 생겼다고 생각은 했지만 햇빛 아래서 제대로 보니까 정말 괴상한 모습이더라고."

"나도 그렇게 생각했네. 자네가 보기에 그 사람이 어떻던가?"

"말 그대로 완전히 넋이 나간 얼굴이더구먼. 무거운 짐을 날랐는지 등도 구부정하게 돼 있고 말이야. 그런데 내가 상상했던 것보다는 그렇게 허약해 보이지는 않던데. 어깨와 가슴 부분은 떡 벌어졌더라고. 하지만 하체 부분은 내려갈수록 점점 가늘게 생겼더구먼. 다리도 아주 약하게 생겼고."

"왼쪽 구두는 푹 찌그러졌고 오른쪽 구두는 멀쩡하게 생긴 거, 자네 혹시 눈여겨봤나?"

"그건 못 봤는데."

"괜찮아. 상관없어. 한쪽 다리가 의족이거든. 그건 그렇고, 계속 이야기해 보게."

"낡아 빠진 밀짚모자 아래로 구불구불한 잿빛 곱슬머리가 삐져 나와 있었고, 표정은 얼빠져 있는 듯하면서도 잔뜩 화가 나 있는 모습이었네. 그리고 온몸이 긴장돼 있는 것처럼 보이더군."

"잘 봤구먼. 그런데 그가 자네한테 무슨 얘기를 했나?"

"다짜고짜 신세타령을 늘어놓기 시작하더구먼. 우리는 함께 정원으로 들어갔네. 걸어가면서 나는 주변을 유심히 쳐다봤지. 난 평생 그렇게 손보지 않고 방치해 둔 정원은 처음 보는 것 같았어. 잡초들이 마구 사방에 우거져 있더라고. 어떤 여자도 정원을 그 지경으로 내버려 두지는 않을 걸세. 집 안도 마찬가지로 지저분하고 어수선하게 널려 있고 말이야. 그 가련한 노인은 경황이 없을 텐데도 집 꼴이 그런 게 창피했는지 이제라도 치우려고 애를 쓴 것 같았네. 홀 한가운데에 초록색 페인트 통이 놓여 있었고, 노인은 왼손에 커다란 붓을 들고 있더군. 그는 나무 발판에 올라가서 페인트칠을 하고 있었던 같아.

그가 나를 거실로 안내해 우리는 거기서 얘기를 나눴다네. 자네가 안 온 게 아무래도 섭섭한 눈치였어. 그가 이러더군. '사실 제가 기대할 형편은 못 되지요. 저같이 초라한 사람이, 게다가 이제 돈 한 푼 없는 신세가 되었으니 셜록 홈즈 선생님처럼 유명하신 분에게 어떻게 감히 부탁드릴 수 있겠습니까?' 그래서 그에게 보수 문제는 걱정하지 말라고 안심을 시켰다네. 그가 말을 잇더군. '홈즈 선생님처럼 훌륭하신 분은 탐정 일을 하면서 보람을 느끼시니까 계속 하시겠지만, 아무튼 이 사건을 맡아 보면 느끼는 점이 많을 겁니다. 정말이지 인간의 더러운 면모를 다시 한번 깨닫게 될 거요. 왓슨 선생, 세상에 이렇게 막돼먹은 종자들도 있는 거요? 저는 여태껏 아내가 원하는 것이라면 한 번도 거절한 적이 없었어요. 그런데도 아내는 항상 제멋대로였지요. 그리고 제가 그 젊은이를 아들처럼 대해 주다 보니까 우리 집에 자주 드나들게 되었어요. 그런데 둘이 그만 나를 이렇게 무참히 짓밟을 수 있는 겁니까? 왓슨 선생, 정말 끔찍한 세상이에요!'

그는 한 시간도 넘게 그 말을 계속 하더군. 그들이 그동안 음모를 꾸미고 있었던 것도 그는 전혀 눈치채지 못했던 거야. 그 집에는 하녀를 빼고는 그 부부만 살고 있었다네. 하녀는 낮에 와서 일하고 저녁 여섯 시에는 돌아갔고 말이야. 그날 저녁도 늙은 엠버리는 아내를 위해 헤이마켓 극장의 표를 두 장 샀었다는군. 그래서 막 나가야 할 시간이 됐는데 아내가 느닷없이 머리가 아프다면서 못 가겠다고 하더라는 거야. 할 수 없이 그는 혼자 극장에 가게 됐지. 그 말은 사실이야. 그가 사용하지 않은 한 장의 극장표를 내게 보여줬으니까."

"그거 주목할 일인데."

홈즈가 흥미를 느끼며 말했다.

"계속 얘기해 보게. 왓슨, 자네 얘기를 들어 보니 사건이 점점 재미있어지고 있는걸. 극장표는 자세히 봤겠지? 좌석 번호 혹시 기억나나?"

"자네가 그거 물어볼 줄 알았지."

나는 한 건 한 것처럼 우쭐했다.

"내 초등학교 때 출석번호와 똑같아서 금방 외웠지. 31번이더라고."

"훌륭해, 왓슨! 그럼 그의 자리는 30번이나 32번이었겠네."

"그랬겠지."

나는 어리둥절해 대답했다.

"그리고 B열이었네."

"그 정도면 됐네. 얘기 계속해 보게."

"그가 금고실이라고 부르는 방을 보여주더군. 은행의 금고처럼 완전히 차단되어 있었어. 철문과 셔터에다 도난 경보기까지 설치되어 있었으니까! 그의 아내가 복사한 열쇠를 가지고 있었던 모양이야. 아무튼 현금과 유가증권까지 해서 총 칠천 파운드 정도를 훔쳐 달아났다고 하네."

"유가증권? 유가증권은 처분도 못할 텐데……."

"엠버리 씨는 증권의 목록을 전부 경찰에 신고해 놓았기 때문에 그거라도 건질 수 있지 않을까 하고 희망을 갖고 있는 것 같아. 그가 극장에서 집에 돌아온 게 밤 열두 시쯤 됐는데, 방 안이 온통 어질러져 있고 방문과 창문이 전부 열린 채로 있었다는 거야. 편지나 쪽지도 남겨 있지 않고 지금까지 아무런 연락도 없다는군. 그는 곧바로 경찰에 신고했고 말이야."

홈즈는 잠시 생각에 잠겨 있었다.

"그가 페인트칠을 하고 있었다고 했는데 어디를 칠하고 있었나?"

"복도를 칠하고 있더군. 그런데 금고실의 문과 방의 목조 부분은 이미 칠을 마쳤더라고."

"이상하지. 자네 같으면 그런 상황에서 페인트칠을 할 생각이 나겠나?"

"그가 말하던데. '사람은 괴로움을 잊으려면 무슨 일이든 해야 합니다.' 하고 말이야. 하여튼 이상하기는 한 것 같네. 그리고 상당히 격렬한 구석이 있더라고. 내가 보는 앞에서 부인 사진을 박박 찢더라니까. 사나운 표정을 지으면서 말이야. 그리고는 소리를 지르더라고. '이 여자의 증오스런 얼굴을 두 번 다시 보고 싶지 않아요.' 하면서 말이야."

"왓슨, 더 할 이야기 있나?"

"한 가지만 더 하겠네. 블랙히스 역으로 나와서 기차를 탔는데, 막 떠날 때쯤에 어떤 남자가 급히 내 옆 칸으로 타더구먼. 홈즈, 내가 사람 얼굴을 굉장히 잘 알아보는 거 자네도 알고 있지 않나. 그가 누구냐 하면 아까 내가 길거리에서 담배 피우고 있기에 물어봤다고 했던 그 키 큰 남자였다네. 그리고 런던 다리에서 또 그를 봤는데, 사람들이 많아서 놓치고 말았지. 그 남자가 내 뒤를 쫓고 있었던 게 분명해."

"틀림없을 거네! 키 크고 덥수룩한 수염을 기른 남자지. 아까 자네가 말한 잿빛 선글라스를 쓴 사람 맞지?

"홈즈, 자네는 무슨 마술사 같군. 잿빛 선글라스를 쓰고 있었던 게 맞아."

"그리고 매소닉 넥타이 핀을 꽂고 있었지?"

"세상에, 홈즈!"

"놀랄 것 없네, 왓슨. 그건 간단히 알 수 있어. 그러나 우선 급한 문제부터 생각해 보기로 하세. 솔직히 말해 이 사건은 너무 흔한 내용이라 내 관심을 끌 만한 게 아니었는데, 이제 보니 뜻밖에도 굉장히 빨리 어려운 방향으로 진전되고 있는 것 같네. 그런데 자네는 몇 가지 중요한 점을 놓쳤어. 그러나 자네가 관찰한 것만으로도 웬만한 추측은 충분히 할 수 있네."

"내가 놓친 게 뭔가?"

"신경 쓰지 말게. 내가 워낙 냉정한 사람이지 않은가. 누구도 자네보다 더 잘하지는 못했을 걸세. 아마 자네만큼 일을 잘 해낼 수 있는 사람도 없을 거야. 그렇지만 어쨌든 자네가 아주 중요한 점을 소홀히 놓친 건 사실이네. 그 동네 사람들한테 엠버리 부부에 관한 이야기를 물어봤나? 그게 굉장히 중요한 자료가 됐을 텐데 말이야. 어네스트 박사는 또 어떤 사람인지, 바람둥이라고 소문 나 있는 건 아닌지. 자네는 여자들한테 말을 건네면 모두들 친절하게 도와주던데. 그러니까 우체국 여직원이나 식료품 가게 여자들한테 슬쩍 물어봤으면 좋았을 텐데. 언젠가 한번 블루앤커에서 자네가 젊은 여자와 얘기를 속삭이다가 그녀한테서 중요한 정보를 빼내지 않았었나? 그때 자네 모습이 떠오르는구먼. 그런데 왜 이번에는 그런 능력 발휘를 못했나?"

"그럼 지금이라도 다시 가서 알아오겠네."

"그만두게. 내가 벌써 다 조사했다네. 그 동네에 전화해서 알아보았고 또 경시청에서도 도움을 받았지. 집에 가만히 앉아서도 얼마든지 자료를 수집할 수는 있어. 그래서 모든 것을 종합해 볼 때 조시아 엠버리의 성품이 분명하게 드러나더군. 그는 지독한 구두쇠에다 난폭한 사람이었다네. 누구도 믿을 수가 없어 집 안에 금고실까지 만들어 놓고 그곳에 많은 돈을 보관해 두었던 거지. 어네스트 박사는 젊은 총각인데 엠버리 씨와 체스를 두기 위해 그 집에 자주 드나들면서 엠버리 부인을 이용한 거야. 여기까지 얘기는 그냥 흔한 거야. 이걸로 끝난다면 할말이 많지 않겠지. 그러나 아직은 모르는 일일세! 아직은 몰라!"

"무슨 복잡한 일이라도 있나?"

"내 생각엔 아마도……. 왓슨, 좀 쉬도록 하세. 잠시 다 잊어버리고 음악이나 들으러 가세. 오늘 밤 앨버트 홀에서 카니아 독창회가 있으니까 빨리 옷 갈아입고 저녁 식사 한 다음 거기로 가세."

다음 날 아침 나는 평상시와 똑같이 일어났다. 그런데 탁자 위에 빵 부스러기와 계란 껍질이 있는 걸 보니까 홈즈는 벌써 나간 모양이었다. 탁자엔 쪽지도 하나 놓여 있었다.

〈왓슨, 조시아 엠버리 씨 사건 때문에 알아볼 게 있어서 나가네. 이번 조사를 끝내면 사건의 윤곽이 대충 드러날 걸로 보네. 세 시쯤 돌아올 테니 기다리고 있게. 자네한테 할 얘기가 있어.

셜록 홈즈〉

홈즈는 정각 오후 세 시에 심란하고 지친 모습으로 돌아왔다. 그럴 때는 그를 혼자 있도록 내버려 두는 것이 좋다.

"엠버리 씨는 아직 안 왔나?"

"안 왔는데."

"그래! 여기서 만날 줄 알았는데……."

걱정할 필요는 없었다. 바로 그때 엠버리 노인이 독선적인 얼굴에 몹시 걱정스런 표정을 지으며 방으로 들어왔다.

"방금 이 전보를 받았습니다, 홈즈 선생님. 대체 어떻게 된 영문인지 모르겠네요."

노인이 홈즈에게 전보를 내밀자 홈즈가 펼쳐 들고 큰 소리로 읽었다.

"〈빨리 오십시오. 선생이 최근 도난당한 재산에 대한 정보를 알려드리겠습니다. – 엘만, 목사관〉

리틀 파링턴에서 두 시 십 분에 보냈군. 리틀 파링턴은 웨섹스에 있는데, 그렇다면 파링턴에서 그리 멀지 않은 곳이구먼. 엠버리 씨, 곧 떠나셔야겠지요? 목사라고 하니까 믿을 만한 사람인 것 같습니다. 내 인명록이 어디 있지? 아, 여기 그의 이름이 나와 있네요. J. C. 엘만, 학사, 리틀 파링턴의 모스무어에 거주함. 왓슨, 기차 시간표 좀 봐 주게나."

"다섯 시 이십 분에 리버풀 역에서 떠나는 기차가 있네."

"좋아, 왓슨. 자네가 엠버리 씨와 함께 가 주게. 자네의 도움이 필요할 걸세. 이제 사건은 중요한 시점으로 접어들고 있다네."

그런데 이상하게도 엠버리 씨는 얼른 떠나려고 하지 않았다.

"홈즈 선생님, 이건 말도 안되는 소립니다. 그 사람이 뭘 안다고 그러는 거죠?괜히 돈과 시간만 낭비할 뿐입니다."

"그 사람이 아무것도 모른다면 왜 전보를 쳤을까요? 가겠다고 얼른 전보를 치세요."

"저는 갈 필요가 없습니다."

노인은 고집을 부렸다. 그러자 홈즈가 강한 어투로 말했다.

"엠버리 씨, 이렇게 확실한 근거가 잡혔는데도 안 가시겠다면 경찰이나 저도 엠버리 씨를 이상하게 생각할 수밖에 없습니다. 그리고 제 수사 활동에 관심이 없는 걸로 알겠습니다."

노인은 홈즈가 강하게 말하자 순간 겁이 난 것 같았다.

"아닙니다. 오해하지 말아 주십시오. 일단 그리 가겠습니다. 그런데 생각해 보세요. 그 목사가 뭘 안다고 하는 게 얼마나 어이없는 이야기입니까? 그러나 선생님은 그렇게 생각하시는 것 같지 않으니……."

"가 보면 알게 되겠죠."

홈즈가 확신하듯 말했다.

그래서 나는 엠버리 씨와 함께 여행을 떠나게 되었다. 밖으로 나가기 전에 홈즈가 내게 충고를 했다.

"그를 잘 감시하게. 그가 만약 중간에 도망을 친다거나 안 가겠다고 하면 곧바로 근처 공중전화로 가서 나한테 '도망쳤어' 라고 한 마디만 하게. 그러면 내가 여기서 뒷일을 처리할 테니까."

리틀 파링턴까지는 직행이 없어서 교통이 무척 불편했다. 나는 태어나 그렇게 불쾌한 여행은 처음이었다. 날씨가 무더운데다 기차는 한없이 느렸고 옆에 앉은 늙은이는 화가 난 얼굴로 말 한마디 하지 않았던 것이다. 게다가 그는 이따금 혼자 중얼거렸는데, 이 여행은 아무짝에도 소용없다면서 내뱉듯 말하는 것이었다. 역에 내려 마차를 타고 3킬로미터쯤 더 가서 목사관에 도착했다. 목사는 체구가 크고 좀 거만해 보이는 인상이었는데 서재에서 우리를 기다리고 있었다. 우리가 보낸 전보가 그의 책상 위에 놓여 있었다.

그가 물었다.

"무슨 일로 찾아오셨습니까?"

"당신의 전보를 받고 왔는데요!"

내가 놀라며 설명했다.

"전보요! 나는 그런 것을 보낸 적이 없는데요."

"조시아 엠버리 씨에게 그의 아내와 그의 돈에 대해 알고 있다면서 전보를 보내지 않으셨나요?"

"농담이시겠죠? 그게 아니라면 정말 이상한 일이네요. 나는 그런 이름을 들어본 적도 없고, 더구나 전보를 보낸 적도 없거든요."

엠버리 씨와 나는 계속 놀라며 서로를 쳐다보았다.

"뭔가 잘못된 것 같습니다. 혹시 여기에 다른 목사관이 또 있습니까? 이게 그 전보인데요. 보십시오. 분명히 엘만이라는 사람이 목사관에서 보낸 걸로 돼 있거든요."

"여기에 목사관은 이곳뿐입니다. 이 전보는 누군가가 나를 모함하려고 보낸 것 같은데요. 경찰에 연락해 진상을 알아봐야겠습니다. 선생님들과는 더 이상 얘기하고 싶지 않군요."

엠버리 씨와 나는 할 수 없이 밖으로 나왔다. 그리고 주변을 자세히 살펴보니 영국에서 가장 오래된 시골 마을 같았다. 우리는 우체국으로 갔는데 이미 문이 닫혀 있었다. 다행히 근처에 전화가 있어서 나는 홈즈에게 이 놀라운 소식을 알려줄 수가 있었다. 전화 저 멀리서 홈즈가 외쳤다.

"참 묘한 일이네! 별일이 다 있어, 정말! 그런데 왓슨, 오늘 밤엔 돌아오는 기차가 없는데 어떻게 할 건가? 시골 여관에서 하룻밤 자야 할 것 같은데, 너무 짜증 내지 말게. 별 수 없으니까 조시아 엠버리와 하룻밤 잘 지내게나."

홈즈가 웃으며 말했다.

엠버리가 구두쇠라는 소문은 사실이라는 게 곧 드러났다. 그는 기차비가 비쌌다고 투덜거리면서, 돌아갈 때는 3등석을 타자고 미리 못박았다. 그리고 여관 숙박료도 못 내겠다면서 소동을 벌였다. 다음 날 오전 중 우리는 런던에 도착했다. 돌아오는 내내 기차에서 얼마나 기분이 불쾌했는지는 이루 말로 다 표현할 수 없을 정도였다.

내가 말했다.

"저와 함께 베이커 거리로 가시지요. 홈즈가 새로운 지시를 할지도 모르니까요."

"그것도 또 허탕 치면 아무 소용이 없잖아요."

엠버리는 심술이 난 표정으로 말했다. 하지만 그는 내 뒤를 따라 왔다. 나는 홈즈에게 우리의 도착 시간을 미리 전보로 알려 두었다. 그런데 베이커 거리에 도착해 보니 홈즈는 집에 없었고 루이셤에서 우리를 기다리겠다는 쪽지만 남겨져 있었다. 그래서 다시 루이셤으로 갔는데, 놀라운 일은 거기 엠버리 씨 집의 거실에 홈즈가 혼자 있는 게 아니었다는 것이다. 위엄이 있고 냉혹해 보이기도 하는 한 남자가 홈즈 옆에 앉아 있었는데, 그는 잿빛 안경을 쓰고 피부가 가무잡잡하며 매소닉 넥타이핀을 꽂고 있었다.

"내 친구 버커 씨네."

홈즈가 내게 말했다.

"엠버리 씨, 이분도 당신 사건에 관심을 갖고 있습니다. 우리와 함께 일하는 건 아니고 따로 활동하고 있지요. 그런데 우리가 당신한테 물어볼 게 있어서 이렇게 같이 왔습니다."

엠버리 씨는 마음이 무거운 듯 소파에 앉았다. 그는 이제 뭔가 결정적인 순간이 닥쳐온 걸 느끼고 있는 것 같았다. 나는 그의 눈 가장자리가 긴장으로 경련을 일으키는 걸 주시하고 있었다. 그가 입을 열었다.

"물어보실 말씀이 뭡니까, 홈즈 선생님?"

"제가 물어볼 말은 단 한마디입니다. 시체를 어디에 숨겨 뒀죠?"

노인은 괴성을 지르며 자리에서 벌떡 일어났다. 그리고 메마른 손을 들어 허공이라도 잡을 듯 불끈 쥐었다. 입을 벌리고 있는 그의 모습은 마치 사나운 맹수와도 같았다. 가만 보니 그는 육체뿐 아니라 정신까지도 비틀어진 악마 그 자체의 모습이었다. 본래 그의 모습을 드러낸 것이었다. 늙은이는 소파에 쓰러지더니 기침을 막으려는 듯 손으로 입을 가렸다. 그 순간, 홈즈가 호랑이처럼 날쌘 동작으로 그의 목을 움켜쥐고는 얼굴을 방바닥에 대고 두들겼다. 그러자 하얀 알약이 노인의 헐떡거리는 입에서 튀어나왔다.

"이런 짓은 하지 마시오, 엠버리 씨. 신사답게 일을 처리합시다. 버커 씨, 어떻게 할까요?"

"문 앞에 마차를 대기시켜 놓았습니다."

과묵한 표정의 버커 씨가 대답했다.

"정거장까지 몇 백 미터밖에 안되니까 함께 걸어갑시다. 왓슨, 자네는 여기서 기다려 주게. 삼십 분 뒤에 다시 오겠네."

늙은 물감 제조업자는 힘이 장사였지만, 능란하게 사람을 다룰 줄 아는 두 탐정 앞에서는 꿈쩍도 하지 못했다. 늙은이는 몸부림을 치고 저항하면서 마차 안으로 끌려들어갔다. 나는 그 음산한 집에 혼자 남게 되었다. 홈즈는 떠난 지 삼십 분도 안 돼 젊은 경감과 함께 돌아왔다.

"버커는 경찰서에 남아서 조서 꾸미는 것을 도와주고 있네. 왓슨, 그 친구 이름 처음 들었나? 그도 탐정 일을 하는데 내 라이벌이지. 자네가 키 크고 얼굴 거무스름한 남자 얘기를 했을 때, 그 친구라는 걸 대번에 알았다네. 그도 몇 가지 사건을 잘 해결한 덕에 인정을 받고 있지. 경감님도 그를 알고 게시죠?"

"그 사람이 우리 일에 몇 번 개입한 적이 있었죠."

경감은 버커 씨에 대해 별로 기분이 좋지 않은 것 같았다.

홈즈가 버커 씨를 대변하듯 설명했다.

"그 사람도 나처럼 수사 방법에 좀 특이한 구석이 있죠. 그런데 경감님도 아시다시피, 수사를 할 때 때로는 변칙을 쓰는 것이 더 효과적인 경우가 있거든요. 경찰처럼 무턱대고 규칙만 따지는 수사를 하면 엠버리 씨 같은 뻔뻔한 자들이 자백이나 할 것 같습니까?"

"일리 있는 말씀입니다. 하지만 홈즈 선생, 우리 경찰도 나름대로 수사를 하고 있었습니다. 다만 확증을 못 잡아서 계속 머뭇거리고 있었던 거죠. 그런데 우리는 도저히 상상도 못할 방법으로 선생께서 이 사건을 해결하셨으니, 우리 경찰의 위신은 이제 땅바닥에 떨어져 버렸네요."

"아, 걱정하지 마십시오. 나는 사건의 표면에 나타나지 않겠습니다. 버커도 내가 말하면 나와 같이 행동할 겁니다."

경감은 체면치레는 할 수 있겠다는 생각이 드는지 안도하는 표정이었다.

"저희로서는 그렇게 해주시면 더할 나위 없이 고맙죠. 선생이야 욕을 먹든 칭찬을 받든 별 상관이 없겠지만, 저희는 언론의 신랄한 공격을 받고 또 답변해야 하니까 입장이 보통 난처한 게 아니거든요."

"물론 그렇겠죠. 기자들이 틀림없이 질문을 쏟아낼 테니까 답변 준비나 잘 하십시오. 영리한 기자라면 먼저 어떤 점 때문에 그를 의심하기 시작했으며, 또 무엇으로 확증을 잡았는지 반드시 물어볼 겁니다."

경감은 당황한 표정을 지었다.

"홈즈 선생, 우리는 아직 수사 내용을 모르고 있습니다. 선생께서는 엠버리 씨가 자기 아내와 정부를 살해한 것으로 보고 있고, 그 혐의로 세 가지 증거를 잡았다고 하셨죠. 또 그 늙은이가 자살을 기도했던 것으로 봐서 이 사건은 결국 그가 실질적으로 죄를 자백한 것이나 마찬가지라고 하셨습니다. 좀 더 자세한 내막을 알고 싶습니다."

"그런데 수사 지시는 하셨습니까?"

"네, 순경 세 명이 오기로 했습니다."

"그럼 빨리 일을 끝냅시다. 시체는 이 근처에 숨겨져 있을 겁니다. 우선 지하실과 정원을 살펴봅시다. 정원은 다 파 보지 않아도 될 거예요. 그리고 이 집이 수도가 들어오기 전에 지어진 집이라 마당 어딘가에 안 쓰는 우물이 있을 겁니다. 그곳을 잘 찾아보세요."

"어떻게 그 사실을 아셨습니까? 어떤 방법으로 수사를 하셨나요?"

"우선 수사 방법부터 설명해 드리죠. 경감님도 궁금하시겠지만, 여기 있는 내 친구도 지금 엄청 궁금할 거라서 다 얘기해 드리겠습니다. 이 친구가 사실 사건 해결에 중요한 역할을 했거든요. 그럼, 가장 먼저 엠버리 씨의 정신 상태를 잘 관찰해 보십시오. 그는 다른 사람들과 다른 면이 있는데, 그래서 교수형을 내리는 것보다는 차라리 귀양을 보내는 것이 더 적절할 것 같습니다. 그는 현대 영국인이라기보다는 중세 이탈리아인에 더 가까운 기질을 갖고 있습니다. 또 그는 지독한 구두쇠라서 그와 생각이 맞지 않은 부인을 혹독하게 구박했고, 그래서 그 부인은 그를 떠날 기회만 보고 준비를 하고 있었던 것 같습니다.

그런데 마침 한 젊은 의사가 체스를 좋아해서 이 집에 드나들게 되었습니다. 교활한 엠버리는 체스를 아주 잘 두었지요. 그는 구두쇠들 대부분이 그렇듯이 질투가 심했습니다. 그 질투는 점점 더 미칠 듯한 광기로 변해 갔고요. 그들의 관계가 실제로 어땠는지는 확실히 모르겠지만, 아무튼 이 늙은이는 두 젊은 사람이 음모를 꾸미고 있다고 의심하기 시작했습니다. 그래서 복수를 하려고 마음먹은 거지요. 감쪽같이 할 수 있는 잔인한 범행 계획을 세운 겁니다. 이리와 보세요!"

홈즈는 마치 이 집에 살았던 것처럼 자연스럽게 우리를 복도로 데려가더니 열려 있는 금고실 앞에서 멈춰 섰다.

"푸! 페인트 냄새가 엄청 나네요!"

경감이 소리쳤다.

"바로 이것 때문에 난 의심을 하기 시작했습니다. 왓슨의 관찰이 매우 좋았기 때문에 이 사실을 눈치챌 수 있었지요. 그런데 사실 왓슨은 별로 의심을 안 하더군요. 나는 그 점이 매우 수상쩍었는데 말입니다. 왜냐하면 하필 이런 지경에 왜 그는 집 안에 강한 냄새를 풍기도록 하고 있을까 하는 의혹이 들었던 거죠. 그건 분명 어떤 범죄의 냄새를 감추기 위해 다른 냄새로 집 안을 채우려는 것이었습니다.

자, 보세요. 이 방은 철문과 셔터 장치가 되어 있고 완전히 밀폐된 공간입니다. 그렇다면 두 가지 사실을 묶어서 생각해볼 때 분명히 이상한 점이 있다는 거죠. 그래서 나는 직접 이 집을 조사해 보기로 마음먹었습니다. 이 사건이 심상치 않다는 걸 느꼈기 때문이죠. 그리고 왓슨 박사의 예민한 관찰력으로 기억해 둔 극장 좌석표를 조사해 봤더니 그날 저녁 B의 31번 좌석과 32번 좌석 모두 비어 있었습니다. 부인뿐 아니라 엠버리 씨도 그날 저녁 극장에 가지 않았던 겁니다. 따라서 그의 알리바이는 거짓임이 드러났습니다. 그는 알리바이를 주장하기 위해 아내의 좌석표를 빈틈없이 재빠른 내 친구에게 보여주었습니다.

그럼 이제 문제는, 내가 어떻게 이 집에 들어와 조사할 수 있었느냐는 것입니다. 나는 교통이 매우 불편한 시골에 나의 대리인을 보냈습니다. 그리고 엠버리를 그곳으로 가게 한 다음 그날 밤 집에 돌아오지 못하도록 작전을 짰던 거죠. 그때 물론 왓슨을 함께 보내 엠버리를 감시하게 했고요. 그 선량한 목사의 이름은 내 인명록에서 찾아낸 걸세, 왓슨. 이제 이해가 되나?"

"정말 대단하십니다."

경감이 두려운 듯한 목소리로 말했다.

"남의 집에 몰래 들어가는 일쯤이야 아무것도 아니죠. 나는 수사를 할 때 이런 방법을 많이 사용하니까요. 그런데 내가 여기서 발견한 게 뭔지 아시겠어요? 저기 구석에 있는 저 가스 파이프를 보세요. 벽으로 파이프가 죽 올라가고 있죠? 그리고 저쪽 구석에 잠금장치가 있습니다. 자, 보세요. 파이프가 금고실을 통과하고 있죠? 그리고 파이프의 한쪽 마개가 열려 있습니다. 이건 곧 밖에서 벨브를 열면 방 안이 순식간에 가스로 가득 찬다는 얘깁니다. 보시다시피 여기는 문과 셔터밖에 없으니 이 좁은 방 안에서 이 분이나 버틸 수 있을까요? 저 악마 같은 노인이 도대체 어떤 수법으로 그들을 이 방으로 유인했는지는 모르겠지만, 누구든 한 번 이 방에 들어오면 목숨이 그의 손아귀에 들어간 것이나 다름없습니다."

경감은 눈살을 찌푸리며 파이프를 들여다보았다.

"우리 경관 중 한 사람이 조사차 여기 왔다가 가스 냄새에 대해 얘기한 적이 있었습니다. 물론 노인이 그 뒤로 문을 활짝 열어 놓았겠죠. 페인트칠을 할 때 말입니다. 그 경관 말에 의하면 사건 전날부터 페인트칠을 시작했다고 하더군요. 얘기를 계속해 주시죠, 홈즈 선생."

"그런데 뜻밖의 일이 일어났습니다. 해가 뜰 무렵, 내가 주방 창 쪽으로 나오려고 하는데 누가 내 옷깃을 잡고 소리를 지르는 것이었습니다. '아니, 여기서 뭐 하고 있는 거야?' 내가 뒤를 돌아보자 잿빛 선글라스를 쓰고 있는 내 라이벌 버커가 거기 나타난 거 아니겠어요? 참 이상한 장소에서 우리는 우연히 부딪치게 됐던 겁니다. 웃지 않을 수가 없었죠.

버커는 어네스트 박사 가족에게서 의뢰를 받고 수사를 하고 있던 참이었는데, 그도 나와 같은 결론을 내리고 있더군요. 그는 며칠 동안 이 집을 감시하고 있던 차에 왓슨 박사가 기웃거리고 있는 것을 보고는 그도 이 집에 드나드는 의심스러운 인물인 걸로 점찍어 놓았던 겁니다. 그리고 왓슨 때문에 더 신경을 곤두세우고 있는데, 또 웬 남자가 주방 창문을 통해 들어가는 것을 보자 더 이상 참을 수가 없어 기다리고 있었던 것이죠. 그래서 내가 그에게 현재까지의 상황을 얘기해 주자 그는 함께 사건을 수사하자고 해서 우리는 그러기로 합의를 했습니다."

"우리와 함께 수사를 하시지, 왜 하필 그와 손을 잡았습니까?"

"경찰이 어떤 태도로 나올지 나도 보고 싶었기 때문이죠. 나는 경찰이 이 사건에서 손을 뗀 걸로 알았거든요."

경감이 슬며시 웃었다.

"잘 알겠습니다, 홈즈 선생. 이제 이 사건의 모든 권한을 저희한테 넘겨주시기 바랍니다."

"당연히 그렇게 하겠습니다. 그게 바로 내 방식이니까요."

"경찰의 이름으로 선생께 감사드립니다. 곧 사건을 수습하겠습니다. 시체를 찾는 건 시간 문제니까요."

"한 가지 보여 드릴 게 있습니다. 소름 끼치는 증거가 되겠죠. 아마 엠버리 씨도 이건 발견하지 못했을 겁니다. 경감님, 이제 이 사건의 모든 결과가 드러났으니……. 자신을 죽은 사람의 입장에 놓고 경감님이라면 그때 어떻게 행동할지 한번 상상해 보십시오. 상상력이 필요하겠지만 한번 해볼 만한 가치는 있습니다. 이 작은 방 안에 갇혀 있다고 상상하는 거죠. 그리고 이 분 후면 죽게 됩니다. 방 밖에는 악마 같은 노인이 당신을 조롱하면서 승리의 미소를 짓고 있습니다. 그럴 때 경감님은 어떻게 하시겠습니까?"

"메시지를 쓰겠습니다."

"바로 그겁니다. 무슨 수를 써서라도 당신이 지금 죽어 가고 있다는 사실을 알리고 싶을 겁니다. 그러나 종이에 쓸 수는 없습니다. 종이에 쓰면 악마에게 금방 들키기 때문이죠. 그러나 벽에 쓰면 누군가가 그걸 발견할 수도 있습니다. 자, 여기 좀 보세요! 벽 아래쪽 모서리에 자주색 연필로 쓴 글씨를 읽어 보십시오. '우리들은……' 이것밖에는 없습니다."

"그런데 그게 무슨 뜻일까요?"

"바닥으로 쓰러진 후 간신히 쓴 것입니다. 불쌍한 이 친구는 바닥으로 넘어져 죽어 가면서도 이걸 썼던 거죠. 그러나 불행히도 하고 싶은 말을 다 쓰기도 전에 숨이 끊어졌습니다. 그는 아마도 이 말을 쓰려고 했을 겁니다. '우리들은 살해당했습니다.' 라고요."

"저도 그렇게 생각했습니다. 그럼 홈즈 선생, 시체에서 자주색 연필을 찾아낼 수가 있겠군요."

"찾아낼 수 있을 겁니다. 그런데 저 늙은이가 잃어버린 돈은 어떻게 됐는지 궁금하지 않습니까? 단 한 푼도 도둑 맞지 않았습니다. 채권은 그가 다 가지고 있어요. 증거가 나왔으니까요. 그가 안전한 장소에 숨겨 놓았다는 걸 경감님도 쉽게 추측할 수 있을 겁니다. 언젠가 사건이 조용해지면 그때 그걸 꺼내서는, 범인들이 훔친 돈을 돌려줬다고 아니면 길에 떨어뜨리고 갔다고 동네 사람들에게 말하려고 했겠죠."

경감이 말했다.

"홈즈 선생, 모든 문제를 완벽하게 해결하셨습니다. 그런데 그 늙은이가 경찰에 신고한 것은 당연하니까 이해가 되는데, 어떻게 겁도 없이 홈즈 선생께 수사를 의뢰했는지, 그 점은 이해가 안되는군요."

"그거야 어리석은 자만심 때문이죠! 그는 상당히 영리한 데가 있어서 아무도 자신의 일에 간섭하지 못하도록 미리 연막을 쳤어요. 이웃 사람들이 의심을 하면 그는 이렇게 말했을 겁니다. '내가 어떻게 하고 있는지 아십니까? 나는 경찰에도 연락을 했지만 홈즈 선생님에게도 수사를 의뢰했거든요.' 하고 말이죠."

경감이 웃음을 터뜨렸다.

"홈즈 선생, 이 사건은 내가 기억하기로 가장 지능적인 사건입니다."

그로부터 이틀 뒤, 홈즈는 주간지 〈노스 서레이 업저버〉 한 부를 내게 가져다주었다. 거기엔 '정박소의 공포'니 '경찰 수사의 눈부신 성과'니 하는 요란한 제목 아래 사건의 전말이 자세한 기사로 다뤄져 있었다. 그중 마지막 구절은 배꼽 빠지게 흥미 있었다.

〈맥키넌 경감의 날카로운 후각은 범죄의 냄새를 감추기 위해 칠한 페인트 냄새 속에서 가스 냄새를 맡아 냈으며, 또한 금고실이 살인의 방으로 쓰였을 거라는 대담한 추론을 끌어냈다.

이런 계속적인 의문들은 마침내 개집으로 교묘하게 위장된 폐쇄된 우물 속에서 시체를 발견하게 됨으로써 결정적인 확증을 잡게 되었다. 이 사건의 해결로 경찰의 수사력은 영국 범죄 수사 역사상 찬란한 금자탑을 세우는 개가를 올리게 되었다.〉

"맥키넌은 훌륭한 친구라네."

홈즈가 너그러운 미소를 지으며 말했다.

"왓슨, 이 신문을 기록 보관철에 잘 정리해 놓게. 언젠가 진실을 밝힐 날이 오겠지."

입원 환자

셜록 홈즈의 두뇌의 특성 몇 가지를 보여주기 위해 그동안 기록해왔던 수많은 회고담들을 죽 훑어봤지만, 모든 점에서 봐도 딱히 그걸 잘 표현했다고 생각되는 기록을 골라낸다는 게 얼마나 쉽지 않은지를 알게 되었다. 이를테면 홈즈가 분석적 추리에 남다른 재주를 보여준다든지, 수사 방식에 있어서 독특한 방법으로 그 진가를 발휘하는 사건이라 해도, 사건 자체가 시시하거나 평범해서 독자들에게 내보일 만한 가치가 없다고 생각되는 경우가 적지 않았던 것이다.

또 한편으로, 지극히 희귀하고 극적인 요소를 갖고 있는 사건의 수사에 홈즈가 관계를 하긴 했지만, 그 해결 과정에서 그가 맡은 역할이 전기 작가인 내가 기대했던 것만큼 두드러지지 못했던 것들도 꽤 있었다. 〈주홍색 연구〉라는 제목으로 기록에 남긴 사건과 〈글로리아 스콧 호〉 실종에 관한 사건이 그 대표적인 경우라 할 수 있다.

이제부터 내가 쓰려고 하는 사건도 거기서 홈즈가 한 역할이 그다지 컸다고는 할 수 없을 것이다. 그러나 사건 전체가 너무나도 독특해서 이 시리즈에서 빼버리고 싶은 생각이 들지 않는 것이다.

때는 10월이었는데, 비가 오고 지루한 날이었다.

"날씨가 아주 나쁘군, 왓슨."

홈즈가 말했다.

"그래도 저녁때가 되니까 시원한 바람이 불기 시작하는 것 같아. 자네, 산책하러 나가지 않겠나?"

나는 하루 종일 작은 거실에 틀어박혀 지루해 하고 있던 참이라 기꺼이 그러겠다고 했다. 우리는 세 시간 동안을 프리트 거리에서부터 스틀랜드 거리에 이르기까지 그 안에서 펼쳐지는 온갖 다채로운 인생의 파노라마를 구경하면서 하릴없이 돌아다녔다. 홈즈의 유별난 이야기들을 듣다 보면 전혀 싫증 날 틈이 없었다. 그는 한낱 사소한 것들에 시선이 멈추는 날카로운 관찰력이라든지 예리하고 교묘한 추리 과정들을 동원해서 얘기하는데, 언제나 그만의 독특한 힘이 느껴지기 때문이었다.

우리가 베이커 거리로 돌아온 것은 열 시가 조금 지나서였다. 그런데 문 앞에 사륜마차가 서 있었다.

"음! 의사의 마차야. 개업의인 것 같은데."

홈즈가 말했다.

"개업한 지는 얼마 안 됐지만 꽤나 잘 되고 있는 것 같군. 의논을 하러 온 모양일세. 우리가 아주 때맞춰 돌아왔네!"

나는 홈즈의 스타일에 어지간히 익숙해 있었기 때문에 그가 어떻게 추리를 한 건지 곧 알아차렸다. 마차 안에 있는 버드나무 바구니에 의료기구들이 들어 있는데, 그 종류와 상태를 보고 그렇게 재빨리 추정을 내렸던 것이다. 이층 창문에 불이 켜져 있는 것을 봤을 땐 늦은 시간이지만 우리를 만나기 위해 누군가가 왔다는 것도 알 수 있었다. 이런 시간에 무슨 일로 의사가 찾아왔을까 하고 조금 호기심을 품고, 나는 홈즈의 뒤를 따라 우리 방으로 들어갔다.

갈색 수염을 기른 갸름한 얼굴의 한 남자가 창백한 안색으로 난롯가 의자에 앉아 있다가 우리를 보고 일어섰다. 나이는 서른 안팎인 것 같은데 많이 시달린 표정과 건강한 빛이라곤 없는 얼굴색을 볼 때, 정력을 낭비하고 젊음도 잃어버린 것이 아닌가 하는 생각을 들게 했다. 긴장하고 좀 수줍어하는 태도는 그가 어느 정도 신경질적인 면이 있다는 것을 느끼게 했고, 일어날 때 맨틀피스를 잡는 희고 가느다란 손은 의사라기보다는 예술가의 손에 가까웠다. 그는 수수한 옷차림을 하고 있었는데, 검은색 프록코트와 검은색 바지 그리고 약간의 색깔이 있는 넥타이를 매고 있었다.

"잘 오셨습니다, 닥터."

홈즈가 반갑게 인사를 건넸다.

"이삼 분밖에 안 기다리시게 해서 참 다행입니다."

"제 마부가 얘기를 한 모양이죠?"

"아니요, 그 테이블에 있는 촛불을 보고 알았습니다. 자 앉으세요."

"저는 퍼시 트레벨리안이라는 의사인데, 브르크 거리 403번지에 살고 있습니다."

방문자가 그렇게 말했다.

"그렇다면 원인 불명의 신경장애에 관한 논문을 쓰신 바로 그분이시군요?"

내가 물었다.

그는 자기가 쓴 논문을 누가 알고 있다는 것에 기분이 좋았는지 창백하던 얼굴이 갑자기 발그레해졌다.

"그 논문에 대해 말해 준 사람이 아무도 없어서 저는 그게 매장돼 버린 줄로 알고 있었죠. 출판사에서도 그게 전혀 안 팔린다고 해서 아주 낙담하고 있었거든요. 그런데 당신도 의학 분야에 종사하고 계신 모양이죠?"

"네, 지금은 퇴역했지만 외과 군의관 출신입니다."

"제 전공은 신경과입니다. 물론 할 수 있는 일부터 해야겠죠. 그런데 홈즈 선생님, 지금 이런 얘기를 하고 있을 때가 아닙니다. 선생님의 시간도 귀중할 테고요. 사실은 브르크 거리에 있는 제 집에서 최근에 이상한 일이 계속 일어나 그걸 의논드리려고 이렇게 왔습니다. 오늘 밤엔 한시라도 빨리 도움을 청해야 할 판국이 돼 버렸어요."

셜록 홈즈는 의자에 앉아 파이프에 불을 붙였다.

"네, 도움을 드리겠습니다. 무슨 사정인지 말씀해 보시죠."

"그중에는 너무나 시시한 일이라서……."

트레벨리안 씨가 머뭇거리며 말했다.

"말씀드리기도 창피한 게 있는데요. 그런데 왜 그런 일이 생기는지 도저히 알 수가 없고, 최근엔 또 더 복잡하게 돼 가고 있어서요. 아무튼 모든 걸 다 말씀드릴 테니까, 선생님께서 본질적인 것과 그렇지 않은 것이 무엇인지 좀 판별해 주시면 좋겠습니다.

먼저 저의 학생 시절 일부터 말씀드려야 할 것 같습니다. 저는 런던 대학을 나왔는데, 학생 때 교수들한테서 장래가 아주 촉망된다는 얘기를 많이 들었습니다. 제가 지금 결코 건방진 자랑을 하는 게 아니라는 걸 알아주시리라 믿습니다. 졸업한 후에는 킹즈 칼리지 병원에서 허드렛일부터 하면서 연구를 계속해 나갔죠. 그래서 강직성 경련에 대한 병리 연구로 상당한 주목을 받기도 했습니다. 그러다가 마침내 방금 여기 선생님께서 말씀하신 신경장애에 관한 논문을 써서 브루스 핀커턴 상과 메달을 받게 되었죠. 그때는 제 앞날이 전도양양할 것으로 모두 생각하고 있었는데 결코 과장된 일도 아니었습니다.

다만 걸림돌이 하나 있었는데 자금이 부족하다는 것이었어요. 쉽게 이해해 주시리라 생각합니다만, 전문의로 성공하려면 캐번디시 광장 근처 12번지나 13번지 거리쯤에서는 개업을 해야 되고, 그러자니 월세와 시설비가 엄청나게 드는 거죠. 또 이 초기 자금뿐만 아니라 몇 년 간은 먹고 살 만한 생활비도 있어야 되고, 거기다가 초라하지 않은 정도의 말과 마차도 있어야 합니다. 하지만 이렇게 하는 건 도저히 불가능하기 때문에, 저는 십 년 동안 저축을 해서 병원 간판을 걸 수 있을 정도의 자금이나 마련하려는 계획을 세웠습니다. 겨우 그 정도 목표를 갖고 있었는데, 갑자기 뜻밖의 일이 생기는 바람에 제 계획은 완전히 달라졌습니다. 전혀 새로운 전망이 생겼던 거죠. 브레신턴이라는 낯선 신사를 만나고 나서부터였어요. 어느 날 아침에 그가 제 집을 찾아왔더군요.

'당신이 바로 뛰어난 연구를 하시고 얼마 전엔 훌륭한 상도 타신 퍼시 트레벨리안 선생이시죠?'

'네, 그렇습니다만.'

'솔직하게 대답해 주시면 좋겠습니다. 그러는 게 선생한테도 더 좋지요. 그런데 성공할 수 있는 좋은 두뇌를 갖고 계신데, 혹시 요령 부리는 재주도 갖고 계신가요?'

상당히 무례한 질문이라 저는 그냥 웃고 말았죠.

'남만큼은 있다고 생각합니다만.'

그래도 저는 꾹 참으면서 그렇게 대답을 했습니다.

'그러면 혹시 나쁜 습관은 없습니까? 술을 좋아한다든지 하는……'

'아니요. 좋아하지 않습니다.'

저는 큰 소리로 말했습니다.

'좋습니다. 그 정도로 됐고요. 제가 꼭 알아야 해서 물었던 겁니다. 그건 그렇고, 이 정도 실력이 있는 분께서 왜 개업을 안 하고 계신가요?'

저는 어깨만 들썩이고 말았습니다.

'아, 흔히 있는 이야기죠.'

그는 유난히 호들갑스러운 태도로 말하더군요.

'머리는 꽉 찼는데, 주머니는 빈털터리란 말씀이죠? 바로 그것 같군요. 제가 브르크 거리에다 개업을 해드릴까 하는데, 어떻게 생각합니까?'

저는 깜짝 놀라서 그 신사를 가만히 쳐다보고만 있었습니다.

'아니, 아니, 당신을 위해서가 아니라 나를 위해서 하는 거예요.'

그는 외치듯이 큰 소리로 말했어요.

'다 털어놓고 말씀드리죠. 만약 당신만 좋다면 나로서는 지금 자금 사정이 아주 좋다는 얘깁니다. 사실 투자를 생각하는데, 몇 천 파운드가 있어서 말이죠. 그 돈을 당신의 병원 개업에 투자하고 싶은 겁니다.'

'왜죠?'

저는 흥분도 되고 해서 물었습니다.

'이것도 다른 투자나 마찬가지거든요. 오히려 다른 것보다 더 안전하기도 하고…….'

'그럼 제가 할 일은 뭐죠?'

'자, 말씀드릴게요. 내가 세를 얻고, 시설을 다 하고, 종업원 고용도 하고, 아무튼 경영을 일체 맡아서 하고, 당신은 진료만 보면 됩니다. 용돈도 드리겠습니다. 그리고 수입의 사분의 삼을 내가 갖고 나머지 사분의 일을 당신이 갖는 거죠.'

홈즈 선생님, 이런 내용이 브레신턴이라는 남자가 저한테 한 얘깁니다. 그러고 나서 있었던 흥정과 거래 등의 과정은 지루하실 테니까 생략을 하겠습니다. 어쨌든 성모 수태고지 축일 날, 저는 지금의 건물로 와서 그가 제안한 조건대로 개업을 했습니다.

브레신턴도 입원 환자로 한 건물에 살게 되었습니다. 심장이 나빠서 병원 가까이 있고 싶다는 것이었죠. 그는 이층에서 제일 좋은 방을 두 개 차지해 거실과 침실로 만들었어요. 묘한 성격이 있어서 남들과 어울리는 걸 좋아하지 않고 외출도 거의 하지 않더군요. 생활은 대체로 불규칙한데 한 가지만은 아주 규칙적으로 했어요. 매일 밤 똑같은 시간에 진찰실로 가서 장부를 다 조사한 다음, 그날의 수입 중에서 일 기니 당 오 실링 삼 펜스만 남기고 나머지는 자기 방으로 가져가 금고에 넣는 것이었죠.

그가 병원에 투자한 것에 대해 한 번도 후회한 적이 없었다는 건 확실하다고 생각합니다. 왜냐하면 병원이 처음부터 아주 잘 됐으니까요. 몇 명의 좋은 환자가 단골이 되었고, 저도 대학병원에 있을 때부터 평판이 좋았기 때문에 금방 유명해졌어요. 그래서 일이 년 만에 그를 완전히 부자로 만들어 주었죠.

홈즈 선생님, 여기까지 브레신턴 씨와의 관계를 말씀드렸고, 이제 오늘 밤에 찾아온 용건은 지금부터 설명해 드리겠습니다.

이삼 주일 전이었는데, 브레신턴 씨가 갑자기 아주 흥분한 모습으로 제 방을 찾아왔습니다. 그는 그 동네 웨스트엔드에 강도가 들었다면서 지나치게 흥분한 말투로, 창문과 문에 안전장치를 급히 더 달아야 한다고 주장하는 것이었어요. 그때부터 일주일 간 계속 불안해 하고 안절부절못하면서 창밖으로 뭔가를 살피고 기웃거리는 것이었습니다. 그때까지는 저녁 식사 전에 가벼운 산책도 나가고 하더니, 그것도 완전히 그만두고요. 그런 상태로 봐서는 누군가에 대해 아니면 어떤 일에 대해 굉장히 겁을 내고 있는 것 같은데, 그에게 직접 물어보니까 아주 싫어하면서 대답도 안 하는 겁니다. 그래서 내버려 두는 수밖에 없었어요. 그러다가 시간이 지나면서 차츰 공포심도 사라졌는지 원래의 습관으로 돌아가더군요. 그러고 있는데 또 새로운 사건이 생기면서 그는 지금 불쌍할 정도로 심한 우울증에 빠져 있는 것 같습니다.

그 새로운 사건은 바로 이것이었어요. 이틀 전에 저는 편지 한 통을 받았는데, 이름도 없고 날짜도 안 찍혀 있더군요. 제가 이걸 읽어드리겠습니다

'영국에 머무르고 있는 한 러시아인 귀족이 퍼시 트레벨리안 선생에게 진찰을 받고자 합니다. 수년 동안 강직성 경련 발작으로 시달리고 있는데, 트레벨리안 선생이 이 분야의 권위자라고 들었습니다. 내일 밤 여섯 시 십오 분쯤 찾아뵙고자 하니 시간을 내주시면 감사하겠습니다.'

강직성 경련을 연구하는 데 있어서 제일 어려운 점은 환자 숫자가 아주 적다는 것입니다. 그래서 저는 이 편지가 굉장히 반가웠던 겁니다. 당연히 저는 그 시간에 진찰실에서 기다리고 있었고 직원이 환자를 안내해 들어왔습니다.

나이가 꽤 들었고 비쩍 마른 체격에다 고지식해 보이는 남자였는데, 보통 흔히 보는 외모였고 러시아 귀족 같은 느낌은 전혀 안 들더군요. 그 사람보다는 오히려 같이 온 남자가 더 인상적으로 보였습니다. 젊은 사람인데, 키가 크고 엄청 잘생긴 데다 가무잡잡하고 아주 야무지게 생겼더군요. 게다가 체격도 헤라클레스처럼 아주 좋았어요. 그는 들어올 때 노인을 부축하고 있었는데 겉보기와는 영 다르게 앉을 때도 무척 다정스럽게 대하면서 도와주더군요.

그러면서 좀 서툰 영어로 말했습니다.

'선생님, 마음대로 들어와서 죄송합니다. 이분은 제 아버지인데, 꼭 부축해 드려야만 해서요. 아버지 건강은 저한테 너무나 중요하거든요.'

저는 그의 효성스런 마음에 감동이 되었습니다.

'그럼, 진찰하는 동안 옆에 계시겠다는 거군요.'

제가 그렇게 말했어요.

'아니, 그건 절대 아닙니다!'

그는 거의 몸서리치듯 말하는 거였어요.

'말로 할 수 없을 만큼 고통스런 일이거든요. 아버지의 발작을 보게 된다면 저는 그대로 죽고 말 겁니다. 제 신경이 너무 예민해서요. 아버지를 진찰하시는 동안엔 대기실에서 기다리고 있겠습니다.'

저는 당연히 동의를 했고 그 청년은 대기실로 갔습니다. 그래서 저는 환자에게 병세를 물으면서 진료카드를 작성해 나갔죠. 그는 기억력이 별로 안 좋은지 가끔은 헛갈리게 대답하기도 했습니다. 하지만 그건 영어에 서툴기 때문이라고 생각했죠. 그런데 질문하면서 열심히 쓰고 있다가 그가 갑자기 아무런 대답도 안 하기에 얼굴을 쳐다봤더니, 글쎄 막대기를 삼킨 것처럼 뻣뻣하게 굳어진 얼굴로 아무 표정도 없이 저를 쳐다보고 있지 않겠어요. 그 순간 또다시 그 괴이한 병이 닥쳤던 겁니다.

제가 얼른 느낀 감정은 동정심과 공포였어요. 그러다가 어느 순간부터 직업적인 냉정함으로 바뀌어 갔던 것 같습니다. 곧 맥박과 체온을 재고, 근육의 경직 상태를 살펴보고, 반사작용을 검사했죠. 뭐 특별히 다른 점은 없었고, 제가 전에 알고 있었던 병증과 거의 똑같더군요. 그런 경우에는 제 경험으로 봤을 때 초산 알루미늄을 흡입하는 것이 효과가 좋기 때문에 이번에도 그 효력을 실험할 수 있는 절호의 기회가 왔다고 생각했습니다. 그런데 그 약이 아래층 실험실에 있어서, 저는 환자를 앉혀 둔 채 그걸 가지러 뛰어내려갔죠. 찾는데 좀 시간이 걸렸죠. 오 분쯤 걸렸을까요. 아무튼 부지런히 진료실로 갔는데, 환자가 사라지고 없는 거예요!

대기실로 가 봤더니 그 아들도 같이 사라지고 없더군요. 현관문은 닫혀 있었지만 아주 잠겨 있지는 않았어요. 직원이 들어온 지 얼마 안 됐는데 좀 똘똘하지는 못하더군요. 항상 제가 벨을 누르면 그제야 뛰어올라와서 환자를 배웅하곤 했어요. 그런데 그 직원은 아무 소리도 못 들었다는 겁니다. 그러니 이게 정말 수수께끼가 돼 버린 거죠. 얼마 후에 브레신턴 씨가 산책을 갔다가 돌아오는 소리가 들렸는데, 그 일에 대해서는 아무 얘기도 하지 않았어요. 왜냐하면 솔직히 말해 요즘 그 사람을 가능한 안 보고 싶어 피하고 있으니까요.

하여튼 그 러시아 인 부자를 두 번 다시 본다는 건 전혀 생각도 안하고 그렇게 끝났다 싶었죠. 그런데 오늘 밤에 그들이 어제와 똑같은 시간에 똑같은 모습으로 다시 제 진찰실로 온 겁니다. 제가 얼마나 놀랐을지 상상해 보세요.

'제가 어제 갑자기 가 버려서 어떻게 사과 말씀을 드려야 할지 모르겠습니다.'

환자가 그렇게 말하더군요.

'사실 너무나 놀랐죠.'

제가 그렇게 대답을 했죠.

'사실은 발작이 끝나고 나면 항상 머리가 멍해져서 무슨 일이 있었는지 도무지 기억이 안 나거든요. 그러다가 정신이 들어서 보니까 웬 낯선 방에 있어서, 선생님이 안 계신 동안 나도 모르게 뛰쳐나갔던 겁니다.'

그가 설명을 했어요. 그러자 아들이 덧붙여 말하더군요.

'저도 아버지가 대기실 앞을 지나가시기에 진찰이 끝난 걸로 알고 같이 나갔던 거예요. 집에 가서야 그 상황을 알았습니다.'

저는 웃으면서 얘기를 했죠.

'아, 네. 좀 당황한 건 사실이지만 피해를 주신 건 아니니까요. 그럼 당신은 대기실에서 기다리시고 진찰을 계속하도록 하겠습니다. 어제 중단됐으니까요.'

그래서 30분 정도 진찰을 하면서 그 신사의 병증을 본인과 함께 검토한 후 처방전을 써 주고, 그가 아들의 부축을 받으며 나갈 때까지 배웅을 했습니다.

그런데 앞서 말씀드렸던 것처럼, 브레신턴 씨는 항상 그 시간에 산책을 하고 있어서 얼마 지나지 않아 곧 그가 돌아온 소리가 들리더군요. 그리고는 이층으로 바로 올라갔습니다. 한데 갑자기 그가 달려 내려오더니 미친 사람처럼 소리를 지르면서 제 방으로 뛰어 들어오는 거예요.

'누가 내 방에 들어갔어요?'

'아무도 안 들어갔는데요.'

제가 말했죠.

'거짓말 마시오. 와 보시오.'

그는 계속 고함을 쳤습니다.

아주 제정신이 아닌 것 같아서 저는 그의 무례한 말투를 그냥 받아넘겼어요. 그리고는 그의 뒤를 따라 올라갔더니 밝은색 깔개 위에 나 있는 몇 개의 발자국을 그가 가리키더군요.

'이게 제 발자국이란 말인가요?'

가만히 보니까 그건 브레신턴의 발자국보다는 크고, 또 방금 전에 난 자국이라는 걸 알 수 있었습니다. 오늘 오후엔 아시다시피 비가 억수같이 쏟아져서 환자 말고 다른 손님은 없었습니다. 그렇다면 대기실에서 기다리고 있던 노신사의 아들이 무슨 이유인지는 모르지만 제가 환자를 보고 있는 사이에 그 이층 방으로 올라갔다는 얘기가 됩니다. 아무것도 훔쳐 가지는 않았고 만진 흔적도 없지만, 어쨌든 발자국이 나 있었기 때문에 들어갔다는 건 확실합니다.

누구든 이런 일이 일어나면 차분히 있을 수만은 없겠죠. 그러나 아무리 그렇다 하더라도 브레신턴 씨의 그 유난스런 태도는 지나쳐도 보통 지나친 게 아니었습니다. 그는 소파에 앉더니 정말로 울기 시작하는 거였어요. 그 바람에 제대로 얘기를 할 수 없었죠. 제가 홈즈 선생님을 이렇게 찾아오게 된 것도 그 사람이 말했기 때문입니다. 제가 보기엔 그가 말한 것만큼 중대한 일이라고는 생각지 않는데, 아무튼 너무 이상한 사건이긴 해서 그러겠다고 동의를 했죠. 혹시 제 마차로 함께 가 주실 수 있겠습니까? 이 사건을 금방 해결할 수는 없겠지만 일단 그 사람의 마음을 가라앉힐 수는 있을 테니까요."

셜록 홈즈가 이 긴 이야기를 집중해 듣고 있는 걸 보면 그가 분명히 이 사건에 큰 흥미를 느끼고 있다는 걸 알 수 있었다. 표정엔 변화가 없고 태연한 것 같지만 의사의 이야기가 재미있는 대목으로 이어질 때마다 그의 파이프에서는 한결 짙은 연기가 뭉게뭉게 뿜어져 나왔다.

손님의 이야기가 끝나자 그는 아무 말도 없이 일어나더니 내 모자를 집어 나에게 건네고, 자기 모자도 챙기면서 트레벨리안의 뒤를 따라 나갔다. 우리는 십오 분 정도 마차를 타고 브르크 거리의 의사 집 앞에서 내렸는데, 상상했던 대로 웨스트엔드의 개업의에 어울릴 만한 짙은 색의 밋밋한 건물이었다. 젊은 직원이 문을 열어 줘서 우리는 곧 카펫이 깔려 있는 층계를 올라가기 시작했다.

그런데 묘한 문제가 생기는 바람에 우리는 층계 중간에서 멈춰 서 버리고 말았다. 층계 위에 있는 불이 갑자기 꺼지더니 어디선가 떨리는 듯한 째지는 목소리가 들려왔던 것이다.

"여기 권총이 있다. 가까이 오면 쏘겠다."

그 목소리는 이렇게 외치고 있었다.

"지금 무슨 짓을 하는 거예요, 브레신턴 씨!"

트레벨리안이 고함을 질렀다.

"아, 선생이시오?"

상대방의 목소리는 금방 가라앉았다.

"같이 오신 분들은 수상한 사람들이 아니겠죠?"

그는 어둠 속에서 가만히 살피고 있는 것 같았다. 그러더니 이내 말했다.

"좋아요, 알았어요. 올라오십시오. 제가 경계한 데 대해 기분 나빠하지는 마세요."

그러면서 그는 층계의 가스등을 다시 켜고 모습을 나타냈는데, 이상한 외모에 거동 또한 목소리 만큼이나 신경질적이고 혼란에 빠져 있는 태도였다. 지금도 아주 뚱뚱한데 과거엔 더 뚱뚱했는지 얼굴 여기저기가 그레이하운드 개의 늘어진 볼처럼 축 늘어져 있었다. 얼굴색도 건강해 보이지 않고 갈색 머리털은 숱이 적으면서 신경질적으로 곤두서 있었다. 그는 권총을 들고 있다가 우리가 가까이 가자 주머니에 집어넣었다.

"안녕하세요, 홈즈 선생님."

그가 대뜸 말했다.

"이렇게 와 주셔서 정말 감사합니다. 지금 나처럼 선생의 도움이 필요한 사람도 없을 겁니다. 트레벨리안 선생한테서 제 방에 어떤 놈이 침입했었다는 얘기는 들으셨죠?"

"네, 들었습니다. 브레신턴 씨, 그 두 남자들이 어떤 사람들인가요? 왜 당신을 괴롭히려 하는 거죠?"

홈즈가 말했다.

"바로 그거라니까요."

입원 환자는 어딘지 어수선한 태도로 말했다.

"그걸 도대체 모르겠다는 겁니다. 저한테 물어봐야 아무 소용이 없어요, 홈즈 선생님."

"전혀 모르신다고요?"

"좀 들어오세요. 잠깐이면 됩니다."

그는 앞장서서 우리를 침실로 안내했는데 그곳은 널찍하고 안락하게 꾸며져 있었다.

"저기를 보세요."

그는 침대 끝 쪽에 세워 둔 검은색 큰 금고를 가리키며 말했다.

"저는 절대로 부자가 못 될 겁니다, 홈즈 선생님. 투자만 해도 지금까지 한 번밖에 한 적이 없으니까요. 그건 트레벨리안 선생이 잘 알고 있습니다. 저는 은행을 믿지 않거든요. 은행 같은 건 절대로 안 믿습니다. 그래서, 우리끼리 얘기지만, 저는 가지고 있는 걸 전부 다 저 금고 안에 넣어 두고 있어요. 그러니 어떤 놈이 이 방 안에 침입을 했다면 제 심정이 어떨지 짐작이 가시겠죠."

하지만 홈즈는 의심스러운 눈초리로 브레신턴을 가만히 쳐다보며 고개를 저었다.

"저를 속이려고 하시면 대답할 수가 없는데요."

"저는 있는 그대로 말한 건데요."

그러자 홈즈는 몹시 기분이 나쁜 듯 홱 돌아서며 말했다.

"안녕히 계세요, 트레벨리안 선생."

"그럼, 조언을 못해 주시는 겁니까?"

브레신턴이 당황한 목소리로 외쳤다.

"사실대로만 얘기하세요."

홈즈가 그렇게 말하고 일 분 후에 우리는 벌써 집을 향해 걷고 있었다. 옥스퍼드 거리를 지나 할레 거리의 중간쯤에 이를 때까지 홈즈는 한마디도 하지 않았다.

"이렇게 멍청하게 헛걸음을 시켜서 미안하네, 왓슨. 사실 저것도 바닥을 캐보면 재미있는 사건이긴 할 거야."

그가 마침내 입을 열었다.

"나는 도무지 모르겠는데."

나는 솔직하게 말했다.

"뭔가 사연이 있는 건 확실해. 저 브레신턴이라는 자를 노리고 있는 놈들이 두 명, 더 있을지도 모르지만 어쨌든 최소한 두 명이 있는 건 분명해. 처음에도 두 번째도 그 젊은 남자가 브레신턴의 방에 들어갔고, 그 사이에 늙은 남자가 환자인 척하고 의사를 붙잡아 놓았던 거지. 그건 틀림이 없어."

"그럼, 강직성 경련이란 건 뭔가?"

"그거야 꾀병으로 꾸민 거지, 왓슨. 전문가인 트레벨리안에게 이런 말을 하기는 뭐했지만 말이야. 그건 정말 어렵지 않게 흉내 낼 수 있는 병이거든. 나도 해본 적이 있어."

"그래?"

"그건 순전히 우연이지만 브레신턴은 두 번 다 집에 없었다네. 그들이 진찰 받는 시간을 좀 예외적으로 선택한 이유는 대기실에 다른 손님들이 있으면 안 되기 때문이었지. 그런데 하필이면 그 시간에 브레신턴이 산책을 나갔던 거야. 우연히 그렇게 겹쳤던 거지. 녀석들은 브레신턴의 하루 일과를 잘 몰랐던 것 같아. 그리고 단순히 도둑질을 하려고만 했다면 뭔가 뒤적거린 흔적이 남아 있게 마련이거든. 사람이 자기 몸에 위험을 느낄 때는 눈을 보면 알 수가 있네. 그런데 자신을 위협하는 두 명의 남자가 나타났는데도 그 이유를 모르고 있다는 건 말이 안돼. 따라서 브레신턴은 그 두 남자가 누구인지 알고 있고, 하지만 무슨 사정이 있어서 그걸 숨기고 있는 것 같아. 내일쯤엔 그걸 털어놓을지도 모르지."

"하지만 다른 방향으로 생각할 수는 없을까? 황당한 얘긴지는 모르지만, 말이 안될 것도 없다고 생각하는데. 그러니까 강직성 경련 환자인 러시아 인과 그 아들은 전부 다 트레벨리안이 꾸며 낸 이야기고, 그 본인이 어떤 이유가 있어서 브레신턴의 방으로 들어간 것이라면?"

내가 말한 희한한 얘기를 듣고 홈즈는 기가 막힌다는 듯 웃어 넘겼는데, 그의 표정이 가스등의 불빛 아래서 보였다.

"왓슨, 그건 내가 처음에 생각한 가정이었는데, 트레벨리안의 이야기가 거짓말이 아니라는 걸 금방 알게 됐다네. 왜냐하면 층계의 카펫 위에 젊은 남자의 발자국이 남겨져 있었기 때문이지. 그래서 방 안에 있는 발자국까지 볼 필요는 없어지고 말았던 걸세. 이 젊은 남자의 구두는 브레신턴의 것처럼 발부리가 뾰족하지 않고 네모난 모양이었는데, 의사의 구두보다 더 크더군. 그러니까 그가 실재 인물이라는 것은 확실하네. 어쨌든 이 문제는 내일로 미뤄야겠어. 내일 아침에 브르크 거리에서 아무 연락도 안 오면 그야말로 이상하다고 해야겠지."

셜록 홈즈의 예언은 정확히 들어맞았으며, 그것도 극적으로 적중했다. 다음 날 아침 일곱 시 반, 아침 햇살이 서서히 비쳐 들기 시작했을 무렵, 홈즈는 실내복 차림으로 내 침대 옆에 서 있었다.

"왓슨, 마차가 기다리고 있네."

그가 말했다.

"무슨 일인데?"

"브르크 거리 사건 말일세."

"뭐 새로운 소식이 있었나?"

"비극적인 소식인데, 뭔가 이상하네."

블라인드를 올리면서 홈즈가 말했다.

"이것 좀 보게. 수첩을 한 장 뜯어서 썼는데, '부탁합니다, 급히 좀 와주십시오. P T' 라고 쓰여 있어. 트레벨리안 선생이 아주 급하게 쓴 건데, 빨리 가세. 급한 모양이네."

우리는 십오 분 후에 그 집에 도착했다. 트레벨리안은 공포에 떠는 얼굴로 뛰어나왔다.

"지금 일이 너무나 복잡하게 돼 버렸습니다!"

그는 두 손을 양쪽 관자놀이에 대고 소리쳤다.

"어떻게 된 겁니까?"

"브레신턴이 자살을 했습니다!"

홈즈는 휙 하고 휘파람을 불었다.

"한밤중에 목을 매고 말았습니다."

우리는 안으로 들어갔다. 의사는 우리를 대기실로 안내했다.

"제가 뭘 하고 있는지 도통 아무것도 모르겠어요. 경찰이 벌써 와 있습니다. 너무나 무서워요."

"언제 발견했나요?"

"그는 매일 아침 일찍 차를 가져오라고 하는데, 일곱 시쯤에 직원이 들어갔더니 방 한가운데에 매달려 있었답니다. 항상 무거운 램프가 걸려 있던 고리에 밧줄을 붙들어 매고 어제 보여줬던 그 금고에 올라가 뛰어내렸던 거죠."

홈즈는 잠시 생각에 잠겨 있었다.

"괜찮으시면 이층으로 가서 조사를 좀 해 보고 싶은데요."

홈즈가 말했다.

우리는 곧 층계를 올라갔고 의사도 뒤따라왔다.

침실문을 열고 안으로 들어가자 무서운 장면이 눈앞에 펼쳐져 있었다. 브레신턴이라는 자가 뚱뚱했다는 얘기는 앞에서 이미 한 것 같다. 그런데 고리에 매달려 있는 그의 몸뚱이는 더 뒤룩뒤룩하니 물렁해 보였고, 목은 털을 잡아 뜯긴 닭처럼 축 늘어져 있어서 도저히 인간이라고는 여겨지지 않을 정도였다. 긴 잠옷을 입고 있었는데, 그 아래로 흉측하게 경직된 다리와 퉁퉁 부은 발목이 드러나 보였다. 그 시신 옆에는 날렵해 보이는 경감이 서서 뭔가를 수첩에 적고 있었다.

"아, 홈즈 씨. 잘 오셨습니다."

경감이 인사를 건넸다.

"좋은 아침이군요, 라너 씨."

홈즈도 인사를 하며 말했다.

"방해가 되지는 않겠죠? 그동안의 경위를 들었습니까?"

"네, 조금은 들었습니다."

"그럼, 어떻게 보십니까?"

"제가 볼 때는 이 사람이 공포 때문에 정신이 이상해졌던 같은데요. 보시다시피 침대에서 잤던 건 분명합니다. 이렇게 흔적이 남아 있으니까요. 잘 아시겠지만 자살하는 시간은 보통 아침 다섯 시쯤이 제일 많습니다. 이 사람도 그 시간쯤에 목을 맨 걸로 보입니다. 미리 세심하게 준비를 했던 것 같고요."

"근육의 경직 상태로 봐서 숨이 끊어진 지는 대략 세 시간 정도 된 것 같습니다."

내가 말했다.

"방 안에서 뭔가 나온 게 있나요?"

"세면대 위에 드라이버와 나사못이 몇 개 있었어요. 그리고 밤새 담배를 피웠던 것 같습니다. 여기 난로에서 주워 놓은 담배꽁초가 네 개나 있습니다."

"음! 시가 파이프는 안 보였습니까?"

홈즈가 물었다.

"아니요, 안 보였는데요."

"시가 케이스도요?"

"그건 윗도리 주머니에 있더군요."

홈즈는 케이스를 열어 한 개 남아 있는 시가의 냄새를 맡아 보았다.

"음, 이건 하바나인데, 꽁초는 동인도에서 수입한 다른 종류의 담배네요. 아시다시피 보통은 보리짚으로 감아 가늘게 만들죠."

홈즈는 확대경으로 꽁초 네 개를 자세히 들여다봤다.

"두 개는 파이프로 피운 건데, 이 두 개는 직접 피운 거네요. 그리고 두 개는 별로 날카롭지 않은 칼로 끝을 잘랐고, 이 두 개는 이빨로 끝을 끊어낸 거예요. 라너 씨, 이 사람은 자살한 게 아닙니다. 굉장히 용의주도하게 계획된 살인이죠."

"아니! 왜요? 사람을 죽여서 천장에 매달았다고요? 누가 그런 말도 안되는 짓을 할까요?"

경감이 흥분해 소리쳤다.

"이제부터 그걸 조사해 봐야죠."

"도대체 어떻게 들어왔을까요?"

"현관으로 들어왔습니다."

"아침에 제가 왔을 때는 잠겨 있었거든요."

"그렇다면 그건 범인들이 나간 다음에 잠갔던 거죠."

"그걸 어떻게 아시죠?"

"그들의 발자국을 봤으니까요. 잠깐만 기다리세요. 그 점에 관해서는 좀 더 자세한 것을 설명할 수 있습니다."

홈즈는 우선 문으로 가서 자물쇠부터 살펴보더니 늘 하는 방식대로 세밀한 조사를 시작해 나갔다. 그는 방 안에 꽂혀 있던 열쇠를 빼내 자세히 들여다본 다음 침대와 카펫, 의자, 맨틀피스, 시체, 밧줄 등을 차례로 다 조사해 보았다. 그리고는 나와 라너 경감과 함께 셋이서 밧줄을 끊고 그 가련한 시체를 끌어내려 바닥에 눕힌 다음 시트를 씌웠다.

"이 밧줄은 뭘까?"

홈즈가 물었다.

"이걸 사용한 겁니다."

트레벨리안이 침대 밑에서 커다란 밧줄 다발을 끌어내며 말했다.

"저 사람은 불이 날까 봐 항상 두려워했는데, 아주 병적이었어요. 불이 나면 창문으로 피하려고 이걸 항상 이렇게 갖고 있었죠."

"범인한테도 도움이 됐겠는데요."

홈즈는 생각에 잠겨 말했다.

"명백해 보이니까 늦어도 오후까지는 그 이유를 알려드릴 수 있을 겁니다. 그리고 맨틀피스 위에 있는 이 브레신턴의 사진은 조사에 도움이 될 것 같으니까 제가 가져가겠습니다."

"그런데 아직 아무 설명도 안 해주시는군요?"

의사가 안타까운 목소리로 말했다.

"아, 사건의 경과는 분명히 드러나 있습니다."

홈즈가 설명하기 시작했다.

"세 사람이 관계되어 있어요. 젊은 남자와 노인, 그리고 또 한 사람이 있는데, 이 세 번째 남자가 누군지 단서가 안 잡히는군요. 처음 두 사람은 말할 것도 없이 그 러시아 인 백작 부자로 행세한 놈들인데, 그들이야 완전히 밝혀져 있는 인물이고요. 결국 집 안에 공모자가 있는 셈인데, 그들이 끌어들인 겁니다. 경감님, 직원을 체포하시는 게 좋을 것 같군요. 그 사람은 최근에 고용됐다고 했죠, 의사 선생님?"

"그 녀석이 지금 안 보입니다."

트레벨리안이 말했다.

"하녀와 요리사가 아까부터 찾고 있거든요."

홈즈는 어깨를 들썩거렸다.

"그는 일 막에서 상당히 중요한 역을 맡았어요. 세 사람은 살금살금 층계를 올라갔죠. 노인이 맨 앞에, 젊은이가 두 번째, 그리고 그 미지의 남자가 맨 끝에서……."

홈즈가 말을 하는 중간에 내가 소리쳤다.

"이봐, 홈즈."

나도 모르게 말이 튀어나왔던 것이다.

"아니야, 발자국이 포개진 상태로 봐서는 전혀 의심의 여지가 없어. 어젯밤에 내가 그 발자국의 주인이 누군지를 다 조사해 뒀으니까 말이야. 어쨌든 그들은 브레신턴 씨의 방까지 올라왔었는데, 문에 자물쇠가 채워져 있었던 거야. 그래서 철사를 이용해 재주 좋게 자물쇠를 열었지. 확대경으로 꼭 안 봐도 열쇠 구멍 안의 돌기 부분에 심하게 긁힌 자국이 나 있는 걸 보면 그건 분명히 뭔가로 세게 밀었다는 거니까.

그런 다음 방에 들어가 맨 처음 한 행동은 브레신턴 씨에게 재갈을 물린 거였네. 잠들어 있었거나 아니면 놈들을 보고는 공포 때문에 온몸이 마비돼서 목소리가 안 나왔을지도 모르지. 방의 벽이 두꺼워서 그가 잠깐 비명을 질렀다 하더라도 밖에서는 전혀 안 들렸을 거야.

놈들은 브레신턴을 꼼짝 못하게 해 놓고 뭔가 의논을 했던 것 같네. 아마도 그를 죽이는 문제에 대한 것이었겠지. 그때 이 시가를 피웠던 거야. 나이 든 남자는 안락의자에 앉아 파이프로 담배를 피웠어. 청년은 맞은편에 앉아 장롱에다 비벼 대며 재를 털었지. 그리고 세 번째 남자는 여기저기 걸어다니고 있었네. 브레신턴은 침대에 앉아 있었던 것 같은데, 그건 확실치가 않아.

의논을 마친 그들은 브레신턴을 천장에 매달기로 했지. 그 방법은 미리 정해 놓은 것이었기 때문에 올 때 장비를 가져왔던 거야. 이 드라이버와 나사못은 도르래를 달기 위한 것이었네. 그런데 마침 고리가 있어서 큰 수고를 면하게 됐지. 그들은 작업을 끝낸 다음 서둘러 도망쳤고 공모자가 그 뒤에 문을 잠갔던 걸세."

홈즈가 간밤의 사건에 대해 죽 설명해 나가는 동안 우리 모두는 열심히 귀를 기울여 듣고 있었지만, 모든 증거물을 가지고 직접 눈앞에 제시를 하는데도 그 추리의 순서를 좀처럼 따라가기가 어려웠다. 경감은 직원의 신원을 조회하기 위해 곧바로 떠났고, 홈즈와 나는 아침 식사를 하러 베이커 거리로 돌아갔다.

"세 시까지는 돌아오겠네."

식사가 끝나자마자 홈즈가 말했다.

"경감과 의사가 그 시간까지 여기로 오겠지만, 아무튼 그때까지는 모든 조사가 끝나 석연치 않은 점이 안 남도록 할 작정이네."

약속대로 경감과 의사는 그 시간에 왔지만 홈즈는 세 시 사십오 분에야 겨우 베이커 거리에 나타났다. 그의 표정으로 봐서 모든 것이 잘 된 것 같았다.

"뭔가 알아냈습니까, 경감님?"

"직원 녀석을 체포했죠."

"잘 하셨네요. 나는 어른들을 붙잡았습니다."

"붙잡았다고요!"

우리 세 사람은 일제히 외쳤다.

"아, 적어도 신원은 파악했습니다. 자칭 브레신턴이라는 자는 예상대로 경시청에서 잘 알고 있는 인물이고, 그를 살해한 놈들도 마찬가지더군요. 세 명의 이름은 비돌, 헤이워드, 모파트라고 하네요."

"그건 워싱턴 은행 강도들이네!"

경감이 소리쳤다.

"그렇습니다."

홈즈가 말했다.

"그럼, 브레신턴이라는 자가 바로 사튼이라는 놈이네요?"

"맞습니다."

홈즈가 대답했다.

"아, 이제 모든 걸 알겠네요."

경감이 말했다.

하지만 트레벨리안과 나는 무슨 내용인지 몰라 서로 얼굴을 쳐다보았다.

"워싱턴 은행 사건은 모두 기억하시죠?"

홈즈가 설명을 해주었다.

"다섯 명이 관련되어 있었죠. 지금의 네 명과 거기에다 다섯 번째 남자인 카트라이트까지. 수위였던 토빈이 사살되고 강도들은 칠 천 파운드를 훔쳐 도망쳤습니다. 1875년의 일이었죠. 그런데 다섯 명 모두 체포됐는데 증거가 나타나지 않았어요. 이 브레신턴인지 사튼인지 하는 녀석이 일당 중에서 가장 악질이었는데, 그놈이 배신을 하고 밀고해 버렸던 겁니다. 결국 카트라이트는 교수형을 받았고, 다른 네 명은 각각 오 년형을 받았죠. 그들이 얼마 전에 형량이 단축돼 출옥을 했는데, 당연히 옛 배신자를 찾아내 복수할 결심을 하지 않았겠어요? 두 번 그를 습격했는데 실패하고, 마침내 세 번째에서 이렇게 성공한 셈이 됐죠. 아직도 뭔가 궁금한 점이 있습니까, 트레벨리안 선생?"

"모든 걸 잘 알았습니다. 그가 하루는 굉장히 당황해 하면서 안절부절못한 적이 있었는데, 아마도 신문에 세 사람의 석방 소식이 실린 걸 보고 그랬던 것 같아요."

의사가 말했다.

"그렇습니다. 강도가 들었다고 난리를 쳤던 건 연막이었어요."

"그런데 왜 그는 홈즈 선생님께 털어놓지 않았을까요?"

"그건 말이죠, 옛 동료들이 끈질기게 추적할 거라는 걸 알고 있었기 때문에 가능한 누구에게도 자신의 신원을 밝히려 하지 않았던 거겠죠. 또 부끄러운 비밀이기도 하니까 고백할 용기도 없지 않았겠어요? 하지만 그런 비열한 인간도 영국 법률의 보호 아래 살고 있었다니……. 그래도 말이죠, 정의의 칼날은 언제나 건재해 있는 겁니다. 그래서 이렇게 복수를 당하게 하지 않습니까?"

그날 밤 이후로 세 명의 살인범에 관해 경찰에 알려진 것은 아무것도 없었다. 그러나 런던 경시청에서는 수년 전에 포르투갈 연안 오포르토의 북쪽 지점에서 발생한 노라 크레이너 호의 행방불명 사건 때 그들이 배에 타고 있었을 것으로 추정하고 있다. 그 배에 타고 있던 승객들 중 생존자는 단 한 명도 없었다. 병원 직원에 대한 재판은 증거 불충분으로 파기되었고, 당시 '브르크 거리 사건'이라고 불렸던 이 사건은 오늘날까지 공개적으로 자세히 취급된 적이 한 번도 없었다.

탈색된 병사

나의 동료 왓슨은 오래전부터 내게 내 경험담에 대해 직접 뭔가를 써 보라고 끈질기게 졸라 왔다. 그러다 겨우 이제야 그의 부탁을 받아들일 수 있게 되었다. 내가 가끔 왓슨에게 지적한 것은 그의 설명이 너무 피상적이며, 사건의 진상과 인물에 대해 엄격한 객관적 시각을 갖지 못하고 사람들의 입맛에 맞춰 재미 위주로만 글을 쓴다는 것이었다. 내가 그렇게 비난할 때마다 그는 "홈즈, 그럼 자네가 한번 써 보게." 하고 대꾸를 했다. 그런데 내가 막상 쓰려고 펜을 들어보니, 독자에게 흥미를 느끼게 해 줘야 한다는 것을 나 또한 부정할 수 없었다.

내가 지금 소개하려는 이야기는 왓슨이 미처 기록하지 못했던 사건으로 독자 여러분이 분명 재미있게 읽을 수 있을 거라고 믿는다. 그 이유는 이 이야기가 내가 관여했던 사건 중에서도 매우 특별한 범주에 속하는 것이기 때문이다. 그리고 이 기회에 나의 옛 친구이자 전기 작가였던 어떤 인물에게 몇 마디를 하고자 한다.

내가 했던 온갖 사건 조사에 난 항상 한 친구를 끌여들였는데, 그 이유는 어떤 감상적인 기분이나 어려움 때문이 아니라 그의 성격에 존경할 만한 점이 있기 때문이었다. 그는 언제나 겸허한 말투로 내가 하는 일에 대해 최고의 찬사를 아끼지 않았으며, 어떠한 경우에도 자기를 내세우지 않았다. 같이 일하는 동료로서 사건을 자기 멋대로 해석하고 다음 행동을 예측하며 결론을 내리는 그런 자세는 늘 그렇듯이 위험할 수 있다. 그러나 반대로 마치 닫혀 있는 책을 펼치듯 한 장 한 장 넘기기 전까지는 아무것도 모르는 백지 상태처럼 어떤 전기 내용에 대해서도 계속 놀라움을 감추지 못하는 그런 동료야말로 가장 이상적인 조력자라 할 수 있다.

기록을 살펴보니 그날은 1903년 1월이었으며, 보어전쟁이 막 끝난 무렵이었다. 하루는 제임스 M. 도드라는 한 청년이 나를 찾아왔는데, 키가 크고 우람하며 얼굴은 햇볕에 타 있었다. 왓슨은 그때 부인에게 일이 생겨 나가고 없었다. 그가 개인적인 행동을 한 건 우리가 공동 작업을 한 이후로 내 기억에 의하면 처음 있는 일이었다. 그래서 나 혼자 그 사건을 맡을 수밖에 없었다.

평소 습관대로 나는 창을 등지고 앉고, 방문객은 햇빛이 잘 비치는 반대편 의자에 앉게 했다. 제임스 M. 도드는 말을 어떻게 꺼내야 할지 몰라 한참이나 망설이며 허둥댔다. 그래도 나는 그를 도와주지 않고 말문을 열 때까지 기다렸다. 왜냐하면 그가 침묵하고 있는 사이 나는 그를 관찰할 시간을 벌 수 있기 때문이었다. 오랜 경험을 통해 나는 예리한 나의 관찰력이 방문객에게 특별한 인상을 준다는 것을 알았는데, 그것이 매우 효과적인 도움이 될 때가 많았다. 나는 이윽고 그 청년에게 내가 관찰한 것을 말해 주었다.

"내가 볼 때 당신은 남아프리카에서 온 것 같은데요."

"맞습니다."

청년이 놀라며 대답했다.

"국방 기병대에 근무하시죠?"

"네, 그렇습니다."

"현재는 미들섹스 연대에 계시죠?"

"맞습니다, 홈즈 선생님. 점쟁이시군요."

그는 몹시 당황하며 말했는데 그 모습에 난 웃음이 나왔다.

"당신의 까만 얼굴을 보면 영국 햇볕에 그렇게 탔을 것 같지는 않고, 또 손수건을 호주머니가 아니라 소매에 집어넣고 내 방으로 씩씩하게 들어오는 모습을 봤을 때, 당신이 어디서 왔다는 것쯤은 어렵지 않게 알아맞힐 수 있지요. 그리고 수염이 짧은 것을 보면 정규군은 아니라는 뜻이고, 당신 자세를 보니 승마를 하고 있는 것 같은데요. 내가 미들섹스 연대를 알아맞힌 건 당신이 스로그모턴 거리의 주식 중개인이라는 명함을 나한테 이미 보여줬기 때문이죠, 안 그런가요? 다른 연대에도 계셨나요?"

"정말 관찰력이 뛰어나십니다."

"당신보다 더 나을 것도 없어요. 다만 나는 관찰한 것을 세밀하게 분석하는 훈련은 잘 돼 있지요. 그런데 지금 당신이 나를 방문한 목적이 무슨 과학적인 관찰을 토론하기 위해서는 아니잖습니까? 턱스베리 올드 파크에서 무슨 일이 일어났나요?"

"네?"

"놀라실 것 없습니다. 당신은 거기서 편지를 보내면서 급하고 중대한 일로 나를 만나고 싶다고 하지 않았습니까?"

"네, 그렇습니다. 그 편지는 오후에 보낸 건데 그 뒤로도 많은 일들이 또 일어났습니다. 엠즈워스 대령이 저를 쫓아내지만 않았더라도……."

"당신을 쫓아내요!"

"네, 설명해 드리겠습니다. 엠즈워스 대령은 정말 무자비한 사람입니다. 그는 졸병 시절에도 규율을 엄격하게 지키기로 유명했다고 합니다. 고드프리를 도와주려 한 것이 아니었다면 저는 그에게 감히 덤벼들지 못했을 겁니다."

나는 파이프에 불을 붙이고 의자에 깊숙이 기대앉았다. 그러고는 말했다.

"자, 처음부터 천천히 얘기를 해보세요."

청년은 잠시 장난스런 웃음을 짓더니 말을 이어갔다.

"선생님은 제가 설명하지 않아도 모든 걸 훤히 알고 계시군요. 그럼 제가 사실대로 말씀드리겠습니다. 선생님께서 이 일을 꼭 해결해 주시면 좋겠어요. 어젯밤 내내 아무리 생각을 해봐도, 생각할수록 점점 더 믿을 수가 없었습니다.

저는 정확히 이 년 전인 1901년 1월에 고드프리 엠즈워스와 함께 같은 기병 중대에 입대했습니다. 그는 크리미아 전쟁의 분대 지휘관이었던 엠즈워스 대령의 외아들인데, 아무래도 집안에 군인의 피가 흐르기 때문에 그가 의용병으로 입대했다고 해서 이상할 것은 전혀 없었습니다.

게다가 우리 연대에서 그 친구만큼 멋진 놈도 없었습니다. 우리는 곧 친한 사이가 됐는데, 서로를 무척 위하면서 기쁨과 슬픔까지 함께 나누는 그런 깊은 우정으로 나아갔습니다. 그와 저는 서로에게 단짝이 되었던 겁니다. 그런데 군대에서 단짝이란 말에는 많은 뜻이 내포돼 있습니다. 심한 격전이 일어났던 일 년 동안 우리는 모든 괴로움과 즐거움을 함께 맛보며 지냈습니다. 그러다가 그 친구가 플레토리아 외곽에 있는 다이아몬드 언덕 근처의 전선에서 총에 맞아 큰 부상을 입었습니다.

그 뒤 저는 케이프타운의 병원에서 온 편지 한 통을 받았고, 또 사우샘턴에서 온 편지도 받았습니다. 모두 두 장을 받았었죠. 그 후로는 지금까지 아무런 소식도 못 받았습니다. 그는 저에게 가장 친한 친구인데 육 개월 동안이나 편지 한 장도 없는 겁니다.

저는 전쟁이 끝나고 집으로 돌아오자마자 그의 아버지에게 고드프리가 있는 곳을 알려달라는 편지를 써보냈습니다. 그런데 답장이 없더군요. 그래서 한동안 더 기다리다가 다시 편지를 써서 보냈습니다. 그러자 짧고 덤덤한 내용의 답장이 왔는데, 고드프리가 여행을 떠나고 집에 없으며 일 년 안으로는 돌아오지 않을 것 같다는 내용이었습니다. 그뿐이었어요.

홈즈 선생님, 저는 그것에 만족할 수 없었습니다. 뭔가 수상한 생각이 들었어요. 그는 정말 좋은 친구였고 그런 식으로 저를 따돌릴 사람은 아니었거든요. 고드프리다운 행동이 아니라는 생각만 들었습니다. 그러다가 우연한 기회에 알게 되었는데, 그 친구가 재산이 많은 집안의 상속자인데다 아버지와는 사이가 좋지 않았다는 거예요. 그의 아버지가 그에게 가끔 난폭하게 굴었다는데, 고드프리로서는 젊은 혈기에 참기가 무척 어려웠을 겁니다. 아무튼 수상한 점이 많아서 제가 직접 나서서 모든 것을 밝혀내 보기로 결심을 굳혔습니다. 그러다가 저도 이 년 동안이나 군대에 가 있는 바람에 집을 오래 비워 두었기 때문에 여러 가지 일을 처리해야 해서, 지난주에야 겨우 고드프리를 생각할 여유를 가질 수 있었습니다. 이렇게 결심한 이상 모든 것을 꼭 밝혀내고 싶습니다."

제임스 M. 도드는 친한 사이가 되면 아주 신뢰를 주는 그런 인물인 반면, 적대 감정을 가지고 대하면 꽤 피곤한 존재가 될 것 같았다. 말할 때 그의 파란색 눈은 무척이나 고집 있어 보이며 각진 턱은 단단하고 강해 보였다.

내가 물었다.

"그래서 어떤 일부터 시작했습니까?"

"저는 제일 먼저 베드포드 근처에 있는 턱스베리 올드 파크라는 그의 집을 찾아가서 직접 그곳을 조사해 보았습니다. 그의 아버지가 좀 이상한 노인이라는 것을 알고 잇었기 때문에 이번엔 그의 어머니에게 편지를 보내 직접 대놓고 알아보기로 했습니다. 편지 내용은 이렇게 썼어요. '고드프리와 제가 아주 친하게 지냈기 때문에 우리가 군대에서 함께 겪었던 이야기를 어머니께 해드리고 싶으니 좀 만나주십사' 하고요. 그랬더니 얼마 후에 그 어머니한테서 아주 친절한 답장이 왔는데, 거기 와서 하룻밤 묵고 가라는 내용이었습니다. 그래서 저는 월요일에 그곳으로 갔습니다.

턱스베리 올드 파크는 교통이 아주 불편한 곳이었습니다. 어떤 역에서 내리든 거기서부터 8킬로미터를 더 들어가야 되니까요. 가뜩이나 역에 마차가 없어서 할 수 없이 가방을 들고 걸어가야 했습니다. 그러다 보니까 거의 어둑해질 무렵에야 도착할 수 있었죠. 집은 넓은 숲 속에 자리하고 있었는데, 웅장하고 복잡한 구조로 돼 있는 것 같았습니다. 가만 보니까 건물이 여러 시대의 모든 건축 양식을 섞어서 지었더군요. 기본 골조는 나무를 썼는데 엘리자베스 시대의 양식을 사용했고 주랑 부분은 빅토리아 시대의 양식으로 했는데, 어쨌든 전체적으로 좀 혼란스런 모습이었습니다. 또 내부를 보니까 장식 나무를 쓴 데다 색색 가지 무늬를 넣은 카펫을 깔았고, 벽에는 색도 거의 바랜 낡은 그림들이 걸려 있어 뭔가 이상한 분위기를 풍기고 있었습니다. 그 집엔 집만큼이나 늙어 보이는 랄프라는 하인과 그보다 더 늙은 것 같은 그의 부인이 있었습니다. 그 부인은 고드프리의 유모인데, 고드프리가 어렸을 때 어머니처럼 애정을 느꼈던 사람이라고 늘 제게 얘기를 해주었던 기억이 났습니다. 그래서 그녀의 인상이 좀 괴이하기는 했지만 고드프리한테서 들었던 얘기 때문에 저는 그녀에게 친근감을 느꼈습니다. 그리고 고드프리의 어머니를 만났는데 무척 친절한 분이었습니다. 자상하고 피부가 하얀 아담한 부인이었어요. 그러니까 대령 한 사람만 제가 싫어한 사람이었던 겁니다.

대령과 저는 만나자마자 금방 부딪쳤습니다. 만약 고드프리를 위해서 한 게 아니었더라면 저는 곧장 짐을 싸 바로 역으로 달려갔을 겁니다. 대령의 서재에 들어가 보니 몸집이 거대하고 등이 굽어 있으며 가무잡잡한 피부에 허연 수염이 드문드문 나 있는 한 사나이가 어수선하게 널려진 책상 앞에 앉아 있었습니다. 그의 붉은 코는 독수리 부리처럼 튀어나왔고 시커먼 눈썹 아래 음울한 눈빛은 저를 쏘아보듯 하고 있었습니다. 저는 고드프리가 왜 자기 아버지에 대해 별로 말하지 않았는지 그 이유를 알 것 같았습니다.

그의 아버지가 저에게 묻더군요.

'자네가 이곳을 방문한 진짜 이유는 뭔가?'

그래서 저는 부인께 이미 편지로 말씀드렸다고 대답했습니다. 그러자 그가 다시 물었습니다.

'아, 자네가 그러니까 고드프리와 아프리카에서 친하게 지냈었단 말이지?'

'네, 제 주머니에 고드프리가 보낸 편지가 들어 있습니다.'

'그걸 보여주겠나?'

그는 제가 내놓은 두 통의 편지를 흘긋 쳐다보더니 다시 돌려주었습니다.

'음, 그래서?'

그가 묻더군요.

'저는 고드프리를 무척 좋아했습니다. 그래서 우리가 함께 했던 많은 추억들을 간직하고 있죠. 그런데 고드프리가 갑자기 아무 연락도 안 하는 게 이상하지 않습니까? 그에게 무슨 일이 일어났는지

알고 싶습니다.'

'내가 자네한테 편지로 고드프리에 관해 얘기해 주지 않았나? 그 아이는 지금 세계일주를 떠나고 없다네. 아프리카 전쟁에서 돌아왔는데 건강이 몹시 나빠져 있기에 충분한 휴식과 변화가 필요할 것 같아 그 애 엄마와 내가 의논해서 여행을 떠나라고 했다네. 고드프리를 궁금해 하는 다른 친구들에게도 이 소식을 전해 주게나.'

'알겠습니다.'

일단 대답을 하면서 제가 물었습니다.

'그럼 고드프리가 탄 배 이름과 항로, 항해 일자 같은 것 좀 가르쳐 주시겠습니까? 그걸 알면 고드프리한테 편지를 보낼 수도 있을 것 같아서요.'

내 말에 대령은 당황하면서 몹시 언짢아 하는 것 같았습니다. 그는 잠시 긴 눈썹을 내리감고 있더니 어쩔 줄 몰라 하며 손바닥으로 책상을 탁 하고 치는 것이었습니다. 그러고는 체스에서 상대가 위험한 한 수를 놓은 걸 보고는 그것에 방어할 수를 마침내 결정했을 때의 그런 표정으로 입을 꾹 앙다물었습니다. 그리고 말하더군요.

'도드, 자네 고집도 참 세구먼. 반감을 품는 사람들이 많을 것 같네. 고집을 너무 부리는 것도 예의가 아니지.'

'대령님의 아들을 진정 아끼기 때문에 그런 것입니다. 용서하십시오.'

제 말에 대령이 찬찬히 설명을 하더군요.

'알겠네. 그래서 나도 가만히 있는 거지. 어쨌든 더 이상은 묻지 말아 주게나. 제발 부탁일세. 어떤 집이든 다 나름대로 외부 사람들에게 알려져서는 안 되는 사정과 이유가 있는 법이라네. 아무리 좋은 얘기라도 말일세. 내 아내는 자네한테서 고드프리에 관한 지난 얘기를 무척 듣고 싶어 한다네. 그러니 그 아이의 현재와 미래에 관한 이야기는 묻지 말아 주게나. 그런 질문들은 모두 쓸데없는 것들이야. 게다가 우리를 몹시 곤란한 처지에 빠뜨릴 수도 있으니까 말일세.'

홈즈 선생님, 그 이야기는 이렇게 끝났습니다. 저는 대령이 부탁하는 대로 하는 척했지요. 그러나 속으로는 제 친구 고드프리의 운명이 어떻게 결판나든 절대로 그냥 보고만 있지는 않겠다고 결심했습니다. 그날 저녁 시간이 지루하게 흘러가고 있었지요. 우리 세 사람은 어둑한 방 안에서 조용히 저녁 식사를 했습니다. 고드프리의 어머니는 저에게 아들에 관한 이야기를 이것저것 물었지만, 대령은 냉랭한 표정으로 기분도 몹시 가라앉아 있는 것 같았습니다. 그 분위기가 너무나 불편하고 지루해 저는 될 수 있는 한 빨리 인사를 하고는 침실로 갔습니다.

침실은 아래층에 있었는데, 다른 방들과 마찬가지로 그 방도 어둠침침하고 아무런 장식도 없이 넓기만 했습니다. 홈즈 선생님, 저는 풀밭 위에서 일 년 동안 자 봤는데, 그런 경험을 한 제가 잠자리에 대해 뭐 까다로울 게 있겠습니까? 커튼을 젖히고 창 밖을 내다보니까 밤하늘에 반달이 떠 있고 아름다웠습니다. 저는 불꽃이 타고 있는 벽난로 가에 앉아서 소설을 읽으며 다른 것은 잊어버리려 해 보았습니다. 그러고 있는데 얼마 후에 랄프가 난로에 넣을 석탄을 가지고 방으로 들어오더군요. 그러면서 말했어요.

'밤중에 석탄이 부족할 것 같아서요. 여기 날씨가 추워서 방이 식을 겁니다.'

그는 말을 마치고는 방을 나가려다 말고 머뭇거렸습니다. 그래서 제가 쳐다봤더니 그의 주름진 얼굴이 뭔가 하고 싶은 말이 있는 있는 것처럼 보이더군요.

'죄송합니다. 아까 저녁 식사 때 고드프리 도련님 얘기를 하셨을 때 저에게도 들려서 들었습니다만, 도련님은 제 아내가 키우다시피 했습니다. 그러다 보니 저도 도련님에게 수양아버지 비슷한 것이 된 셈이죠. 그래서 우리 부부는 당연히 도련님에게 항상 관심을 가지고 있습니다. 도련님은 전쟁에 나가서도 용감하셨다고요?'

'네, 물론이죠. 우리 연대에서 고드프리보다 더 용감한 병사는 없었으니까요. 그는 보어군의 공격을 받았을 때 저를 총탄 속에서 구해 준 인물이었어요. 그때 그가 저를 구해 주지 않았더라면 저는 지금 이 자리에 없는 것이지요.'

그 하인은 늙어 까칠한 자신의 손을 비벼 대고 있었습니다.

'네, 고드프리 도련님은 충분히 그러셨을 겁니다. 도련님은 항상 용감한 분이셨거든요. 정원에 있는 나무들마다 도련님이 올라가지 않은 나무가 하나도 없을 정도였지요. 아무도 못하게 막을 사람이 없었습니다. 도련님은 어렸을 때도 참 훌륭했습니다. 아니, 훌륭한 청년이었습니다.'

저는 그때 자리에서 벌떡 일어나 외쳤습니다.

'아니, 왜 그러세요! 청년이었다니요! 당신은 지금 마치 그가 죽은 사람인 것처럼 이야기를 하시는데요. 도대체 어떻게 된 일입니까? 고드프리한테 무슨 일이 생긴 건가요?'

저는 그 늙은이의 어깨를 확 잡았습니다. 그가 움찔하더군요. 그러고는 어쩔 줄 몰라 하며 말했습니다.

'저는 아무것도 모릅니다. 도련님에 관한 이야기는 주인님께 물어보십시오. 그분이 모든 것을 다 알고 계시니까요. 저는 정말 아무것도 모릅니다. 제발 부탁입니다.'

그러면서 하인은 서둘러 방을 나가려고 하더군요. 그러나 제가 다시 한번 그의 어깨를 꽉 붙잡았습니다.

'잠깐만요! 그럼 나가시기 전에 한 가지만 좀 대답해 주세요. 혹시 고드프리가 죽었습니까? 대답해 주세요. 대답 안 하시면 밤새도록 당신을 붙잡고 있겠습니다.'

그는 제 눈을 똑바로 바라보지 못했습니다. 그리고 마치 최면에 걸린 사람처럼 멍한 표정으로 꼼짝 않고 서 있더니, 이윽고 그의 얇은 입술 사이로 대답이 새어 나왔습니다. 제가 전혀 예상하지 못했던 소름 끼치는 대답이었지요.

'저는 도련님이 제발 사실 수 있기를 하느님께 기도하고 있습니다.'

그는 몸서리치듯 이렇게 말하고는 방문을 확 열며 뛰쳐나갔습니다.

홈즈 선생님, 선생님께서도 상상이 가실 겁니다. 저는 기분이 너무나 울적해서 다시 의자에 털썩 앉았습니다. 그리고는 그 늙은이의 말을 떠올리며 거기서 한 가지 추측을 해낼 수 있었습니다. 그건 곧 제 가련한 친구가 분명 어떤 범죄 사건이나 혹은 집안의 명예에 관련된 치욕스런 사건에 얽혀 있는 것 같다는 것이었지요. 아마도 무자비한 그 늙은 아버지의 짓일 것 같았습니다. 일테면 고드프리를 어디 먼 곳에 보내 숨겨 놓고는 소문이 나지 않도록 막고 있는 것이지요. 저도 겪어 봐서 알지만, 사실 고드프리는 남이 하라는 대로 쉽게 잘 따르는 편이었습니다. 어쩌면 분명 사악한 어떤 유혹에 빠져 몸을 상했을지도 모릅니다. 아, 그렇다면 정말 불쌍하게 된 거지요. 아무튼 그렇다 하더라도 저는 어떻게든 그 친구를 찾아내서 제가 할 수 있는 한 그를 도와주고 싶습니다. 그래서 곰곰이 이 사태를 생각해 봤습니다. 그런데 어느 순간 갑자기 고드프리가 제 눈앞에 서 있는 거 아니겠습니까?"

제임스 M. 도드는 격렬한 감정으로 흥분하며 잠시 말을 멈췄다. 그때 내가 재촉을 했다.

"자, 계속 얘기해 보세요. 당신의 이야기는 지금부터 본론으로 들어가는 것 같군요."

"홈즈 선생님, 글쎄 그가 창밖에 서 있는 것이었습니다. 얼굴을 유리창에 바싹 댄 채 말입니다. 제가 아까 창밖을 내다봤다는 얘기 하지 않았습니까? 그때 커튼을 열었다가 다 안 닫고 좀 열린 채 그대로 두었었는데, 그 사이로 고드프리의 모습이 보였던 겁니다. 유리창이 방바닥까지 길게 돼 있어서 그의 몸 전체가 다 보였습니다. 하지만 제 시선을 끈 것은 무엇보다 그의 얼굴이었습니다. 얼굴이 시체처럼 창백하게 보였던 것이지요. 저는 여태껏 그렇게 창백한 얼굴은 본 적이 없었습니다. 그래서 처음엔 얼핏 내가 유령을 봤나 하는 생각이 들었습니다. 그런데 그의 눈은 분명 제 눈을 바라보고 있었고, 그것은 틀림없이 살아있는 사람의 눈이었던 겁니다. 그는 내가 자신을 쳐다보고 있다는 것을 발견하고는 재빨리 몸을 감춰 어둠 속으로 숨어 들었습니다.

홈즈 선생님, 너무나 충격적인 일 아닙니까? 그냥 단지 고드프리가 우유처럼 하얀 얼굴로 어둠 속에서 갑자기 나타났다고 해서, 그것 때문에 놀란 것만은 아니었습니다. 뭔가 말하지 못하고 있는 것 같은 그의 표정이랄지, 몰래 도망쳐 나와 비밀스런 뭔가를 살펴보며 죄지은 사람처럼 몹시 당황해 있는 그의 태도에 저는 더 큰 충격을 느꼈습니다. 제가 알고 있던 고드프리라는 친구는 굉장히 남자다운 사람이었기 때문이죠.

저는 그때부터 공포에 휩싸이기 시작했습니다. 그래도 제가 군대에서 일 년이 넘게 보어 인들과 전쟁을 해 봤기 때문에 대범하게 곧 정신을 가다듬고 행동에 착수했습니다. 저는 쏜살같이 창가로 다가갔습니다. 고드프리가 그리 멀리 가지는 못했을 테니까요. 그런데 문고리가 복잡하게 돼 있어서 창문을 여느라 시간이 좀 걸렸습니다. 그러고는 창밖으로 뛰쳐나가 그가 사라졌을 것 같은 방향으로 뛰기 시작했습니다. 그렇게 숲 속을 한참이나 뛰어가자, 달빛도 비치지 않는 어둠 속에서 저 앞에 뭔가가 움직이는 게 보였습니다. 그래서 계속 가면서 그의 이름을 불러봤죠. 한데 아무 대답도 없었습니다.

숲길 끝쯤에 이르자 별채로 이어지는 여러 방향의 갈림길이 복잡하게 나 있었습니다. 저는 어떤 길로 가야 할지 몰라 잠시 허둥대며서 있었습니다. 그때 어디선가 문을 닫는 것 같은 소리가 들려왔습니다. 그 소리가 제 뒤에서 난 건 분명 아니었습니다. 하지만 앞쪽은 컴컴하니 아무것도 보이지 않았거든요. 그래서 홈즈 선생님, 그 소리 때문에 제가 본 것이 헛것이 아니라는 걸 확신하게 되었습니다. 그건 바로 고드프리가 저를 피해 어떤 별채 안으로 숨어 들어가면서 문을 닫은 소리였던 것 같았습니다.

그러나 저도 더 이상 어떻게 할 수가 없어서 밤새도록 그 사실에 대해 이런저런 궁리만 하며 불안한 밤을 보냈습니다. 다음 날 아침에 보니까 대령의 표정이 좀 덜 날카로운 것 같더군요. 게다가 마침 그의 부인이 저에게 근처에 구경할 만한 곳이 몇 군데 있다면서 말을 꺼내자, 기회가 좋다 싶어서 그때 하룻밤만 더 그 집에 묵을 수 있으면 좋겠다고 말했습니다. 대령은 떨떠름한 표정으로 그러라고 하더군요. 그래서 저는 그날 하루 동안 모든 것을 살펴보기로 했던 겁니다. 그런데 고드프리가 그 근처 어딘가에 숨어 있는 건 확실한데, 도대체 어디에 숨어 있는 건지 그 장소와 이유를 아무리 생각해도 알 수가 없었습니다.

대령의 집이 너무 큰 데다 구조가 무척 복잡하게 돼 있어서, 설사 누가 숨어 있다고 해도 찾아내기가 여간 어려울 것 같지 않았습니다. 더구나 만약 어떤 비밀이 그 집안에 있다면 저로서는 해결하기가 어려운 일이겠죠. 그러나 제가 숲 속에서 들었던 그 문 소리는 분명 그 본채 건물에서 난 소리가 아니었습니다. 그래서 정원을 살펴

보려고 나갔습니다. 그 조사는 어려울 게 하나도 없었습니다. 대령과 그의 부인은 다른 일들로 바빠서 제가 혼자 무슨 일을 하든 신경 쓰지 않았으니까요.

대저택 안에 별채가 몇 개 있었는데, 숲길 끝쯤에 정원이나 숲을 관리하는 하인이 살 만한 별채가 또 하나 따로 있었습니다. 문 닫는 소리가 난 곳이 바로 그쯤 아니었나 하는 생각이 들었습니다. 그러자 저도 모르게 그쪽으로 산책하듯이 자연스럽게 걸어가게 됐습니다. 가까이 다가가자 키가 아담하고 밝은 인상을 한 남자가 수염을 기른 모습으로 검은색 코트와 중절모를 쓴 채 문 밖으로 나오고 있었습니다. 남자의 모습이 정원사나 하인 같지는 않았습니다. 그는 문을 닫더니 자물쇠를 잠그고는 열쇠를 호주머니에 집어넣었습니다. 그러고는 돌아서서 걸어 나오다가 저를 발견하자 화들짝 놀란 얼굴로 쳐다보더군요.

'여기 오신 손님이십니까?'

그가 물었습니다.

그래서 저는 고드프리의 친구라며 인사를 했습니다.

'고드프리가 여행 중인 줄 모르고 왔지 뭡니까? 그가 저를 봤으면 엄청 반가워했을 텐데 말이죠.'

'네, 멀리서 오셨는데 정말 유감입니다. 다음에 고드프리가 있을 때 꼭 다시 오십시오.'

그는 마치 죄라도 지은 표정으로 말을 했습니다. 그러고는 돌아서 떠났는데, 제가 잠시 후에 뒤를 돌아다봤더니 그가 월계수나무 숲 속에 몸을 반쯤 숨기고는 저를 감시하고 있는 게 보였습니다.

저는 지나가면서 그가 나왔던 그 별채를 유심히 쳐다봤습니다. 창문에 보니까 두꺼운 커튼이 쳐 있더군요. 그래서 멀리서 언뜻 보면 사람이 사는 집 같지 않았습니다. 만약 그때 제가 과감하게 별채 가까이 다가가 자세히 살펴봤다면 저의 모든 계획은 수포로 돌아갔을 겁니다. 하지만 그가 저를 감시하고 있다는 걸 알고 있었기 때문에 저는 그냥 집으로 돌아왔습니다. 그리고 밤이 올 때까지 기다렸죠. 밖이 어두워지자 집 안도 조용해졌습니다. 그때 저는 창문으로 빠져나와 조심스럽게 그 비밀스런 별채로 다가갔습니다.

창가엔 여전히 두꺼운 커튼이 드리워져 있었고 창문도 단단히 닫혀 있었습니다. 그런데 희미한 불빛이 커튼 사이로 내비치는 것 같아 정신을 가다듬고 그 안을 들여다보았습니다. 가만히 보니까 다행히도 커튼이 완전히 닫혀 있지 않더군요. 그리고 덧문 사이로도 안을 볼 수가 있어서 어렵사리 방 안을 들여다보았습니다. 방이 깨끗이 정돈돼 있었고 램프도 환하게 켜져 있는데다 난로엔 불이 활활 타오르고 있었습니다. 그리고 정면엔 아침에 만났던 그 키 작은 남자가 앉아 있었습니다. 그는 담배를 피우며 신문을 읽고 있더군요."

"무슨 신문이던가요?"

내가 대뜸 물었다.

도드는 내가 말을 끼어든 것에 몹시 불편한 기색을 보였다.

"그게 무슨 문제라도 있는 겁니까?"

"매우 중요한 문제죠."

"자세히는 못 봤는데요."

"일간지처럼 큰 넓이의 신문이었는지, 아니면 주간지 종류처럼 크기가 작은 신문이었는지, 잘 떠올려 보세요."

"아, 그렇게 말씀하시니까 생각이 납니다. 크지는 않았습니다. 아마도 스펙테이터(18세기에 영국의 문학자 애디슨과 스틸이 발행한 잡지) 정도의 크기였던 것 같습니다. 왜냐하면 한 사람이 더 창 쪽으로 등을 돌리고 앉아 있었기 때문에 신문 같은 것에는 별로 신경이 안 쓰였던 겁니다. 그 남자는 분명 고드프리였습니다. 얼굴은 안 보였지만 그의 어깨 모습을 보자 저는 금방 그가 고드프리라는 걸 알 수 있었습니다. 그는 어딘지 축 처진 자세로 팔꿈치를 괸 채 난로를 향해 앉아 있었습니다. 저는 어떻게 해야 좋을지를 몰라 그냥 바라보고만 있었는데, 잠시 후 누가 제 어깨를 잡아당기는 것이었습니다. 깜짝 놀라 돌아보니까, 세상에 대령이 거기 서 있지 뭡니까?

'이쪽으로 와 보게.'

그가 조용히 말하더군요. 그리고 아무 말도 없이 집 쪽으로 향해 걸어갔습니다. 저는 대령을 뒤쫓아 가서는 제 방으로 들어가 있었습니다. 잠시 후 그가 거실에 있던 기차 시간표를 가지고 들어오더군요. 그리고는 말했습니다.

'내일 아침 여덟 시 반에 런던으로 가는 기차가 있으니까 그걸 타게. 여덟 시 정각에 마차를 대기시켜 놓겠네.'

그는 금방이라도 폭발할 것처럼 분노에 차 있었습니다. 저는 별 수 없이 횡설수설하듯 더듬거리는 말투로, 그건 친구가 걱정돼서 한 일이었기 때문에 사과를 드린다고 말했습니다. 그러나 그는 받아들이지 않았습니다.

'더 이상 얘기하고 싶지 않네.'

그러더니 말을 이어가더군요.

'자네는 우리 집안 일에 대해 주제넘게도 쓸데없는 참견을 하고 있구먼. 여기 손님으로 온 줄 알았더니 스파이 짓을 하고 있어. 자네 얼굴을 더 이상 안 보고 싶다는 말 외에는 더 할 말 없네.'

홈즈 선생님, 저는 그 말을 듣고는 가만히 있을 수가 없었습니다. 그래서 대령에게 차분히 얘기를 했죠.

'저는 고드프리를 보았습니다. 대령님께 무슨 사정이 있는 건지는 모르겠지만 지금 고드프리를 세상에서 멀리 떼어내 어딘가에 숨겨 놓고 계신 것 아닙니까? 그를 숨겨야 할 이유가 뭔지도 모르겠지만 저는 고드프리가 머지않아 거기서 풀려나리라는 걸 믿고 있습니다. 그리고 한 가지 더 말씀드리고 싶은데, 저는 고드프리가 안전할 거라고 확신할 수 있을 때까지 그 비밀을 파헤쳐 보려고 합니다. 대령님께서 무슨 말씀을 하시든, 어떤 행동을 취하시든 저는 전혀 상관하지 않을 생각합니다.'

그때 대령의 얼굴은 악마의 표정 그 자체가 되어 금방이라도 저에게 덤벼들 것처럼 보였습니다. 저도 밀리는 편은 아니지만 아까 말씀드린 것처럼 그는 워낙 무자비하게 억센 늙은이라 저로서는 상대하기가 힘에 부칠 수도 있었습니다. 그런데 한참 동안 그렇게 저를 노려보더니 돌아서서 방을 나가 버리더군요.

대령이 말한 대로 저는 그곳을 떠나 기차를 타고 오늘 아침에 런던에 도착했습니다. 그리고 곧바로 이렇게 선생님을 찾아오게 된 것이죠. 편지에 썼던 것처럼 도움을 부탁드리고 싶어서 말입니다."

방문객이 털어놓은 이야기는 이것이 전부였다. 예민한 독자라면 이미 눈치챘겠지만 이 문제는 별로 까다로울 게 없었다. 왜냐하면 뻔히 보이는 몇 개의 추리로 문제를 풀 수 있기 때문이다. 그러나 이 이야기는 내가 직접 이렇게 기록하고 싶은 마음이 들 정도로 충분히 내 흥미를 끌었고, 사실 또 무척 희한한 사건이기도 했다. 나는 평소 하던 내 논리적 분석 방법에 따라 그 핵심을 잡아채기 위해 가능한 빨리 이 사건을 해결하려고 머리를 짜내기 시작했다.

"그 집에 하인은 몇 명이나 되죠?"

"그 늙은이와 그의 아내밖엔 없는 것 같았습니다. 제가 보기에 대령은 아주 검소하게 살고 있었거든요."

"그 떨어져 있다는 별채에는 하인이 따로 없었습니까?"

"없는 것으로 보입니다. 아까 말씀드린 그 수염 기른 사람이 일하는 사람 같긴 한데, 한편으론 신분이 있는 사람으로 보였으니까요."

"음, 뭔가 집히는 데가 있는데요, 혹시 거기로 음식 가져가는 걸 본 적이 있나요?"

"아 그러고 보니까, 그 하인 랄프가 바구니를 들고 정원으로 나가서 그 별채 쪽으로 걸어가는 걸 본 적이 있습니다. 그때는 그게 음식일 거라고는 전혀 생각지 못했습니다."

"그 마을 사람들한테서는 아무 얘기도 못 들었나요?"

"참, 역장과 여관 주인한테 제가 그냥 내 친구 고드프리 엠즈워스를 혹시 아느냐고 물어본 적은 있습니다. 그 사람들도 전부 고드프리가 세계 일주 여행을 떠난 줄로 알고 있더군요. 전쟁터에서 돌아온 후 곧바로 여행을 떠났다고 그렇게 얘기했습니다. 그러니까 마을 사람들은 전부 고드프리가 여행을 가고 없는 걸로 알고 있는 거죠."

"그 사람들한테 고드프리가 여행 간 게 수상하다거나 뭐 그런 쓸데없는 얘기는 안 하셨겠죠?"

"물론이죠. 아무 말도 안 했습니다."

"잘했습니다. 자 그럼, 이 사건을 한번 풀어 보겠습니다. 우선 저랑 같이 턱스베리 올드 파크로 가 주시죠."

"오늘이요?"

그 무렵 나는 그레이민스터 공작이 깊이 관련된 한 사건을 막 해결한 참이었다. 그건 왓슨이 '수도원 학교'라는 제목으로 발표한 적이 있는 사건이었다. 그러고 나서 바로 터키 황제의 요청으로 어떤 정치적 사건 하나를 급히 맡게 되었었다. 그때 기록을 보니까, 그래서 그다음 주쯤에야 겨우 시간이 나서 나는 도드와 함께 베드포드로 떠나게 됐던 것이다. 우리는 유스톤 역을 지나면서 내가 미리 섭외한 한 사람을 기차에 태웠는데, 그는 무척 신중하고 과묵해 보이는 남자였다.

"이 사람은 내 오랜 친굽니다."

나는 그를 도드에게 소개했다.

"이 친구가 지금 왔다고 해서 이번 사건에 어떤 도움이 될지, 전혀 안 필요할지, 아니면 반대로 문제 해결에 핵심이 되는 아주 중요한 역할을 하게 될지, 그건 모르겠습니다. 지금으로서는 아무것도 말할 수가 없습니다."

왓슨이 기록한 사건들을 읽어 본 독자라면 내가 어떤 경우에도 아무 말이나 함부로 내뱉지 않으며, 특히 사건 해결을 맡고 있을 때는 내 생각을 절대로 밖으로 드러내지 않는다는 사실을 알고 있을 것이다. 내 말에 도드는 약간 놀란 것 같았지만 아무런 대꾸도 하지 않았다. 가면서 나는 도드에게 내 친구가 알고 싶어하는 몇 가지 참조 사항을 질문했다.

"도드씨, 침실 창밖으로 친구가 서 있는 걸 분명히 보셨다고 했는데, 그가 고드프리라는 걸 어떻게 확신하시죠?"

"맞습니다. 분명히 고드프리였어요. 그가 유리창에 코를 붙이고 서 있었거든요. 램프 불빛이 환하게 비쳐서 그의 얼굴이 똑똑히 보였습니다."

"아니면 그와 비슷하게 생긴 다른 사람은 아닐까요?"

"아닙니다. 분명히 고드프리였습니다."

"그런데 그의 모습이 다르게 보였다고 했죠?"

"네, 얼굴 색만 다르게 보였습니다. 뭐랄까요, 어떻게 표현해야 할지 모르겠는데요. 마치 생선 속살처럼 하얗게 돼 있었다고 할까요?"

"얼굴이 온통 하얗다는 겁니까?"

"아니요. 유리창에 대고 있던 눈썹은 원래 그대로였습니다."

"그의 이름을 불러 봤습니까?"

"그때는 순간적으로 너무 놀랐고 또 무섭기도 해서 부르지는 못했습니다. 그러나 지난번에도 말씀드렸다시피 뭐 생각하고 자시고 할 틈도 없이 무작정 뛰쳐나가 뒤를 쫓아가 봤던 겁니다."

그렇다면 이제 한 가지, 즉 끝을 어떻게 마무리 지을지 그 문제만 제외하면 이 사건은 거의 다 해결된 것이나 마찬가지였다. 우리는 기차역에서 마차를 타고 한참을 달린 뒤, 도드가 말한 대로 무척이나 기이한 형태의 건축물인 그 저택 앞에 도착했다. 늙은 하인 랄프가 나와 문을 열어 주었다. 나는 마차를 하루 동안 빌리는 걸로 계약했기 때문에 내 친구에게는 내가 부를 때까지 그 마차 속에서 기다리고 있으라고 했다. 랄프는 키가 작고 얼굴에 주름이 쪼글쪼글하며 하인들이 전통적으로 입는 검정 재킷에 흰색 바지를 입고 있었다. 그리고 갈색 가죽장갑을 끼고 있었는데, 우리의 시선을 느끼고는 얼른 벗어 그걸 거실 탁자 위에 올려놓았다. 나는 왓슨이 말한 대로 굉장히 예리한 감각을 타고났다. 탁자 위에서 미미하긴 하지만 분명히 특이한 냄새가 났던 것이다. 나는 자연스럽게 몸을 돌리며 모자를 벗어 탁자 위에 놓는 척하다가 그걸 바닥으로 떨어뜨렸다. 그리고는 모자를 집으려 허리를 구부리다가 장갑에 코를 대고 냄새를 맡아 보았다. 그건 틀림없이 타르 냄새였다. 자, 그렇다면 사건의 실마리는 완전히 풀린 셈이다. 내가 직접 사건을 기록하다 보니까 이렇게 빨리 수사 과정을 공개할 수 있게 된 것이다. 만약 왓슨이 했다면 보다 더 드라마틱한 놀라운 결론으로 끝맺기 위해 이런 과정을 전부 다 숨겼을 것이다.

엠즈워스 대령은 그때 안 보였는데 랄프가 가서 알리자 금방 거실로 들어왔다. 그의 빠르고 무거운 발소리가 복도를 울리더니 문이 확 하고 열렸다. 대령의 표정은 완전히 찌푸려 있고 수염도 빳빳하게 서 있는 것 같았다. 그렇게 매섭게 생긴 늙은이는 생전 처음 보는 듯했다. 그는 손에 들고 온 도드의 명함을 쫙 찢어 버리고는 바닥에 던져 짓밟았다.

"누가 남의 집안일에 끼어들라고 했나, 이 자식아! 다시는 여기 나타나지 말라고 내가 경고했을 텐데! 두 번 다시 네 녀석 낯짝을 들이밀지 말라고. 만약 또 내 허락 없이 나타나면 그땐 정말 가만 안 둘 거다. 총을 쏴 버릴 거라고. 알겠나? 그리고 선생……."

그는 나를 쳐다보며 말했다.

"당신에게도 마찬가지 경고를 하겠소. 난 당신의 추악한 직업을 잘 알고 있는데, 그 탁월한 재능은 다른 데나 쓰시오. 이 집에는 당신 같은 사람이 개입할 거리가 없으니까 말이오"

그때 내 의뢰인이 단호하게 말했다.

"고드프리가 직접 나서서 자신이 감금되어 있지 않다는 것을 말할 때까지 저는 이곳을 떠나지 않을 겁니다."

그러자 대령이 벨을 누르며 말했다.

"랄프, 경찰서에 연락해 경찰관 두 명 좀 보내 달라고 하게. 집에 도둑이 들었다고 말하게나."

내가 서둘러 끼어들었다.

"잠깐만요! 도드씨, 엠즈워스 대령은 지금 그렇게 할 권리가 있습니다. 그리고 여긴 그의 집이니까 우리로서도 아무런 법적 자격을 가질 수는 없는 것이고요. 그건 분명합니다. 대령에서도 이해를 해주셔야 하는 게, 도드 씨가 이렇게 하는 건 어디까지나 당신 아들을 걱정하는 마음에서 하는 일이니까 그런 사실을 좀 참작해 주시면 좋겠습니다. 그리고 대령께 한 가지만 부탁드리고 싶은데, 저와 오분만 좀 면담을 해주시죠. 그러면 저는 당신이 생각을 바꾸도록 할 수가 있습니다."

"나는 쉽게 마음이 변하는 사람이 아니오."

늙은 대령이 큰 소리로 대답했다. 그러고는 소리쳤다.

"랄프, 내 말 안 들리나? 경찰을 부르라니까, 빨리!"

내가 문에 기대며 말했다.

"그건 좋지 않습니다. 경찰이 개입되면 오히려 일을 크게 망치게 될 겁니다. 바로 당신이 두려워하는 일이 벌어지는 거죠."

나는 메모지를 꺼내 재빨리 갈겨 썼다. 그리고 종이를 대령에게 내밀면서 말했다.

"이것 때문에 우리가 여기에 온 겁니다."

대령은 갑자기 풀이 죽은 듯 놀라지도 않고 그 종이만 뚫어져라 쳐다보았다.

"어떻게 아셨습니까?"

그는 쓰러질 듯 의자에 몸을 파묻었다.

"그게 제 직업이니까요."

늙은 대령은 주름진 손으로 수염을 만지작거리며 한동안 말이 없었다. 그러다가 마침내 포기하겠다는 식으로 몸을 움찔했다.

"당신이 고드프리를 만나고 싶다면 그렇게 해드리겠습니다. 그러나 이건 어디까지나 내가 원한 것이 아니라 당신의 강요에 의한 것입니다. 랄프, 가서 고드프리와 켄트 씨에게 우리가 오 분 내로 그쪽으로 갈 거라고 전해 주게."

우리는 정원으로 나가 그 비밀의 별채로 걸어갔다. 별채 문 앞에서 키 작은 그 남자가 여전히 수염을 기른 채 너무나 놀라 어쩔 줄 몰라 하는 표정으로 서 있었다. 우리가 다가가자 그가 말했다.

"엠즈워스 대령님, 도대체 어떻게 된 일입니까? 이렇게 하시면 우리 계획은 전부 물거품이 되지 않습니까?"

"켄트, 나도 어쩔 수가 없네. 고드프리를 좀 볼 수 있을까?"

"네, 안에 있습니다."

켄트는 소박하게 꾸며진 커다란 집 안으로 우리를 안내했다. 한 남자가 난로에 등을 대고 서 있었다. 그를 보자마자 나의 의뢰인은 두 팔을 활짝 벌리면서 그를 껴안을 듯 달려갔다. 그러면서 외쳤다.

"고드프리, 이 친구야. 세상에, 이렇게 만나다니."

그러나 그 남자는 얼른 몸을 돌려 버렸다.

"나를 만지면 안 돼. 떨어져 있어. 보다시피 나는 예전에 네가 알던 미남 고드프리 엠즈워스가 아니야."

그의 얼굴은 정말 이상한 구석이 있었다. 아프리카 햇볕에 가무잡잡하게 타고 윤곽이 뚜렷했다는 그의 얼굴을 전에 본 사람이라면 누구나 다 그를 미남이라고 생각했을 것이다. 그러나 지금은 시커먼 피부에 바랜 것처럼 희끄무레하고 얼룩덜룩한 점들이 돋아나 있어 무척 괴이해 보였다. 그가 말을 이었다.

"내가 왜 아무도 만나려 하지 않는지 이유를 이제 알겠나? 자네에게 걱정을 끼쳐서 미안하네. 그래도 친구들을 데려오지 않았으면 좋았을 텐데 말이야. 자네도 그럴 만한 이유가 있었겠지만 이런 짓은 나를 더 괴롭게 만들 뿐이라네."

"고드프리, 걱정 말게. 아무 문제 없을 거야. 그날 밤 자네가 창가에서 나를 쳐다보고 있는 걸 발견했을 때, 난 마음속으로 이미 이 상황이 해결될 때까지 가만히 있지 않겠다고 결심했었다네."

"자네가 그 방에 있다고 하인 랄프가 말해 주어서 창가로 다가갔던 것이네. 자네를 몰래 들여다보려고 말일세. 그러나 자네는 나를 발견하지 못하기를 정말 바랐지. 그래서 창문이 열리는 소리가 나자 얼른 도망을 쳤던 거네."

"그런데 자네 왜 그렇게 됐나?"

"별로 길지도 않은 이야기일세."

그는 담배에 불을 붙이느라 잠시 말을 끊었다.

"자네, 프레토리아 근처 버펠스스푸루이트에서 일어났던 새벽 전투 기억나나? 거기서 내가 부상당했다는 소식을 들었는지 모르겠네."

"그럼, 들었지. 그런데 자세한 이야기는 못 들었네."

"대머리 심슨과 앤더슨 그리고 나, 우리 세 사람은 다른 병사들과 떨어진 곳에 있었네. 자네도 알다시피 그곳은 정말로 황폐한 지역 아니었나? 우리 세 사람은 보어군을 뒤쫓고 있는 상황이었지. 그런데 별안간 보어군 한 놈이 땅에 엎드려 숨어 있다가 우리가 지나가자 총을 쏘아 댄 거야. 다른 두 사람은 죽고 나는 어깨에 총을 맞았지. 그래서 부리나케 일어나 말을 타고 달리기 시작했다네. 몇 킬로미터를 달렸는지, 난 거의 쓰러질 지경이 됐고 그 바람에 안장이 어디로 사라지고 없었네.

정신을 차렸을 때는 이미 컴컴했지. 몸은 움직이는데 어지럽고 통증도 심했다네. 그런데 주위를 둘러보니까 뜻밖에도 바로 옆에 집이 한 채 있지 않겠나. 집에는 넓은 복도와 창문들이 나 있고 상당히 큰 편이었지. 날씨는 무섭도록 추웠고 말일세. 영국의 겨울 날씨는 춥고 서리가 내려도 상쾌한 맛이 있는데, 그것과는 완전히 다른 추위였다네. 온몸이 마비되는 것처럼 얼얼하게 추운 아프리카의 밤 날씨를 자네가 기억하는지 모르겠네. 아주 뼛속까지 얼어붙는 느낌이었지. 그때 내 희망은 오로지 그 집에 들어가 눕는 것이었다네. 난 어렵사리 일어나 비틀거리면서 아무 생각도 못하고 기어가다시피 하며 그 집으로 들어갔네. 내가 희미하게 의식할 수 있었던 건 계단을 천천히 올라가고 있다는 것뿐이었지. 그런 다음 문이 열려 있는 큰 방이 보였고, 거기엔 침대가 여러 개 놓여 있었네. 나는 그 방으로 들어가 마음을 놓으며 침대 위로 쓰러졌다네. 침대가 부서져 있긴 했지만 그건 전혀 문제가 아니었지. 너무나 추웠던 터라 나는 이불 속으로 들어가 정신없이 깊은 잠에 빠져 들었네. 잠에서 깨어났을 땐 아침이더군. 그런데 정신이 안 들고 계속 복잡한 악몽 속으로 빠져들어가는 것처럼 몽롱하기만 했다네. 그런데도 아프리카의 강렬한 햇빛이 커튼도 없는 창문을 통해 하얗게 쏟아져 들어오는 게 보였고, 이내 건물 안이 환하게 다 보였다네. 가만 보니 건물은 무슨 단순한 기숙사처럼 벽이 온통 하얀색으로 칠해져 있더군. 그때 별안간 앞에 웬 사람이 있는 게 보였는데, 머리는 커다란 공처럼 생겼고 난쟁이인데다 손은 엄청 커서 초콜릿색 스폰지처럼 보였다네. 그가 손을 마구 흔들면서 알아들을 수도 없는 네덜란드 어로 뭐라고 떠들어 댔는데 굉장히 흥분해 있는 말투였네. 그 난쟁이 뒤에도 많은 사람들이 몰려 있었는데 무슨 재미난 구경거리라도 생긴 것처럼 흘깃거리고 있더군. 그러다가 난 그들의 얼굴을 하나하나 보게 되었네. 갑자기 온몸에 소름이 쫙 돋아나더군. 그들은 정상적인 사람들이 아니었네. 한 명도 말일세. 몸이 비틀어져 있거나 잔뜩 부어올랐거나, 아니면 이상한 모양으로 뒤틀려 있거나 했지. 정말 괴물이 따로 없었다네. 웃음소리도 괴이하고 무서울 정도였다네.

그런데 그들 중에 영어를 할 줄 아는 사람이 하나도 없는 것 같더군. 막연히 그런 생각을 하고 있는데, 갑자기 그 머리 큰 괴물 같은 인간이 막 날뛰다시피 화를 내고 동물처럼 소리를 지르면서 험하게 오그라진 그 이상한 손으로 나를 휘어잡고는 침대에 누워 있는 나를 바닥으로 끌어내리는 게 아니겠나. 내 어깨에선 여전히 피가 흐르고 있는데도 상관 안하고 말일세. 체구는 작은데도 그 괴물이 힘은 황소 같더구먼. 다행히도 그때 마침 어떤 나이 든 사람이 자못 위엄 있는 태도로 방 안으로 들어서더니 그 난리를 보고는 호통을 치더군. 만약 그가 나타나지 않았더라면 그 괴물이 나를 그대로 놓아주지 않았을 걸세. 그 사람이 네덜란드 말로 몇 마디를 하자 괴물이 끽 소리도 못하고 조용해졌으니까. 그러고 나서 그 남자가 나를 쳐다보았는데, 그만 너무나 놀란 표정으로 변하는 게 아니겠는가. 그러면서 흥분해 외쳤네.

'아니, 어떻게 여기로 들어오셨죠? 잠깐만, 당신 지금 완전히 지쳐 보이고 어깨 상처도 빨리 치료를 해야 되겠습니다. 나는 여기서 진료하는 의사인데, 맙소사, 전쟁터에 나가는 것보다 여기 있는 게 더 위험하다는 건 아시겠죠? 여긴 문둥병 환자들 수용소거든요. 그리고 당신은 지금 문둥병 환자 침대에서 잤고요.'

아! 더 이상 무슨 얘기를 할 수 있겠나? 그 수용소 환자들은 근처에서 일어난 전쟁 때문에 잠시 다른 데로 옮겨가 있다가 영국군이 다시 점령을 하게 되자 그곳으로 돌아왔던 것이네. 그 의사는 문둥병에 면역이 돼 있어서 문제가 없었지만 나는 그렇지가 않았으니까 불안했던 것이지. 그는 곧 나를 격리실로 안내해서 정성껏 치료를 해줬다네. 그래서 일주일 만에 나는 프레토리아에 있는 일반 병원으로 옮겨갈 수 있었네.

하지만 나의 비극은 이미 시작됐던 거지. 난 처음엔 대체로 희망적이었다네. 그런데 집으로 돌아온 후부터 이 무서운 증상이 나타나기 시작했네. 어떻게 해야 좋을지 정말 너무나 괴로웠다네. 그런데 다행히 이 집은 사람들도 별로 오지 않고 외따로 떨어져 있는데다가, 또 내가 믿을 수 있는 하인도 두 사람 있고, 더구나 내가 숨어 있을 수도 있는 외딴집도 있지 않은가. 그래서 외과의사 켄트 씨가 같이 여기 있으면서 나를 도와주고 있는 거라네. 그도 신분을 숨기면서 말일세. 이 병에 걸리면 사는 길은 하나밖에 없다네. 문둥병 수용소에 들어가 그 사람들 속에서 사는 것뿐이지. 세상에 다시 나올 수 있다는 희망도 없이 말이야. 세상과는 완전히 등지는 거지. 그러나 비밀이 보장만 될 수 있다면 이렇게 사람들 없는 한적한 시골에서 몰래 숨어 살고 싶었네. 그래서 몸서리치는 내 운명에 몸을 맡기고 이렇게 죽지 못해 살고 있다네. 자네가 내 입장이 된다 해도 어쩔 수 없을 걸세. 아! 아버지가 이제야 마음을 놓으시는군."

그때 엠즈워스 대령이 나를 가리키며 말했다.

"내가 이렇게 한 건 이분 때문이란다."

그는 내가 '문둥병'이라고 써서 보여주었던 그 종이쪽지를 내밀면서 말했다.

"이분이 모든 것을 알고 있는 것 같아서 솔직하게 다 털어놓는 것이 더 안전할 거라고 생각했단다."

"그렇죠. 그게 더 좋은 결과를 가져올지 누가 알겠습니까? 그리고 켄트 씨, 환자를 돌보고 계신 것 같은데 죄송하지만 열대 지방의 병들에 대해서 잘 알고 계십니까?"

내가 의사에게 묻자 그는 약간 불쾌한 듯 대답했다.

"저는 일반 외과 의사입니다."

"물론 선생께서도 유능한 의사시겠지만 다른 전문가들 의견도 참조해야 한다고 생각지는 않으셨습니까? 그야 당연히 생각을 하셨겠죠. 그런데 그러자니 비밀이 드러나 환자를 격리시킬까 봐 못하셨던 거겠죠."

"그렇습니다."

대령이 대신 대답했다.

"저는 이런 상황을 예측했었습니다. 그래서 완전히 믿을 수 있는 제 친구 한 명을 데리고 왔죠. 그가 당신을 진찰해 볼 겁니다. 그리고 그는 전문 의사로서가 아니라 친구로서 솔직한 의견을 줄 겁니다. 그 사람은 제임스 샌더즈 경입니다."

내 말이 떨어지자마자 켄트 씨가 깜짝 놀라며 말했다.

"아, 영광입니다."

그처럼 이름 없는 의사로서는 제임스 경 같은 유명한 의사를 만난다는 것만으로도 대단히 흥분되는 일인 것 같았다.

"그럼, 제임스 경을 불러오겠습니다. 지금 밖에 마차 속에서 기다리고 계시거든요. 참 그리고 대령님, 저는 당신 서재로 가서 그동안 제가 수사한 과정을 설명해 드리겠습니다."

그 순간 나는 왓슨이 없는 게 몹시 아쉬웠다. 왓슨은 때로 교묘한 질문으로 유도를 하고 깊은 탄성을 지르면서 내 일을 꽤나 비범한 마술의 경지처럼 꾸밀 줄 알기 때문이었다. 그러나 막상 내 기술이란 건 체계화된 상식에 기댄 단순한 기교에 불과한 것이었다. 지금은 내가 직접 이 이야기를 하고 있는 만큼 왓슨의 그런 도움은 받을 수가 없었던 것이다. 아무튼 나는 대령의 방으로 가서 고드프리의 어머니를 포함한 몇 명의 사람들에게 나의 추리 과정을 설명해 주었다.

"해석의 여지가 있는 것들 중에서 불가능하다고 판단되는 것은 빼고 나머지 추리를 가지고 일을 해나가게 됩니다. 그런데 그중에서도 사실이라고 믿어지지 않는 게 있다 하더라도 수사를 할 때는 그 추리가 사실이라고 믿는 추정 하에서 시작되는 것입니다. 이런 식으로 뽑아낸 몇 개의 추론은 또 몇 번의 실증을 통해서 확실하다고 생각되는 한두 개 방향으로 모아지게 됩니다. 이 사건도 마찬가지 방법을 적용했습니다. 저는 이 이야기를 처음 들었을 때 아버지의 저택 안에 있는 별채에 격리되어 있는 또는 감금돼 있는 한 젊은이에 대해 세 가지 관점에서 그 이유를 생각해 보았습니다. 첫째는 무슨 죄를 지어 숨어 있는 게 아닌가? 둘째는 정신병에 걸렸는데 병원에 보내기 싫어서 숨겨 놓은 게 아닌가? 셋째는 격리시켜야 할 정도로 어떤 이상한 병에 걸린 것이 아닌가? 이렇게 세 가지였습니다. 그 이상 다른 가능성은 없다고 판단됐습니다. 그런 다음 하나씩 그것을 분석해 나갔습니다.

자, 첫째, 무슨 죄를 지어 숨어 있다는 추론 쪽으로는 수사를 계속할 수가 없었습니다. 왜냐하면 지방 신문에 미해결된 범죄 사건이 실린 적이 없었고, 그리고 제가 확신하건대 만약 적발되지 않은 어떤 범죄 사건이 있었다 할지라도 그 가족들은 상식적으로 생각할 때 범인을 숨겨 주려고 집 안에 있게 하기보다는 차라리 해외로 도피시켰을 겁니다. 이 문제에 대해서는 더 이상 설명이 필요 없을 것으로 압니다.

두 번째 추론인 정신병은 오히려 좀 더 그럴듯했습니다. 저 별채에 같이 있는 다른 사람이 아마도 감시를 하는 역할일 거라는 추측을 하게 만들었으니까 말이죠. 그가 밖으로 나가면서 자물쇠로 문을 잠갔다는 말을 들었을 때, 틀림없이 고드프리가 감금되어 있는 것으로 판단됐습니다. 하지만 그렇게 엄격하게 감금되어 있는 것 같지는 않았어요. 그러니까 그렇게 밤중에 자유롭게 나와서 친구 얼굴을 보려고 창가로 간 거 아니겠어요?

도드 씨, 켄트 씨가 무슨 신문을 읽고 있더냐고 내가 물었던 거 기억나시죠? 그 신문은 아마도 란세트거나 영국 의학 신문이었을 겁니다. 그게 문제 해결에 결정적인 실마리를 제공해 주었습니다. 이를테면 정신병에 걸린 사람을 개인 주택에 가둬 두고 의사가 보살펴 주는 것은 전혀 위법이 아니거든요. 누구도 그런 건 말리지 않습니다. 그렇다면 그런 식으로 쉬쉬 하며 숨길 필요까지는 없다는 거죠. 이 두 번째 추리도 사실과 맞아떨어지지 않았습니다. 따라서 남은 것은 이제 세 번째 추리밖에 없는데, 그건 아시다시피 아주 드문 일이라 가장 비현실적인 추리라고 할 법한 것이었습니다. 어쨌든 그것만이 우리에게 가능한 결론으로 남게 됐습니다.

문둥병은 아프리카에 흔한 병입니다. 그래도 저는 어떤 이상한 경로로 그 병이 이 젊은이에게 전염됐을 수도 있다는 추측을 했습니다. 가족들은 너무 두려워하며 그를 격리 수용소에 보내지 않으려 했지요. 철저히 숨기기만 한다면 이웃 사람들에게나 보건당국의 눈을 피할 수 있습니다. 또 환자를 보살펴 줄 의사는 보수만 잘 준다면 얼마든지 성실한 사람을 구할 수도 있고요. 그래서 젊은이가 밤에는 자유롭게 다닐 수 있도록 배려했던 겁니다. 그의 얼굴이 표백된 것처럼 하얗게 변했다고 했을 때 저는 그게 분명 그 병 때문이라고 생각했습니다.

그러나 그럴 가능성은 워낙 드물기 때문에 확증이 잡히기 전에는 어떤 결론도 내리지 않기로 마음먹고 있었습니다. 이곳에 도착했을 때 바로 저는, 밖으로 식사를 가져다 주고 돌아온 랄프의 장갑에서 소독약 냄새가 나는 걸 우연히 알게 됐습니다. 대령님은 제가 종이에 써서 보여드린 그 한마디 때문에 모든 비밀을 다 털어놓게 되셨습니다. 제가 그때 말로 하지 않고 글로 썼던 이유는 저의 신중함을 보여드리고자 했기 때문입니다."

이렇게 내가 수사에 대한 분석 설명을 끝냈을 때, 문이 열리면서 위엄 있는 얼굴의 유명한 피부과 전문의가 방으로 들어섰다. 스핑크스처럼 굳어 있던 그의 표정이 곧 느긋해지면서 따뜻한 눈길로 주위를 둘러보았다. 그러고는 엠즈워스 대령에게 곧장 다가가더니 손을 내밀었다.

"저는 주로 나쁜 소식을 알려주는 직업을 갖고 있지만 가끔은 이렇게 좋은 소식도 드릴 때가 있습니다. 아드님 일은 정말 잘 됐습니다. 문둥병이 아니더군요."

"아니, 뭐라고요?"

"이건 가성 문둥병 또는 인피증이라고 불리는 일종의 피부병입니다. 이 병에 걸리면 피부가 비늘처럼 벗겨지면서 급기야는 아주 고약하게 변하게 되죠. 완치될 수는 있지만 정말 고질병입니다. 그러나 전염성은 없습니다. 홈즈 씨, 당신의 추리력이 정말 놀랍습니다. 그게 우연의 일치는 아니겠죠. 하여튼 당신에게는 도무지 알 수 없는 어떤 신비한 능력이 있다니까요. 저 젊은이는 자기 병이 가족에게 전염될까 봐 극도로 불안해 있었기 때문에 그 정신적 고통으로 신체의 병도 잘 낫지가 않았던 겁니다. 어쨌든 저의 명성을 걸고 말씀드리는데, 저 사람은 문둥병 환자가 아닙니다. 제가 보증합니다. 아니! 부인께서 너무 놀라 기절을 하셨군요. 그래도 기쁨의 충격이니 부인이 깨어나실 때까지 켄트 씨가 좀 보살펴 주시는 게 좋겠습니다."

사자의 갈기

오랜 탐정 생활을 해 왔지만 이렇게 복잡하고 희한한 사건이, 그것도 은퇴한 직후 내 가까이에서 일어났다는 것은 정말로 기이한 일이 아닐 수 없다. 어둡고 음울한 런던 생활을 해 오면서 나는 전원에서의 생활을 오랫동안 꿈꾸어 왔기 때문에 은퇴하자마자 서섹스에 작은 집을 마련해 곧 은거 생활로 들어갔던 것이다.

그 무렵엔 오랜 친구 왓슨을 거의 만나지 못하고 있었다. 어쩌다 주말에 그가 온 적은 있었지만 말이다. 그래서 이 사건은 내가 직접 이렇게 기록하는 수밖에 없게 되었다. 왓슨이 함께 있었고 그가 기록을 했다면 극적인 사건의 묘사와 기발한 결말을 얼마나 멋들어지게 했을까! 그러나 사정이 이렇게 됐으니 할 수 없이 나의 서툴고 평범한 문장으로나마 이번 사건, 즉 사자의 갈기에 관한 비밀을 모두 밝히기로 했다.

내 별장은 영국 해협을 한눈에 바라볼 수 있는 하얀 바위 절벽의 남쪽 비탈에 자리하고 있다. 이곳의 해안은 전부 하얀색 바위 절벽으로 돼 있고, 그 아래로 해안을 따라 길고 구불구불한 길이 나 있다. 그리고 그 길 아래로 내려가면 만조 때에도 물에 잠기지 않는 돌과 자갈밭이 100미터쯤 뻗어 있다. 또 해변 곳곳에는 만조 때마다 깨끗한 물이 들어차 수영하기에 너무나 좋은 곳이 여러 군데 있었다. 아름다운 해안은 몇 킬로미터나 계속 이어지는데, 중간쯤에 쑥 들어간 지형이 있고 그곳이 바로 풀워스 마을을 형성하고 있었다.

내 별장은 고즈넉했다. 나와 가정부 그리고 꿀벌들만 조용히 살고 있었기 때문이다. 집에서 600미터쯤 떨어진 곳에는 해럴드 스택허스트의 유명한 대학 예비학교가 있는데, 거기서 몇 십 명의 학생들이 유능한 교사들의 지도 아래 여러 가지 분야를 공부하고 있었다. 스택허스트는 젊은 시절에 조정 선수로 이름을 날렸으며, 그 밖에도 여러 가지 면에 재주가 많은 학자이기도 하다. 그 사람과는 내가 이곳에 정착한 뒤 바로 친해졌는데, 지금은 서로 초대를 받지 않아도 저녁 시간이면 자유롭게 드나드는 아주 친밀한 사이가 되었다.

1907년 7월 말쯤 어느 날 밤이었다. 심한 폭풍우가 불어 바다에 엄청난 해일이 일어나고 집채 같은 파도가 절벽을 덮치고 있었다. 그 바람에 해안가에 자그만 호수처럼 물이 들어차 있던 곳이 바닷물이 넘치면서 흔적도 안 보이게 되었다. 하지만 다음 날 아침 폭풍이 가라앉자 모든 곳이 세수를 한 것처럼 다시 깨끗하고 상쾌해졌다. 이렇게 날씨가 상쾌할 때면 나는 집에 가만히 있을 수가 없었다. 그래서 아침 먹기 전에 산책을 하려고 집을 나섰다. 해변으로 이어지는 가파른 언덕길을 막 내려가는데 누가 뒤에서 나를 부르는 소리가 들렸다. 돌아다보니 해럴드 스택허스트였다. 그는 손을 흔들며 인사를 했다.

"상쾌한 아침이네요, 홈즈 씨. 당신을 이렇게 만날 줄 알았습니다."

"수영하러 가시나 보죠?"

"하여튼 귀신같이 알아맞힌다니까요."

그는 불룩한 주머니를 툭 치면서 말했다.

"맞습니다. 맥퍼슨이 일찍 나갔으니까 해변으로 가면 그를 만날 수 있을 것 같습니다."

피츠로이 맥퍼슨은 젊고 유능한 과학 교사인데, 류머티즘 열로 인한 합병증인 심장병을 앓고 있었다. 그러나 그는 원래 운동을 좋아해서 몸에 무리가 가지 않을 정도로 여러 가지 스포츠를 즐기고 있으며 꽤나 실력도 발휘하곤 했다. 특히 수영을 좋아해 여름이든 겨울이든 바다로 가기 때문에 나도 가끔 그와 함께 헤엄을 치러 갔다.

얼마쯤 길을 가자 피츠로이의 모습이 보였다. 그의 머리가 언덕길 끝에서 나타났는데, 점점 다가올수록 뭔가 이상해 보였다. 마치 술 취한 것처럼 비틀거리고 있었던 것이다. 그러더니 갑자기 무서운 비명을 지르며 손을 내젓더니 그 자리에 쓰러지고 말았다. 그가 있던 곳은 우리로부터 겨우 50미터 정도 떨어진 거리였다. 스택허스트와 나는 급히 달려가 그를 일으켰다. 하지만 그는 거의 죽어 가고 있었다. 움푹 들어간 눈과 창백한 얼굴에선 이미 생명의 빛이 사라지고 없었다. 한순간 그가 얼굴에 경련을 일으키며 무슨 말을 중얼거렸는데 분명치 않아 알아들을 수가 없었다. 다만 내 귀에 들린 거라곤 마지막 단어인 '사자의 갈기'라는 이상한 말뿐이었다.

그건 너무나 엉뚱해서 도저히 이해할 수 없는 말이었지만, 그렇다고 다른 단어로 해석할 수도 없었다. 그 말을 한 다음 피츠로이는 몸을 반쯤 간신히 일으키고는 두 손을 허공에 뻗쳐 휘두르더니 또

다시 땅바닥으로 푹 쓰러졌다. 그러고는 숨을 거뒀다. 스택허스트는 공포에 휩싸여 정신이 나간 듯 멍해 있었다. 그러나 나는 독자들이 상상하듯 온 감각을 곤두세우고 너무나 기괴한 일이라 판단해 재빨리 현장을 살펴보았다. 맥퍼슨은 트렌치코트에 바지만 입고 있었고, 구두 끈은 풀린 채였다. 그리고 넘어질 때 어깨에 걸쳐있었던 트렌치코트가 벗겨지면서 아래로 내려가 상반신이 맨몸으로 드러났다. 우리는 그의 몸을 보고 깜짝 놀랐다. 엎드려 있는 그의 등에 채찍 자국이 무섭게 나 있었는데, 무슨 철사줄로 마구 때린 것처럼 검붉은 피가 잔뜩 맺혀 있었다. 철사줄이 가늘고 잘 구부러지는 것이었는지, 채찍 자국은 어깨를 넘어 가슴까지 길고 매섭게 나 있었다. 그리고 고통을 참느라 아래 입술을 심하게 깨물어 턱 부분까지 검붉은 핏방울이 맺혀 있었다. 일그러지고 비틀어진 그의 얼굴만 봐도 얼마나 심한 고통을 당했는지 금방 느낄 수 있었다.

나는 피츠로이의 시신 옆에 무릎을 꿇고 앉았고, 스택허스트는 그 옆에 서 있었다. 그런데 문득 웬 그림자가 비쳐 들었다. 그래서 고개를 들어 보니 아이안 머독이 가까이 다가와 있는 것이었다. 머독은 대학 예비학교의 수학 교사인데, 키가 크고 피부색이 가무잡잡하며 마른 체형으로 말수가 적고 혼자 떨어져 조용히 지내기를 좋아하는 청년이었다. 친구도 없는 것 같았다. 그는 수학의 고고하고 추상적인 세계에 혼자 살면서 현실 세상엔 별 흥미가 없는 듯했다. 학생들 사이에서는 괴짜로 알려져 있고 또 조롱의 대상이 되기도 했다.

아이안 머독은 특이한 이국적 분위기가 풍겼다. 검은 눈동자와 가무잡잡한 피부색 외에도 성격 또한 괴상한 데가 있어서 이따금 난폭한 성질을 부리며 거칠게 폭발하곤 했다. 언젠가 한번은 맥퍼슨의 개가 그를 따라다니며 귀찮게 하자 그 개를 집어 들어 창문 밖으로 던져 버린 적도 있었다. 스택허스트는 그 사건으로 그를 해고하려 했지만 그가 유능한 교사라는 이유로 그냥 넘어갔었다.

그렇게 기이하고 복잡한 면이 있는 아이안 머독이 느닷없이 우리 옆에 나타난 것이다. 그가 개 사건 때문에 맥퍼슨의 죽음에 대해 별 동정심을 못 느끼는지는 모르지만, 어쨌든 눈앞에 벌어진 광경을 보고는 몹시 놀라며 말했다.

"불쌍한 사람! 도대체 무슨 일이 있었던 겁니까? 제가 도울 일은 없을까요?"

"당신, 혹시 이 사람과 함께 있었습니까? 아침에 무슨 일이 있었는지 얘기 좀 해주시죠."

"아니요. 저는 오늘 아침에 늦게 일어났기 때문에 아직 해변에도 가지 않았습니다. 지금은 학교에서 오는 길이고요. 어떻게 하면 좋겠습니까?"

"그럼 빨리 풀워스 경찰서에 가서 신고해 주세요."

아이안 머독은 대답도 안 하고 달려갔다. 나는 곧 조사를 하기 시작했는데, 스택허스트는 너무나 놀라 넋을 잃고 시신 옆에 그냥 멍하니 있기만 했다. 나는 우선 바닷가에 누가 있는지 확인하는 일부터 했다.

절벽 위에서는 해안의 풍경이 한눈에 들어왔다. 풀워스 마을 쪽으로 걸어가는 두세 명의 사람들이 멀리 희미하게 보일 뿐 해안가에는 사람이라곤 전혀 없었다. 나는 그것을 확인하고는 비탈길을 천천히 내려갔다. 길은 물렁한 점토에 백악이 섞여 있어 똑같은 모양의 발자국이 여기저기 오르내린 흔적이 뚜렷이 보였다. 오늘 아침 전에는 아무도 이 비탈길을 내려간 사람이 없는 것 같았다. 경사진 곳 한쪽에 보니 손자국도 나 있었다. 손가락 끝부분이 벼랑 위쪽으로 향하고 있는 것으로 보아 불쌍한 맥퍼슨이 좀 전에 올라오면서 넘어질 때 생긴 자국인 것 같았다. 또 무릎을 꿇을 때 생긴 듯한 움푹 파인 곳도 여러 군데 있었다.

언덕 아래에 밀물이 나가고 다시 큰 호수처럼 생긴 곳이 드러나 보였다. 나는 그곳에서 맥퍼슨이 옷을 벗었던 장소를 발견했다. 바위 위에 그의 수건이 놓여 있는데, 전혀 젖지 않을 걸 보니 그는 아직 물속에 들어가지 않았던 것이 분명했다. 나는 근처를 몇 번 왔다갔다하며 자세히 살펴보았다. 이윽고 모래 위에 맥퍼슨의 구두 발자국과 맨발 자국이 나 있는 게 보였다. 그가 물속에 들어가지 않은 건 분명한데, 수영을 하려고 준비는 했던 것 같았다.

이제 문제는 확연히 드러났다. 이 사건은 이제까지 본 적이 없는 매우 기이한 현상임에 틀림없었다. 죽은 맥퍼슨은 그곳에 오래 있었다 해도 15분 이상 있지 않았다. 스택허스트가 학교에서 곧 그의 뒤를 쫓아온 걸 보면 그건 의심할 여지가 없었다. 맥퍼슨은 수영을 하려고 옷을 막 벗은 참이었다. 그러다가 부리나케 다시 옷을 걸쳐 입었다 — 정신없이 옷을 주워 입는 바람에 끈이나 단추도 채우지 못한 채 — 그러고는 물속에 들어가지도 못하고 뛰어왔다.

수건으로 약간의 물기를 닦을 틈도 전혀 없었던 것 같았다. 그런데 왜 그는 이토록 야만스럽고 잔인한 방법으로 채찍을 얻어 맞았던 것일까? 그리고 아랫입술을 깨물 정도로 극심한 고통을 겪으며 간신히 도망쳐 나와서 이렇게 죽었단 말인가? 누가 이토록 야만적으로 모질게 때렸단 말인가? 절벽 아래에 보니 자그마한 동굴 같은 게 여러 개 나 있는데, 해가 이미 하늘 한가운데에 떠올라 그곳을 환히 비추고 있어서 누가 숨을 만한 장소도 못되었다. 해안가 아주 먼 곳에 사람처럼 보이는 형체가 있기는 하지만 거리상으로 볼 때 이 범행과는 시간 차이가 전혀 안 맞아 떨어지는 것 같았다. 맥퍼슨은 다시 드러난 넓은 호수 같은 곳에서 수영을 하려고 했는데, 그곳은 바닷물이 절벽 아래까지 들어차 있으며, 멀리 보이는 사람의 형체는 그 호수를 건너 반대편에 있었다. 그리고 바다에는 고깃배가 서너 척 그리 멀지 않은 곳에 있었다. 그 배에 탄 사람들이 누군지는 나중에 필요하면 조사를 할 계획이었다. 이밖에도 의혹이 가는 일들이 몇 가지 더 있었지만 어느 것 하나 확실한 증거가 잡히지는 않았다.

맥퍼슨의 시신이 있는 곳으로 돌아가자 몇 사람이 둘러서서 사태를 바라보고 있었다. 스택허스트는 아직도 그대로 있었고, 아이안 머독이 마을의 경찰 앤더슨과 함께 막 도착해 있었다. 앤더슨은 큰 체격에 붉은 수염을 기르고 있으며 동작이 느리고 충직한 서섹스 주 출신으로, 그곳 사람 특유의 기질인 말수가 없는 편이지만 꽤나 분별 있는 양식을 갖추고 있는 사람이었다. 그는 열심히 설명을 들으며 우리가 얘기하는 것을 수첩에 기록하고는 곧 내 옆으로 다가왔다.

"홈즈 선생님의 의견을 들을 수 있어서 다행입니다. 이 사건은 제가 맡기에는 아무래도 힘에 부치는 일인 것 같거든요. 일을 잘못 했다가는 상관 루이스한테 엄청 잔소리를 들을 것 같습니다."

나는 앤더슨에게 그의 상관이라는 루이스와 의사를 불러오게 하고 그들이 올 때까지 현장을 그대로 보존하기 위해 아무것도 손대지 못하게 했다. 그런 다음 나는 시신의 옷 주머니를 뒤져 보았다. 속에서 손수건과 주머니칼 그리고 작은 명함 케이스가 나왔다. 명함 케이스를 열어 보니 안에 종이쪽지가 한 장 들어 있어서 그걸 펼쳐 앤더슨에게 보여주었다. 여자 필체로 휘갈겨 쓰여 있었다.

〈그곳에서 기다리겠습니다. 모드〉

시간과 장소는 쓰여 있지 않았지만 연인들의 약속 내용인 것 같았다. 앤더슨은 쪽지를 다시 명함 케이스 안에 넣고는 다른 물건들과 함께 그것을 시신의 코트 주머니 속에 집어넣었다. 나는 그것 말고는 더 조사할 것도 없어서 앤더슨에게 절벽 아래를 자세히 더 살펴보라고 이르고는 아침 식사를 하러 집으로 돌아왔다.

두세 시간 뒤에 스택허스트가 우리 집으로 와서는 시신을 학교로 옮겨 거기서 검시를 했다고 알려 주었다. 그러면서 그는 아주 중요한 소식을 말해 주었다. 내가 예상한 대로 절벽 아래 동굴에서는 아무것도 발견하지 못했지만, 맥퍼슨의 책상 위 서류 속에서 연애 편지를 몇 장 찾아냈다는 것이다. 그건 풀워스 마을에 사는 모드 벨라미 양에게

서 온 것들이었다. 아까 그 쪽지의 이름과 같은 여자임에 틀림없었다.

스택허스트가 말했다.

"경찰이 편지를 압수해 가서 지금 보여드릴 수는 없지만, 아무래도 깊은 사이였던 것 같습니다. 하지만 이 사건이 그녀와 약속 때문에 일어난 거라고는 생각되지 않습니다."

"나도 그렇게 생각해요. 사람들이 북적대는 해변을 비밀 약속 장소로 정했을 것 같지는 않아요."

내 대답에 스택허스트가 또 의견을 말했다.

"맥퍼슨이 학생들과 함께 나가지 않고 혼자 나간 것도 우연한 일입니다."

"정말로 우연한 일일까요?"

스택허스트는 골똘히 생각하며 눈을 찌푸렸다.

"아이안 머독이 학생들을 못 나가게 했습니다. 아침 식사 전에 대수 과목 자습을 시켰거든요. 불쌍한 녀석 같으니! 그는 지금 이 사건 때문에 아주 슬퍼하고 있더군요."

"그런데 두 사람 사이가 나빴던 것 같던데요."

"한동안 그렇기는 했어요. 그래도 일 년 전부터 머독은 맥퍼슨과 아주 가까이 지냈습니다. 그가 원래 성격이 남과 친하게 지내는 그런 성격이 아닌데도 말이죠."

"그건 나도 들어서 알고 있습니다. 당신이 언젠가 나한테 그 두 사람이 개 때문에 싸운 이야기를 해준 적이 있었죠?"

"그건 끝난 이야기예요."

"그래도 혹시 아직 감정이 남아 있었는지 어떻게 알죠?"

"그 문제는 서로 완전히 화해를 했거든요."

"그래요? 그러면 그 모드라는 여자에 대해 좀 더 알아봐야겠네요. 혹시 그 여자 아십니까?"

"이 동네 사람이면 그 여자 모르는 사람이 없죠. 이 마을에서 최고 미인이거든요. 맥퍼슨이 그 여자한테 반했다는 이야기를 들은 적은 있는데, 그렇게 가까운 사이였는지는 전혀 눈치채지 못했습니다."

"도대체 어떤 여자인가요?"

"풀워스의 선박들 대부분을 소유하고 있는 톰 벨라미의 딸이죠. 톰 벨라미는 원래 어부 출신인데 지금은 굉장한 부자가 되었답니다. 아들도 하나 있는데 윌리엄이라고, 그 아들하고 지금 사업을 하고 있다네요."

"그들을 만나 봐야겠습니다. 풀워스로 같이 가시죠."

"무슨 핑계를 대야 좋을까요?"

"그건 내가 알아서 하겠습니다. 불쌍한 맥퍼슨이 스스로 그렇게 잔인하게 자신을 학대했을 것 같지는 않고, 심한 상처로 봐서 누군가가 그를 모질게 때렸던 게 분명합니다. 이 좁은 바닥에서 그의 교제 범위라고 해야 뻔할 테니까, 그걸 추적해 보면 범죄 동기가 나올 겁니다."

이 비극적인 사건으로 마음이 침울하지만 않았어도 향기로운 백리향이 가득 피어 있는 해변을 걷는 것은 무척 즐거운 산책이 되었을 것이다. 풀워스 마을은 반원형으로 생긴 만의 가장 깊은 곳에 위치해 있었다. 낡은 건물 뒤로 현대식 집들이 몇 채 언덕 위에 서 있었다. 스택허스트가 그중 한 집을 가리켰다.

"저기 탑 옆에 있는 슬레이트 지붕이 그녀의 집입니다. 벨라미 씨는 자기 집을 '안식처'라고 부르고 있지요. 그가 이 사건과 아무런 관련이 없다면 우리를 반갑게 맞아 줄 겁니다. 근데 저기 좀 보세요!"

'안식처'의 정원 문이 열리면서 어떤 사람이 나왔다. 키가 크고 마른 체형인 게, 가만 보니 수학 선생인 아이안 머독 같았다. 얼마 후 우리는 길에서 정면으로 마주쳤다.

"자네!"

스택허스트가 먼저 아는 체를 했다. 머독은 뭔가 의심스런 검은 눈으로 흘끗 우리를 쳐다보더니 그냥 가볍게 고개를 숙이고는 지나쳐 버렸다. 그러자 교장인 스택허스트가 그를 불러 세웠다.

"여보게, 자네 그 집에 무슨 일로 갔었나?"

머독의 표정이 갑자기 분노로 일그러졌다.

"제가 선생님 학교의 교사라고 해서 저의 개인 행동까지 간섭할 권리가 있습니까? 그렇게 생각하시면 큰 착오죠."

스택허스트는 그 말에 화가 치밀어 올랐지만 간신히 참고 있는 것 같았다. 그러다 잠시 뜸을 들인 후 제대로 분노를 폭발시켰다.

"머독! 지금 뭐라고 했지, 건방지게?"

"무례한 짓을 한 건 바로 선생님입니다."

"자네의 그 건방진 행위는 이번이 처음도 아니야. 그러나 지금 한 행위는 절대로 용서할 수 없어. 가능한 빠른 시일 내로 다른 직장을 구하도록 하게."

“안 그래도 여기를 떠나려고 했습니다. 저를 학교에 남아 있게 했던 유일한 친구를 잃어버렸기 때문에 더 이상 여기에 남아 있을 이유가 없어졌으니까요.”

아이안 머독은 당당한 걸음으로 뒤돌아 걸어갔다. 스택허스트는 분노의 눈빛으로 그의 뒷모습을 노려보았다.

“정말 어떻게 할 수가 없는 녀석이라니까!”

그가 머독의 등 뒤에서 소리를 질렀다.

내가 생각하기에 아이안 머독은 이곳을 빠져나가기 위한 구실을 찾고 있는 것 같았다. 아직은 막연하지만 그에 대해 의구심이 생기기 시작했다. 혹시 벨라미 씨가 이 사건에 대한 중요한 단서를 갖고 있을지도 모른다는 생각이 들었다. 스택허스트와 나는 벨라미 씨의 집으로 들어갔다.

벨라미 씨는 불꽃처럼 빨간 수염을 기르고 있었는데 나이는 중년쯤 돼 보였다. 그는 뭔가 짜증이 나 있는 것 같았으며 얼굴빛도 붉게 달아올라 있었다.

“할 말이 없습니다. 저기 내 아들도…….”

그는 구석에 앉아 있는 젊은 남자를 가리키며 말했다. 체구가 좋고 얼굴엔 아무 표정도 없었다.

“나와 마찬가지로, 맥퍼슨이 모드에게 구혼한 것에 대해 아주 기분 나쁘게 생각하고 있습니다. 선생님, 결혼이란 말은 우리 집안에서 아직 한 번도 꺼낸 적이 없었습니다. 그런데 둘이 몰래 만나고 편지도 보내고 했던 것 같아요. 우리는 두 사람이 만나는 걸 반대했습니다. 내 딸은 엄마 없이 자랐기 때문에 보호를 해야 합니다. 그리고 어떠한 일이 있어도……."

바로 그때 문이 열리면서 모드 양이 들어오자 벨라미 씨는 하던 말을 중단했다. 듣던 대로 그녀는 대단히 아름다웠는데 이 말에 반박할 사람은 아무도 없을 것 같았다. 이런 곳에서 이렇게 진귀한 꽃 같은 존재가 피어날 줄 누가 상상할 수 있었을까? 나로서는 늘 이성이 감정을 지배하고 있기 때문에 여태껏 여자의 아름다움을 보고 넋을 잃어 본 적이 없었다. 그러나 뚜렷한 윤곽에 완벽한 얼굴 모양, 그리고 섬세하면서 부드러운 분위기를 지닌 그녀의 얼굴을 보면서 나는 순간 놀라 넋을 잃고 그녀를 바라보지 않을 수 없었다. 그녀를 보고도 반하지 않을 젊은이는 한 명도 없을 것이다. 모드 벨라미 양은 눈을 크게 뜨고 격렬한 표정으로 해럴드 스택허스트 앞으로 다가왔다. 그리고는 말했다.

"피츠로이가 죽은 거 이미 알고 있어요. 저한테 특별히 하실 말씀이 있으면 솔직히 얘기해 주세요."

"선생님의 학교에 계신 교사분이 와서 그 소식을 알려 주었거든요."

벨라미 씨가 홈즈 일행에게 설명했다. 그때 벨라미 씨의 아들이 큰 목소리로 말했다.

"왜 내 동생이 이 사건에 관련되고 있습니까?"

모드 벨라미 양이 잔뜩 찡그린 표정으로 오빠를 쳐다보았다.

"오빠, 이건 내 일이니까 나 혼자 처리하도록 내버려 둬. 사람이 살해된 건 분명하니까, 내가 범인을 찾는 데 도움이 될 수 있다면 그것만이라도 죽은 사람에 대한 나의 최소한의 도리가 되겠지."

스택허스트가 사건에 대해 간략하게 설명을 할 때 그녀는 침착하고 진지한 태도로 듣고 있었다. 그녀의 자세를 보니 겉모습만 아름다운 게 아니라 내면의 모습 또한 매우 매우 곧고 강하다는 느낌이 들었다. 모드 벨라미 양은 내 기억 속에 가장 완벽하고 가장 뛰어난 여인으로 언제까지나 남아 있을 것 같았다. 그녀는 나를 쳐다보았을 때 내가 누군지를 이미 알고 있었다. 그래서 내게로 얼굴을 돌리며 말했다.

"홈즈 선생님, 그들을 법으로 처리해 주세요. 그들이 누구든 저는 선생님 편에서 도와드리겠습니다."

그녀는 말을 마치고 아버지와 오빠를 냉정한 눈빛으로 쳐다보았다.

"감사합니다. 나는 여성의 직감을 높이 사는 사람입니다. 그런데 방금 '그들'이라고 말씀하셨는데, 그럼 범인이 한 사람이 아니라고 생각하시나요?"

"저는 맥퍼슨을 누구보다도 잘 알고 있습니다. 그는 힘이 세고 투지심이 있는 사람이라, 누가 혼자서는 그렇게 잔인하게 마구 때릴 수가 없었을 거라 생각합니다."

"모드 양에게 조용히 묻고 싶은 말이 있습니다."

내 말에 벨라미 씨가 하소연하듯 말했다.

"모드, 제발 이 사건에 끼어들지 말아라."

모드 양은 난처한 듯 나를 쳐다보았다.

"어떻게 하면 좋을까요?"

"곧 세상에 다 알려지게 될 겁니다. 그래서 내가 지금 말해도 전혀 상관은 없는데, 다만 비밀리에 수사를 진행하고 싶어서 그렇습니다. 만약 벨라미 씨께서 원하시지 않는다면 아무 말도 하지 말고 입을 다물고 계시면 됩니다."

나는 그렇게 말하고는 죽은 사람의 주머니에서 모드 양이 보낸 쪽지가 나왔다는 얘기를 덧붙였다.

"제가 주머니에서 발견했습니다. 모드 양, 맥퍼슨과는 어떤 관계였는지 솔직히 말씀해 주십시오."

"감출 이유가 없어요. 우리는 결혼하기로 약속한 사이였습니다. 그것을 비밀로 했던 이유는 그의 삼촌 때문이었죠. 나이가 드신 데다 거의 돌아가실 상황이었는데, 피츠로이가 그의 마음에 들지 않는 결혼을 하면 유산을 단 한 푼도 남겨 주지 않겠다고 말씀하셨다는 거예요. 그 외에 다른 이유는 없었습니다."

"왜 우리에게 그 사실을 숨겼니?"

벨라미 씨가 딸에게 나무라는 투로 말했다.

"아버지가 저를 이해해 주시려고 했다면 이미 말씀드렸겠죠."

"나는 네가 우리와 신분이 다른 사람과 결혼하는 것은 반대다."

"그건 아버지의 편견이에요. 이 약속에 대해서는……."

그녀는 드레스 자락을 더듬더니 구겨진 종이쪽지 하나를 꺼냈다.

"이게 그에게서 온 답장이에요."

〈화요일, 해가 진 후 해변의 그 장소에서 기다리겠습니다. 그때밖에는 시간이 안 납니다. F. M.〉

"화요일이면 바로 오늘이죠. 그래서 오늘 밤에 그를 만나러 갈 참이었습니다."

나는 그 종이를 뒤집어 보았다.

"이건 우편으로 온 게 아니군요. 어떤 경로로 이 편지가 전달되었죠?"

"그건 대답할 수가 없습니다. 그러나 그건 이 사건과는 아무런 관련이 없어요. 다른 질문이라면 얼마든지 대답해 드리겠습니다."

모드 벨라미 양이 앞서 말했듯이 그녀는 수사에 몹시 호의적이긴 했지만, 막상 문제 해결에는 아무런 도움도 주지 못했다. 그녀는 약혼자에게 분명히 적이 없었다고 확신하듯 말하면서, 사실 그녀를 좋아하는 남자가 몇 사람 더 있다고 털어놓았다.

"아이안 머독도 그중 하나입니까?"

모드 벨라미 양은 얼굴을 붉히며 약간 당황해 했다.

"잠시 그런 적이 있었죠. 하지만 그는 곧 포기를 하고 피츠로이와 저와의 관계를 누구보다도 잘 이해해 주었습니다."

다시 한번 이 수상한 사람의 그림자가 좀더 뚜렷한 형태로 나의 머릿속을 스쳐갔다. 아무래도 그를 철저히 조사해 봐야 할 것 같았다. 우선 그의 방에 몰래 들어가 보기로 했다. 스택허스트도 그를 의심하는 건 마찬가지라 나를 기꺼이 도와줄 것이다. 우리가 직접 실마리를 찾아낼 수 있을 거라는 희망이 들어 우리는 벨라미 씨의 집을 나왔다.

그로부터 일주일이 지났다. 그런데 아직 어떠한 단서도 나오지 않고 있었다. 스택허스트는 머독을 조심스럽게 탐색하며 몰래 그의 방에 들어가 뒤져 보기도 했다. 그러나 아무것도 찾아내지 못했다. 나 또한 모든 문제점을 처음부터 다시 점검해 보았으나 실마리는 전혀 잡히지 않았다. 이번 사건처럼 내 능력의 한계를 뼈저리게 느껴 본 적은 없었다. 나의 상상력조차 이 비밀의 해결에 아무런 힘도 못 쓰고 있었다. 그러던 즈음 개 사건이 하나 일어났다. 마을에 퍼져 있는 그 소식을 나에게 처음 알려준 사람은 우리 집의 늙은 가정부였다.

"뭐라고요, 맥퍼슨의 개가 어떻게 되었다고요?"

"죽었대요, 선생님. 주인의 죽음을 슬퍼하다가 개도 따라 죽었다는데요."

"누구한테서 들었어요?"

"마을 사람들이 다 알고 있던데요. 그 끔찍한 사건이 일어난 뒤 개가 일주일 동안이나 아무것도 안 먹고 굶더래요. 그러다가 오늘 학생들이 해변에서 그 개가 죽어 있는 걸 발견했다고 하지 뭡니까? 글쎄, 그것도 주인이 죽었던 바로 그 자리에 쓰러져 있더래요."

"바로 그 자리에!"

이 말이 나의 뇌리를 떠나지 않았다. 이제 전체 윤곽이 희미하게나마 머릿속에 생생히 전개되는 것 같았다. 개가 주인을 따라 죽는다는 것은 유독 충성스러운 개의 특성일 수도 있다. 그런데 그뿐 아니라 똑같은 장소에서 죽었다는 것이다! 왜 그 한적한 바닷가를 숙명의 장소로 택했던 것일까? 복수심에 불타는 원한으로 자신의 몸을 제물로 바쳤다는 말인가? 그게 가능하기나 한 걸까? 아니다. 이런 가능성은 매우 희박하다. 나는 속으로 이미 새로운 계획을 세우고 있었다. 잠시 뒤 나는 학교로 갔다. 스택허스트는 그의 서재에 있었다. 나는 그에게 해변에서 개를 발견했다는 두 학생, 서드버리와 블라운트를 불러오게 했다. 그들이 왔을 때 그중 하나가 말했다.

"네, 그 개는 작은 호숫가에 쓰러져 있었습니다. 주인의 발자국을 따라서 온 것 같더군요."

나는 홀의 매트에 누워 있는 에어데일 종의 테리어를 쳐다보았다. 몸이 뻣뻣하게 굳어 있고 눈은 튀어나왔으며 다리가 뒤틀려 있었다. 고통스럽게 죽어 갔다는 게 한눈에도 역력히 보였다.

나는 학교를 나와 그곳으로 갔다. 해가 저물고 있었고 거대한 절벽의 그림자가 바다 위에 마치 함석 지붕을 덮은 듯 시꺼멓게 드리워져 있었다. 새 두 마리가 머리 위에서 빙빙 돌며 날카로운 소리를 지르는 것 외에는 다른 생명체를 볼 수 없을 정도로 바닷가는 극히 조용했다. 석양 빛 속에서 나는 주인의 수건이 놓여 있었던 바위와 그 옆 모래 위에 쓰러져 누워 있는 작은 개의 모습을 머릿속에 그려 보았다. 어둠이 점점 더 짙어지고 있었고, 나 또한 오래도록 생각에 잠겨 있었다. 내 머릿속은 여러 가지 생각으로 복잡하게 얽혀 들었다.

독자 여러분은 이런 경우를 상상해 보기 바란다. 어떤 중요한 물건이 분명히 그곳에 있는 걸 알면서도 팔이 짧아 그것을 잡지 못할 때의 그 애타는 안타까움을. 나는 바로 이런 심정으로 그 죽음의 장소에 혼자 서 있었다. 그리고는 마침내 천천히 집을 향해 걷기 시작했다.

절벽 꼭대기에 이르렀을 때 별안간 어떤 생각이 번개처럼 머리에 떠올랐다. 그건 아마도 내가 그토록 찾아 헤매던 실마리일 수도 있었다. 왓슨이 그런 이야기를 써서 독자들 중에는 이미 알고 있는 사람도 있을 것이다. 나는 과학적인 체계는 잘 모르지만 온갖 독특한 지식들은 많이 알고 있어서, 이런 것들이 수사 활동에 아주 유용하게 쓰일 때가 많았다. 때로는 머릿속에 너무 많이 쌓여 있어서 어떤 것을 먼저 적용해야 좋을지 허둥댈 때도 많았다. 이번 사건에도 내 머릿속 정보 창고가 큰 도움을 주리라는 확신을 가졌다. 그래서 아직 막연하긴 하지만 머릿속에 떠오른 생각을 확인해야겠다고 마음먹었다. 그것은 어쩌면 허망하게 끝날 추리일지도 모르지만, 그래도 가능성은 있을 것 같았다. 나는 끝까지 추적해 보기로 했다.

나의 작은 집에는 다락방이 하나 있는데 거기엔 책이 가득 차 있다. 나는 곧장 다락방으로 올라가 한 시간 가량 책을 모조리 뒤졌다. 그러다가 마침내 초콜릿 색 바탕에 은색 글씨로 쓰여진 작은 책을 찾아냈다. 나는 기억을 더듬으며 한 페이지씩 넘겨 보았다. 그러고는 결국 가능성이 거의 없어서 믿기 어려웠던 명제가 사실이라는 게 밝혀졌다. 그러나 확실한 물증을 보기 전에는 아직 어떤 단정도 내릴 수 없었다. 내일 아침 그 물증을 찾을 생각에 나는 한동안 흥분해 있다가 늦어서야 침실로 돌아왔다.

다음 날 아침, 일을 하러 막 나가려는데 방해꾼이 하나 찾아왔다. 아침 차도 겨우 급히 마시고 서둘러 나가려던 참이었는데 서섹스 경찰서의 버들 경감이 대문으로 들어서는 것이었다. 그는 언제나 침착하고 조심스런 사람인데, 왠지 괴로운 표정으로 나를 쳐다보았다.

"선생의 수사 실적은 익히 알고 있습니다."

그가 먼저 말을 했다.

"제가 찾아온 이유는 비공식적인 겁니다. 맥퍼슨 씨 사건 때문에 아주 곤경에 처해 있거든요. 문제가 뭐냐 하면 체포를 하느냐 하지 않느냐입니다."

"아이안 머독 말인가요?"

"네, 그렇죠. 그 사람 말고 다른 누가 있겠습니까? 이곳은 워낙 한적한 마을이라 그 점에선 다행이죠. 우리는 범위를 좁혀 가면서 치밀하게 수사를 했습니다. 결국 그가 한 짓이라는 게 나온 거죠."

"확증이라도 있습니까?"

그가 조사했다는 것은 내가 한 것과 똑같은 자료들이었다. 우리는 머독의 성격과 그를 둘러싼 비밀들에 관해 이야기를 나눴다. 개 사건 때 드러났던 그의 미친 듯한 행동, 그것 때문에 맥퍼슨과 싸웠던 일, 모드 벨라미 양에 대한 맥퍼슨의 애정을 질투했을 거라는 점 등이었다. 버들 경감이 들려준 얘기들은 모두 다 내가 알고 있는 내용들이었고, 새로운 사실은 없었다. 다만 머독이 학교를 떠날 준비를 하고 있다는 얘기는 좀 구체적인 소식이었다.

"혐의가 있는 사람을 도망가게 내버려 뒀다가 나중에 무슨 일이 생기면 제 입장이 어떻게 되겠습니까?"

버들 경감의 표정으로 볼 때 그는 정말 무기력해 보였다.

나는 내가 생각한 것을 설명해 주었다.

"그런데 아주 중요한 허점이 하나 있습니다. 범행이 일어난 날 아침에 그가 알리바이를 갖고 있거든요. 그 시간에 그는 학생들과 같이 있었고, 맥퍼슨이 헐레벌떡 뛰어온 지 몇 분 후에 우리 뒤에서 쫓아왔으니까요. 그리고 또 주목하셔야 될 점은, 맥퍼슨이 힘이 엄청 좋은 사람이었다는데 범인 한 사람을 못 막아서 그렇게 무서운 폭행을 당했다는 게 믿어지지 않는 거죠. 어떤 흉기에 맞은 게 분명하다면 그 흉기가 무엇인지를 우선 알아내야 합니다."

"무슨 채찍 같은 것이나 잘 휘어지는 물건으로 때린 것 같은데요."

"상처 자국을 조사해 봤습니까?"

"네, 저도 봤지만 의사가 검시를 했습니다."

"내가 렌즈를 대고 자세히 봤는데, 보통의 채찍 자국과는 다른 점이 있었어요."

"어떤 점이 달랐는데요, 홈즈 선생님?"

나는 책상 서랍에서 확대한 사진 한 장을 꺼내며 말했다.

"나는 이럴 때 보통 사진을 이용하고 있어요."

"아주 철저하게 일하시는군요."

"이거야 기본이죠. 그 사진은 오른쪽 어깨의 채찍 자국을 찍은 건데, 이상한 점이 보이십니까?"

"아니요. 전혀 모르겠는데요."

"상처 자국의 강도가 일정하지 않죠. 그리고 내출혈 흔적이 보입니다. 여기 아래쪽 채찍 자국도 마찬가지고요. 무슨 의미인지 이해하시겠어요?"

"잘 모르겠습니다. 선생님은 아십니까?"

"알 수도 있고 모를 수도 있습니다. 좀 더 시간이 지난 뒤에 확실한 것을 말씀해 드리죠. 채찍 자국 문제만 찾아낸다면 범인은 쉽게 잡을 수 있습니다."

"이런 말을 하면 웃으실지 모르겠는데, 뜨겁게 달궈진 철사 망으로 등을 때렸다면 그 망의 겹친 부분 때문에 더 심한 자국이 생길 것 같은데요."

"기발한 생각이십니다. 그럼 작은 매듭들을 연결해서 만든 아홉 개 끈으로 된 채찍을 사용했을지도 모르겠는데요."

"아, 그러네요, 홈즈 선생님. 바로 그것 같은데요."

"버들 경감님, 다른 이유를 찾지 않을 수가 없는 게, 머독은 분명 범인이 아니니까요. 그건 확실합니다. 그리고 우리는 맥퍼슨이 마지막에 한 말 '사자의 갈기'라는 단어를 깊이 생각해 봐야 합니다."

"그게 근데, 아이안 뭐라고 한 말을 잘못 들으신 건 아닙니까?"

"저도 그런 생각을 안 해 본 건 아닙니다. 그러나 두 번째 발음이 비슷한 것도 아니고 전혀 다르니까요. 그는 비명을 지르는 것처럼 말했거든요. 그 발음은 분명 메인(갈기)이었어요."

"홈즈 선생님, 다른 무슨 방법이 없겠습니까?"

"있습니다. 그러나 확실한 증거를 잡기 전에는 아직 말씀드릴 수가 없습니다."

"그럼 언제쯤이나 알게 되겠습니까?"

"한 시간 안으로……. 어쩌면 더 빠를 수도 있습니다."

경감은 턱을 문지르며 의심스러운 표정으로 나를 쳐다보았다.

"선생님의 머릿속에 뭐가 들어 있는지 보고 싶은데요. 혹시 고기

잡이 배를 의심하는 건 아닙니까?"

"아닙니다. 배들은 시간으로 볼 때 너무 멀리 나가 있었어요."

"그렇다면 벨라미 부자일까요? 그 아들이 몸집이 크고 힘도 좋아 보이던데, 가뜩이나 그들은 맥퍼슨을 안 좋게 생각하고 있었으니까요. 그렇다고 아무리 하면 맥퍼슨을 때려 죽이기까지 했을까요?"

"그들도 아닙니다. 내 조사가 끝나기 전까지는 아무 추측도 하지 말고 계십시오."

나는 말하면서 싱긋 웃었다.

"자, 이제 각자 자기 일을 하러 갑시다. 열두 시쯤 여기로 오시면 나를 만날 수 있을 겁니다."

우리는 함께 밖으로 나가려고 일어섰다.

바로 그때 갑자기 무서운 소리가 들렸다. 대문이 우당탕 열리면서 비틀거리는 발걸음 소리가 복도를 울리더니, 아이안 머독이 쓰러질 듯 하며 방으로 들어섰다. 그는 얼굴이 파랗게 질려 있고 머리는 헝클어진 상태며 옷도 마구 뒤틀린 채 몸을 겨우 지탱하면서 바싹 마른 손으로 가구를 움켜잡았다.

"브랜디! 브랜디!"

그는 간신히 외치며 소파에 쓰러져 헐떡거렸다.

그런데 머독 혼자가 아니었다. 바로 뒤이어서 스택허스트가 모자도 쓰지 않은 채 숨을 헐떡이며 미친 사람처럼 뛰어 들어왔다.

"브랜디를 주세요! 정신 좀 차리게!"

스택허스트가 외쳐 댔다.

“지금 숨이 끊어져 가고 있어요. 여기까지 간신히 끌고 왔는데, 오다가 두 번이나 정신을 잃었어요.”

머독은 브랜디를 반 잔 정도 마시고는 정신이 약간 되돌아왔다. 그는 팔을 내뻗어 걸치고 있던 코트를 벗어 던졌다. 그러고는 절망적으로 외쳤다.

“기름 발라 주세요! 아편이나 모르핀 좀 주세요! 이 통증 좀 가라앉혀 주세요! 제발!”

경감과 나는 큰 충격에 빠졌다. 그의 벗은 어깨에 드러난 자국은 십자꼴 모양의 채찍 흔적으로, 피츠로이 맥퍼슨이 당한 그 상처와 똑같았다. 빨갛게 피가 맺힌 이상한 그물 모양이었다. 고통이 얼마나 심했는지, 그리고 상처 부분만이 아니라 얼마나 온몸이 다 아팠는지, 머독은 한참이나 숨을 못 쉴 정도로 신음을 하며 몸을 뒤틀더니 얼굴색이 시커멓게 변해 갔다. 그리고는 긴 숨을 몰아쉬며 손으로 가슴을 두드렸다. 얼굴에서는 땀이 비오듯 쏟아져 내렸다. 한순간 우리는 그가 죽는 줄 알았다. 그러나 브랜디를 계속 그의 입속으로 떨어뜨려 주자 그는 서서히 정신을 차려 갔다. 그리고 솜에 기름을 적셔서 상처를 닦아 주었더니 통증도 약간 줄어드는 듯했다. 한참 후 그는 머리를 소파에 묻고 조용해졌다. 반은 수면 상태고, 반은 실신 상태지만 어쨌든 그가 잠시나마 고통을 덜 느끼고 있는 것 같아서 다행이었다.

따라서 아이안 머독에게 도대체 어떻게 된 일인지 물을 수는 없는 형편이었다. 그러나 스택허스트가 머독이 목숨을 건질 수 있게 되었다는 것에 안도하면서 사태를 설명해 주었다.

"홈즈 씨, 이게 도대체 어찌 된 일인지 도통 모르겠습니다. 귀신이 곡할 노릇이지, 이거 원!"

"어디서 그를 발견했습니까?"

"모래밭에서요. 맥퍼슨이 죽은 바로 그 장소입니다. 이 친구도 맥퍼슨처럼 심장이 약했다면 여기까지 오지도 못했을 거예요. 오는 도중에도 몇 번이나 죽는 거 아닌가 싶었죠. 학교까진 너무 멀어서 바로 여기로 왔습니다."

"물가에 있었습니까?"

"절벽을 내려가고 있는데 비명 소리가 들려서 그쪽을 쳐다봤더니 이 친구가 물가에서 술 취한 것처럼 비틀거리고 있더라고요. 그래서 뛰어내려가 옷을 입히고 급히 여기로 데려온 겁니다. 홈즈 씨, 당신의 모든 능력을 동원해서 이 저주의 악몽을 풀어 주시기 바랍니다. 아니면 더 이상 여기서 살 수 없을 겁니다. 당신의 그 세계적인 명성만 믿겠습니다."

"곧 풀릴 겁니다. 스택허스트 씨, 같이 좀 나갑시다. 경감님도 같이 가시죠. 당신에게 살인자를 직접 넘겨 드리겠습니다."

깨어나지 못하고 있는 머독을 가정부에게 맡겨 놓고 우리 세 사람은 죽음의 바닷가를 향해 떠났다. 자갈 위에는 머독의 타월과 속옷이 놓여 있었다. 나는 물가를 걸어 보았다. 경감과 스택허스트도 내 뒤에서 한 줄로 서서 따라왔다. 웅덩이의 깊이는 얕은 편이었는데, 절벽 아래쪽은 그래도 일 미터 정도로 깊었다. 물이 워낙 수정처럼 맑아서 누구나 그곳을 보면 들어가 헤엄치고 싶은 충동을 느낄 것 같았다. 절벽 아래쪽엔 바위가 울퉁불퉁 깔려 있어서 나는 조심스럽게 걸으며 물속을 유심히 들여다보았다. 가장 깊고 물결이 잔잔한 곳까지 걸어가자, 드디어 내 눈에 그토록 찾고 있던 범인이 나타났다. 나는 소리를 질렀다.

"사이아네아다! 사이아네아 해파리! 자, 이것이 바로 그 사자의 갈기라는 것의 정체입니다."

내가 가리킨 그 이상한 물체는 사자의 갈기처럼 생긴 묘한 덩어리였다. 그것은 물속 일 미터 정도 높이의 바위 위에 노란색 머리채 같은 모양으로 들러붙어 있는데, 가운데 흰 줄이 있는 머리카락 같은 물체가 이상한 파동을 일으키며 오므려졌다 펴졌다 하면서 천천히 움직이고 있었다.

"이것이 원흉입니다. 자, 모든 문제는 이제 해결되었어요. 나를 좀 도와주시오, 스택허스트 씨! 이 살인자를 영원히 없애 버려야 되겠습니다."

나는 물가에 있는 커다란 돌을 집어들어 물속으로 냅다 던졌다. 큰 파문을 일으킨 물결이 잔잔해지더니 돌이 물속 바위 위로 가라앉는 게 보였다. 노란색 머리채가 확 펼쳐지며 떠 있는 걸 보니 돌에 맞은 게 분명했다. 곧 뭔가 기름찌꺼기 같은 것이 돌 아래서 올라오며 물이 탁해지면서 천천히 표면으로 떠올랐다.

"홈즈 선생님, 이게 뭡니까? 저는 여기서 태어나 줄곧 여기서 살았지만 이런 물체는 생전 처음 보는데요. 서섹스 지방에서 사는 생물은 아니거든요."

"맞습니다. 그런데 지난번에 불었던 남서 폭풍이 이걸 몰고 왔지요. 두 분 다 제 집으로 갑시다. 어떤 사람이 바다에서 이렇게 똑같은 위험을 당하고 자신의 경험담을 쓴 책이 있거든요."

집으로 돌아와 보니 머독의 고통은 많이 가라앉아 그는 간신히 일어나 의자에 앉을 수 있게 되었다. 그러나 아직까지는 정신도 희미하고 통증도 이따금 발작적으로 일어나 몹시 괴로운 상태였다. 그는 중얼거리듯 작은 목소리로 말했다. 물가에서 갑자기 온몸에 끔찍한 통증이 느껴지기에 죽을힘을 다해 모래밭으로 기어나간 것밖에는 아무것도 기억나지 않는다는 것이었다.

"여기 그 책이 있습니다."

나는 작은 책을 펼치면서 말했다.

"이 책이 바로 영원한 수수께끼로 남을 뻔한 비밀을 밝혀 주었습니다. 관찰가 LG 우드라는 사람의 《야외 생활》이라는 책인데요. 우드도 이 무서운 괴물을 만나 하마터면 목숨을 잃을 뻔했지요. 그래서 이 책에 보면 그의 경험담이 생생하게 표현돼 있습니다. 사이아네아 캐필라타라는 것이 그 생물체의 학명인데, 이것에 쏘이면 코브라에 물린 것보다 더 고통스럽고 생명이 위험하다고 하네요. 그럼 내가 조금만 읽어 보겠습니다.

〈바다에서 헤엄을 치다가 물속에 사자의 갈기를 한 웅큼 뜯어낸 것 같은 이상한 물체와 황갈색의 엷은 섬유막이 흐느적거리고 있는 것을 볼 때가 있을 것이다. 그건 바로 무시무시한 독

침을 가진 사이아네아 캐필라타이므로, 헤엄치는 사람들은 각별히 주의를 요한다.〉

제가 좀 더 자세한 그의 체험을 설명해 드리겠습니다. 그는 어느 날 켄트 해안에서 수영을 즐기다가 이 변을 당했는데요. 십오 미터쯤 떨어진 곳에 있어서 거의 눈에 보이지도 않는 필라멘트에서 빛을 발사하는 물체를 발견한 겁니다. 만약 그가 가까이 갔더라면 틀림없이 죽었을 겁니다. 멀리서 스치기만 했는데도 목숨을 잃을 뻔했으니까요. '온몸에 갑자기 붉은색 줄이 생겼는데 자세히 들여다보니 그 붉은 자국이 여러 군데에 수없이 많이 돋아 있었다. 그리고 자국마다 뜨겁게 달군 바늘로 콕콕 찌르는 것처럼 온 신경이 아픈데 그 고통은 이루 말할 수 없을 정도였다.' 그러면서 그는 그 부분만 아픈 게 아니라 온몸이 고통스러웠다고 얘기하고 있군요. '가슴에 통증이 오기 시작하는데, 마치 심장에 총알이 박혀 쓰러지는 것 같았다. 맥박이 끊어지고, 심장도 마지막 숨을 쉬는 것처럼 몇 번 세게 뛰었다.' 그러자 그는 넓은 바닷가에서 혼자 죽는 줄 알았다는 겁니다. 온몸이 오그라들고 정신이 하얘지면서 그다음 일은 아무것도 기억나지 않았다고 하는군요. 그는 브랜디 한 병을 다 마시고 나서야 정신을 차릴 수가 있었다고 합니다. 경감님, 이 책을 보세요. 이 책이 바로 불쌍한 맥퍼슨의 비극에 대해 충분한 설명을 해줄 겁니다."

"그러니까 제가 결백하다는 얘기군요."

아이안 머독이 겨우 정신을 차리고 씁쓸한 웃음을 지으며 말했다.

"경감님, 홈즈 선생님, 저는 두 분을 원망하지 않습니다. 제가 의심받을 만한 행동을 했으니까요. 그래서 저는 구속되면 깨끗이 자살하려고 마음먹고 있었습니다. 제 결백을 증명하려고 말이죠."

"그건 말도 안돼요, 머독. 나는 이미 단서를 잡고 있었어요. 그래서 아침 일찍 바닷가로 가서 범인을 확인한 뒤, 당신이 억울한 누명을 쓰고 있으니까 한시라도 급히 그 누명을 벗겨 주려고 했었어요."

"그런데 도대체 어떻게 아셨습니까, 홈즈 선생님?"

"나는 원래 책을 이것저것 많이 읽고 기억력도 아주 좋은 편이죠. 그런데 '사자의 갈기'라는 말이 머리에 계속 맴돌았어요. 생각해 보니까 언젠가 그걸 책에서 읽은 기억이 나더군요. 당신도 방금 들었겠지만 이건 살아 있는 생물이에요. 맥퍼슨이 물 위에 떠 있던 그 물체를 보았을 때 얼른 떠오른 형상이 바로 사자의 갈기였던 거죠. 그래서 그 위급한 순간에도 자신의 생명을 빼앗아간 괴물의 정체를 중얼거렸던 거예요."

"이제 저는 혐의가 완전히 풀렸네요."

머독이 천천히 몸을 움직이면서 말했다.

"선생님들의 수사 방향을 대충 알 것 같으니까 제가 몇 가지 설명해 드리겠습니다. 제가 그녀를 사랑했던 건 사실입니다. 그러나 그녀가 맥퍼슨을 선택했을 때 저는 마음을 다해 그녀의 행복을 위해 돕기로 결심했습니다. 그래서 저는 조용히 그들 사이에서 중개인 역할을 했습니다. 그들의 깊은 신뢰를 받고 있었기 때문에 양쪽의 편지 심부름을 해주었던 것입니다. 그녀가 늘 저한테 친근하게 대해 주어 사건이 발생한 날도 제가 먼저 가서 그녀에게 친구의 죽음을 알려줬습니다. 다른 사람이 저보다 먼저 그녀에게 가서 거친 태도로 말하면 그녀가 너무나 놀라게 될 것이 저는 두려웠습니다. 그녀가 우리의 이런 관계를 말씀드리지 않았던 건, 사실을 말한다 해도 선생님들이 믿지 않으실까 봐, 그리고 또 제가 괴로워할까 봐 그랬던 겁니다. 이제 모든 것이 밝혀졌으니까 저는 학교 숙소로 가서 좀 쉬어야겠습니다."

스택허스트가 손을 내밀며 말했다.

"나도 엄청 신경이 쓰였다네, 머독. 지나간 일은 용서하게. 그리고 앞으로 서로 이해하면서 잘 해보세."

두 사람은 친구처럼 팔짱을 끼고 나갔다. 경감이 눈을 크게 뜨고는 나를 쳐다보았다.

"홈즈 선생님, 결국 해내셨군요. 선생님에 관한 이야기를 진작부터 듣긴 했지만 잘 믿어지지 않았습니다. 그런데 정말 잘 하셨습니다!"

나는 머리를 흔들었다. 이런 찬사를 받는 게 쑥스러웠던 것이다.

"내가 처음엔 큰 실수를 했습니다. 시체가 물속에서 발견되었다면 그 실수를 하지 않았을 텐데 말이죠. 나는 그 불쌍한 친구가 물속에 들어가지 않았던 걸로 생각했었습니다. 그런데 어떻게 그게 물속 생물체의 공격 때문이란 걸 알았냐고요? 그러니까 그동안 헤매다가 이제야 간신히 해결한 거 아니겠어요. 저는 솔직히 경찰의 무능함을 이따금 비웃었는데, 이번에 경찰을 대신해서 이 사이아네아 캐필라타가 저한테 멋진 복수를 한 것 같습니다."

아서 코난 도일 연보

1859년 5월 22일 스코틀랜드 에든버러 시의 피카디 플레이스에서 공무원인 아버지 찰스 도일과 어머니 메리 도일 사이에서 둘째아들로 태어남.

1870~75년 랭카스의 예수회 학교인 스토니 허스트에서 5년 간 중등교육을 받음.

1875~76년 펠트커크에 위치한 예수회 대학에서 수학. 이후 의학 공부를 하기 위해 에든버러 대학에 입학. 에든버러 보건소 외과 의사인 조셉 벨 밑에서 수학. 은사였던 조셉 벨 교수는 독특한 유머와 날카로운 관찰력을 지닌 사람으로, 후에 셜록 홈즈의 모델이 됨.

1879년 첫 번째 이야기 〈사삿사 계곡의 미스터리〉를 에든버러의 주간지 「챔버스 저널」에 기고.

1881년 대학 졸업. 의사 자격증을 획득한 뒤 아프리카 서해안을 항해하는 화물선의 선의로 근무.

1882년 플리머스 시 교외에서 병원 개업.

1885년 루이스 호킨스와 결혼. 매독에 대한 논문으로 의학 박사 학위 취득.

1886년 전부터 동경해 오던 에드거 앨런 포와 가보리오의 영향으로 탐정 소설을 쓰기로 결심. 홈즈 시리즈 중 최초의 작품인 〈주홍색 연구〉를 완성하지만 출판사에서 출간을 원하지 않아 이듬해에 발표됨.

1889년 역사소설인 『미카 클라크』가 출간되어 인기를 얻음.

1890년 『굳건한 거들스턴』 출간. 〈네 사람의 서명〉이 「리핀콧 매거진」에 실림. 비엔나에서 안과학을 공부하기 위해 오스트리아로 떠남.

1891년 런던에서 안과 전문의로 개업했지만 경영 악화로 의사 생활을 접고 작가로 살아갈 것을 결심. 사우스노드로 거주지를 옮김. 「스트랜드 매거진」 지에 홈즈 시리즈물을 차례로 발표.

1892년 단편집 『셜록 홈즈의 모험』 출간.

1893년 루이스가 결핵 진단을 받음. 셜록 홈즈 단편이 「스트랜드 매거진」에 계속 발표된 뒤 『셜록 홈즈의 회상』이라는 제목으로 묶임. 그 중 하나가 〈마지막 사건〉으로, 코난 도일은 셜록 홈즈가 라이헨바흐 계곡에서 떨어져 죽는 것으로 설정. 아버지 찰스 도일 사망.

1894년 『붉은 등불 주위에서』 출간.

1900년 보어전쟁 당시 남아프리카로 의사를 자원하여 떠남. 『위대한 보어 전쟁』 출간. 에든버러 선거구에서 자유연합당원으로 의원 선거에 출마했으나 낙선.

1902년 기사 작위를 수여받음.

1903년 독자들의 요청으로 다시 홈즈 시리즈 집필.

1905년 마지막 단편집인 『셜록 홈즈의 귀환』 출간.

1906년 아내 루이스 사망.

1907년 9월 18일에 진 레키와 재혼. 서식스 주로 이주.

1912년 SF 소설 『잃어버린 세계』 출간.

1914년 제1차 대전이 발발하자 자원함. 홈즈 이야기인 〈공포의 계곡〉을 「스트랜드 매거진」에 연재 시작.

1916년 더블린에서 부활절 봉기 사건 반역 혐의로 처형당한 로저 케이스먼트 경의 구명 운동을 했으나 무위로 돌아감. (『잃어버린 세계』에서의 존 록스턴 경은 부분적으로는 케이스먼트 경을 모델로 함.)

1917년 「스트랜드 매거진」 지에 단문 〈셜록 홈즈 씨의 성격에 대한 소고〉 발표. 네 번째 단편집인 『셜록 홈즈의 마지막 인사』 출간.

1927년 다섯 번째 단편집인 『셜록 홈즈의 사건집』 출간.

1930년 7월 7일, 크로버러 자택에서 사망함.